collection
idéelles

dirigée par
nicole brossard et andrée yanacopoulo

D1496268

L' HISTOIRE DES FEMMES AU QUÉBEC

DEPUIS QUATRE SIÈCLES

Clio est la muse de l'histoire

Le Collectif Clio se compose de quatre historiennes qui ont tenté de dire l'histoire autrement. Micheline Dumont est professeure au Département d'histoire de l'Université de Sherbrooke. Michèle Jean est andragogue au cégep Bois-de-Boulogne à Montréal. Marie Lavigne est directrice du Bureau de la condition de la femme au travail au gouvernement du Québec. Jennifer Stoddart est directrice de la recherche au Conseil consultatif canadien de la situation de la femme.

Auteures de nombreux articles, elles ont également publié les ouvrages suivants:

Micheline Dumont-Johnson, « Histoire de la condition de la femme dans la province de Québec » dans Labarge, Johnson et MacLellan, *Tradition culturelle et histoire politique de la femme au Canada*, Études préparées pour la Commission royale d'enquête sur la situation de la femme au Canada, no 8, Ottawa, 1971.

Michèle Jean, *Québécoises du XXe siècle*, Textes choisis et présentés, Montréal, Éditions du Jour, 1974.

Marie Lavigne et Yolande Pinard, éd., *Les Femmes dans la société québécoise*, Collection « Études d'histoire du Québec », no 8, Montréal, Boréal-Express, 1977.

Le Collectif Clio

L' HISTOIRE DES FEMMES AU QUÉBEC
DEPUIS QUATRE SIÈCLES

Micheline Dumont
Michèle Jean
Marie Lavigne
Jennifer Stoddart

Quinze

ASSOCIATION DES FEMMES COLLABORATRICES
14 ABERDEEN
ST-LAMBERT, QUÉ.   J4P 1R3

Illustration de la couverture : Suzanne Duranceau
Maquette de la couverture : Gaétan Forcillo
Maquette intérieure : Jean-Guy Fournier

LES QUINZE, ÉDITEUR
(Division de Sogides Ltée)
955, rue Amherst, Montréal
H2L 3K4
tél. : (514) 523-1182

Distributeur exclusif pour le Canada :
AGENCE DE DISTRIBUTION POPULAIRE INC.
(Filiale de Sogides Ltée)
955, rue Amherst, Montréal
H2L 3K4
tél. : (514) 523-1182

Copyright 1982, Les Quinze, éditeur
Dépôt légal, 4e trimestre 1982
Bibliothèque nationale du Québec

ISBN 2-89026-309-6

à
Françoise, Hillary,
Juliette, Lucile,
nos mères.

Introduction

Anne, sept ans, était assise dans le coin de la cuisine et cherchait ses aïeules. Comme si elle récitait une comptine, elle énumérait : « Ma mère s'appelle Juliette, la mère de Juliette est Rebecca, la mère de Rebecca est Maria, la mère de Maria est Émilie... » puis elle a oublié la suite.

— Dis, maman, c'est qui la mère d'Émilie ?

— Dis, maman, elle faisait quoi la mère d'Émilie ?

Comme des milliers d'enfants, Anne jouait à remonter le temps. Quand, à l'école, on lui apprendrait l'histoire, personne ne pourrait lui dire ce qu'Émilie, son arrière-arrière-grand-mère avait fait. On ne lui parlerait que des grands hommes qui avaient marqué le cours de l'histoire. Si elle avait été assez audacieuse pour s'informer des femmes qui avaient participé à cette histoire, on lui aurait énuméré fièrement la petite liste des femmes célèbres, de Marguerite Bourgeoys à Thérèse Casgrain. Si elle avait osé demander si Émilie, son aïeule, faisait partie elle aussi de l'histoire, on lui aurait probablement répondu : « Pourquoi faudrait-il qu'Émilie soit dans l'histoire ? A-t-elle fait quelque chose de spécial ? » Pour les historiens, Émilie n'avait pas de signification historique. Elle avait simplement vécu sa vie et était donc historiquement « in-signifiante ».

Si nous avons pensé écrire une synthèse de l'histoire des femmes qui ont vécu au Québec depuis quatre siècles, c'est qu'aucune de nous quatre n'acceptait l'idée que les centaines de milliers d'Émilie aient été in-signifiantes. Nous n'acceptions pas non plus que les femmes soient ainsi désappropriées de leur histoire. Enfin, aucune de nous quatre n'acceptait qu'on nous fasse passer pour l'histoire collective de toute une population, ce qui n'était en fait que l'histoire de sa mâle moitié et de quelques-uns de ses plus illustres représentants. Les femmes avaient aussi fait l'histoire ; il fallait les retrouver, identifier les points d'occultation et replacer les faits dans leur perspective véritable.

9

Pour intégrer les femmes à l'histoire, nous ne partions pas de zéro. Depuis une vingtaine d'années, les travaux en histoire sociale, rurale ou urbaine, et plus récemment les recherches sur l'histoire des ouvriers et des femmes, se sont multipliés. Il devenait important de rassembler les informations éparses que nous savions repérer soit dans les livres, thèses, revues spécialisées, et qui n'étaient accessibles qu'à des « rates » de bibliothèque. Malgré les efforts des récentes générations d'historiens pour reconstituer l'histoire des anonymes, il reste d'immenses trous dans notre mémoire collective, particulièrement en ce qui concerne les femmes. Ainsi, le rôle historique des autochtones et des immigrantes a fait jusqu'à présent l'objet de très peu de recherches. La place limitée qui leur est donnée dans cette synthèse est tributaire de l'état actuel des connaissances et ne reflète donc pas la place qu'elles ont réellement tenue dans notre histoire.

Un problème similaire se pose pour les milliers de paysannes, d'ouvrières et de mères de famille qui n'ont rien fait de « spécial », si on les compare aux héroïnes, aux fondatrices de communautés religieuses ou aux féministes. Elles n'ont pas laissé d'écrits ou si elles l'ont fait, on en trouve peu de traces. C'est donc souvent à travers les changements susceptibles d'affecter l'organisation du travail domestique ou encore à travers les modifications dans la taille et la fonction des familles qu'il a fallu imaginer leurs vies.

Reconstituer quatre siècles d'histoire, c'est un peu comme assembler une courtepointe. L'image qui ressort dépend des morceaux de tissus qu'on a et de la façon dont on a choisi de les assembler. Nous avons choisi d'assembler les divers morceaux de cette histoire en dehors des allées toutes masculines que l'on trouve habituellement dans les livres d'histoire, ces allées qui se nomment la traite des fourrures, la guerre, la responsabilité ministérielle, la construction des chemins de fer. Nous ne retrouvons aucune mémoire des femmes dans ces « dates importantes ». Cette histoire se dessine donc sur un temps différent. Qu'en est-il des changements dans la façon de naître, de grandir, d'accoucher, de travailler ? Ces questions ont davantage retenu notre attention que les changements de gouvernements... Nous étions également à la recherche de jalons qui fassent état de toutes les femmes et non seulement des premières à pénétrer dans les bastions masculins. C'est pourquoi nous avons souvent choisi de reconstituer cette histoire à partir de traits communs dans la vie des femmes.

Il sera question de sujétion mais aussi de libération. Nous parlerons d'égalité (ou plutôt d'inégalité) mais aussi de différence.

Nous parlerons de contrainte mais aussi d'accomplissement. Nous avons tenté de reconstituer le passé collectif des femmes tel qu'il était, mais en posant toujours la même question : Pourquoi en était-il ainsi ?

Si le rythme de la vie des femmes nous a semblé différent des étapes habituellement retenues dans les livres d'histoire, il n'en demeure pas moins que les femmes ont eu à subir ou ont participé aux événements de l'histoire dite générale. C'est pourquoi, en début des sections de ce livre, nous avons rappelé les éléments d'histoire générale nécessaires à la situation temporelle de l'histoire des femmes. Enfin, comme il s'agit d'un ouvrage de synthèse, nous avons limité les notes (en fin de chapitre) à quelques citations de personnages historiques, des femmes surtout. La liste des travaux des historiennes et historiens sur lesquels nous nous appuyons se retrouve à la fin de chaque section.

Au terme de cette entreprise qui a duré 36 mois (4 fois 9 mois... mais c'est une pure coïncidence), nous aimerions raconter l'histoire de notre livre. Nous nous contenterons toutefois de l'essentiel. Joanne Daigle a fait pour nous de nombreuses recherches dans les archives pour éclairer les coins qui étaient vraiment trop sombres. Louise Dechêne, Alison Prentice, Paul-André Linteau et Agnès Bastin nous ont communiqué de nombreux et précieux commentaires. Solange Lettre, Nicole Brossard, Monique Roy et Suzanne Cloutier nous ont fourni encouragements et enthousiasme. Pauline Léveillée, Sarah Porter, Pauline Vaillancourt, Jacqueline Perrault et Louise Rousseau ont dactylographié les multiples versions du manuscrit. Nos enfants, nos conjoints se sont passés de nous de si nombreux samedis et dimanches que nous avons renoncé à les compter. À chacune, à chacun, nos plus sincères mercis.

Micheline Dumont
Michèle Jean
Marie Lavigne
Jennifer Stoddart

LES COMMENCEMENTS
1617-1701

Le 16e siècle est le siècle des grandes explorations qui révèlent à l'Europe les territoires alors inconnus de l'Amérique, de l'Afrique et de l'Asie. Deux grands empires coloniaux sont alors constitués: l'Empire espagnol et l'Empire portugais. La France, attirée également par ces territoires, envoie des explorateurs sillonner les mers. Les voyages de Jacques Cartier, de 1534 à 1541, représentent une des tentatives de la France en Amérique du Nord. Ce n'est toutefois qu'au 17e siècle que de nouveaux empires coloniaux se constituent: la France et l'Angleterre se disputent alors l'Amérique du Nord.

On doit la Nouvelle-France à l'initiative d'un géographe-colonisateur, Samuel de Champlain, et à l'intérêt du roi de France, Henri IV. Champlain réussit, après plus de 60 ans, à donner suite aux découvertes de Jacques Cartier en 1534. L'établissement de Québec, fondée en 1608, peut se maintenir parce que la Nouvelle-France s'est révélée un réservoir considérable d'une denrée précieuse: les fourrures. Son économie se trouve ainsi basée sur l'exploitation d'un seul produit. La colonie est également coupée des grandes voies maritimes six mois par année, à cause de sa situation intérieure sur le fleuve Saint-Laurent. La Nouvelle-France constitue donc une colonie sans envergure et cela, en dépit de l'étendue considérable du territoire exploré, des bouches du Mississippi à la baie d'Hudson.

Au 17e siècle, l'histoire de la Nouvelle-France se caractérise par quelques constantes. Tout d'abord, l'opposition des marchands faisant la traite des fourrures vient contrarier les efforts de ceux qu'intéresse l'établissement d'une colonie de peuplement. Ces efforts sont également ralentis par l'opposition systématique d'une tribu amérindienne, les Iroquois. Ces derniers maintiennent une guerre d'embuscade durant tout le 17e siècle et éliminent les alliés des Français, les Hurons.

Par ailleurs, on observe durant au moins une génération, soit de 1635 à 1665 environ, l'implication directe de sociétés religieuses dans l'entreprise de colonisation. On a pris l'habitude de nommer cette période: l'épopée mystique. Cette période est d'autant plus remarquable qu'elle coïncide avec un désintérêt très marqué des autorités françaises pour cette colonie.

Toutefois, à partir de 1663, le roi Louis XIV dote sa colonie d'institutions centralisées et on observe durant une dizaine d'années, soit durant l'intendance de Jean Talon, un progrès notable de l'immigration, de l'exploration et du développement économique. Le mode de peuplement et d'attribution des terres, instauré dès 1628, est alors en pleine expansion: c'est le régime seigneurial.

Ce progrès bien relatif fait cependant contraste avec celui des colonies anglaises installées sur les rives de l'Atlantique. Ces colonies ont un rythme d'accroissement considérable et leur population augmente 25 fois plus rapidement que celle de la Nouvelle-France. Ce voisinage engendre rapidement une opposition entre les deux métropoles pour la possession et le contrôle des territoires de l'intérieur. Comme les colonies anglaises sont alliées avec les Iroquois, les conflits sont nombreux.

Tous les éléments de cette conjoncture font que la Nouvelle-France possède un visage bien particulier durant tout le 17e siècle. C'est l'époque des commencements, alors que toutes les énergies sont mises à contribution. Chacune et chacun peut tenter sa chance de sortir de la misère, de laisser libre cours à ses projets religieux ou encore de faire fortune. Dans un nouveau pays sans frontières, des femmes de toutes les classes sociales viennent relever le défi.

I

L'époque héroïque

Les hommes d'abord

Pendant plus d'un quart de siècle, en Nouvelle-France, il n'y a pas de place pour les femmes européennes. Québec n'est qu'un comptoir estival où s'affairent des marins, des marchands, des engagés, des soldats, des interprètes et des Amérindiens. Cet environnement est résolument masculin. Les Françaises sont considérées par Champlain comme des bouches superflues.

D'ailleurs, tout près du premier poste se trouvent des campements amérindiens. Ces tribus vivent sur le territoire américain depuis des millénaires. On ignore dans quelles circonstances se sont produits les premiers contacts entre Blancs et Amérindiennes. Les premiers documents, ou bien ne parlent pas de ce sujet jugé scabreux, ou bien sont le fait de voyageurs enclins à vanter leurs prouesses, ou bien sont écrits par des missionnaires scandalisés de la conduite des Français. Il semble que, dès l'origine de la colonie, les hommes profitent de ce qu'ils perçoivent comme la liberté sexuelle des Montagnaises et des Algonquines. Cette situation, ainsi que la nature même du comptoir de Québec voué exclusivement au commerce des fourrures, retarde le moment où on aura besoin des femmes françaises.

En 1617, arrive une première famille française, celle de Marie Rollet et Louis Hébert. À vrai dire, jusqu'en 1634, date véritable du début du peuplement, cette famille est presque la seule à demeurer en permanence à Québec et à posséder une maison. Cette famille est à la fois typique et exceptionnelle. Ainsi, Marie Rollet collabore étroitement au métier de son mari, apothicaire, comme cela se fait régulièrement au début du 17e siècle. Ils sont les seuls spécialistes en médecine de ce poste isolé, ce qui n'empêche pas leur fille Anne de mourir en donnant naissance à son premier enfant. C'est malheureusement le lot de nombreuses femmes de cette époque. Leur seconde fille, Guillemette Hébert — femme de Guillaume Couillard —, eut dix enfants, situation fréquente dans l'Ancien Régime.

Ce qui est exceptionnel toutefois, c'est que les filles aînées de Guillemette se soient mariées à l'âge de 11 et 12 ans. D'un certain côté, cela ne doit pas surprendre. Champlain n'avait-il pas épousé une fillette de 12 ans, Hélène Boullé, pour investir l'argent de sa dot dans l'entreprise de la Nouvelle-France ? Mais ces mariages désassortis sont peu courants et surviennent surtout dans la classe aisée de la société. Dans les classes populaires, il est plutôt coutume de retarder l'âge du mariage pour des motifs à la fois économiques et contraceptifs. Mais en Nouvelle-France, durant les deux premières générations, la pénurie de femmes rend fréquents ces mariages de fillettes impubères.

La dot

(se prononce dotte)

« La dot est un bien qu'une femme apporte en se mariant », dit le *Robert*. Cette définition demande des éclaircissements. La dot est la preuve que la relation entre les sexes a toujours été monnayée. Elle peut être constituée de biens ou d'argent. La dot n'a pas toujours la même fonction. Dans les sociétés primitives, la dot est payée au père par le mari car la femme est considérée comme un apport économique certain. Dans les classes supérieures, la dot est payée au mari par le père car la femme est considérée comme une charge. Par ailleurs, la dot est parfois payée par un tiers. Ce sera le cas, en Nouvelle-France, pour les « filles du roy ». La dot subsiste toujours aujourd'hui sous des formes variées, le trousseau de l'épouse étant la plus employée.

Autre trait original, la famille Hébert-Couillard est très étendue : elle accueille des Amérindiens, entre autres les petites Montagnaises Charité et Espérance que Champlain avait adoptées. Elle accueille également un petit Noir de Madagascar arrivé à Québec avec les navires des Kirke, ces aventuriers qui ont tenté de contrôler la colonie française de 1629 à 1632. Il a été le premier « esclave » de la Nouvelle-France, mais tout indique qu'il est considéré comme un domestique car l'esclavage ne sera autorisé qu'au début du 18e siècle. D'ailleurs, parmi ses nombreux domestiques, la famille Hébert-Couillard compte des Amérindiens. Les Jésuites trouvent cette maisonnée passablement turbulente et indépendante. Mais on est bien content de pouvoir aller chez Marie Rollet pour le banquet qui marque le premier baptême d'un Amérindien, banquet où on consomme 56 oies sauvages, 30 canards, 20 sarcelles et quantité d'autre gibier.

Mais qu'est-ce qu'une seule famille dans une entreprise de colonisation ?

Les Amérindiennes au 17e siècle

Autour des premiers Français qui arrivent vivent les représentants de deux grandes catégories d'Amérindiens : les peuples chasseurs-cueilleurs et les peuples horticulteurs. Les chasseurs sont le plus souvent nomades et forment la grande famille algonquine qui compte de nombreuses tribus. Les principales sont les Abénaquis, les Outaouais, les Algonkins, les Micmacs, les Montagnais, les Nascapis, les Cris. Elles habitent le territoire du Québec actuel ainsi que les forêts avoisinant l'Atlantique. Les horticulteurs, semi-sédentaires, ont des installations plus durables. Ils cultivent le maïs, la citrouille, le tabac, la fève et le tournesol. Ces peuples sont de la famille des Hurons-Iroquois. Leur territoire est la vallée du Saint-Laurent au 16e siècle et la région des Grands-Lacs après le début du 17e siècle.

Or, les femmes de ces peuples ont un mode de vie comme les Européens n'en n'ont jamais vu. Les Iroquoises en particulier vivent dans une organisation sociale qu'elles semblent dominer. Le Jésuite Lafiteau dira d'elles, un siècle après l'arrivée des Blancs : « Rien cependant n'est plus vrai que cette supériorité des femmes. Ce sont elles vraiment qui composent la nation ; et c'est par elles que se perpétuent la noblesse du sang, la race et les familles. Ce sont elles qui détiennent le pouvoir véritable. La terre, les champs, les récoltes, tout leur appartient... Les enfants sont leur propriété et c'est par leur sang que l'ordre de succession est transmis[1]. » Les Européens se retrouvent donc devant une société matrilinéaire, c'est-à-dire une société où la descendance s'établit de mère en fille. Ils observent une société matrilocale où c'est l'époux qui quitte sa famille natale et qui fait désormais partie de la famille de sa femme. Les hommes, chasseurs ou guerriers, sont absents pour de longues périodes. La majeure partie de la subsistance est assumée par le travail de culture des femmes.

En plus de leur grande importance pour la survie du groupe, les femmes détiennent de réels pouvoirs politiques. Les matrones, doyennes de lignées matrilinéaires, élisent et déposent les Anciens du Conseil, l'organisme suprême qui réglemente la tribu. L'admissibilité héréditaire à ce conseil est transmise par les femmes. Certains anthropologues pensent que les femmes ont également droit de veto en matière de paix et de guerre.

L'autre grande famille, les Algonquins, est plus difficile à caractériser car les variations peuvent être nombreuses d'une tribu à l'autre. Néanmoins, les travaux les plus récents permettent d'affirmer que chez les peuples chasseurs et ramasseurs, l'organisation politique et sociale est peu structurée. On a pu également contester les premiers travaux anthropologiques qui partaient des prémisses suivantes: la supériorité de l'homme est innée, dans une société de chasseurs, l'homme est le plus important sur le plan économique. Au contraire, on est en train de constater que, dans ces tribus, le ramassage et la cueillette sont plus importants que la chasse pour assurer la subsistance. Quelques études avancent même une proportion de 60 à 80 p. 100 pour déterminer l'apport des femmes à la subsistance. De plus, Eleonor Leacock qui a étudié les Montagnais et les Nascapis en s'inspirant notamment des écrits des missionnaires jésuites, a trouvé d'excellents arguments en faveur du principe de résidence matrilocale.

Par ailleurs, les moeurs sexuelles des Amérindiens sont très différentes de celles qui ont cours en Europe au 17e siècle. Les femmes, notamment, sont très libres avant leur mariage. Le divorce se fait sur consentement mutuel. Chez les peuples chasseurs, la polygamie est fréquente. Cette grande autonomie des Amérindiennes face à la sexualité et au mariage a d'ailleurs constitué un grand sujet de scandale pour les missionnaires, habitués à tout juger du point de vue de leur statut d'Européen et de catholique. Pour eux, la conversion implique l'introduction du concept européen d'autorité civile. C'est pourquoi les missionnaires tentent d'imposer les structures familiales européennes qui comprennent l'autorité masculine, la fidélité féminine et l'interdiction du divorce. En réalité, toute l'éthique et la structure sociale des sociétés amérindiennes sont organisées autour de l'autonomie personnelle, alors que les sociétés européennes du 17e siècle sont basées essentiellement sur la soumission à l'autorité. Le scandale des missionnaires dissimule donc une incompréhension totale de la société amérindienne.

Autre fait à noter, dans leurs échanges avec les Européens, les Amérindiens ont vite fait de déterminer lesquelles ils veulent, parmi les marchandises offertes. En premier lieu, leur préférence va aux casseroles et ustensiles en métal, aux couvertures et, bien entendu, aux armes à feu. Il n'est pas indifférent de rappeler que la plus grosse partie de ces marchandises concerne la production artisanale et le travail quotidien des femmes.

Au bout du compte, on doit penser que, dans le choc des cultures qui a caractérisé l'arrivée des Européens en Amérique du Nord, ce sont les femmes amérindiennes qui ont été le plus directement touchées; leur expérience artisanale s'est trouvé confrontée à l'introduction de produits « tout faits ». Leur statut familial et personnel s'est trouvé bouleversé. Leur pouvoir politique a été remis en question et contesté.

Vivre dans une cabane

En 1634, commence l'arrivée des colons, des hommes surtout, quelques familles et de rares jeunes filles qui trouvent aussitôt mari. Mais la progression est très lente durant plus de 30 ans. Il est presque impossible aux familles les plus aisées de conserver des filles comme domestiques. Même si on leur fait signer des contrats, elles désertent pour se marier. Les premiers procès civils sont justement des poursuites contre des femmes domestiques qui ont brisé leur contrat pour se marier. Les domestiques sont plutôt de jeunes gens célibataires. On célèbre, en moyenne, trois ou quatre mariages par année, et il naît dans le même temps une dizaine d'enfants. Le modèle familial créé par la famille Hébert-Couillard est parfois imité. Quelques familles de colons accueillent donc volontiers des domestiques amérindiens, des Algonquins le plus souvent, une vieille femme qui s'occupe des enfants ou un adolescent qui pourvoit à la chasse. D'autres familles adoptent des enfants amérindiens qu'on ne traite pas tout à fait comme les enfants naturels de la famille. La proximité des campements indigènes et l'état de guerre permanent créé par la menace iroquoise tissent entre les deux communautés ethniques des liens suscités par le besoin qu'elles ont l'une de l'autre.

Ces Amérindiens transmettent leurs connaissances pratiques pour un habillement, une pharmacopée, une nourriture et des moyens de transport adaptés aux rigueurs de l'hiver, aux nuées de moustiques printaniers et à la vie en forêt. Mais on a peu de renseignements précis sur cette cohabitation passagère. Il semble qu'elle n'ait existé qu'au tout début, alors que la population française était moins nombreuse que la population amérindienne installée près des postes.

Les Françaises doivent apprendre à tirer du mousquet et à participer aux corvées. Quand chaque famille s'installe dans sa « maison », les tâches habituellement réservées aux hommes sont accomplies sans distinction de sexe : défricher, brûler, piocher, construire, récolter, écorcher des peaux, calfeutrer. Chaque nouvelle installation de colons demeure très rudimentaire. Ce n'est qu'à la deuxième ou troisième génération qu'une famille peut améliorer son ordinaire. On en a un exemple dans la liste des biens laissés par Marie Poulliot et Anthoine Mondin après 13 années de « trimage » sur leur terre de l'île d'Orléans. Dans la maison, une pauvre cabane, on trouve comme seuls ustensiles, « 1 marmite sans couvercle ni cuiller, 1 chaudière de cuivre, 1 poêle à frire, 1 gril, 2 vieilles couvertures » et pas un seul vêtement de rechange. Aucun meuble : le lit et la table sont accrochés grossièrement au mur. Dans un hangar, « 2 minots de pois, 20 minots de blé en gerbe, 1 minot d'orge. Dans un autre hangar, 2 jeunes boeufs, 1 vache de huit ans, un demi-baril de lard et un cent et demi (*sic*) d'anguilles, 6 ou 7 livres de beurre, 4 livres de graisse et 60 bottes de foin. On trouve comme seuls outils de travail, une paire de courroies, 1 fusil, 2 haches, 1 houe, 1 faucille et une vieille paire de raquettes[2]». Ce couple, en 13 ans, a réussi à défricher 19 arpents de terre labourable et abattu 6 arpents de bois. On imagine la vie fruste de cette famille, sans vaisselle, sans meubles et sans même un coffre de rangement. Cette vie est celle de la majorité des femmes qui sont venues en Nouvelle-France les premières années. Leurs enfants dorment par terre, sur des paillasses et des « lits de quenouilles », enroulés dans des couvertures de poils de chien, des peaux d'ours, d'orignal ou de boeuf. Bref, au 17e siècle, pour la grande majorité des gens, la vie quotidienne est caractérisée par ce qui nous semblerait aujourd'hui un grand dénuement.

Dénuement aussi dans le vêtement et la nourriture, ainsi que le montre l'inventaire cité plus haut. Seuls quelques privilégiés ont des vêtements de rechange de sorte qu'« il ne reste rien à comptabiliser au regard des habillements de la défunte dont la meilleure partie est demeurée à l'Hôtel-Dieu de Québec. Le restant a été employé en vêtements des petits enfants mineurs[3] », lit-on dans un inventaire après décès. En fait, le linge apporté de France doit servir de nombreuses années et les femmes ne cousent guère que leurs robes et les chemises. Pendant les premières décennies, tout le reste est importé de France, tout fait, et les vêtements des personnes décédées s'arrachent à prix d'or. Au 17e siècle, les rouets et les métiers à tisser ne sont pas encore en action, ce qui explique que certains administrateurs jugent les femmes paresseuses durant l'hiver.

Côté nourriture, on l'a vu, la frugalité est de mise : pois, pain de blé ou d'orge, lard, anguilles. Mais la chasse apporte son supplément de protéines, ce qui fait que la population jouit d'une meilleure santé qu'en France. Les femmes, notamment, sont plus robustes, meurent moins souvent en couches et, si elles résistent aux premiers accouchements, ont une longévité remarquable.

Néanmoins, les tâches domestiques sont réduites au minimum, faute de meubles à astiquer, de vaisselle à laver, de carreaux à nettoyer, de viande à saler ou de draps à piquer. Certes, les tâches de ménage, de couture et de cuisine sont dévolues aux femmes. Mais la sphère d'action des femmes touche en même temps largement celle des hommes, aux champs et dans la broussaille. Bien entendu, le chevauchement est à sens unique. Une femme peut tout faire mais un homme ne touche à rien dans la maison. Ils s'étaient pourtant débrouillés avant l'arrivée des femmes ! Le mariage, on le sait, a comme conséquence de délivrer les hommes de certaines obligations domestiques. Les femmes de colons, moins occupées à l'intérieur de la maison, sont donc durement mises à contribution. Et les hommes peuvent partir : la marmite bout ! C'est pourquoi on attend surtout « des filles de villages, propres au travail comme des hommes », affirme Marie de l'Incarnation. Au 19e siècle, au 20e siècle, les responsables de la colonisation ne penseront pas autrement.

Le 17e siècle se présente donc comme une époque exceptionnelle sur le plan du travail des femmes. Les femmes du 20e siècle interprètent souvent ce phénomène comme un exemple d'épanouissement et de libération. Mais certaines de ces femmes devaient vraisemblablement vivre ces circonstances comme une anormalité. Assumer les tâches « masculines » en plus de voir aux tâches « féminines » leur semblait un lourd fardeau. Les rares témoignages de femmes font ressortir leur anxiété devant une situation où elles sont loin des modèles familiers. C'est pourquoi la secrète nostalgie de chacune est d'avoir perdu les « douceurs de la France ».

D'ailleurs, on est loin, au 17e siècle, de l'entreprise familiale qui se suffit à elle-même. « Sans le commerce, le pays ne vaut rien. Il peut se passer de la France pour le vivre mais il en dépend entièrement pour le vêtement, pour les outils, pour le vin, pour l'eau-de-vie et pour une infinité de petites commodités », écrit Marie de l'Incarnation.

Ce sont des femmes, en majeure partie, qui font fonctionner ces petits commerces : tissus, vêtements, fourrures, eau-de-vie, ustensiles. Un procès retentissant, dans la région de Trois-Rivières en 1666 à propos de la vente de l'eau-de-vie, nous apprend que ce sont des femmes qui dirigent le plus important comptoir de la région et qu'elles sont habiles à déjouer les mesures administratives pour faire prospérer leur négoce. Il est courant, au 17e siècle, que « les femmes de marchands apprennent à tenir les livres, à gérer le commerce en l'absence de leur mari », et ces absences sont fréquentes. Les femmes prennent part aux décisions familiales, accompagnent leur mari chez le notaire lorsqu'il y a aliénation d'immeubles, signature de bail, mise en apprentissage d'un enfant. Ce ne sont pas là des traits exceptionnels dans les sociétés de l'Ancien Régime, surtout dans les classes populaires, nous apprend l'historienne Louise Dechêne.

Les femmes d'artisans, les veuves, joignent les deux bouts en tenant des auberges, des cabarets. C'est une occupation attirante qui procure des profits faciles : dépouiller les Amérindiens, enivrer les soldats et les domestiques, servir des chopines durant la messe du dimanche et, dans certains cas, transformer clandestinement le cabaret en tripots ou en lieux de débauche. Quelques-unes de ces cabaretières se livrent à la prostitution ainsi que leurs filles ou leurs domestiques. En Nouvelle-France comme partout ailleurs, les deux métiers sont souvent liés. Mais les maquerelles qui défraient la chronique judiciaire sont très peu nombreuses.

Il est extrêmement difficile de se représenter le cadre de la vie quotidienne au 17e siècle. Les Américains ont un concept intéressant pour le décrire : la « vie de frontière » qui nous est devenu familière grâce au cinéma. Cette image ne coïncide pas tout à fait avec la Nouvelle-France des débuts, mais les correspondances sont nombreuses. L'étude des procès civils atteste une participation des femmes à presque toutes les occupations sociales. Par ailleurs, celle des procès criminels nous présente toute une galerie de femmes déterminées, fortes en gueules, habiles à inventer des injures, promptes à se défendre et à manier le tisonnier en cas de disputes, et enclines à voler et à blesser si la nécessité l'exige. Ce climat de violence immanente est une caractéristique de tous les premiers établissements. La Nouvelle-France ne fait pas exception et les femmes sont au centre du tableau. Dans un décor fruste, âpre, presque sauvage, la vie est difficile mais cette difficulté est tempérée par l'espoir de s'en sortir.

Jeanne Enard, veuve Crevier

Jeanne Enard, épouse de Christophe Crevier, est arrivée aux Trois-Rivières en 1639. Elle se signale très tôt par son esprit d'entreprise et sa maison devient le pivot d'un commerce florissant, le trafic de l'eau-de-vie aux Amérindiens. Avec le temps, elle établit un véritable réseau. Ses domestiques et ses fermiers servent d'intermédiaires. Elle organise elle-même plusieurs voyages de traite. Ses victimes sont les Amérindiens réunis au Cap-de-la-Madeleine par les Jésuites pour les soustraire aux mauvaises influences des Français. Le Jésuite Gabriel Druillette exigera en 1666 une enquête sur ses entreprises. À ce procès, des Amérindiens viendront présenter d'émouvants témoignages sur les atrocités qu'ils commettent après avoir bu « l'eau-de-feu ». Jeanne Crevier, cynique et dominatrice, nie toute responsabilité dans ces excès. Ses appuis lui assureront l'impunité.

Le voisinage des tribus amérindiennes

Dernier élément de ce décor, la menace iroquoise. Au 17e siècle, le cadre de vie en est profondément marqué. Cette menace permanente oblige parfois les colons à passer de nombreuses semaines à l'intérieur des forts, surtout à Trois-Rivières et à Montréal, délaissant défrichements et cultures. Même les tâches domestiques habituelles sont abandonnées ; tous, Français et Indigènes de passage, vivent des réserves venues de France ou des fricots préparés au fort dans des marmites communes. Ces scènes sont fréquentes entre 1642 et 1666. On a dénombré 290 personnes tuées ou capturées par les Iroquois durant cette période, soit plus de 10 p. 100 de la population. Après une accalmie provisoire d'une vingtaine d'années, la guerre reprend et chaque établissement se sent menacé. Les récits d'agression entretiennent un climat qui n'a rien de réconfortant.

Durant les premières années, soit de 1634 à la fin du 17e siècle, cet ensemble de circonstances rend la vie des femmes de la Nouvelle-France passablement différente de celle des Françaises de la même époque. C'est là le résultat, non pas d'une idéologie particulière, mais de la pénible nécessité où se trouve réduit l'ensemble de la population. Le voisinage et l'exemple des Amérindiens jouent probablement aussi sur ce plan, car les colons, si misérables soient-ils, voient à leurs côtés une population plus démunie encore. L'image qu'ils ont d'eux-mêmes s'en trouve transformée. Les femmes, notamment, trouvent leur sort plus enviable que le lot de celles appelées les « sauvagesses ». Même si les Amérindiennes pratiquent une grande liberté sexuelle avant leur mariage, cela n'est pas perçu comme un avantage par les Françaises. Il faut comprendre ici que les Françaises du 17e siècle ne pouvaient observer les Amérindiennes avec les yeux des anthropologues d'aujourd'hui. Elles sont beaucoup plus sensibles aux lourds travaux accomplis par les femmes qu'à leur influence dans les conseils et les clans familiaux, et elles endossent la moralité chrétienne pour juger sévèrement les « sauvagesses ».

On compte peu de vrais mariages entre Blancs et Amérindiens. Certes, il y a des « mariages » dans les territoires de traite. Chez les Hurons, notamment, on souhaite sceller par des liens familiaux les liens politiques qui unissent Français et Hurons. C'est pourquoi chaque Français est adopté par une famille et se voit présenter une « épouse », y compris les missionnaires qui en éprouvent beaucoup d'embarras. Ce sont eux également qui tentent de « marier » les Français avec des Huronnes, notamment, leurs propres domestiques afin d'éviter le scandale. Mais cette politique a très peu de succès.

Par ailleurs, les Amérindiennes qui se plient à ces unions y perdent sur tous les tableaux. D'abord, seules les adolescentes sont recherchées et les hommes méprisent ouvertement celles qui ont dépassé la vingtaine. Elles sont donc abandonnées facilement et elles s'attirent finalement la désapprobation des membres de leur clan. Quelques-unes se livrent à la prostitution, phénomène social étranger aux tribus d'Amérique du Nord avant l'arrivée des Blancs.

Dans certaines missions, pour les châtier, les missionnaires leur font raser la tête.

En général, les femmes sont plus difficiles à convertir que les hommes. Plusieurs raisons peuvent expliquer cette résistance féminine : leurs liens plus étroits avec les rites religieux de leurs tribus respectives, leurs réticences à adopter la morale catholique et la perte du statut qui est le leur lorsqu'elles endossent les prescriptions des missionnaires. Dans cette perspective, le culte voué à Kateri Tekakwitha, le « Lys des Agniers », morte en odeur de sainteté en 1680, prend un sens différent. Cette vierge iroquoise venait racheter, en quelque sorte, la conduite dite licencieuse des Amérindiennes, si sévèrement jugée par les missionnaires. Ce n'est pas par hasard que les autorités religieuses et politiques ont assuré la publicité de ce culte dès la fin du 17e siècle. Kateri Tekakwitha, c'est la preuve que les entreprises missionnaires ont réussi. Kateri Tekakwitha, c'est l'exaltation d'une virginité mythique pour contrer les résistances des Amérindiens à adopter la morale chrétienne. Kateri Tekakwitha, c'est une pièce à verser au dossier du « bon Sauvage ».

Quant aux mariages interraciaux célébrés dans la colonie, on n'en dénombre que six entre Français et Amérindiennes au 17e siècle, et aucun entre Françaises et Amérindiens. On peut penser toutefois qu'il a dû y en avoir davantage et que ces unions ont été clandestines. Comment peut-on expliquer ce petit nombre de mariages entre Blancs et Amérindiens ? Certes, les Français apprécient la liberté sexuelle des jeunes Amérindiennes et l'aide qu'elles leur apportent pour le quotidien ; mais les Amérindiennes ont du mal à accepter les contraintes d'un mariage chrétien et la vie à l'européenne. Par ailleurs, les Françaises sont si peu nombreuses qu'il ne s'en trouve aucune de disponible pour épouser un Amérindien.

Les Français sont nombreux à être séduits par la vie des bois. Mais seuls les hommes sont autorisés à aller vivre à l'indienne. Les hommes peuvent facilement choisir d'aller vivre dans le bois ; les femmes, semble-t-il, ne peuvent même pas y songer. Il est significatif que les premières à le faire soient justement des métisses, dont la plus célèbre est Isabelle Montour. Quant à savoir si c'est par obligation ou par choix que les femmes ne sont pas allées vivre à l'amérindienne, il est impossible de le déterminer. Les documents sont muets sur cette question.

Ce qu'on observe durant les années de guerre avec les Iroquois, c'est le zèle que l'on met à racheter les fillettes françaises capturées par les Iroquois, n'hésitant pas à les échanger contre de valeureux guerriers onontagués. Ce fut le sort d'Élizabeth Moyen en 1655, capturée à 16 ans, et qui devait épouser son sauveur, Lambert Closse. Si, d'aventure, les Iroquois ramènent des femmes en captivité, ils les torturent comme si elles étaient des soldats. C'est ce qui arrive à Catherine Mercier en 1651. Cela est peut-être dû au fait que les Françaises sont nombreuses à participer à la défense des établissements alors que les Amérindiennes ne participent pas aux combats, se contentant de torturer les prisonniers. Quant aux enfants captifs, ils sont adoptés par les tribus et on

---

Isabelle Montour

Élizabeth Couc est née au Cap-de-la-Madeleine en août 1667. Son père, Pierre Couc, est un ancien coureur des bois, surnommé « Fleur-de-Cognac », établi sur une terre ; sa mère, Marie Métiouamègougoue, une Algonquine.

En 1673, cette famille compte quatre filles et deux fils, et s'installe de l'autre côté du fleuve, à la rivière Saint-François. En 1679, Élizabeth assiste au viol et au meurtre de sa sœur aînée, Jeanne. Sa mère lui rappelle que, de mémoire de femmes, on n'a jamais connu de viol dans la société amérindienne avant l'arrivée des Blancs. En 1684, Élizabeth Couc épouse Joachim Germano, coureur des bois. Elle mène durant 11 ans la vie habituelle des femmes de voyageur : solitude et travaux domestiques. Elle n'a qu'un enfant. Son mari, son frère et ses beaux-frères sont tous engagés à divers titres dans les entreprises de traite du côté des Grands-Lacs. Tout le clan finit par aboutir à Michilimakinac, en 1693, avec femmes et enfants. Les sœurs Couc, maintenant appelées Montour, sont les premières « Blanches » à s'installer dans les « Pays d'En-Haut ». Veuve à 28 ans, Élizabeth Couc, maintenant Isabelle Montour, devient célèbre par ses aventures et ses talents d'interprète. Ayant finalement épousé un chef iroquois, elle lie son sort à celui de sa nouvelle famille. Madame Montour est morte en 1749 en Pennsylvanie. Son destin, à plus d'un titre, est exceptionnel et ses enfants amérindiens se sont signalés dans l'histoire américaine.

Voir: Simone Vincens, *Madame Montour et son temps*, Québec/Amérique, 1979.

rapporte de nombreux cas d'enfants élevés dans les bois qui n'ont pu se réadapter à la vie à l'européenne, une fois retrouvés par leurs familles.

L'histoire n'a pas retenu tous les noms des femmes qui ont ainsi combattu dans les attaques iroquoises. Mais les contemporains ont surtout remarqué l'exploit de Martine Messier qui, en 1652, a réussi à se défendre contre un Iroquois en le saisissant avec violence par les testicules. Mais c'est le caractère spécial de son exploit qui la rendit célèbre et non pas le fait qu'elle se soit défendue. De 1634 à 1666, la guerre iroquoise est la toile de fond qui assombrit la vie des quelques femmes qui viennent s'établir en Nouvelle-France.

Après la pacification temporaire entre les tribus indiennes en 1666, la vie quotidienne sera délivrée de ce que Pierre Boucher appelle la plus grande incommodité du pays. « Une femme, écrit-il en 1663, est toujours dans l'inquiétude que son marry, qui est party le matin pour son travail, ne soit tué ou pris et que jamais elle ne le revoye[4]. » À la reprise de la guerre iroquoise, à la fin du siècle, une nouvelle génération de Canadiens se construit une réputation de héros.

Pour en finir avec
Madeleine de Verchères

Ce concept d'héroïsme mérite qu'on s'y arrête. Car l'héroïsme est une prétention essentiellement masculine. Il est également un jugement que les historiens portent, à postériori, sur certains événements du passé. De toute évidence, la majorité des personnes qui sont venues en Nouvelle-France ne se considèrent pas comme des héros ou des héroïnes. Seuls quelques-uns d'entre eux ont cette image d'eux-mêmes, le plus souvent au moment de réclamer une pension, car cette démarche les oblige à vanter leurs prouesses au service du roi. Mais, dans les faits, il y a eu beaucoup d'héroïnes. Or, il s'est trouvé une seule femme au 17e siècle pour postuler au statut d'héroïne : Madeleine de Verchères. Son cas mérite d'être étudié car il nous renseigne sur l'image collective que les femmes avaient d'elles-mêmes.

Rappelons brièvement les faits. Le 22 octobre 1692, Madeleine de Verchères assiste à la capture par les Iroquois d'une vingtaine d'habitants occupés aux travaux des champs. Poursuivie par un Iroquois, elle lui échappe en dénouant son mouchoir et réussit à s'enfermer dans le fort. Elle organise la défense, avertit les forts voisins en tirant un coup de canon et réussit à tenir les Iroquois en respect jusqu'à l'arrivée de renforts. Jusqu'ici, rien de surprenant. De telles attaques ont été fréquentes entre 1686 et 1701, et la mère elle-même de l' « héroïne » a soutenu un pareil combat deux ans auparavant.

Le tout devient intéressant quand Madeleine de Verchères prend la décision de réclamer une pension en récompense de son exploit héroïque. Elle n'y pense d'ailleurs que sept ans après l'événement, soit en 1699. Puis, elle revient à la charge beaucoup plus tard, à une date incertaine que l'on situe entre 1722 et 1730, alors qu'elle a au moins 40 ans. Elle présente d'ailleurs à ce moment-là une version beaucoup plus dramatique de son exploit, version dont on s'accorde à mettre en doute la vraisemblance. Mais là n'est pas la question.

Les deux versions écrites par Madeleine de Verchères sont parsemées de remarques bien significatives. « Quoique mon sexe ne me permette pas d'avoir d'autres inclinations que celles qu'il exige de moi, écrit-elle, cependant permettez-moi de vous dire que j'ai des sentiments qui me portent à la gloire comme bien des hommes[5]. » Ou encore : « Les Canadiennes n'auraient pas moins la passion de faire éclater leur zèle pour la gloire du Roy si elles en avaient l'occasion. » Et, racontant son exploit, elle précise : « Je conservai, dans ce fatal moment, le peu d'assurance dont une fille est capable et peut être armée » ; elle se distingue de telle femme « extrêmement peureuse, comme il est naturel à toutes les femmes parisiennes de nation » ; elle refuse de « s'arrêter aux gémissements de plusieurs femmes désolées de se voir enlever leurs maris ».

Finalement, force nous est de constater que l'héroïne elle-même endosse totalement une échelle de valeur basée sur une conception masculine, militaire et élitiste du courage ; qu'elle accepte tacitement l'infériorité générale de la femme et son confinement à des fonctions dites « naturellement » féminines ; qu'elle justifie surtout son héroïsme par le fait d'être sortie des cadres imposés aux femmes. De plus, on doit comprendre que, si elle a fait ces démarches, c'est parce qu'elle faisait partie d'une classe sociale qui avait accès à l'écriture, et conséquemment aux pensions royales.

Au fond, l'histoire de Madeleine de Verchères nous illustre que certaines filles de la Nouvelle-France avaient du caractère au 17e siècle. Mais elle nous démontre surtout que l'image collective qu'on avait des femmes n'était guère différente de celle des sociétés traditionnelles. Mais pourquoi venir s'exposer à la menace iroquoise ? Mais pourquoi donc devenir malgré soi des héroïnes et des héros ?

Quitter la France

Progressivement, les études historiques révèlent à quel point la vie du peuple dans la France du 16e et du 17e siècles était difficile. Dans son étude magistrale, *La France moderne*, Robert Mandrou a tenté une esquisse de psychologie historique. Le tableau qu'il nous trace est tout en teintes de gris et de noir. Le régime alimentaire se caractérise par une sous-alimentation chronique où les ripailles occasionnelles précèdent de longues privations quand ce ne sont pas d'authentiques famines. On a retrouvé de nombreux récits du 17e siècle qui décrivent les scènes lamentables de familles réduites à manger de l'herbe ou de la terre. Par ailleurs, les épidémies sont fréquentes et provoquent de lourdes saignées dans la population. En fait, la peur semble être une des caractéristiques de l'époque : peur des disettes, des famines, des épidémies, augmentées de la peur de la guerre qui jette sur les routes des milliers de soldats et de brigands sans loi.

Sans entrer dans l'analyse détaillée de la situation économique de la France à cette époque, on peut en préciser quelques détails qui affectent la vie quotidienne de la majorité de la population : hausse considérable du coût de la vie, flambée spectaculaire du prix du pain lors de moments de crise, difficultés pour les jeunes gens à se placer dans un métier et pour les jeunes filles à se marier, augmentation du nombre de pauvres et d'enfants abandonnés... Pour couronner le tout, la société du 17e siècle est caractérisée par de grandes différences entre les classes sociales, ce qui entraîne dans certaines régions un grand nombre de révoltes populaires et de séditions. Peu de solutions sont offertes pour sortir de l'impasse.

C'est alors que des voies d'évasion sont recherchées. L'une d'elle est privilégiée surtout par les hommes : le nomadisme. C'est la fuite vers de meilleurs cieux, laissant derrière soi femme et enfants. C'est la tentation de la mer, de l'aventure, du pèlerinage, de la guerre, de l'exil. Les ports de mer sont noyés sous une population flottante, prête à tout pour essayer de changer son sort. Honfleur, Cherbourg, Saint-Nazaire, La Rochelle, Saint-Malo, fournissent aux armateurs des volontaires pour un voyage en Nouvelle-France ou une expédition dans les Caraïbes. Il n'est pas étonnant que les navires qui arrivent chaque été à Québec soient remplis d'hommes — et si peu de femmes.

D'autre part, le nomadisme n'est pas la seule voie d'évasion. L'ivrognerie (on vient de découvrir l'eau-de-vie), le théâtre (que l'on songe à *l'Illustre Théâtre* de Molière) et les fêtes offrent des voies d'expression pour canaliser l'angoisse de vivre chez les petites gens. Les plus instruits ont accès aux récits exotiques des géographes et des missionnaires, lectures qui permettent des voyages imaginaires. Dans les classes privilégiées, l'expérience mystique est une autre voie d'expression au besoin d'évasion. Or, l'institution religieuse officielle, la religion catholique, a suscité l'apparition de courants mystiques variés. C'est l'éclosion multiple des ordres religieux, des mouvements de laïcs, des couvents et des sociétés secrètes. « Cette exaltation mystique a touché beaucoup plus les femmes que les hommes... Sans cesse meurtries par les années de longues guerres, elles se tournent vers la prière et l'amour de Dieu comme vers un refuge », nous dit Robert Mandrou. « Mon Dieu je suis prête à tout pour vous suivre, écrit une religieuse de Port-Royal, je suis même prête à aller au Canada. »

La superposition de ces deux courants d'évasion, le nomadisme et le mysticisme, donnera naissance à une immigration féminine exceptionnelle en Nouvelle-France. En effet, dans la France du 17e siècle, il n'y a pas de place pour la dissidence religieuse. Protestants et autres hérétiques sont pourchassés et condamnés à l'exil ou à la conversion. Le cardinal de Richelieu a par ailleurs interdit aux hérétiques de faire souche en Nouvelle-France. On ne trouve donc pas, en France, de ces sectes religieuses qui vont chercher refuge en terre américaine. Or, c'est le cas de l'Angleterre qui permet les établissements des puritains, des quakers, des catholiques, dans ses colonies. C'est ce qui explique que l'immigration vers la Nouvelle-Angleterre soit si différente de celle de la Nouvelle-France. Cette immigration y est plus compacte, plus rapide, plus familiale surtout. Ce sont des communautés déjà formées qui s'installent sur les rives de l'Atlantique. Rien de tel sur les bords du Saint-Laurent. On assiste à une immigration atomisée.

Dans ce contexte, on doit comprendre que les filles et les femmes qui choisissent la solution de l'émigration manifestent une détermination et une indépendance exceptionnelles pour l'époque. Soit qu'elles suivent leur mari, soit qu'elles aillent prendre mari, soit qu'elles aillent fonder un couvent ou un hôpital, elles posent un geste d'autonomie que ni la coutume ni les moeurs du 17e siècle n'autorisent. Il ne faut donc pas s'étonner si les premières femmes qui s'installent en Nouvelle-France sont quelque peu différentes. Leur volonté d'échapper à la misère ou leur désir de perfection les a incitées à choisir une solution peu commune. Toute leur vie s'en ressentira. Il y a donc lieu de s'attarder plus longuement sur les types de femmes qui sont venues ici. Pour la majorité d'entre elles, le choix qu'elles ont fait les transforme en héroïnes, certes, mais en héroïnes anonymes.

Notes du chapitre I

1. Joseph F. Lafiteau, *Moeurs des Sauvages américains, comparés aux moeurs des premiers temps*, 2 volumes, Paris, 1724. Cette citation est extraite du deuxième chapitre du second tome. Les mérites ethnologiques de Lafiteau sont aujourd'hui reconnus.

2. D'après un inventaire après décès dressé par le notaire Paul Vachon le 23 janvier 1681, inventaire cité par Sylvio Dumas, *Les Filles du Roi en Nouvelle-France*, Société Historique de Québec, 1972, p. 115-116.

3. *Ibidem.*

4. Pierre Boucher, *Histoire véritable et naturelle des moeurs et productions du pays de la Nouvelle-France, vulgairement dite le Canada*, Paris, 1664, p. 151. (Réédité en 1964 par la Société historique de Boucherville.)

5. Madeleine de Verchères à la Comtesse de Maurepas, 15 octobre 1699, dans le *Supplément au Rapport des archives canadiennes*, 1899, p. 6-7.
Relation des faits héroïques de Mademoiselle Marie-Madeleine de Verchères, âgée de quatorze ans, contre les Iroquois, en l'année 1696, le 22 octobre, à huit heures du matin. Page 7 et suivantes.

II

Héroïnes sans le savoir

Fondatrices

Au 17e siècle en France, c'est l'Église qui assume principalement les responsabilités sociales. Les historiens traditionnels ont fait une large place aux femmes qui ont joué un rôle dans l'Église de la Nouvelle-France. En effet, l'imagerie patriotique et historique a multiplié à souhait les récits pieux des héroïnes canadiennes. Marie de l'Incarnation, Jeanne Mance, Marguerite Bourgeoys, Marguerite d'Youville, pour ne nommer que les plus célèbres, figurent comme des vedettes dans tous les manuels d'histoire de la Nouvelle-France à côté des Champlain, des Maisonneuve, des Frontenac et des Montcalm. Ne faudrait-il pas maintenant découvrir les femmes réelles qui se dissimulent derrière ces héroïnes ?

Replaçons tout d'abord ce courant de zèle religieux dans son contexte historique. Religieuse et fervente, notre histoire l'a été indéniablement, tout au moins durant les premières générations. Mais ce courant n'est pas spécifique à la Nouvelle-France ; on le retrouve dans presque toutes les expériences de colonisation du 17e siècle : les pèlerins du *Mayflower* qui abordèrent en Amérique en 1627 appartiennent à ce courant de colonisation religieuse, tout comme les colons quakers de William Penn, en Pennsylvanie, en 1682. Au 17e siècle, l'Amérique représente, pour l'Européen abreuvé de guerres de religions, moins la terre de la liberté religieuse que le champ par excellence de la perfection chrétienne. La tolérance, en effet, n'est pas un concept avec lequel les colons du 17e siècle sont familiers. Mais, par contre, un grand nombre d'entre eux désirent vivre une expérience de vie pure et parfaite dans l'environnement virginal du Nouveau-Monde. Au demeurant, c'est tout le 17e siècle lui-même qui est dominé par l'importance du sentiment religieux.

Il peut paraître difficile, pour une lectrice du 20e siècle, de comprendre l'omniprésence de la religion et son influence universelle sur les hommes, les femmes et les enfants des premiers temps des colonies. Les croyances religieuses étaient tout aussi variées que maintenant, mais quelle que fût leur croyance, les hommes croyaient avec plus de dévotion que n'en témoignent leurs descendants aujourd'hui. Cela ne signifie pas que nos ancêtres étaient plus vertueux que nous le sommes, mais qu'ils craignaient Dieu davantage. Les fondations de communautés religieuses de femmes, en Nouvelle-France, se situent dans ce vaste courant. En fait, elles sont tout simplement inexplicables si on ne les replace pas dans ce contexte de foi chrétienne.

De plus, ce qui est spécifique à l'histoire de la Nouvelle-France, c'est le nombre remarquable de femmes qui ont joué un rôle de premier plan dans la fondation spirituelle et matérielle de la colonie. On chercherait en vain des faits similaires dans les annales de l'histoire américaine. « Dans le système ecclésiastique puritain, de toutes manières, il n'y avait aucun domaine réservé aux femmes comme dans l'Église catholique romaine. Dans cette dernière, (...) comme membres d'ordres monastiques voués à l'éducation et au soin des malades, les femmes pouvaient exercer quelques-unes des plus nobles prérogatives de leur sexe », écrit un historien anglo-saxon. Mais les fondations féminines en Nouvelle-France peuvent s'expliquer.

C'est que la Nouvelle-France possède un instrument de propagande privilégié : les *Relations des Jésuites*. En effet, les Jésuites publient, chaque année, les lettres de leurs missionnaires répartis sur tous les continents. Ces textes sont recherchés. Ils sont lus dans les réfectoires des couvents et des monastères ; ils sont discutés dans les confréries religieuses. C'est par les *Relations des Jésuites* que quelques femmes, nobles ou bourgeoises, entendent parler du Canada. C'est par les *Relations* que des religieuses entendent l'appel de l'évangélisation des « Sauvages ». C'est par les *Relations* que des invitations précises sont faites pour des fondations féminines en Amérique. Le climat mystique qui règne en certains milieux, à cette époque, est donc très favorable.

Cette influence des *Relations des Jésuites* fournit une explication fort éclairante pour toutes ces visions, ces inspirations, ces reconnaissances miraculeuses, pour tous ces rêves prémonitoires dont les récits primitifs des fondations sont remplis. Si l'intervention divine a joué dans ces entreprises féminines, c'est par le biais d'un climat social particulier qui favorise la forme la plus spirituelle de l'évasion et suscite toutes les générosités.

Les femmes qui ont effectivement répondu à cet appel n'étaient toutefois pas des exaltées. Chez elles, l'élan mystique s'est doublé d'un solide sens des réalités. Et il faut voir comment toutes ces lectrices des *Relations des Jésuites* mettent en oeuvre leurs projets, obtiennent les autorisations nécessaires à un emplacement au coeur de Québec, des titres seigneuriaux, un fief en banlieue, des fonds pour le transport des religieuses et de leurs domestiques, et quantité de meubles, vaisselles, étoffes et ustensiles divers.

Quatre fondations distinctes sont établies en l'espace de 30 ans : le couvent des Ursulines de Québec en 1639, oeuvre de Marie Guyart (Marie de l'Incarnation) ; l'Hôtel-Dieu de Québec en 1639, dont le service est assuré par les Hospitalières de Dieppe sous la direction de Marie Guenet et Marie Forestier ; l'Hôtel-Dieu de Montréal en 1643, oeuvre de Jeanne Mance qui s'assurera, à partir de 1659, le service des Hospitalières de La Flèche ; la congrégation des Filles séculières de Ville-Marie fondée en 1669 qui est l'achèvement de l'oeuvre de Marguerite Bourgeoys, arrivée à Montréal en 1653.

L'histoire de ces fondations met en évidence les talents multiples de ces femmes déterminées et pleines d'initiatives. Qu'on en juge. Marie Guyart possède une expérience de dix années de labeur, sur les quais de la Loire, comme gérante d'une entreprise de transport. Ses talents de femme d'affaires lui sont indispensables pour mener à bien l'entreprise du couvent des Ursulines à son terme. Elle voit à régulariser les ententes financières trop peu précises de son bailleur de fonds, madame de La Peltrie. Elle dirige la construction du premier monastère, « ...qui est tout en pierres, 92 pieds de longueur et 28 de largeur. C'est la plus belle et la plus grande maison qui soit en Canada pour la façon d'y bâtir ». Elle s'occupe de faire couper les 175 cordes de bois que dévorent, chaque année, les quatre cheminées du bâtiment. Ce dernier est détruit par un incendie en 1650 et elle voit à sa reconstruction en trouvant elle-même les fonds nécessaires. Une bonne partie des 13 000 lettres qu'elle a écrites constituent de véritables chapitres d'histoire coloniale qui évaluent et décrivent avec perspicacité la petite société canadienne.

En désaccord avec Mgr de Laval sur les constitutions de son ordre, elle s'oppose fermement à son évêque et elle déplore ouvertement l'autorité de l'évêque sur les congrégations. En fait, il faudra attendre la mort de Marie de l'Incarnation pour que l'évêque de Québec puisse imposer les constitutions et règlements de son choix aux Ursulines de Québec.

L'éducation des Amérindiennes

C'est pourtant une chose très difficile, pour ne pas dire impossible de les franciser ou civiliser. Nous en avons l'expérience plus que tout autre, et nous avons remarqué de cent de celles qui ont passé par nos mains à peine en avons nous civilisé une. Nous y trouvons de la docilité et de l'esprit, mais lors qu'on y pense le moins elles montent par dessus notre clôture et s'en vont courir dans les bois avec leurs parens, où elles trouvent plus de plaisir que dans tous les agréemens de nos maisons Françoises. L'humeur Sauvage est faite de la sorte : elles ne peuvent être contraintes, si elles le sont, elles deviennent mélancholiques, et la mélancholie les fait malades. D'ailleurs les Sauvages aiment extraordinairement leurs enfans, et quand ils sçavent qu'ils sont tristes ils passent par dessus toute considération pour les r'avoir, et il les faut rendre. Nous avons eu des Huronnes, des Algonguines, des Hiroquoises ; celles-cy sont les plus jolies et les plus dociles de toutes : Je ne sçay pas si elles seront plus capables d'être civilisées que les autres, ni si elles retiendront la politesse Françoise dans laquelle on les élève. Je n'attens pas cela d'elles, car elles sont Sauvages, et cela suffit pour ne le pas espérer.

Marie de l'Incarnation à son fils, 1er sept. 1668

Source : Marie de l'Incarnation, Ursuline (1599-1672), *Correspondance*, Nouvelle édition par Dom Guy Oury, Abbaye Saint-Pierre, Solesmes, 1971, p. 809.

Enfin, Marie de l'Incarnation se distingue par une vigueur intellectuelle et spirituelle peu commune. Elle a laissé huit ouvrages d'écrits spirituels que les spécialistes scrutent encore aujourd'hui avec intérêt et étonnement.

Jeanne Mance n'échappe pas, elle non plus, au courant mystique qui suscite des vocations pour la Nouvelle-France. « Quand elle prend la décision de venir en Amérique, c'est une femme de 34 ans, mûrie par la guerre et toutes ses misères », nous dit l'historienne Micheline D'Allaire. Elle s'assure d'abord de la solidité et du réalisme de sa décision et met à profit ses relations mondaines et ses talents de solliciteuse pour obtenir des dons de femmes riches désireuses de faire le bien. Elle se retrouve alors dans la compagnie des fondateurs de Ville-Marie où elle assume les fonctions d'admi-

---

Les fondatrices contestent l'autorité de l'évêque

Si elle se fait, il faut que ce soit par le consentement et par le moyen de tous les Évêques dans les Diocèses desquels il y a des Monastères ; car nous leur sommes sujetes. Et ce qui est fâcheux, comme il leur est libre de faire des Constitutions et des Coutumiers, ils le font de telle sorte que même dans une seule Congrégation plusieurs diffèrent en Coutumes. Ajoutez à cela que chaque Congrégation a ses Constitutions premières et fondamentales, et par tous les changemens que font les Évêques, tout cela s'altère et se bouleverse. Aujourd'hui les choses sont tellement dissipées, que pour y mettre l'unité, il faudroit cette union de Prélats avec le consentement du saint Siège, et une Constitution approuvée de sa Sainteté.

Marie de l'Incarnation à son fils,
3 oct. 1645

Il nous a donné huit mois ou un an pour y penser. Mais, ma chère Mère, l'affaire est déjà toute pensée et la résolution toute prise : nous ne l'accepterons pas si ce n'est à l'extrêmité de l'obéissance. Nous ne disons mot néanmoins pour ne pas aigrir les affaires ; car nous avons à faire à un Prélat, qui étant d'une très-haute piété, s'il est une fois persuadé qu'il y va de la gloire de Dieu, il n'en reviendra jamais, et il nous en faudra passer par là, ce qui causeroit un grand préjudice à nos observances.

Marie de l'Incarnation à la Mère Saint-Ursule,
13 sept. 1661

Source : Marie de l'Incarnation, Ursuline (1599-1672), *Correspondance*, Nouvelle édition par Dom Guy Oury, Abbaye Saint-Pierre, Solesmes, 1971, p. 267 et 653.

> *Pour ce qui regarde les engagements que Monseigneur veut que nous prenions, tout ce que nous pouvons accorder à Sa Grandeur sur ce point, après avoir consulté les personnes qui connaissent à fond notre communauté, est de faire des voeux simples à la profession, pour le temps que nous demeurerons dans la Congrégation ; et nous ne croyons pas, à raison de notre état, pouvoir nous lier autrement. (...) Nous ne voulons point d'autres chaînes que celles du pur amour. Quant à la promesse que Monseigneur veut que toutes les soeurs fassent le jour de réception de lui obéir, tout le monde sait assez qu'il a été jusqu'à présent maître absolu dans notre communauté. (...) Ainsi nous ne croyons pas obligées de lui témoigner autrement notre dépendance, qu'en disant que nous sommes sous son autorité et sa juridiction.*
>
> Source : Lettre de Marguerite Bourgeoys à M. Tronson, dans Faillon, *Vie de la Soeur Bourgeoys*, Tome II, p.31-32.

nistratrice des provisions, d'économe et d'infirmière. Grâce à son zèle, le nombre des membres de la société Notre-Dame-de-Montréal passe de 8 à 37, dont 8 sont des femmes. À l'intérieur de cette société, elle joue un rôle diplomatique important.

Arrivée à Québec en 1641, elle se prépare à ses nouvelles fonctions en s'informant de la gestion de l'Hôtel-Dieu de Québec et s'initie à la langue huronne. Dès l'année suivante, elle organise le premier dispensaire provisoire à Ville-Marie à l'intérieur du fort puis, par la suite, fait construire un hôpital de 60 pieds sur 24, une grange, une étable. Elle fait venir quantité de meubles, vêtements, ustensiles, médicaments et animaux domestiques.

La poursuite de l'oeuvre de l'Hôtel-Dieu est liée à la réussite de la fondation de Ville-Marie. Pour ces deux entreprises, Jeanne Mance fait trois voyages en France, en 1649, en 1658 et en 1662. À chacun de ces voyages, elle assume la conduite de négociations délicates concernant l'obtention de nouveaux fonds, le maintien, puis la dissolution de la société Notre-Dame de Montréal et la venue des Hospitalières de La Flèche. Cette décision entraîne une longue discussion avec l'évêque de Québec qui ne souhaite pas que la colonie possède deux congrégations distinctes d'hospitalières. Mais Jeanne Mance a su choisir ses alliés : les Sulpiciens. Avec leur concours, elle obtient l'autonomie de son hôpital et de la communauté qu'elle a fait venir de France. Il faut comprendre ici que le poste de

L'Enfant Jésus *de Marie Barbier. La tradition attribue cette peinture à Marie Barbier, l'une des compagnes de Marguerite Bourgeoys. Elle était responsable de la cuisson du pain, mais son inexpérience produisait des résultats désastreux : elle brûlait tous ses pains. Après avoir peint cet* Enfant Jésus *et l'avoir suspendu au-dessus du four, elle réussissait toutes ses fournées. Cette légende a reçu quelque crédibilité depuis que l'on a découvert des traces de suie dans le canevas de la peinture.*
Collection des soeurs de la congrégation Notre-Dame

Ville-Marie a été pendant 20 ans une entreprise privée. Son développement a été retardé par les attaques iroquoises qui ont fauché 51 p. 100 de la population. Il a été également retardé par le manque de réalisme des premiers responsables. Les historiens s'accordent à dire que le rôle de Jeanne Mance a été plus déterminant, dans ce projet, que celui de Maisonneuve, en fait, jusqu'à ce que Ville-Marie ne devienne partie intégrante de la Nouvelle-France. En 1663, Ville-Marie devient Montréal.

On pourrait en dire autant de Marguerite Bourgeoys. C'est par la soeur de Maisonneuve, mère Louise de Chomedey-de-Sainte-Marie, que cette jeune Française entend parler du Canada. Le fondateur de Ville-Marie se refuse à faire venir une communauté religieuse à Montréal, mais il accepte d'y amener Marguerite Bourgeoys, en 1653, dont l'objectif est de se consacrer à l'éducation des enfants. Mais Maisonneuve avait surtout pour mission de recruter des colons. La première écrivaine de la Nouvelle-France, soeur Morin, décrit son rôle de la manière suivante :

Là, (à Nantes) *elle se retira chez monsieur le Coq, dont elle fit les affaires, et prit la plus grande partie des marchandises et provisions qu'il leur fallait pour équiper les cent hommes dont elle s'était chargée. Ma soeur Bourgeoys est une personne capable de toutes choses ; les affaires temporelles et spirituelles réussissent toujours bien en ses mains parce que c'est l'amour du Seigneur qui la fait agir et qui lui donne intelligence ; on aurait peine à trouver une fille comme celle-ci qui a tout le caractère de la femme forte de l'Évangile*[1].

Marie Morin

Marie Morin est née à Québec en 1649. À 13 ans, elle décide d'entrer chez les Hospitalières de Montréal. Elle y exerce diverses fonctions — économe, supérieure — jusqu'à sa mort en 1730. En 1697, elle prend la décision d'écrire l'histoire de sa communauté : *Histoire simple et véritable de l'établissement des religieuses hospitalières de Saint Joseph en l'isle de Montréal diste à présant Ville Marie, en Canada, de l'année 1659...*
Sa mère, Hélène Desportes, est le premier enfant née à Québec.
Marie Morin est la première religieuse née au Canada.
Marie Morin est le premier écrivain né en Nouvelle-France.
Le premier écrivain est donc une écrivaine.

Arrivée à destination, Marguerite Bourgeoys ne peut se consacrer immédiatement à l'enseignement. « La vie est si précaire à Ville-Marie et la mortalité infantile est si grande qu'on a été environ huit années que l'on ne pouvait point élever d'enfant », écrit-elle. Néanmoins, en avril 1658, mademoiselle Bourgeoys accueille ses premiers écoliers dans un bâtiment voisin de l'hôpital. Par la suite, elle ira se chercher des compagnes en France et obtiendra, en 1671, les lettres patentes de la congrégation de Notre-Dame, première congrégation de religieuses non cloîtrées à se fonder au 17e siècle.

On réalise mal aujourd'hui ce que représente d'innovations hardies cette communauté « séculière » qui doit travailler pour sa propre subsistance, qui porte un costume laïc, qui établit les principes d'une pédagogie avant-gardiste. Marguerite Bourgeoys, en effet, préconisait la formation savante des institutrices, l'instruction gratuite, l'éducation des filles et « ...un usage prudent et modéré de la correction, se souvenant qu'on est en présence de Dieu ». Elle recommande également l'apprentissage de la lecture à partir du français et non pas du latin, ce qui est une audacieuse innovation à l'époque. Ses soeurs se déplacent à pied, en canot, à cheval et fondent plusieurs couvents, le plus souvent dans de grandes difficultés matérielles.

Séculières et cloîtrées

Depuis 1566, le statut de religieuse, selon la loi canonique, exige les voeux solennels et la clôture. Enseignantes et hospitalières doivent se plier aux législations de l'Église, émises lors du Concile de Trente, après 1563 pour être agréés par les autorités religieuses.

Au 17e siècle, apparaissent des ordres nouveaux qui contestent ces législations pour pouvoir mieux exercer leur apostolat. Ces femmes se disent « séculières ». Marguerite Bourgeoys est la première au Canada, et l'une des premières dans l'Église, à obtenir la permission de créer une communauté « séculière », soustraite au règlement de la clôture.

Toutefois, la plus grande originalité de l'oeuvre de Marguerite Bourgeoys reste que la communauté qu'elle a fondée n'est pas soumise à la clôture. À deux reprises, elle doit même opposer une respectueuse résistance au désir de son évêque de rattacher la congrégation aux Ursulines de Québec. On le voit, les fondatrices du 17e siècle se sont toutes opposées à l'évêque. Cela dénote chez elle un esprit d'autonomie réel. Elles seront d'ailleurs imitées, au 18e siècle, par Marguerite d'Youville, fondatrice des Soeurs Grises de Montréal.

Prendre le voile

Les premières fondatrices et leurs compagnes constituent une galerie de portraits assez impressionnants. Peut-on en dire autant des jeunes Canadiennes qui, dès 1646, choisissent d'entrer au couvent ? Rares au début à cause de la pénurie de femmes, les vocations deviennent régulières à partir de 1680 et vont en augmentant en proportion avec la population, jusqu'à ce que le roi tente de relever le montant de la dot requise pour prendre le voile en 1722. Qu'est-ce qui pousse les filles dans les couvents ? Les vocations sont proportionnellement plus fréquentes dans les catégories sociales supérieures. La piété y est plus ostensible, et les filles doivent attendre longtemps le parti convenable. Les filles riches entrent comme religieuses de choeur, dotées par leurs familles ou un ecclé-

---

Contre la clôture des religieuses

On nous demande pourquoi nous ne faisons pas des voeux solennels. *Nous répondons que la Très Sainte Vierge, notre chère Institutrice, s'est consacrée à Dieu sans le concours du monde ; son voeu de virginité n'a été connu qu'à la salutation de l'ange et ses autres voeux que par la pratique, constante qu'elle en a faite toute sa vie, de même nous faisons des voeux sans concours du monde, mais il est bon que tout le monde les connaisse dans leur pratique.*

On nous demande aussi pourquoi nous aimons mieux être vagabondes que d'être cloîtrées, *le cloître étant la conservation des personnes de notre sexe. Nous répondons que la Sainte Vierge n'a point été cloîtrée, mais elle ne s'est jamais exemptée d'aucun voyage où il y eut quelque bien à faire ou quelque oeuvre de charité à exercer. La regardant comme notre institutrice, nous ne sommes point cloîtrées quoique vivant en Communauté, afin de pouvoir aller partout où l'on nous envoie pour l'instruction des filles.*

Marguerite Bourgeois

Source :   H. Bernier, *Marguerite Bourgeoys*, textes choisis et présentés, collection « Classiques canadiens », no 3, Montréal, Fides, 1958, p. 66.

siastique. Les filles pauvres entrent comme soeurs converses, avec une pension payée en nature (bois de chauffage, blé, paillasse) en guise de dot. Quelques Amérindiennes sont admises dans les communautés, mais elles meurent souvent dans les mois qui suivent leur prise de voile, car elles ne supportent pas la vie cloîtrée.

Religieuses de choeur et
soeurs converses

Dans les monastères, on observe deux classes sociales parmi les religieuses. Les moniales, soumises à la clôture et aux voeux solennels, jouissent de prérogatives spéciales orientées sur l'oeuvre de la communauté. Elles récitent l'office. Ce sont les religieuses de choeur.

Pour les servir, elles ont dans leurs couvents des soeurs domestiques, dites soeurs converses. Les soeurs converses font également des voeux solennels et sont soumises à la clôture. Mais leurs fonctions sont les travaux pénibles : jardin, cuisine, lessive, ménage. On exige des soeurs converses qu'elles soient robustes et dociles.

Ces distinctions ne se retrouvent pas chez les Filles de la Congrégation qui sont séculières.

Il est extrêmement difficile de connaître les motivations réelles des jeunes filles qui ont pris le voile. Aux motifs religieux indéniables ont pu s'ajouter des motifs plus prosaïques : sécurité matérielle, aisance, reconnaissance sociale, pressions familiales (les tantes et les grandes soeurs), etc. Mais cette étude reste à faire. Au 17e siècle, la vocation religieuse n'a pas encore l'incidence démographique qu'elle aura après 1850, au Québec. Mais elle reste régulière dans la société de l'Ancien Régime. Ce qui rend le phénomène intéressant, pour mieux saisir cet aspect de l'histoire des femmes au 17e siècle, c'est d'examiner le rôle que les femmes ont joué sous le couvert de la vocation religieuse.

Dans le domaine de l'éducation, si l'instruction des filles de famille est assurée par les Ursulines, un rôle nouveau et exceptionnel pour l'époque est inauguré par les Filles de la Congrégation qui fondent des pensionnats dans les paroisses. Une douzaine de couvents sont ainsi fondés au 17e siècle et la plupart seront maintenus

Jeanne-Françoise Juchereau de La Ferté, mère de Saint-Ignace, consacre sa vie aux soins des malades. Elle est la première supérieure canadienne de l'Hôtel-Dieu et l'auteure des Annales de l'Hôtel-Dieu de Québec.
Les Annales de l'Hôtel-Dieu de Québec 1636-1716, *1939.*

tout au long du 18e siècle. Ce rôle des femmes dans l'éducation n'est pas spécifique à la Nouvelle-France, mais il repose sur des structures bien particulières sur le plan de l'organisation et de l'efficacité.

Cet enseignement, toutefois, est bien limité. Centré avant tout sur l'éducation religieuse, il consiste également à apprendre à lire, à écrire, à « jeter » (compter avec des jetons) et en toutes sortes d'ouvrages propres à leur sexe — « tout ce que doit savoir une fille ». On distingue d'ailleurs quatre niveaux d'enseignement qui sont constitués selon le statut social des élèves. En haut de l'échelle, les élèves pensionnaires des Ursulines ; puis les élèves externes ; plus bas, les élèves pensionnaires des écoles de Marguerite Bourgeoys et, au bas de l'échelle, les élèves de La Providence, sorte d'école ménagère fondée par Marguerite Bourgeoys. Les religieuses y accueillent les filles du peuple qu'elles forment aux tâches domestiques.

Sur l'enseignement des filles

Et comme l'expérience fait voir que toutes ces filles-là ont l'esprit tardif, on en prendra point de plus jeunes que l'âge de douze ans afin qu'elles soient plus en état de profiter des instructions... et ainsi qu'elles puissent gagner leur entretien (...) et quant à l'écriture, cela n'étant point nécessaire à de pauvres filles, ce serait un temps qu'on leur ferait perdre et qu'elles peuvent employer plus utilement en d'autres choses. S'il s'en trouvait quelques-unes qu'on jugeât capables d'être religieuses, on peut les envoyer à l'école apprendre l'écriture...

Source : Contrat de donation de 13 300 livres par Jeanne Leber à la Congrégation de Notre-Dame, 9 septembre 1714, *ibid.*, Le Pailleur. Cité dans Louise Dechêne, *Habitants et Marchands de Montréal au XVIIe siècle,* collection « Civilisations et Mentalités », Paris, Plon, 1974.

Quant aux fonctions liées à l'assistance sociale, elles sont innombrables. Elles sont accomplies vraisemblablement selon les normes en vigueur durant l'Ancien Régime mais, ici encore, cette question n'a pas été étudié de manière systématique. On peut certes noter que la Nouvelle-France se trouvait à s'inscrire dans la tradition catholique de la charité, bénéficiant en cela de structures et de modèles inexistants dans les pays protestants. Certes, ces fondations sont originales en soi et, par rapport au contexte américain, elles ont joué un rôle d'une importance sociale indiscutable. Pourtant bien plus peuplées, les colonies américaines ont mis beaucoup de temps à inaugurer un pareil mouvement. Dès la fin du 17e siècle, ce sont des communautés de femmes qui ont assumé, en Nouvelle-France, tout ce qui concernait la charité publique : secours aux pauvres, vieillards, invalides, malades, fous, prisonnières, prostituées, orphelins.

Des recherches sur l'Hôtel-Dieu de Québec nous apprennent que cet hôpital abrite en moyenne une quarantaine de malades, davantage en cas d'épidémie et qu'on y est soigné gratuitement, semble-t-il fort efficacement puisque, d'après les registres, 92 p. 100 des hommes et 94 p. 100 des femmes qui y sont admis en res-

sortent guéris. À Montréal, Judith Moreau de Bresoles, l'hospitalière amenée par Jeanne Mance, a une telle réputation de bonne
infirmière que ses patients croient naïvement qu'il leur sera impossible de mourir si c'est elle qui les soigne.

La Nouvelle-France a donc représenté, pour certaines Françaises du 17e siècle, un lieu privilégié pour l'expression de l'autonomie et de l'initiative. Femmes de la noblesse ou de la bourgeoisie,
religieuses ou laïques, ces femmes ont trouvé en Amérique un
milieu neuf, sans traditions contraignantes et un cadre de vie qui
sollicitait toutes les énergies disponibles. Aussi longtemps que la
colonie s'est trouvée dans un état de sous-développement, les femmes ont donc bénéficié d'une relative indépendance. À titre d'illustration, rappelons que Jeanne Mance et Marguerite Bourgeoys ont
effectué chacune sept traversées de l'Atlantique, exploit que bien
peu d'administrateurs laïcs ou religieux ont à leur crédit, et que
bien peu de femmes pourront répéter au 18e siècle. Mais en a-t-il
été ainsi de toutes les femmes qui sont venues ici?

Filles à marier

C'est ici qu'il faut examiner avec plus d'attention le sort d'un
groupe particulier d'immigrantes en Nouvelle-France, celui des
filles célibataires venues ici expressément pour se marier. Les historiens se disputent depuis belle lurette sur le dos de ces filles au sujet
de leur moralité passée et future, opposant les uns aux autres des
témoignages contradictoires. Notons d'abord qu'on met toujours
bien plus de zèle à examiner la vertu des femmes que celles des
hommes. Car la moralité de la société, on le sait, passe par le
ventre des femmes! Toujours est-il qu'on se demande : Étaient-elles
des « filles de moyenne vertu » (Baron de la Hontan), « des femmes
très bien instruites » (*Journal* des Jésuites), des « filles de joie »
(Boucault), des « filles très grossières et très difficiles à conduire » (Marie de l'Incarnation), « des filles très honnêtes, tirées
de maisons d'honneur » (*Relations de Jésuites*)[2]? Faux problème
en vérité que celui qui consiste à examiner des jugements de valeur
ou des opinions. Essayons donc d'étudier la question par un autre
bout.

Pourquoi les a-t-on fait venir? De toute évidence pour fixer
dans la colonie les engagés et les soldats qui, autrement, retour-
neraient en France ou prendraient la route des bois. Les femmes
constituent un élément stabilisateur dans un groupe social dominé

par des hommes célibataires. Où on trouve des femmes, on trouve ensuite des maisons, des enfants, un avenir quoi, une raison d'établir des villes, des lois, des écoles, une motivation pour défricher, cultiver et consolider une exploitation terrienne. Les démographes Charbonneau et Landry ont fixé à 56 p. 100 le nombre de ceux qui sont restés par rapport à ceux qui sont venus. Mais si on ne considère que les filles à marier, ce coefficient s'élève à plus de 90 p. 100. Y aurait-il une explication à cette différence ?

Bien entendu. C'est la nature du contrat qui est proposé aux immigrés, hommes et femmes. Un homme arrive en Nouvelle-France et signe un contrat d'engagé qui le lie pour trois ans à son employeur. C'est pourquoi on le surnomme « trente-six mois ». Au bout de ce laps de temps, il est libre de sa destinée. Une fille, elle, signe un contrat de mariage, donc un contrat qui la lie pour la vie à son mari. La différence, on le voit, est de taille et explique pourquoi si peu de filles soient retournées en France. Les « filles du roy » étaient donc envoyées spécifiquement pour la reproduction. Écoutons Colbert annonçant à Talon l'envoi de « quatre cents bonshommes, cinquante filles, douze cavales et deux étalons ». Ou encore Talon se réjouissant « que les femmes de la Nouvelle-France y portent tous les ans ». Et ces braves administrateurs d'imaginer des règlements pour contraindre les célibataires à prendre femme dans les 15 jours qui suivent l'arrivée des navires sous peine de perdre leur permis de traite. Les travaux des démographes ont cependant démontré que la politique populationiste des administrateurs (primes aux familles nombreuses, cadeaux aux jeunes gens qui se marient jeunes) n'a eu aucun effet sur les comportements de la population.

Les « filles du roy » savaient-elles ce qui les attendait ? Il faut croire que oui. La plupart se marient dans les semaines, voire dans les jours qui suivent leur arrivée dans la colonie. De 1634 à 1662, 230 sont recrutées en France par les communautés religieuses et les agents de la compagnie des Cent Associés. Le mouvement est facile à suivre : on recrute une année des filles pour les colons célibataires qu'on a fait venir quatre ou cinq ans auparavant afin de mettre le pays en état de recevoir les familles. Mais ce mode de colonisation crée un fort déséquilibre démographique. On compte, en 1663, six hommes célibataires pour chaque fille qui atteint l'âge de la puberté.

Tableau 1
Les « filles du Roy »

D'où venaient-elles ?

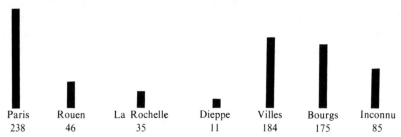

Paris	Rouen	La Rochelle	Dieppe	Villes	Bourgs	Inconnu
238	46	35	11	184	175	85

Quel âge avaient-elles ?

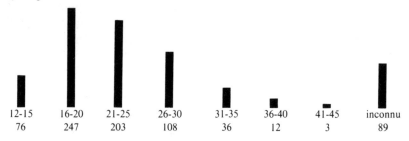

12-15	16-20	21-25	26-30	31-35	36-40	41-45	inconnu
76	247	203	108	36	12	3	89

Quand sont-elles arrivées ?

Graphique de l'émigration des « filles du roy »*

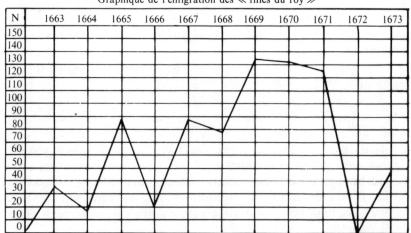

*Source : Sylvio Dumas, *Les Filles du Roi en Nouvelle-France*. Cahiers d'histoire, no 24, La société historique de Québec, 1972, 382 p.

De 1663 à 1673, l'État prend en charge l'immigration et recrute, entre autres, près de 800 filles à marier, celles qu'on a surnommé les « filles du roy », parce que leur transport et leur établissement sont payés par le roi. La dot qu'on leur remet est constituée le plus souvent en nature : vêtements et denrées propres à leur ménage. Quelques privilégiées ont pu recevoir une vache, des outils, des grains. Sylvio Dumas estime que le tiers des « filles du roy » ont reçu des biens d'une valeur de 200 à 300 livres et que 247 seulement ont bénéficié du cadeau de 50 livres offert par le roi. Les recruteurs doivent s'assurer qu'elles ne sont pas déjà mariées et touchent une prime pour chaque fille qu'ils persuadent de tenter l'aventure. « Qu'elles soient envoyées par des parents qui veulent s'en décharger ou par les directeurs de l'Hôpital-Général qui recueille les orphelines ou les pauvres, elles échappent sans doute ainsi à un destin misérable », affirme Louise Dechêne. Qu'il se soit glissé parmi les contingents, notamment parmi les pensionnaires de La Pitié ou de La Salpêtrière, des filles enfermées pour prostitution, cela est fort possible. Mais ce fait n'est qu'une preuve de plus de la misère des immigrantes. La prostitution n'a toujours été qu'un sous-produit de la pauvreté avant d'être un thème privilégié par les historiens émoustillés ou scandalisés (ce qui revient au même) par le seul mot de libertinage. Au demeurant, on connaît le nom des parents de 88 p. 100 de ces filles.

La Salpêtrière et La Pitié

En France, au 17e siècle, l'Hôpital-Général est une institution qui sert à héberger les défavorisés de la société : pauvres, enfants trouvés, infirmes, orphelins des deux sexes, vagabonds, femmes enceintes et mères célibataires, aliénés, prostituées. Un édit de 1656 établit l'Hôpital-Général de Paris qui comprend plusieurs maisons. La Salpêtrière et La Pitié font partie de cette institution. La Salpêtrière abrite surtout des enfants abandonnés, des orphelines et des femmes enceintes. Les bourgeois de Paris y trouvent facilement des domestiques. La Pitié contient deux bâtiments pour l' « enfermement des filles débauchées », maison de protection plus que de correction, La Salpêtrière abrite parfois plus de 8000 pensionnaires, de tout âge et de toutes conditions. Plus de 50 p. 100 des « filles du roy » sont originaires de La Salpêtrière.

Quoi qu'il en soit, et même en se reportant à la mentalité d'alors qui n'accordait pas au mariage les raffinements psychologiques et affectifs qui ont cours actuellement, le mariage de ces immigrantes a quelque chose d'un peu trop expéditif. On a beau se rappeler qu'il était difficile pour une fille de se marier en France, leur bonne fortune était assortie de conditions difficiles.

Une fois embauchées, les « filles du roy » sont dirigées, vraisemblablement à pied vers un port de mer, soit Dieppe, soit La Rochelle, où elles s'embarquent sur des navires en destination du Canada. Une femme est chargée de leur surveillance pendant la traversée de deux mois, sur un bâtiment peu confortable où elles sont en contact avec les autres passagers : matelots, engagés, soldats. Si elles sont enceintes à l'arrivée, on les retourne en France, ce qui d'ailleurs n'est arrivé que rarement.

Habituellement, la plupart sont pourvues d'un mari dans les jours qui suivent leur arrivée et on peut penser que le choix du conjoint est conduit par les filles elles-mêmes car elles sont moins nombreuses que les hommes et peuvent se permettre de choisir le parti le plus avantageux, l'avantage dans toute cette affaire étant d'avoir une habitation. « C'est la première chose dont les filles s'informent et elles font sagement, parce que ceux qui ne sont pas établis souffrent beaucoup avant que d'être à leur aise », écrit Marie de l'Incarnation. Les documents d'ailleurs nous apprennent que près de 13 p. 100 des « filles du roy » ont passé plus d'un contrat de mariage avant de se résoudre à la cérémonie religieuse qui les lie pour le reste de leurs jours. Par contre, on ne note que quatre demandes de séparation sur la grande quantité de mariages si rapidement bâclés. Les « filles du roy » ont manifestement pris leur destin en main, car c'est cette attitude devant la vie qui les caractérise avant tout, celle qui leur a permis de traverser les épreuves de la dure vie qui les attendait dans une cabane au Canada. Elles sont d'ailleurs aptes à l'entreprise puisque 8 ans après l'arrivée du dernier convoi, 43 seulement étaient décédées. Les études démographiques démontrent toutefois que les « filles du roy » sont devenues stériles plus tôt que les Canadiennes.

On l'a vu plus haut, la vie qui les attend est d'une exceptionnelle rudesse. Mais c'est une vie où les besoins les plus élémentaires sont comblés. C'est malgré tout un progrès sur la France où souvent ces besoins ne le sont même pas. Il semble également que l'habitat très dispersé en Nouvelle-France ait réduit considérablement l'effet des épidémies, si fréquentes dans le 17e siècle européen. De plus, pendant près de deux générations, les circonstances exceptionnelles de la colonisation ont suscité des comportements sociaux particuliers.

On a déjà mentionné le plus frappant de ces comportements singuliers pour une société d'Ancien Régime : le mariage des adolescentes, voire des fillettes impubères. Toutefois, avec la fin du 17e siècle, l'âge au mariage ira en s'accroissant et s'alignera bientôt sur les comportements métropolitains. Autre phénomène intéressant, il y a toutes raisons de croire que les veuves sont recherchées et qu'elles tirent parti de leurs avantages (une maison, un roulant, une terre déjà à demi défrichée) pour épouser un homme encore jeune et non chargé d'enfant. En France, les veuves sont le plus souvent vouées à la mendicité. Mais à mesure que progresse la colonisation, les veuves mettront de plus en plus de temps à pouvoir se remarier.

Autre trait particulier, le petit nombre de conceptions prénuptiales. Les démographes l'évaluent à 4,5 p. 100 de toutes les naissances, proportion deux fois moindre qu'au siècle suivant, et considérée comme basse relativement aux normes du 17e siècle. Il semble que le phénomène soit dû au jeune âge des épouses puisque, chez les veuves, le taux de conceptions prénuptiales s'élève à 20 p. 100. D'ailleurs, les comportements conjugaux sont dictés bien davantage par des circonstances particulières que par des impulsions sentimentales. Alors qu'en France on se marie en octobre (avant l'Avent) et en hiver (avant le Carême), en Nouvelle-France on se marie au moment de l'arrivée des navires, c'est-à-dire du mois d'août au mois d'octobre. Après 1680, toutefois, le calendrier des mariages se rapprochera de celui de la métropole et suivra le rythme des travaux agricoles.

Les recherches actuelles ne permettent pas de déterminer avec certitude les taux de mortalité infantile ni les taux de mortalité des femmes au moment de leurs accouchements. Le démographe Hubert Charbonneau estime que la mortalité infantile tend à croître à mesure qu'on avance dans le 17e siècle. Il évalue ces taux comme inférieurs à ceux de la France à la même époque et suggère l'hypothèse que la sélection exercée par la rude traversée océanique aurait eu des effets positifs dans le pays d'arrivée. Ses travaux démontrent également une surmortalité féminine importante entre 30 et 45 ans. La grossesse et l'accouchement ont donc prélevé un taux élevé de victimes surtout au début et à la fin de la période de fécondité. Il semble certain également que la taille des familles est grande, six, sept enfants en moyenne, et que les femmes ont le plus souvent un enfant à tous les deux ans. Parvenues à l'âge de 40 ans, les femmes cessent d'avoir des enfants. Il semble donc que la ménopause soit assez précoce au 17e siècle, relativement aux normes actuelles. On constate aussi que la puberté est plus tardive. Tout indique aussi que les couples ne pratiquent aucune contraception, adoptant en cela un comportement répandu dans les sociétés préindustrielles.

Le 17e siècle canadien se caractérise par une autre particularité : la grande proportion de crimes contre les moeurs qui sont portés à l'attention des tribunaux. Elle est deux fois plus élevée qu'au siècle suivant. « Or, il est certain, par ailleurs, que la criminalité réelle, dans ce type d'affaires, loin de décroître, a dû au contraire augmenter dans les faits », affirme André Morel. Il semble qu'au 17e siècle les infractions à la morale sexuelle aient été davantage une source d'indignation et de scandale, ce qui explique que tant de causes aient été portées devant les tribunaux. Le contrôle social en cette matière aurait donc été beaucoup plus grand au 17e siècle qu'au siècle suivant.

Au demeurant, toutes ces anecdotes sur la « vie libertine en Nouvelle-France » nous renseignent davantage sur les moeurs sexuelles que sur la moralité de la population. Le langage des plaideurs nous semble d'une impudeur et d'une crudité étonnante, surtout chez les paysans. Mais dans toutes les classes de la société, règne le double standard : la fidélité est un devoir essentiellement féminin.

Toutes ces caractéristiques sociales se retrouvent surtout dans les classes populaires. Il semble toutefois que la situation est légèrement différente dans les classes plus huppées de la société.

Femme de la petite noblesse et de la bourgeoisie

Lorsque Marguerite Legardeur de Repentigny, épouse de Jacques LeNeuf de la Poterie, débarque à Québec le 11 juin 1636, elle est membre d'un clan familial d'une quinzaine de personnes qui vient ouvertement tenter fortune en Nouvelle-France, car les avenues du pouvoir et de la richesse sont trop encombrées en France. Parce qu'elle n'est qu'une épouse, elle n'a pas intéressé les historiens. Pourtant, à l'instar des autres femmes de son groupe social, elle a joué un rôle non négligeable dans la détermination et la réussite des ambitions financières et foncières de sa famille. On retrouve des exemples similaires chez les ambitieux de tout acabit qui se sont laissé séduire par l'aventure américaine.

On en sait donc très peu sur ces femmes et, pour les connaître, il importe de décoder différemment les sources et les études consacrées à leurs maris, à leurs pères ou à leurs fils. Certes, ce groupe d'immigrants ne constitue pas un grand nombre de personnes. Mais leur rôle a été considérable, de 1634 à 1663, au moment où la colonisation est assurée principalement par des compagnies privées ; après l'intermède de l'intendance de Talon, alors que l'État français prend provisoirement en main le développement et le peuplement, ce rôle des grands marchands reprend de plus belle, après 1682, avec la complicité intéressée des autorités en place. D'une part, ce groupe de personnes a eu un rôle déterminant dans le développement économique de la colonie. D'autre part, ce groupe est sur-représenté dans les archives. On doit donc se souvenir que nos connaissances sur les époques passées laissent le plus souvent dans l'ombre les personnes dites ordinaires. Toutefois, l'intérêt qu'on peut porter à ce groupe social ne repose pas sur son importance numérique, mais sur le modèle féminin qui s'en dégage.

Or, quel est le rôle des femmes dans ces clans de petite noblesse ou de bourgeois souvent anoblis par le roi ? Il est avant tout de faire des enfants. Les cas de familles de 8, 10, 12 enfants ne sont pas rares. Ces enfants sont des prête-noms commodes pour augmenter le nombre de concessions foncières : on compte, en 1663, huit cas de concessions à des « seigneurs » de moins de six ans et six cas à des « seigneurs » adolescents. Ces concessions, notons-le, ne sont jamais destinées à des filles. C'est le hasard des mortalités qui les fait accéder à la propriété seigneuriale, habituellement lorsqu'elles deviennent veuves.

Les enfants sont également prétexte à réclamer des pensions car la noblesse canadienne est peu intéressée à s'adonner à la mise en valeur de ses terres. Les fils s'habillent à l'amérindienne, jouent les bandits de grands chemins, prennent la route des Outaouais, cherchent des postes dans l'armée, tandis que les filles servent à sceller les intérêts des familles par des mariages de raison. Au bout de deux générations, les grandes familles constituent une société étroitement tricotée, où les dots des filles ont cimenté les liens les plus durables et où il sera de plus en plus difficile de pénétrer.

Dans cette petite société, les filles ont du caractère et... « elles sont, pour la plupart, plus savantes en matières dangereuses que celles de France, écrit Marie de l'Incarnation. Trente filles nous donnent plus de travail dans le pensionnat que soixante ne font en France ». Élevées en liberté, ces « sauvageonnes » vont donc chercher un peu de vernis chez les Ursulines. Elles reçoivent le plus souvent des bourses car leurs familles ne peuvent payer tout le coût de la pension. Elles quittent le couvent pour se marier dans les mois, voire dans les jours qui suivent la fin de leurs « études ». Ces études sont consacrées surtout à les préparer à leurs fonctions d'épouses et de mères. Si elles ne trouvent pas de partis convenables, elles entrent au couvent.

TABLEAU 2
Les prénoms des premières filles nées au Canada

Canadiennes sujettes d'acte de baptême

Prénoms	Nombres absolus	Nombres relatifs
Marie	808	9,6
Marie-Madeleine	683	8,1
Marguerite	617	7,3
Marie-Anne	586	7,0
Jeanne	397	4,7
Catherine	385	4,6
Anne	371	4,4
Geneviève	327	3,9
Françoise	295	3,5
Louise	255	3,0
Élisabeth	234	2,8
Marie-Françoise	209	2,5
Marie-Catherine	193	2,3
Marie-Jeanne	161	1,9
Angélique	139	1,7
Autres prénoms	2746	32,7
Ensemble	8406	100,0

Source : R. Roy, Y. Landry, H. Charbonneau, « Quelques comportements des Canadiens au XVIIe siècle d'après les régistres paroissiaux » dans *Revue d'Histoire d'Amérique française*, vol. 31, no 1 (juin 1977), p. 71.

La pénurie de femmes les oblige à allaiter elles-mêmes leurs enfants, du moins au 17e siècle, faute de pouvoir recruter des nourrices. Libérées après quelques années de leurs responsabilités nourricières, elles participent à la gestion des affaires, s'entremettent pour placer leurs enfants par des mariages bien assortis et par des postes dans l'armée ou l'administration publique. Veuves, elles sont toujours recherchées et elles multiplient les démarches pour assurer la tutelle de leurs enfants. On cite le cas d'Éléonore de Grandmaison qui contracte successivement quatre mariages et manifeste d'indéniables talents de femme d'affaires. D'ailleurs, en 1663, 54,5 p. 100 des seigneuries appartiennent à des veuves. Il ne faut pas en conclure qu'elles détiennent pour cela un pouvoir sur les affaires. Elles possèdent des seigneuries en attendant de céder leurs biens à leurs fils. Aussi, ne les retrouve-t-on jamais dans les conseils ou aux postes clés.

Leurs maisons sont encombrées d'un ameublement considérable et chaque navire qui arrive à Québec transporte, pour ces familles privilégiées mais endettées, des coussins, des ustensiles, des tables, des flambeaux, des fauteuils, des miroirs, de la lingerie, des plats d'argent qui témoignent de leur statut social. Les femmes règnent en maîtresse sur ces intérieurs, pâles copies des résidences métropolitaines.

Toutefois, si ces femmes survivent à leurs maris, une fois leurs enfants bien casés, elles se retrouvent parfois au bord de l'indigence. Dès lors, aucun fils n'interrompra sa carrière pour subvenir aux besoins de sa mère. Aucune fille ne l'hébergera dans sa belle-famille. L'État et l'Église s'en occupent, soit en leur versant des pensions, soit en les hébergeant dans les couvents.

Une société qui se stabilise

Le 17e siècle a permis à des femmes et à des hommes d'échapper à la misère. C'est en traversant l'Atlantique qu'ils mettent fin à une vie de pauvreté ou d'errance en terre française. Le 17e siècle a permis à des mystiques de trouver une terre fertile pour l'exercice de leurs aspirations. Le 17e siècle a permis à des aventuriers de tenter leur chance dans un pays nouveau. De toute évidence, les débuts de la période coloniale ont engendré une situation exceptionnelle qui mobilisait les énergies de tous. On s'attend

à ce que les femmes outrepassent les limites qui leur sont culturel-
lement imposées. Parce qu'on a besoin d'elles, des femmes se font
fondatrices, marchandes, guerrières, administratrices, missionnaires. Parce qu'on a un pays à ouvrir, des centaines de femmes
« propres au travail comme des hommes », apprennent le dur
métier de défricheur, tout en peuplant la colonie.

Ce qui caractérise ce siècle, ce n'est pas tant l'héroïsme, le
caractère inusité ou non traditionnel des gestes des femmes, mais
la multiplicité des actes indépendants et autonomes qu'elles peuvent
poser. En 1698, la Nouvelle-France ne compte encore que 15 355
habitants. Il est malgré tout significatif que, pour une si petite
société et une période aussi brève, trois quarts de siècle environ,
un si grand nombre de femmes aient joué un rôle digne d'être retenu
par l'histoire officielle.

Au début du 18e siècle va se créer une nouvelle conjoncture.
Les guerres iroquoises se terminent en 1701, mettant fin à des
décennies de crainte collective et ne requérant plus de femmes
armées de mousquets. Le contact avec les populations amérindiennes devient de plus en plus ténu. Les tribus amérindiennes ont
été soit décimées par les guerres et les épidémies, soit refoulées à
l'intérieur du continent, soit enfermées littéralement dans des villages où des missionnaires les maintiennent dans un état de semi-
dépendance et tentent d'imposer aux femmes le code moral occidental. On ne manque plus de filles à marier et, peu à peu,
l'équilibre démographique est atteint. Les seigneuries commencent
lentement à se remplir à mesure que les colons-défricheurs font
reculer la forêt. On trouve donc toujours, en Nouvelle-France, des
familles vivant dans la misère et l'isolement. (On en trouvera,
d'ailleurs, au Québec, jusqu'au 20e siècle.) Mais à partir du 18e
siècle, le nombre d'établissements qui accèdent à une certaine
aisance commence à croître et une vie paroissiale régulière s'établit progressivement. La stabilité des institutions et des classes
sociales se trouve davantage assurée pendant que s'estompent les
mirages des fortunes coloniales. Le commerce des fourrures lui-
même entre en crise.

Toujours est-il que cette nouvelle conjoncture va créer, pour les
femmes, une situation plus régulière, pourrait-on dire , plus pro-
che, en tous les cas, des sociétés de l'Ancien Régime où les femmes
paraissaient confinées à la vie familiale. Le signe le plus apparent
de ces transformations sociales semble être l'apparition d'une nouvelle catégorie sociale, celle des indigents. Dès 1676, ils s'entassent

aux confins de la ville de Québec et on doit trouver des moyens de les secourir. Vers 1685, le mouvement atteint la ville de Montréal.

Des « Bureaux des pauvres » sont alors ouverts, à Québec et à Montréal, gérés par des laïcs. Mais les autorités religieuses obtiennent de les transformer en hôpital général, sous la direction des religieuses ou de religieux, comme cela se fait en France*. On révèle que les deux tiers des pauvres qui se présentent au bureau de Montréal sont des femmes. Dans une société désormais stabilisée, les femmes sont au premier rang des laissés-pour-compte. L'époque héroïque est bel et bien terminée.

---

* L'Hôpital-Général de Québec ouvre ses portes en 1701. Il est dirigé par les Hospitalières de Saint-Augustin qui se séparent de l'Hôtel-Dieu.

Notes du chapitre II

1. Marie Morin, *Histoire simple et véritable, Les Annales de l'Hôtel-Dieu de Montréal, 1659-1725*, édition critique par Ghislaine Legendre, Montréal, Presses de l'Université de Montréal, 1979, p. 64.

2. Les jugements sur les « filles du roy » se trouvent dans les écrits suivants :

   — *Relations des Jésuites*, (ed. Thwaites), vol. XXI : p. 106-108 ; vol. XLI : p. 184-186.

   — Pierre Boucher, *op. cit.*, p. 155-156.

   — De Baugy, *Journal d'une Expédition contre les Iroquois en 1687*, Paris, 1883 (lettre du 23 nov. 1683).

   — Marie de l'Incarnation, *Correspondance*, nouvelle édition par Dom Oury, 1971.
   Lettre d'octobre 1668, p. 832.
   Lettre d'octobre 1669, p. 862.

   — Lahontan, *Nouveaux voyages de Mr le Baron de la Honton dans l'Amérique septentrionale*, La Haye, 1703, vol. I, p. 10-12.

   — *Le Journal des Jésuites*, Québec, 1871, p. 335.

Orientations bibliographiques

Charbonneau, Hubert, *Vie et mort de nos ancêtres*. Étude démographique, Collection « Démographie canadienne », no 3, Montréal, PUM, 1975, 268 pages.

D'Allaire, Micheline, « Jeanne Mance à Montréal en 1642 » dans *Forces*, 1973, p. 38-46.

Daveluy, Marie-Claire, *Jeanne Mance*, Montréal, Fides, 1962, 386 pages.

Dechêne, Louise, *Habitants et marchands de Montréal au XVIIe siècle*, Plon, 1974, 588 pages.

Desrosiers, Léo-Paul, *Les Opiniâtres*, Montréal, Fides, 1980.

Dickinson, John A., « La guerre iroquoise et la mortalité en Nouvelle-France, 1608-1666 » dans *Revue d'histoire d'Amérique française*, vol. 36, no 1 (juin 1982), p. 31-54.

Dictionnaire biographique du Canada, Tome I.

Douglas, James, « The Status of Women in New-England and New-France » dans *Queen's Quarterly*, 1912, p. 359-374.

Dumas, Sylvio, *Les Filles du Roi en Nouvelle-France*. Cahiers d'histoire, no 24, La société historique de Québec, 1972, 382 pages.

Jamieson, Kathleen, *La femme indienne devant la loi : une citoyenne mineure*, Conseil consultatif canadien de la situation de la femme, Ottawa, 1978, 118 pages.

Jean, Marguerite, *Évolution des communautés religieuses de femmes au Canada de 1639 à nos jours*, Montréal, Fides, 1977, 324 pages.

Lachance, André, « Le Bureau des pauvres de Montréal » dans *Histoire sociale*, no 4 (nov. 1969), p. 97-110.

Leacock, Eleanor, « Montagnais marriage and the Jesuits in the Seventeenth century ; incidents from the Relations of Paul Le Jeune » dans *The Western Canadian Journal of Anthropology*, vol. VI, no 3, (1976).

Leacock, Eleanor, « The Montagnais-Nascapi Band » dans Cox, Bruce, ed., *Cultural Ecology*, Toronto, McClelland and Stewart, 1973.

Mandrou, Robert, *Introduction à la France Moderne*. Essai de psychologie historique, 1500-1640, Collection « L'Évolution de l'humanité », Paris, Albin Michel, 1961, 400 pages.

Morel, André, « Réflexions sur la justice criminelle canadienne au XVIIIe siècle » dans *Revue d'Histoire d'Amérique française*, vol. 29, no 2 ; p. 241-253.

Oury, Dom Guy, *Marie de l'Incarnation (1599-1672)*, Québec, P.U.L., 1973, 2 volumes.

Rousseau, François, « Hôpital et société en Nouvelle-France : l'Hôtel-Dieu de Québec à la fin du XVIIe siècle » dans *Revue d'Histoire d'Amérique française*, vol. 31, no 1, p. 29-47.

Séguin, R.L., *La vie libertine en Nouvelle-France au XVIIe siècle*, Montréal, Leméac, 1972.

LA STABILITÉ
1701-1832

Après des débuts difficiles, la Nouvelle-France entre dans une période de prospérité et de stabilité relative. Certes, le début du 17e siècle n'augure rien de bon. La guerre avec les colonies anglaises ne se termine qu'en 1713. Le commerce des fourrures, base économique de la colonie, s'effondre et doit se transformer. On commence à tenter de diversifier l'économie. Une période d'inflation, causée par la crise du crédit public, achève de bouleverser la vie du menu peuple. Mais avec les années 1720 s'instaure finalement une époque de plus grande prospérité.

La France s'intéresse à sa colonie du Canada pour des raisons économiques et militaires. La traite des fourrures, vaste commerce qui est exploité surtout à partir de Québec et de Montréal, permet aux investisseurs français de retirer des profits intéressants. La Nouvelle-France est la base militaire essentielle au soutien des ambitions de Louis XIV et de Louis XV en Amérique.

La rivalité entre les Anglais et les Français, qui se joue aussi en Europe, aux Indes et en haute mer, explique les nombreuses guerres qui surviennent. L'Amérique du Nord est le théâtre des luttes des super-puissances. La France maintient au Canada une vaste machine militaire qui est renforcée en temps d'hostilité. L'économie de guerre est un des moteurs du développement de la vallée du Saint-Laurent. On a calculé que près d'un quart de la population totale était au service du complexe militaire.

La défaite des ambitions françaises en Amérique à la bataille des plaines d'Abraham en 1759 prépare la passation définitive du Canada à l'Empire britannique en 1763 par le Traité de Paris. Les Britanniques continuent la fortification de leur nouvelle colonie et les troupes françaises sont remplacées par des troupes britanniques qui sont souvent composées d'Écossais ou d'Allemands.

La guerre, au 18e siècle, fait partie des fléaux susceptibles d'affliger les populations au même titre que les épidémies, les inondations ou les disettes. Les combats eux-mêmes n'affectent guère les gens, mais le niveau de vie et la solidarité familiale en sont singulièrement bouleversés. Par ailleurs, un siège qui coupe les habitants d'une ville de ses sources d'approvisionnement est toujours catastrophique pour la population. Enfin, les armées posent souvent des gestes destructeurs qui nuisent à la population civile. Mais même si les habitants prennent partie pour l'un des camps en présence, à long terme leur mode de vie n'est guère bouleversé par tous ces événements sur lesquels ils n'ont d'ailleurs aucune prise. La mémoire populaire a toutefois gardé le souvenir des années les plus sombres : 1759, alors que Québec est bombardé, assiégé, et des centaines de fermes brûlées et dévastées, et aussi l'hiver 1775-1776, alors que les Américains tentent de s'emparer de Québec et de Montréal.

En dépit des guerres, on connaît, somme toute, une période de prospérité et de stabilité au Canada. La croissance extraordinaire de la population en témoigne. Le démographe Jacques Henripin a estimé que la population francophone à elle seule s'est multipliée par 20 entre 1700 et 1830. Dès le début du Régime britannique, les Anglais et les Écossais, marchands, artisans, aventuriers ou agriculteurs, viennent chercher fortune au Canada.

Les francophones voient arriver d'autres groupes ethniques. Après la Révolution américaine, les loyalistes viennent chercher un asile politique au Canada. D'autres Américains viennent à la recherche de terres à bon marché. Quelques soldats de l'armée britannique restent au Canada et épousent les filles du pays. Après les guerres napoléoniennes arrivent des vagues d'Irlandais, protestants et catholiques.

Malgré ces événements, il y a une continuité dans l'existence de la plupart des habitants du Saint-Laurent. Ils vivent dans les seigneuries et cultivent leurs terres dans le cadre d'une organisation de type féodal. Même si les obligations ne pèsent pas aussi lourdement sur le paysan canadien que sur son cousin français, certains historiens voient dans le système seigneurial un frein au développement d'une agriculture rentable et d'une mentalité moderne au 19e siècle. D'autres historiens y voient une protection institutionnelle du groupe francophone face aux nouveaux arrivants d'autres groupes ethniques.

Au 18e siècle, la majorité de la population vit dans un cadre rural. Beaucoup de familles n'arrivent pas à produire des surplus à échanger contre des produits importés. Aussi doivent-elles fabriquer la plupart des articles dont elles ont besoin. Mais, en général, la période d'avant 1815 en est une de prospérité, de bonnes récoltes et d'abondance des terres cultivables. Le tableau s'assombrit lors des guerres qui siphonnent une partie de la main-d'oeuvre nécessaire aux travaux agricoles et lors des mauvaises récoltes. Une mauvaise année se traduit souvent par des hausses abruptes du taux de mortalité chez une population sous-alimentée qui est alors plus vulnérable aux maladies mortelles.

La prospérité des cultivateurs se termine avec la fin de la guerre de 1815. Le prix du blé d'exportation nécessaire à maintenir la gigantesque armée britannique à travers l'Europe tombe brusquement. Des maladies détruisent une grande partie des récoltes. La croissance de la population est maintenant telle que les terres, dans les anciennes seigneuries, manquent. On doit s'établir de plus en plus loin du fleuve. On subdivise sa ferme pour y faire vivre ses enfants. En 1831, à l'île d'Orléans, 40 p. 100 des chefs de famille ne sont pas propriétaires.

Pour la minorité de la population qui vit dans les villes, le 18e siècle apporte des changements brusques. Ceux et celles qui vivent de l'établissement militaire et du commerce s'y trouvent : administrateurs de carrière, marchands, petits fonctionnaires, officiers, soldats et artisans se côtoient dans les villes de Québec, Trois-Rivières et Montréal. De plus, on y trouve les établissements des ordres religieux qui servent d'hôpital, d'école ou d'hospice pour la population locale. Le changement de régime politique de 1760 touche directement ces gens. Ceux qui détiennent de hauts postes dans l'administration ou dans l'armée voient leurs carrières dans la bureaucratie française compromises et beaucoup ne tardent pas à regagner la mère-patrie avec leurs familles. Des marchands qui dépendent de leurs affaires avec le gouvernement français, soit pour la traite des fourrures, soit pour ravitailler l'armée, voient leurs commerces péricliter.

Des trois organisations religieuses masculines, il n'y en aura qu'une, les Sulpiciens, qui survivra à long terme. Les communautés des Jésuites et des Récollets ne sont plus autorisés à recruter de nouveaux membres et sont vouées à l'extinction. Trop de prêtres catholiques sont une menace au nouveau pouvoir protestant. Toutefois, les communautés féminines ne sont que peu touchées et se gagneront immédiatement la sympathie des dirigeants britanniques. Le clergé séculier, fort réduit en nombre, encadre la population catholique dans les paroisses.

Le 18e siècle est marqué par l'éthique aristocratique. La colonie est gouvernée par le représentant personnel du monarque qui, souvent, cumule les fonctions de commandant militaire et d'administrateur. Les postes de prestige dans le gouvernement sont remplis par les amis de la Couronne ou, sous le Régime anglais, du parti au pouvoir en Angleterre. Cet ordre hiérarchique, basé sur le rang social acquis par la naissance ou par la fortune, se perpétuera pendant toute cette période.

Pour l'Église catholique, la première moitié du 18e siècle n'est déjà pas une période facile. Le roi de France est jaloux de son pouvoir et surveille les évêques très étroitement. La cour de Versailles tente de décourager la fondation de nouvelles communautés religieuses, croyant que la colonie en a déjà trop. La prise de pouvoir par la Grande-Bretagne, qui vient tout juste de repousser une tentative de réinstaurer un roi catholique sur le trône d'Angleterre, met l'Église dans une situation fort délicate. En Grande-Bretagne, le catholicisme est assimilé à un pouvoir subversif. Ainsi, l'évêque de Québec met plusieurs années à assurer les autorités britanniques de sa loyauté avant de se faire reconnaître. De plus, au 18e siècle, on respire le courant de l'anticléricalisme que les philosophes répandent chez les gens cultivés. Et, face à l'ensemble de la population, le curé aura souvent de la difficulté à corriger le comportement irréligieux de ses ouailles.

L'arrivée massive des protestants, au 19e siècle, suscitera la création des institutions parallèles que le Québec connaît aujourd'hui. Ceux-ci exigent non seulement des églises séparées pour chaque secte, mais également des écoles, des hôpitaux, des hospices et même des associations de charité à dominance protestante.

Dans cette longue période qui s'étend de 1701 à 1832, la vie de la plupart des femmes de la vallée du Saint-Laurent ne change guère. Femme cultivatrice ou marchande, sa vie se déroule entièrement dans le contexte familial. Devenir religieuse est pratiquement le seul autre mode de vie sécuritaire en dehors du mariage et de la vie de famille.

L'importance de la famille est un élément capital pour comprendre le cadre de vie de l'Ancien Régime. Que ce soit dans la vie domestique ou dans la vie économique et sociale, toute l'activité s'articule autour du groupe familial, ce qui confère aux femmes un rôle de premier plan. L'inégalité des sexes n'est pas remise en question, mais la complémentarité des rôles est indispensable à la survie ou au mieux-être de la communauté familiale.

Le cycle de vie des femmes, de la naissance à la vieillesse, en passant par l'éducation de la petite fille et les fréquentations, est totalement polarisé par les besoins de la famille. La vie sociale, économique, politique et culturelle se définit, pour les hommes et pour les femmes, non pas tant en fonction de leur promotion individuelle, mais en fonction de la promotion du groupe familial.

III

Vivre en famille

Petites filles

À travers l'histoire, les parents n'ont pas toujours accueilli avec la même joie la naissance des filles et des garçons. Dans les sociétés traditionnelles où les naissances fréquentes menaçaient le niveau de vie familial, l'infanticide faisait plus de victimes chez les filles que chez les garçons. On ignore ce que les parents canadiens souhaitaient avoir comme enfant. Un garçon portera le nom de la famille et pourra plus facilement assurer la sécurité matérielle de ses parents à leur vieillesse. Une fille devra se constituer très tôt une dot, ou du moins un trousseau et passera inévitablement dans la famille de son futur mari. Quoi qu'il en soit, il n'y a aucun indice prouvant que les parents de cette époque aient moins bien accepté la naissance des filles que celle des garçons. De toute façon, jusqu'au milieu du 18e siècle, l'immigration est toujours fortement masculine et on ne craint guère de rester avec des filles à marier.

Certains parents nous ont laissé des témoignages de leur grande affection pour leurs filles. À la fin du 17e siècle, Pierre Boucher, dans son testament, parle avec beaucoup de tendresse de sa plus jeune fille, Geneviève. Élizabeth Bégon, épistolière et dame de la haute société montréalaise, à la fin du Régime français, surveille avec une dévotion constante les progrès de sa petite-fille, Marie-Catherine de Villebois de la Rouvillière, qui habite avec elle après la mort de sa mère. La petite semble être au centre des attentions des adultes qui l'entourent. Sa grand-mère écrit que :

69

« Elle nous fait passer le temps avec moins d'ennui que nous ne ferions, si nous ne l'avions pas. » Marie-Catherine est une enfant exceptionnellement choyée parce qu'élevée seule au sein d'une famille à l'aise.

Le miracle du nouveau-né

1. *Sont trois faucheurs dedans les prés ; (bis)*
   Trois jeunes fill' vont y faner.
*Refrain: *Je suis jeune ; j'entends les bois retentir*
   Je suis jeune et jolie.

2. *Trois jeunes fill' vont y faner (bis)*
   Celle qui accouch' d'un nouveau-né

3. *D'un mouchoir blanc l'a enveloppé ;*

4. *Dans la rivière elle l'a jeté.*

5. *L'enfant s'est mis à lui parler.*

6. *— Ma bonne mèr', là vous péchez.*

7. *— Mais, mon enfant qui te l'a dit ?*

8. *— Ce sont trois ang's du paradis.*

9. *L'un est tout blanc et l'autre gris;*

10. *L'autre ressemble à Jésus-Christ.*

11. *— Ah, revenez, mon cher enfant.*

12. *— Ma chère mère, il n'est plus temps.*

13. *Mon petit corps s'en va calant ;*

14. *Mon petit coeur s'en va mourant ;*

15. *Ma petite âme au paradis.*

* Refrain *après chaque strophe*
Source : Barbeau, M., *Vieilles Chansons du Vieux Québec*,
   Musées nationaux du Canada, Bulletin no 75, 1962,
   72 pages, p. 46-47.

Il est vrai que les parents n'ont que peu de raisons de redouter l'arrivée des enfants. L'abondance des terres cultivables, du gibier et du poisson assure, à l'encontre de la situation qui prévaut souvent en Europe, presque toujours de quoi nourrir sa famille. Au moment où dans certains milieux, en Europe et en Amérique, on commence à s'enquérir plus ouvertement des moyens de contrôler la reproduction, rien ne nous indique que la limitation des naissances ait été pratiquée avec succès par les Canadiens. Des moyens sont connus à cette époque, tels la continence et le coït interrompu, mais les statistiques démographiques laissent croire qu'ils ne sont pas utilisés au Canada, du moins chez la population francophone mariée. Au 18e et au 19e siècle, l'infanticide constitue un autre des moyens connus pour contrôler sa descendance. Ou bien on tue le nouveau-né, ou bien on l'étouffe par « accident » pendant qu'il dort dans le lit de ses parents, ou bien on l'abandonne dans un lieu public. Abandonner son enfant semble être le recours des filles-mères surtout. L'étouffement aurait été pratiqué plutôt par les épouses. On ignore si ce moyen de limiter le nombre de ses enfants a été mis en pratique au Canada. Mais on peut se demander si c'est à cause de ce danger ou pour des raisons de moralité que le haut clergé préfère que les enfants ne dorment pas avec leurs mères.

Lettre circulaire aux curés de l'Acadie

7. On m'ajoute que les mères couchent leurs enfants avec elles, sur prétexte qu'il ne leur est jamais arrivé d'accident, et qu'il y aurait plus à craindre pour la vie de l'enfant qui courrait le risque de mourir de froid. Je désire que chaque missionnaire me marque en particulier son avis sur cet article, afin de pouvoir dans la suite prendre un parti. On n'ignore point que dans plusieurs diocèses de France cela ne soit défendu. On pourrait suivre cette pratique au moins dans l'été, et attendre notre décision pour le temps de l'hiver.
Source : Mandements des évêques du diocèse de Québec, Tome I, Québec, 1887, 20 avril 1742.

De toute façon, à l'époque préindustrielle, au taux de naissance élevé correspond un taux de mortalité aussi élevé. Cette mortalité frappe surtout les enfants, de sorte qu'environ trois sur quatre d'entre eux peuvent espérer atteindre l'âge adulte. Avoir une nombreuse progéniture assure une main-d'oeuvre à la ferme ou dans l'entreprise familiale et permet d'espérer que quelques enfants survivront à leurs parents, et les aideront pendant leurs vieux jours.

Selon la division traditionnelle des tâches au sein de la famille, les petites filles doivent aider leur mère et apprendre à accomplir les travaux « des femmes ». Tout comme les jeunes garçons, elles peuvent faire les travaux légers comme cueillir des baies ou surveiller les troupeaux. Mais, très tôt, on leur réserve les tâches de la maison et de la basse-cour. Les aînées s'occupent souvent des enfants plus jeunes pour décharger leur mère. Ainsi, l'éducation qu'on donne aux jeunes filles se limite aux connaissances pratiques qui peuvent leur servir leur vie durant.

Puisque la vie des femmes se passe au sein de leur famille, l'éducation formelle ne semble guère nécessaire pour les jeunes filles. Cependant, il faut ajouter que les jeunes garçons ne sont pas plus instruits car la lecture et l'écriture sont essentielles seulement pour les gens des classes les plus aisées. Comme beaucoup d'enfants, Marie-Catherine de Villebois de la Rouvillière reçoit ses premières leçons à la maison. Mais sa grand-mère, épistolière et instruite, exprime des sentiments peu communs lorsqu'elle écrit au père de Marie-Catherine qu'elle la laisse étudier avant d'apprendre l'ouvrage traditionnel des femmes, la couture et le ménage.

> *Elle me fait passer le temps (...) en lui montrant tout ce qu'elle veut apprendre : tantôt l'histoire de France, tantôt la romaine, la géographie, le rudiment à lire français et latin, écrire, exemples, vers, histoire, tels qu'elle les veut, pour lui donner de l'inclination d'écrire et à apprendre. Mais elle n'aime point l'ouvrage ; je la laisse, aimant mieux qu'elle apprenne que de travailler, ce qu'elle saura quand je voudrai*[1].

Élisabeth Bégon est née à Montréal. Ses connaissances démontrent la présence d'une tradition d'enseignement aux femmes qui permet, du moins à quelques filles des familles les plus fortunées, d'accéder à une culture générale. Peu de femmes peuvent donner autant de culture à leurs filles. Tout au plus leur est-il possible de les envoyer au couvent où les religieuses leur dispensent une instruction primaire pendant quelques années.

Car grâce à la présence des communautés de religieuses enseignantes depuis les premiers jours de la colonie, l'éducation des filles est assurée sans interruption, même après la conquête par les Anglais. Des sept communautés de femmes qui existent en Nouvelle-France, trois, soit les Ursulines à Québec et aux Trois-Rivières et les Soeurs de la Congrégation à Montréal, se dévouent presque exclusivement à l'éducation des filles. À la fin du Régime français, on trouve même des pensionnats à la campagne. L'accès à l'éducation pour les filles semble avoir été si généralisé qu'aujourd'hui encore on entend répéter que les femmes d'autrefois

Collection des soeurs de la congrégation Notre-Dame

Sainte Anne est un des personnages religieux les plus populaires de l'histoire québécoise. L'historienne de l'art Nicole
Cloutier a calculé que plus de la moitié des illustrations de
sainte Anne la montre enseignant à la Vierge. Le thème de
sainte Anne éducatrice, qui est proposée comme modèle aux
mères, se propage à partir du 18e siècle. Ce tableau fut
réalisé par Théophile Hamel en 1849.

étaient plus instruites que leurs maris. Cependant, rien ne nous permet de confirmer cette affirmation. Les recherches démontrent qu'au 18e siècle, à peu près le même nombre de femmes que d'hommes peuvent signer leurs noms dans les registres paroissiaux ou les documents notariés, soit fort peu de gens, peut-être un dixième.

Pourtant, plusieurs voyageurs européens remarquent que les femmes sont mieux éduquées que les hommes. Ceci peut s'expliquer de deux façons. D'une part, à la même époque, dans certaines régions de France, d'Angleterre et de Nouvelle-Angleterre, l'analphabétisme est de deux à trois fois plus important chez les femmes que chez les hommes. Cet écart minime entre hommes et femmes au Canada a pu impressionner ces visiteurs. D'autre part, il semble que plus de femmes que d'hommes savent lire seulement alors que plus d'hommes peuvent lire et écrire.

L'éducation des filles peut être plus étendue et plus accessible aux gens ordinaires en raison du nombre de couvents et de l'importance de la tradition de l'enseignement des filles au sein de l'Église. De toute façon, au 18e et au début du 19e siècle, l'éducation au couvent ne dépasse guère l'apprentissage de la lecture et de l'écriture, ainsi que des connaissances dites féminines qu'on considère essentielles à la formation des filles.

Parmi celles-ci, mentionnons d'abord la formation religieuse, particulièrement importante pour les femmes dont le comportement, d'après la moralité de l'époque, devait être plus contrôlé que celui des hommes. Ensuite, l'apprentissage des techniques essentielles, notamment la couture, pour bien tenir son ménage. La couture représente à la fois une nécessité, un loisir et une expression de créativité féminine. On trouve les meilleures couturières le plus souvent chez les religieuses qui brodent des habits sacerdotaux ou décorent des objets pour les vendre. Apprendre à coudre assure l'habillement à la famille. En ville, il est possible de gagner un peu d'argent en faisant de la couture et du raccommodage. Finalement, les dames de la haute société passent quelques moments de leurs loisirs en faisant de la broderie.

Il y a toute une hiérarchie dans les structures d'accueil des institutions d'éducation féminine. Au premier échelon, on trouve le couvent des Ursulines à Québec qui ne reçoit que les filles de la haute société. Après 1760, les Britanniques y envoient leurs filles. Ensuite viennent les petites écoles de campagne. À la fin du 18e siècle, le couvent des Ursulines de Québec reçoit les filles d'aristocrates ou de riches marchands à qui on offre l'apprentissage de la musique, du dessin, du chant et d'une langue étrangère, qualités nécessaires à l'éducation d'une fille destinée à un riche mariage. Être musicienne est très estimé, bien qu'on empêche les femmes de faire carrière en musique. Lors de soirées en famille ou de petites réceptions mondaines, les femmes de la bonne société chantent ou jouent d'un instrument.

Au 19e siècle, on trouve des institutrices laïques dans les villes. Quelques-unes sont des gouvernantes, d'autres se rendent quotidiennement au domicile de leurs élèves, d'autres encore tiennent une petite école chez elles. En 1825, les femmes forment le tiers des enseignants laïques établis à Montréal.

On constate donc que l'éducation formelle des femmes n'a jamais été très développée. Au couvent, on s'apprête à devenir soit religieuse soit mère et épouse. Il n'y a aucun apprentissage de métiers ou de professions permettant aux femmes de gagner leur vie autrement que dans le cadre domestique. Au 18e siècle, l'accès à presque tous les métiers et professions est fermé depuis longtemps aux femmes. Les métiers de couturière et de sage-femme font exception parce que reliés aux tâches féminines familiales. Quelques garçons, eux, peuvent apprendre un métier à l'école fondée à Saint-Joachim par Mgr de Laval ou fréquenter, s'ils se destinent à la prêtrise, ce qu'on a par la suite appelé la première université en Amérique, le Séminaire de Québec. De plus, avant 1760, le collège des Jésuites de Québec accepte un petit nombre de garçons pour des études dites classiques.

Servir les autres

À l'époque préindustrielle, peu de femmes passent leurs journées seules à la maison. La plupart des familles organisent le partage du travail ménager. La mère peut se faire aider par ses filles aînées, à cette époque où la fréquentation scolaire est très limitée. Chaque enfant doit faire sa part pour contribuer au bien-être familial. Dans les familles moins fortunées, les enfants sont mis en apprentissage dès l'âge de neuf ou dix ans. Alors que les garçons apprennent ainsi à devenir forgeron, menuisier ou tonnelier, un des seuls apprentissages possibles pour les filles reste celui des travaux ménagers.

L'historienne Francine Barry a étudié la domesticité féminine dans la ville de Québec vers le milieu du 18e siècle. Elle constate

que les jeunes domestiques sont souvent des filles aînées ou des ben-
jamines placées par des parents de familles nombreuses. Ce sont
surtout les familles d'habitants vivant à proximité de la ville qui
placent leurs filles comme servantes. D'ailleurs, les familles nombreuses connaissent de véritables cycles dans leur croissance.
Après la naissance de six ou sept enfants, il devient impératif de
placer les aînés à l'extérieur afin de mieux équilibrer les ressources
familiales limitées. De plus, lorsque les parents vieillissent ou sont
malades, le travail des plus jeunes à l'extérieur de la famille réduit
le nombre de bouches à nourrir. Enfin, les parents espèrent peut-
être ainsi augmenter les chances d'un « bon » mariage pour leurs
filles.

Engagée très jeune, avant la puberté, une fille doit souvent
travailler « jusqu'à ce qu'elle fut mariée ou autrement pourvue ».
Sinon, le terme du contrat de la candidate est fixé à ses 18, 20 ou
25 ans. La jeune domestique ne reçoit aucune rémunération en
argent et s'engage tout simplement à servir ses maîtres sans que le
contenu de sa tâche soit précisé. En retour, les maîtres promettent
de la traiter comme une de leurs propres enfants, de l'élever dans la
religion catholique, de la loger, de la nourrir et de la vêtir convenablement. Souvent les contrats stipulent qu'à la fin de son engagement ses maîtres doivent l'habiller en neuf et, parfois, lui fournir un
petit trousseau de linge personnel.

À l'encontre de la domestique, l'apprentie couturière du 18e
siècle s'engage vers l'âge de 19 ans en moyenne. Son apprentissage, très bref, dure à peine plus d'un an et elle doit le payer très
cher, jusqu'à 100 ou 200 livres par année.

Avec le début du 19e siècle, le statut de domestique semble se
transformer. L'historienne Claudette Lacelle dresse le portrait des
servantes, toujours pour la ville de Québec, vers 1820. Être domestique semble de moins en moins une forme d'apprentissage pour les
filles et prend de plus en plus l'allure d'un emploi salarié.

À cette époque, la croissance du milieu urbain permet à quelques femmes de travailler comme domestique le jour et de rentrer
chez elles le soir. D'ailleurs, la plupart des servantes sont originaires
de la ville. Mais, plus un ménage est aisé, plus il exige que les
domestiques soient résidentes. Les jeunes francophones vont travailler chez des francophones, alors que les anglophones semblent
engager d'autres anglophones. Mais peu de familles peuvent engager plus d'une domestique. La plupart ont une jeune bonne à tout
faire, âgée de 16 ou 17 ans, qui loge dans une toute petite chambre,

soit à l'étage inférieur ou au grenier, soit dans la cuisine. Elle reçoit la moitié du salaire versé au domestique masculin. Les journées de travail commencent à l'aube et se terminent seulement lorsque toute la famille est couchée. Dans ces conditions, il n'est guère surprenant que beaucoup de domestiques soient extrêmement mobiles, changeant souvent de maison en quête d'une meilleure place.

Fréquentations et mariage

On ne se presse pas pour se marier, au 18e siècle, comme on le faisait aux premiers jours de la Nouvelle-France. Dès le début du siècle, la quantité d'hommes et de femmes est en proportion égale et les filles repoussent leur mariage jusqu'à l'âge adulte. Le démographe Hubert Charbonneau a estimé que, pour la période de 1700 à 1729, la moitié des mariées étaient âgées de plus de 22,1 ans. Pour les hommes, l'âge correspondant était de 25,8 ans. Les gens au Canada peuvent se permettre de se marier plus jeune qu'en France où la rareté des terres et les crises de subsistance obligent les gens à remettre le mariage à un moment où ils croient s'être assurés une certaine sécurité matérielle. Le niveau de vie plus élevé en Amérique permet de se marier plus tôt puisqu'on peut mieux assumer la charge supplémentaire des enfants qui naissent inévitablement durant la première ou la deuxième année suivant la célébration du mariage.

Dépendamment des différentes couches de la société, on peut avoir intérêt à retarder son mariage, soit pour préparer un trousseau chez les femmes, soit pour assurer sa sécurité financière chez les hommes. Hommes et femmes peuvent avoir un intérêt égal à diminuer le nombre de naissances possibles en reculant la date du mariage. Ainsi, vers 1750, les marchands de Montréal pratiquent une telle stratégie. L'historien José Igartua a estimé que l'âge moyen de ces hommes à leur premier mariage était de plus de 30 ans et celui de leur épouse, de 25 ans. Donc, mariage plus tardif que dans l'ensemble de la population.

Les taux de nuptialité demeurent relativement élevés tout au long du 18e siècle. Les baisses périodiques dans le nombre annuel des mariages sont souvent le reflet de temps plus difficiles où guerres et maladies fauchent de futurs époux ou, du moins, rendent difficiles les fréquentations. Ainsi, selon les démographes Jacques Henripin et Yves Peron, le taux de nuptialité, pour toute la période

1711-1835, atteint son plus bas niveau entre 1776 et 1785. L'invasion américaine, la menace de guerre avec les Treize Colonies, quelques années de mauvaises récoltes et un fléchissement des prix agricoles, voilà autant de raisons pour ne pas se marier ou, du moins, retarder son mariage.

La plupart des Canadiennes prennent mari dans un cercle de connaissances relativement restreint. On épouse quelqu'un de la même classe sociale, de sa paroisse ou d'une paroisse avoisinante. Au début du 18e siècle, les Canadiens se marient le plus souvent avec les Canadiennes. Les immigrants choisissent surtout une des leurs. La présence de soldats en quartiers d'hiver chez les particuliers permet aux Canadiennes de faire la connaissance de jeunes Français. À certaines époques, les autorités françaises encouragent le mariage des soldats et leur établissement éventuel au Canada. Dans les bataillons de La Sarre et du Royal Roussillon venus combattre avec Montcalm, pas moins de 15 p. 100 des soldats se sont mariés au pays. Ces époux européens sont âgés de plus de 28 ans, en moyenne, selon les calculs du démographe Yves Landry, alors que leurs épouses ont le même âge que les autres filles du pays, soit entre 21 et 22 ans. Dès l'occupation britannique, les Canadiennes de toutes les classes sociales se marient avec des soldats de l'armée anglaise. Un officier ou un marchand anglophone peut s'avérer pour celles-ci un bon parti. Ainsi, Marie-Catherine Fleury-Deschambault, veuve du Baron de Longueuil, se remarie avec William Grant en 1770. Ses deux soeurs prennent John Fraser et William Dunbar pour mari.

Puisque le mariage ne se termine qu'avec la mort de l'un ou de l'autre conjoint, il importe de bien choisir son futur époux. Les considérations matérielles l'emportent sur toutes les autres. Chez les marchands, les seigneurs et les administrateurs, les origines familiales, la dot de la mariée ou la fortune du futur époux comptent avant tout. Dans la société de l'Ancien Régime où le statut social est tributaire de sa naissance, il est important de ne pas faire de mésalliance. Les grandes familles de Nouvelle-France continuent à se marier entre elles et ainsi gardent-elles la mainmise sur les privilèges qui accompagnent leur rang. Parfois, la richesse peut s'allier au statut social lorsqu'un marchand fortuné épouse une fille moins bien nantie, mais de famille distinguée. De cette manière, au 17e et au 18e siècles on réussit à accomplir le renouvellement des premières familles de Nouvelle-France. Parmi les classes dirigeantes, le rôle social des femmes est important. Par ses connaissances mondaines et ses biens de famille, sinon par sa dot, une épouse peut être un apport capital pour la carrière de son mari ou de ses fils. Élisabeth Bégon elle-même raconte, dans ses lettres à son gendre en 1749, les différents projets de mariage dans les milieux mondains de la Nouvelle-France et n'hésite pas à répéter l'opinion générale à propos de l'un de ceux-ci : « On dit que c'est un assez mauvais mariage du côté de la fortune. »

Plus les enjeux d'un mariage sont élevés, plus les parents ont intérêt à contrôler les fiançailles de leurs enfants. Puisque l'âge de la majorité est de 25 ans, selon la Coutume de Paris, le consentement des parents est indispensable. En pratique, rares sont les jeunes qui se marient sans l'approbation familiale, car la sanction peut être sévère. Ainsi, par exemple, au début du 18e siècle, le gouverneur Vaudreuil punit un jeune membre de sa famille d'avoir osé se marier sans sa permission en le bannissant, lui et son épouse, à l'Île royale (île du Cap-Breton).

À cause de telles sanctions, les mariages clandestins sont plutôt rares. Quoique rares, les mariages « à la gaumine » où l'homme et la femme s'épousent devant témoins lors de l'élévation pendant la messe ne plaisent aucunement aux autorités religieuses et civiles. En 1718, monseigneur de Saint-Vallier émet un mandement menaçant d'excommunication ceux et celles qui ont recours à cette pratique de mariage. La même année, faisant fi de cette menace, Élisabeth Rocbert de la Morandière, 22 ans, fille aînée du garde-magasin du roi à Montréal, épouse ainsi le chevalier Claude Michel Bégon, 29 ans, frère cadet de l'intendant Bégon et militaire de carrière. Comme il n'y a pas de caserne à Montréal à cette époque, Claude Michel habite dans la famille d'Élisabeth. Une bonne partie de ces mariages « à la gaumine » semblent être le fait d'officiers de l'armée française à qui on interdit un mariage qui limiterait leur disponibilité. La famille Bégon désapprouve le mariage puisqu'ils jugent que le rang social d'Élisabeth n'est pas assez élevé pour leurs ambitions. Ainsi, quelques-uns l'appellent l' « Iroquoise », et la famille fait pression sur les autorités civiles et militaires dont dépend le jeune couple. Le mariage dure 30 ans mais on ignore s'il fut heureux durant toutes ces années. Parmi les trois ou quatre enfants d'Élisabeth Bégon, un seul fils, parti très jeune pour la France, survivra à ses parents, sans compter la petite-fille, Marie-Catherine.

Les mariages d'amour semblent être exceptionnels à cette époque. Et les parents dont les enfants se sont mariés par amour, à leur insu, implorent les autorités de faire casser ces unions. Ainsi, lorsque les deux filles du seigneur François Marie Picoté de Belestre, Marie-Anne et Mariette, épousent des capitaines de l'armée anglaise quelques années après la Conquête, les parents tentent de faire annuler ces mariages. En l'absence de son mari, la belle-mère de Marie-Anne, seconde épouse du seigneur Picoté de Belestre, intente une poursuite en reddition de comptes à sa belle-fille et son époux, John Warton. Elle refuse de reconnaître le mariage puisqu'il n'y a eu ni contrat de mariage, ni acte de célébration selon les rites catholiques, ni consentement du père. L'affaire aboutit devant la Cour des milices et le gouverneur Gage déboute la poursuite, affirmant que l'annulation du mariage serait préjudiciable à l'honneur des époux Warton et de leurs futurs enfants. Paraît-il que les deux soeurs s'étaient tout simplement mariées devant l'aumônier du régiment de leurs maris.

Chez les habitants, on n'a sans doute pas le même souci exagéré d'alliance et de rang social. Mais une fille avec un trousseau bien garni possède un net avantage sur les autres. En 1797, à Chambly, Pierre Thomas Perot fils refuse d'épouser la mère de son enfant. Selon un témoin assermenté :

... Pierre Thomas Perot fils ait fréquenté la dite Marie Anne Collet en Cachet de Son Père et de Sa Mère et qu'il ait dit à lui et à d'autres, Si l'enfant n'avoit point le nez si large, qu'il l'auroit gardé, et si la dite Marie Anne Collet étoit plus riche qu'il l'épouseroit (...)[2]

On peut soupçonner que la véritable raison de son refus est associé à la pauvreté de sa maîtresse.

Enfin, chez les gens du peuple, tout laisse à croire que les dots sont rares et une fille espère amasser le linge de maison qui formera son trousseau. Souvent, les parents promettent, dans le contrat de mariage, une avance d'hoirie ou d'héritage qui sera peut-être payée s'ils ont les moyens. Même dans les familles aisées, les dots promises ne sont souvent pas versées, faute de ressources. Le 21 décembre 1748, le baron de Longueuil confie à Élisabeth Bégon qu'il s'inquiète des amours de son fils avec la jeune mademoiselle de Muy, car il craint que la famille de celle-ci n'encourage le couple à se marier trop tôt pour son état financier.

Je crains qu'on ne le presse de se marier ; c'est une femme que Mme de Muy, entière et qui voudra me faire parler ; mais je ne consentirai point que mon fils se marie si tôt, j'ai une fille à établir[3].

Les paysans du Canada devaient ressembler à ceux de la France et rechercher surtout des épouses saines et robustes, travailleuses et infatigables plutôt que des beautés languissantes. Pehr Kalm, voyageur suédois, qui est au Canada en 1749, remarque que l'on surveille strictement les fréquentations des jeunes filles. Les hommes ne peuvent faire la cour à une fille si ce n'est dans le but d'un éventuel mariage. Cette préoccupation de l'honneur et de la réputation des jeunes femmes explique en partie les taux bas de naissances illégitimes et de conceptions prénuptiales. Selon le démographe Hubert Charbonneau, seulement 8 p. 100 des enfants, d'un échantillonnage pris au début du 18e siècle, sont conçus avant le mariage et, d'autre part, il est possible que les rapports sexuels extramaritaux soient souvent accompagnés de pratiques contraceptives (ces pratiques doivent cesser, en théorie du moins, lors du mariage, l'Église réprouvant les époux qui s'adonnent aux plaisirs charnels stériles). De toute façon, dans ces petites communautés, les fréquentations ont lieu au su de tout le monde et le père probable d'un enfant est un secret de polichinelle. La désapprobation sociale et la honte attachées aux enfants bâtards encouragent les femmes à limiter leurs expériences sexuelles à leur mari ou, du moins, à leur fiancé. La conception d'un enfant a sans doute hâté plus d'un mariage, car « nécessité fait loi ». Par exemple, dans un groupe de 141 soldats qui se marient dans la région de Québec entre 1748 et 1756, 15 couples, au moins, semblent avoir eu des rapports sexuels puisque les enfants sont nés peu de temps après le mariage. Dans deux ou trois de ces cas, les enfants sont déjà nés et sont légitimés par la célébration du mariage.

L'Église et les enfants illégitimes

Lorsque les Mariez auront eû des enfans avant leur Mariage, qu'ils voudront faire légitimer, on les mettra dans un endroit particulier sous le voile avec l'Époux et l'Épouse et le Prêtre dira...
Source : Mgr de Saint-Vallier, *Rituel du Diocèse de Québec,* 1703.

Presque tous les couples passent chez le notaire signer un contrat de mariage même ceux qui n'ont que très peu de biens. Jusqu'en 1866, c'est la Coutume de Paris qui règle les droits civils des individus en Nouvelle-France et au Bas-Canada. Cette Coutume établit la primauté juridique de l'époux, chef de famille, sur l'épouse et les enfants. Elle restreint les droits des individus et surtout ceux des femmes, au nom de la famille.

À défaut de conventions spéciales dans leur contrat de mariage, les époux sont mariés selon le régime de la communauté de biens. Dès le mariage, tous les biens meubles et immeubles des époux achetés ou gagnés sont en communauté et administrés par le mari seul. Celui-ci peut vendre, donner ou engager ces biens, pourvu qu'il le fasse pour le bien de la communauté. Les seuls biens qui demeurent légalement à l'épouse sont les immeubles reçus par succession ou par donation de ses parents. Encore là, le mari peut disposer des fruits de ces biens et, par exemple, percevoir des loyers ou vendre une récolte, sans le consentement de la propriétaire. Cependant, il ne peut les vendre.

À la mort de l'un des époux le survivant reçoit la moitié des biens de la communauté, l'autre moitié allant aux enfants en parts égales. De plus, la veuve a droit au douaire coutumier, sorte de pension qui doit la protéger de la pauvreté. C'est l'usufruit, c'est-à-dire la jouissance, de certains des immeubles du mari qui sont restés en dehors de la communauté.

Dans leur contrat de mariage les futurs mariés peuvent apporter des modifications à ce régime de base. La plupart des époux, lors de leur mariage, n'ont pas d'immeubles pour servir de base à un douaire coutumier. Aussi, ils substituent un douaire conventionnel payable à l'épouse après la mort du mari et tiré sur tous les biens du mari. Un couple peut aussi convenir que le survivant acquerra, avant le partage, certains biens meubles ou une somme fixe de la communauté, un préciput ou que, s'il n'y a pas d'enfants, l'époux survivant gardera le tout. Lorsque les époux attendent des héritages, on en fait mention et on détermine s'ils seront compris dans la communauté ou non. Dans tous les cas, la veuve peut renoncer à sa part de la communauté lorsqu'elle est déficitaire, privilège prévu pour compenser à la mauvaise administration du mari.

Les clauses d'un contrat de mariage sont extrêmement importantes, car le taux de mortalité élevé fait beaucoup de veuves et d'orphelins. Avant l'introduction de la liberté testamentaire, sous le Régime anglais, le contrat de mariage est presque la seule façon de contrôler ses biens après sa mort. La Coutume de Paris interdit aux époux, une fois mariés, de se faire des dons, sinon des aliments et des petits cadeaux, sous prétexte qu'on peut ainsi soustraire des biens aux héritiers de chaque époux. Pour la même raison, d'autres

Benediction du Lit Nuptial.

ᴅ ᴇ Mᴀʀɪᴀɢ ᴇ. 359

Benediction du Lit Nuptial.

L'*on peut faire la Benediction d'un Lit en tout temps:*
Mais si des nouveaux Mariez demandent qu'on be-
nisse leur Lit, Nous ordonnons en ce cas que la Benediction
s'en fasse aprés la Celebration du Mariage avant le Dîner;
afin que la modestie y soit gardée de telle maniere, que
rien ne s'y fasse contre la sainteté de cette Ceremonie.
Le Curé parlera d'une maniere grave & modeste aux
Mariez en ces termes.

NOus ne pouvons nous dispenser de vous dire
avec S. Paul, qu'il est necessaire que le Mariage soit traité de tous avec honnêteté, & que le
Lit Nuptial doit être pur & sans tache; vous souvenant que vous êtes les enfans des Saints & de Dieu
même : Que vôtre chair par l'union du Verbe avec
la nature humaine, est devenüe la chair de J. C. Que
vos corps sont le Temple du S. Esprit, que vous n'y
devez toucher que comme à des Vases Sacrez; c'est-
à-dire avec modestie & pudeur. Souvenez-vous que
vôtre Lit Nuptial sera un jour le lit de vôtre mort,
d'où vos ames seront enlevées pour être presentées
au Tribunal de Dieu, pour y recevoir le terrible
châtiment des sept Maris de Sara, si vous vous y ren-
dez comme eux esclaves de vôtre chair, de vos passions, & de vôtre concupiscence.
Joignez vos Prieres aux nôtres, & demandez à
Dieu qu'il détourne de vous un sort si malheureux,
qu'il éloigne de vôtre Lit & de vos cœurs l'esprit
d'impureté, & qu'il y fasse regner celui de chasteté.
Ensuite le Prestre fera mettre les Mariez & tout le mon-
de à genoux, & dira.

Z iiij

Source : Mgr de Saint-Vallier, *Rituel du diocèse de Québec,*
1703.

Le capitalisme se heurte aux droits des femmes

Le principe du partage des biens de la communauté entre mari et femme n'est pas accepté par les immigrants anglophones. Ceux-ci sont habitués à la loi anglaise du *Common Law* où les femmes ont peu de droits et les biens sont sous le contrôle du mari qui peut ainsi amasser des capitaux plus vite. Gray, qui voyage au Bas-Canada au début du 19e siècle, remarque que le droit civil, avec ses règles de partage, va à l'encontre du développement capitaliste. Mais il note que beaucoup ont déjà trouvé le moyen d'éviter l'application de plusieurs de ces règles par la conclusion d'un contrat en séparation de biens.

When one of the parents dies, an inventory is made of the property, and each child can immediately insist on the share of the property the law allows. The French law supposes that matrimony is a co-partnership; and that, consequently, on the death of the wife, the children have a right to demand from their father the half of his property, as heirs to their mother. If the wife's relations are not on good terms with the father, a thing that sometimes happens, they find it no difficult matter to induce the children to demand a partage, *or division, which often occasions the total ruin of the father, because he loses credit, equal, at least, to his loss of property, and often to a greater extent. His powers are diminished, and his children still have a claim on him for support. (...)*

The law, making marriage a co-partnership, *and creating a* communité de bien, *is sanctioned by the* code of French law, *called* Coutume de Paris, *which indeed is the* text book *of the Canadian lawyer ; the wife being by marriage invested with a right to half the husband's property ; and, being rendered independent of him, is perhaps the remote cause that the fair sex have such influence in France ; and in Canada, it is well known, that a great deal of consequence, and even an air of superiority to the husband, is assumed by them. In general (if you will excuse a vulgar metaphor),* the grey mare is the better horse.

British subjects coming to this country are liable to the operation of all these Canadian or French laws, in the same manner that the Canadians themselves are. — They are not always aware of this circumstance ; and it has created much disturbance in families. A man who has made a fortune here (a thing by the bye which does not very often happen), conceives that he ought, as in England, to have the disposal of it as he thinks

> *proper. No, says the Canadian law, you have a right to* one half *only ; and if your wife dies, her children, or, in case you have no children,* her nearest relations, *may oblige you to make* a partage, *and give them half your property, were it a hundred thousand guineas, and they the most worthless wretches in existence. Nothing can prevent this but an antinuptial contract of marriage, barring the* communité de bien.
> Source : Gray, H., *Letters from Canada Written During a Residence there in the Years 1806, 1807 and 1808.* Londres 1809.

règles de droit limitent la possibilité, pour un individu, de conférer des biens à d'autres qu'aux membres de sa famille. Mais après 1801, hommes et femmes peuvent disposer, par testament, de la totalité de leurs biens, même de leur part dans la communauté, comme bon leur semble. Cependant, au début du 19e siècle, très peu de femmes font des testaments.

Ce cadre légal du mariage au 18e et au 19e siècles prive déjà les femmes de plusieurs libertés individuelles. Sans l'autorisation maritale, elles ne peuvent poser aucun acte légal ni se lancer en affaires. Le contrôle du mari sur les biens familiaux est absolu. Toutefois, lorsqu'on compare la Coutume de Paris au *Common Law* qui régit les immigrants du Haut-Canada à partir de 1791, la situation des femmes d'ici paraît très favorable. La Coutume de Paris favorise les créances de la femme et des enfants par rapport à celles des créanciers ordinaires, et leur donne même le droit de racheter certains biens de la famille vendus aux étrangers. Mais, après 1760, les hommes anglophones, à l'esprit capitaliste, se plaindront du fait que ces lois rendent l'accumulation d'une fortune très difficile.

On passe chez le notaire quelques semaines à peine avant le mariage. La date du mariage doit forcément convenir aux habitudes d'une population surtout catholique et rurale. Il est difficile de convoler pendant le Carême et l'Avent durant lesquels l'Église décourage les célébrations et pendant les semences ou les moissons. C'est pourquoi les mois de novembre, de janvier et de février sont privilégiés. Sinon, on se marie au mois d'avril, après Pâques et aux mois de septembre et d'octobre, à la fin des travaux agricoles. Très peu de mariages ont lieu le restant de l'année.

Les noces sont à la fois une occasion religieuse solennelle et un prétexte aux festivités. À la messe et à la bénédiction du lit nuptial, symbole de la fertilité du mariage, succède la fête qui, chez les gens fortunés, peut durer plusieurs jours.

Les noces permettent de faire montre de sa prospérité et de son rang social, souci particulièrement poussé chez les classes dirigeantes, et transforme des mariages en véritables fêtes mondaines. La mariée, comme les invités, met sa plus belle robe qui sera, selon la mode de l'époque, très colorée. On ignore ce que pensent les mariées le jour de leurs noces. Mais Mlle de la Ronde eut suffisamment d'esprit, lors de la célébration de son mariage vers 1749, pour que circulent les propos suivants :

> *(...) le curé doit, avant d'administrer le sacrement, savoir si les futurs époux sont instruits. Le curé de Québec qui est un jeune homme venu cette année de France, homme très scrupuleux, questionna M. de Bonaventure qui lui répondit sur tout fort sagement. Après quoi, il le pria de faire entrer, comme il avait fait dans la sacristie, Mlle de la Ronde, à qui il demande si elle savait ce que c'était que le sacrement de mariage. Elle lui répondit qu'elle n'en savait rien, mais que s'il était curieux, que dans quatre jours, elle lui en dirait des nouvelles. Le pauvre curé baissa le nez et la laissa là[4].*

Ordonnance sur la célébration du mariage

Afin que les Curez soient en état de remedier plus efficacement aux irreverences et profanations scandaleuses qui arrivent tres-souvent dans la celebrations des Mariages Nous jugeons à propos de leur ordonner d'avertir les personnes qui voudront se marier qu'ils ont reçu ordre de Nous de ne point admettre à la Benediction Nuptiale, les personnes du sexe qui seront immodestement habillées, qui n'auront pas la tête voilée, qui auront le sein découvert, ou seulement couvert d'une toile transparente. Nous leur ordonnons encore d'empêcher autant qu'ils pourront, qu'il ne se commette aucune impieté, bouffonnerie ou insolence, soit dans l'Eglise, soit en y venant ou en s'en retournant, le jour que l'on conferera ce Sacrement, ou le lendemain des Nôces. Et pour les empêcher efficacement Nous voulons qu'ils ayent recours au Bras Séculier, si cela est nécessaire.

Source : Mgr de Saint-Vallier, *Rituel du Diocèse de Québec*, 1703.

Lors de seconds mariages qui unissent des gens de conditions ou d'âge très différents, les voisins signalent ces unions désassorties par un charivari. Les gens se rassemblent sous les fenêtres de la maison des nouveaux mariés, chantant et dansant jusqu'à ce que l'époux sorte ou leur jette une petite récompense. Cette coutume qui était à l'origine une façon de manifester la désapprobation populaire face au mariage persistera jusqu'au 20e siècle, moins bruyante cependant.

L'amour romantique, tel qu'on le connaît aujourd'hui, paraît largement absent des rapports entre hommes et femmes ou, du moins, entre mari et femme. Mais si les mariages ne semblent guère se faire pour des motifs romantiques, on y dénote une certaine affection, voire de l'amour, entre les époux ainsi qu'en témoigne la correspondance entre mari et femme à la fin du 18e siècle. Mais il s'agit ici de gens des classes supérieures qui nous ont laissé leurs écrits. On ignore ce qui se passent dans les autres classes de la société.

La grande dépendance des deux sexes dans le partage du travail quotidien, à cette époque, les amène sans doute à s'apprécier. La vie se conçoit difficilement sans l'autre. Les femmes sans mari se destinent, pour la plupart, à la marginalité et à l'insécurité financière. Les hommes seuls peuvent difficilement accomplir leur travail et tenir la maison. Cette complémentarité des rôles et la quasi-impossibilité de rompre un mariage ont dû encourager les femmes à s'accommoder le mieux possible de leur union.

Les voyageurs et les marchands vivant de la traite des fourrures ont particulièrement intérêt à avoir une femme à leur côté. La présence d'Amérindiennes servant d'interprète et de guide, fabriquant les raquettes et dressant les fourrures se révèlent essentielle à la survie des Blancs dans le Nord-Ouest. Anglophones et francophones, au grand scandale des missionnaires, prennent des épouses de droit commun chez les Amérindiennes. Ces mariages « à la façon du pays » durent aussi longtemps que le séjour de l'époux dans l'Ouest. Les Amérindiennes, avec leurs enfants métis, réintègrent ensuite leurs tribus.

Cependant, la désagrégation de la société indienne par suite du contact avec la civilisation blanche rend bientôt l'assimilation des enfants de Blancs impossible. Au début du 19e siècle, les femmes et les enfants abandonnés aux postes de traite deviennent une lourde charge pour les compagnies de fourrure. Les filles, mi-indiennes mi-blanches, nées de ces unions cohabitent à leur tour avec les

Mandement
Au sujet d'un charivari

FRANÇOIS, par la grâce de Dieu et du Saint-Siège, premier Evêque de Québec.

Ayant été informé qu'en conséquence du mariage célébré dans cette ville de Québec depuis six jours, grand nombre de personnes de l'un et l'autre sexe se seraient assemblées toutes les nuits sous le nom de charivari et auraient dans leurs désordres et libertés scandaleuses, comme il arrive ordinairement, commis des actions très impies et qui vont à une entière dérision de nos mystères, et des vérités de la Religion chrétienne et des plus saintes cérémonies de l'Eglise, ce qui nous aurait obligé de recourir au bras séculier pour faire cesser ces sortes d'assemblées, lequel aurait employé son autorité pour les reprimer, nonobstant quoi nous avons appris que non seulement ils continuent, mais encore qu'ils vont augmentant de jour en jour aussi bien que leur impiété, ce qui nous oblige par le devoir de notre charge de joindre l'autorité de l'Eglise à celle du bras séculier, et de nous opposer de tout notre pouvoir à ces sortes d'impiétés et à de telles assemblées expressément défendues à tous les fidèles de l'un et l'autre sexe, et même par les ordonnances civiles, comme, n'y ayant rien de plus préjudiciable à la religion, aux bonnes moeurs, au bien public, et au repos de toutes les familles. Nous pour ces causes et pour apporter un remède convenable à un si grand mal qui ne pourrait avoir que des suites et des conséquences très funestes, faisons très expresses inhibitions et défenses à tous fidèles de l'un et l'autre sexe de notre diocèse de se trouver à l'avenir à aucune des dites assemblées qualifiées du nom de charivari, aux pères et aux mères d'y envoyer ou permettre que leurs enfants y aillent, aux maîtres et maîtresses d'y envoyer leurs domestiques, ou permettre volontairement qu'ils y aillent, le tout sur peine d'excommunication. Et afin que personne n'en prétende cause d'ignorance, nous voulons que notre présente ordonnance soit lue et publiée au prône de l'église paroissiale de Québec et autres lieux de notre diocèse, et affichée à la porte des églises.

Donné à Québec le 3e juillet mil six cent quatre vingt trois.

FRANÇOIS, Evêque de Québec.

Source : Mandements des évêques du diocèse de Québec, Tome I, Québec, 1887.

employés des compagnies du Nord-Ouest ou de la Baie d'Hudson et acceptent de moins en moins la désertion quasi inévitable du père de leurs enfants. Quelques Blancs démontrent une réelle affection pour leur épouse indienne ou métisse et tentent de pourvoir à l'éducation de leurs enfants. Mais beaucoup d'entre eux rejettent leur compagne dès qu'ils font fortune et qu'ils peuvent se fiancer à une femme blanche.

L'historienne Sylvia Van Kirk relève plusieurs exemples de cette façon insouciante de traiter les femmes. J.G. McTavish, un des principaux administrateurs de la compagnie de la Baie d'Hudson, abandonne une première épouse métisse, ce qui la pousse à l'infanticide. Ensuite, vers 1813, il marie « à la façon du pays » Nancy McKenzie, fille naturelle de Roderick McKenzie de la compagnie du Nord-Ouest. Cette union dure 17 ans et au moins 7 enfants en naissent. Puis, en 1830, en Écosse, il marie une jeune demoiselle. En la ramenant aux Terres de Rupert, il s'arrête à Montréal où sa fille de 13 ans, Mary, est à l'école. Lorsque Mary est présentée publiquement à la nouvelle madame McTavish, celle-ci se trouble et quitte la pièce en larmes, humiliée par ce rappel trop brutal des unions précédentes de son mari. L'ex-épouse métisse de McTavish multiplie les scènes et McTavish essaie de faire taire son ancienne épouse, fortement déprimée par tous ces événements en tentant de lui trouver un nouveau mari. En 1831, il donne un congé d'une semaine à un employé à la Rivière-Rouge, Pierre Leblanc, et lui promet une dot de 200 livres sterling s'il épouse Nancy McKenzie. Leblanc accepte l'offre et se marie avec elle à l'église de Saint-Boniface.

Même si le mari est le chef de famille et que son épouse lui doit obéissance, il semble que bien des épouses ont souvent défié leur mari. Ainsi, à la fin du Régime français, un notable de Montréal désapprouve le comportement de sa femme mais ne semble pas pouvoir lui en imposer un autre. Le 14 février 1749, Élisabeth Bégon raconte :

> *De Muy me disait après dîner qu'il ne voulait plus que sa femme et sa fille y fussent et qu'il ne convenait point de passer les nuits à danser et à dormir le jour pendant que le saint sacrement est exposé. Je ne sais qu'il soutiendra cela aisément*[5].

Quelques jours plus tard, elle apprend qu'une charmante veuve a refusé la main d'un membre de la famille La Vérendrye :

(...) qui comptait que sitôt qu'il parlerait son affaire serait faite. Mais il s'est trompé : elle ne souhaite qu'une personne qui l'amuse et qui lui tienne compagnie et point un maître[6].

Si bien des maris ont été infidèles, plusieurs épouses ne se sont pas toujours conformées au modèle idéal de l'épouse chaste et soumise. Écoutons encore madame Bégon qui répète les potins de la bonne société montréalaise :

Mme Vassan, dont le mari est au fort Frontenac et qui l'avait laissée chez son père, ne s'y est pas trouvée en assez grande liberté. Elle a pris appartement chez Martel où elle est bien secondée par sa femme, aussi folle l'une que l'autre ; elle court jour et nuit[7].

L'historien Jean-Pierre Wallot trace le portrait de ces mêmes milieux du début du 19e siècle où les bien-pensants se scandalisent des cas de bigamie et où les maris cocus se réconfortent en séduisant les femmes de chambre. Il ne semble pas que les Canadiens des classes supérieures, à l'encontre des Européens, aient eu recours aux duels pour rétablir l'honneur masculin dans de tels cas. Est-ce là un signe d'une certaine permissivité face au comportement féminin ?

De 1700 à 1760, on ne retrouve qu'une seule femme condamnée pour adultère. En 1733, Geneviève Millet, épouse du marin Pierre Roy, se voit condamnée à réparer le scandale qu'elle a fait. Elle doit donc faire amende honorable, soit être fouettée dans les lieux publics et les carrefours de la ville de Québec avant d'être enfermée avec les prostituées à l'Hôpital-Général. La rareté des accusations de ce genre laisse croire à une certaine tolérance vis-à-vis des soi-disant délits conjugaux. Cependant, il est à remarquer que les femmes ne semblent jamais porter plainte pour adultère contre leurs maris. De plus, une femme adultère peut être privée de son douaire, mais le mari infidèle ne met pas en jeu son héritage. Ce double standard imposant la chasteté aux femmes et la suggérant seulement aux hommes fait partie des lois et des pratiques religieuses de toutes les sociétés européennes de l'époque.

La brutalité masculine envers les femmes semble être acceptée, comme inévitable. Les femmes portent rarement plainte contre leur mari pour voies de fait. Pourtant, il y a bien des femmes battues. Charlotte Martin-Ondoyer se promène sur la place du marché à Montréal, un jour de 1734, lorsque, troublée par la boisson selon ses propres dires, elle prend un portefeuille dans la poche de la demoiselle Godefroy de Linctôt. Lorsqu'il apprend ce délit, son mari,

Antoine Laurent, tambour-major, la bat. En 1744, un autre mari croit nécessaire de corriger sa femme lorsqu'elle se laisse emporter par la colère et fait un oeil au beurre noir au frère économe de la communauté des frères Charron. Marie-Madeleine César, dit Lévard, se fait battre par son mari qui veut lui montrer qu'il est « (...) opposé à toute violence ». Ces incidents ne nous sont parvenus qu'à cause de circonstances exceptionnelles. Ainsi, lors d'une enquête judiciaire sur le comportement de sa femme, un mari a tout intérêt à démontrer qu'elle a déjà été suffisamment corrigée pour ses méfaits. Dans les rares procès en séparation les femmes se plaignent de la brutalité de leur mari. En dehors de ces situations inhabituelles personne ne pense relever la violence masculine au sein des familles, à une époque où le niveau de violence physique est assez élevé.

Les femmes préfèrent voir leurs maris auprès d'elles. En 1749, les autorités militaires de la colonie se voient importunées par les femmes voulant faire exempter maris et fils du service militaire. Est-ce qu'il y a des raisons sentimentales qui s'ajoutent aux préoccupations matérielles ? On ne saurait le dire. En 1780, Marguerite Bender est triste que son nouveau mari soit attaché à un régiment ambulant et s'en plaint à sa cousine, la veuve Baby. L'année suivante, elle confie que son mari se fait toujours regretter.

L'histoire passe également sous silence les rapports sexuels entre hommes et femmes. Le mythe de la frigidité féminine n'a été inventé que très récemment et les sociétés de l'Ancien Régime reconnaissent la sexualité des femmes et leur besoin d'épanouissement, à condition que ce soit dans le cadre du mariage.

L'Église du 18e siècle ne semble pas faire de distinction entre les besoins sexuels de l'époux et de l'épouse, paradoxe d'une religion qui subordonne autrement la femme à son mari, et ils doivent se rendre mutuellement « les devoirs du mariage ». Cependant, on reconnaît que :

> (...) il y a cependant des raisons qui peuvent dispenser légitimement l'une des deux parties de rendre à l'autre le devoir du mariage ; comme l'adultère de l'une des deux parties, une maladie notable, la grossesse, quand il y a danger de nuire à l'enfant, et le péril de prendre quelque mal contagieux[8].

« Le danger de nuire à l'enfant » réfère probablement au tarissement du lait maternel qui pouvait survenir lors d'une nouvelle grossesse, mettant ainsi en péril la vie du dernier-né. Mais la pudeur qui caractérise ces sociétés cache le comportement intime des gens, comme les grands rideaux autour du lit des parents camouflant ses occupants. D'ailleurs, dès la fin du 17e siècle, un mandement des évêques commande aux parents de séparer les lits des enfants des deux sexes.

De rares récits laissent croire que les rapports sexuels, surtout les interdits, se passent aussi bien le jour que la nuit dans des endroits solitaires et disponibles : derrière la cabane à sucre, dans un boisé, caché dans le fossé. Certains maîtres de maison, Pierre le Gardeur de Repentigny en est un exemple, profitent des absences de leurs épouses pour violer sans vergogne une domestique.

Maternités

Entre le mariage et la ménopause une femme du 18e siècle et du début du 19e siècle peut s'attendre à accoucher à intervalles réguliers et parfois même tous les 12 mois. Durant leurs années fertiles les femmes sont tellement accaparées par la maternité qu'il est permis de se demander comment elles peuvent accomplir toutes leurs autres tâches. L'épuisement dû aux accouchements successifs et aux complications qui s'ensuivent peuvent expliquer les taux élevés de mortalité des jeunes mères.

Aux 18e et 19e siècles, la population canadienne s'accroît de façon continue. La courbe des naissances, entre 1711 et 1835, montre comme celle-ci est sensible aux conjonctures économiques et politiques. Par exemple, les plus hauts taux de natalité de 1736 à 1835 correspondent à la période 1761-1770, lorsque la guerre ne retire plus les habitants de leurs terres. La courbe la plus basse est due en général aux crises économiques qui retardent les mariages et augmentent la mortalité, se répercutant ainsi sur le nombre de naissances. La sous-alimentation chronique rend les femmes moins fertiles et augmente le nombre de fausses-couches.

Puisque les fausses-couches pendant les premiers mois de grossesse ne sont pas comptabilisées dans les statistiques historiques, il est probable que les femmes deviennent enceintes plus souvent qu'on ne le dit. Au 18e siècle, les démographes calculent qu'elles avaient en moyenne sept enfants, si le mariage n'était pas interrompu prématurément par la mort, mais il est possible qu'elles en aient eu davantage.

Les conceptions suivent les saisons et le calendrier de l'Église. Celle-ci refuse de célébrer les mariages pendant les jours de pénitence et encourage les époux à l'abstinence sexuelle pendant ces périodes. Toutefois, si l'un des époux exige quand même les devoirs conjugaux, l'autre doit s'y plier. Les conceptions sont plus nombreuses des mois de mai à septembre ainsi qu'en janvier et février, fait qui contredit la croyance voulant que les maris partent tous les printemps faire la traite des fourrures.

Même si les accouchements répétés font inévitablement partie de leur vie d'épouse, les femmes ont de bonnes raisons de les craindre. Au 17e siècle (le seul pour lequel nous avons des chiffres précis), on constate une mortalité accrue des femmes de 30 à 45 ans. En fait, les femmes de ce groupe d'âge courent de plus grands risques de mortalité que les hommes et les complications qu'entraînent les accouchements multiples en sont sûrement la seule explication.

L'accouchement est douloureux, difficile et souvent mortel. C'est une occasion pour les femmes de s'entraider et de se réconforter. La correspondance de la veuve Marie-Thérèse Baby laisse entrevoir l'ombre que jettent les accouchements sur la vie des femmes. En 1762, sa soeur est morte en couches laissant huit enfants et, en 1765, elle relate qu'elle se rendit à Chambly aider une amie qui a été « dangereusement malade » suite à un accouchement. Dans une lettre de 1771, elle raconte que madame Longueuil a accouché d'un garçon et qu' « elle a payé cher la satisfaction d'un second mariage ». La même année, elle raconte qu'une amie « (...) a été accouchée d'un garçon, elle a été fort en danger ». Deux ans plus tard, elle confie que :

> *Madame Ryves a été très malade de sa couche, le détail de son accouchement (et les suites) nous a fait verser beaucoup de larmes*[9].

Les femmes se font accoucher par la sage-femme de la paroisse. Celle-ci, sous le Régime français, est souvent élue par l'assemblée des femmes de la paroisse comme Catherine Guertin, âgée d'environ 46 ans, qui, en février 1712, est élue à la pluralité des suffrages des femmes de Boucherville et doit prêter serment devant le curé, selon l'ordonnance de l'évêque de Québec. Dans les régions de colonisation où une famille peut être très isolée, le mari accouche parfois sa femme. Dans les villes, à la fin du 18e siècle, on trouve des chirurgiens-accoucheurs qui offrent leurs services à celles qui peuvent se les payer. Les chirurgiens possèdent des instruments, tels les forceps, pour dégager les enfants en difficulté. Les connaissances de la gynécologie et de l'obstétrique restent fort rudimentaires comme en témoigne l'initiative du curé Boissonnault de l'île d'Orléans qui, inquiet du taux élevé de mortalité dans la paroisse, achète en 1813 :

> *(...) un traité des maladies des femmes composé par François Mauriceau, Seconde Edition a paru chez l'auteur MDCLXXV (1675) pour servir à l'instruction des femmes accoucheuses de la paroisse de St-Pierre entre les mains desquelles il doit passer successivement sans qu'aucune d'elles puisse en prétendre aucun droit de propriété*[10].

Il est difficile de juger de l'attitude des parents face aux nouveaux-nés. Antoine Foucher, marié en 1743, prend le soin de consigner les naissances et les décès de tous ses enfants dans un cahier qu'il intitule « Age des enfants qu'il a plu au Seigneur nous envoyer depuis notre mariage ». De 1744 à 1767, il y inscrit 15 entrées, incluant 2 mentions de fausse-couche: « Ma femme est accouchée pour s'être blessée enceinte de trois mois. » En 1792, il n'y a que 4 de ces enfants qui sont toujours vivants... En 1804, la veuve Faribault de Saint-Henry de Mascouche écrit à sa fille enceinte pour la cinquième fois :

> *Chaque fois qu'il t'arrive de me faire grand-mère il me semble que je rajeunis, ce qui me fait peine cependant c'est que cela te vieillit, tout considéré, je souhaite que vous vous teniez tranquilles, ou du moins que vous vous reposiez pendant seulement une vingtaine d'années, permis à vous après ce temps de recommencer de plus belle...*[11]

Peu de renseignements non plus sur l'allaitement maternel. Au 18e siècle, les citadins plus fortunés ont pu mettre les nouveaux-nés en nourrice, suivant ainsi la coutume française. Le marchand montréalais Pierre Guy note scrupuleusement la naissance, le décès et la somme qu'il paie à la sage-femme et à la nourrice pour chacun de ses enfants. Ceux-ci sont mis en nourrice le jour même de leur naissance ou, au plus tard, le lendemain chez les habitants de paroisses aussi éloignées que Saint-Léonard, Saint-Michel et Sault-aux-Récollets. Madame Guy accouche de sept filles et de sept garçons, mais peu d'entre eux vivent très longtemps. Ceux qui survivent restent en nourrice jusque vers l'âge de deux ans.

> *Marie-Louise, ma troisième fille est née le 31 mars 1776 et elle a été mise en nourrice le 1er avril ché la nommé Sénée habitant de la Chine à 12" par mois ou elle a resté jusqu'au 29 aoust ce qui Fait 5 mois un jour Pourquoy je lui ait payé...*
> *le 30 aoust 1766 (sic) J'ai confié Marie Louise ché Joseph La Chapelle de St. Léonard elle est morte le même jour de son arrivée ché le dit la Chapelle Payé à la sage femme 48".*[12]

En France, à la fin du 18e siècle, on assiste à une valorisation de la maternité, stratégie qui encourage les mères à s'occuper elles-mêmes des poupons. La mise en nourrice est alors condamnée comme pratique meurtrière. Dorénavant, les mères doivent allaiter leurs nouveaux-nés et veiller jour et nuit auprès du berceau. La mère ne doit plus quitter son jeune enfant. Ainsi, les médecins, démographes et hommes politiques espèrent augmenter le nombre de citoyens qui peuvent servir la patrie. Est-ce cette nouvelle définition de la maternité qui incite Julie Bruneau à allaiter ses propres enfants dans les années 1820 ? Elle écrit en effet à Papineau :

> *(...) je ne vois aucune raison de sevrer la petite elle est encore trop jeune et de plus elle n'a pas encore de dents ce qui est toujours la principale raison qui fait que l'on ne sevre pas les enfants à moins que l'on fait d'autres motifs, et moi qui n'en ai aucun je me porte bien et cela ne me fatigue pas de nourrir...*[13]

La plupart des enfants sont conçus à l'intérieur du mariage. Au 18e siècle, les taux des naissances illégitimes restent relativement bas. L'Église et la Coutume de Paris sanctionnent sévèrement les bâtards, et un homme est fortement incité à épouser celle qu'il a mis enceinte. Sous la Coutume de Paris un bâtard est un paria car il ne peut hériter de ses parents que dans une mesure très limitée. De la même façon, la loi empêche un homme de donner, pendant sa vie, plus qu'une pension alimentaire à sa concubine. En plus de la honte attachée à la naissance illégitime la fille-mère et son enfant doivent faire face aux problèmes de l'existence matérielle. Garder sa virginité jusqu'au mariage relève autant de la prudence que de la pudeur. Toutefois, la liberté testamentaire introduite sous le Régime anglais permettra d'adoucir les rigueurs de la Coutume de Paris. Une étude du contenu des testaments à Montréal, fin 18e siècle, démontre que quelques hommes ayant des enfants illégitimes laissent des legs à ceux-ci ainsi qu'à leurs mères.

Aussi longtemps que les communautés restent petites, il est difficile de cacher les fréquentations et encore moins les grossesses. Mais dans les cas où les femmes s'éloignent de la surveillance de la famille et du voisinage, elles sont susceptibles d'avoir des rapports sexuels illicites. Ainsi, plusieurs d'entre elles, sans doute séduites par une promesse de mariage, découvrent trop tard que leurs amants ne veulent ni d'elles ni de leur enfant. Lors des traversées les immigrantes sont particulièrement vulnérables à ce genre de séduction. Lorsque les troupes sont logées près des villes, les enfants abandonnés par les prostituées ou par les filles séduites remplissent les crèches de même que ceux des domestiques victimes de harcèlement sexuel, phénomène qui semble une constante dans l'Histoire.

La Guirlande ou le Recueil de Chansons Canadiennes

(Publiée en 1853 à Trois-Rivières par George Stobbs)

82
LA PAUVRE FILLE.
Air. — *Autrefois j'aimais une belle.*

Rien ne m'appartient sur la terre
Je n'eus pas même de berceau ;
On me trouva sur une pierre
Devant l'église du hameau.
Du sein maternel repoussée,
J'ai pleuré quatorze printemps ;
Reviens, ma mère, je t'attends ⎫ *bis*
Sur la pierre où tu m'as laissée. ⎭

Sous le Régime français, le gouvernement fait placer les bâtards chez des nourrices et les filles illégitimes deviennent domestiques aussitôt que possible. Plus tard, les autorités britanniques versent des sommes d'argent aux Soeurs Grises pour défrayer les dépenses occasionnées par la prise en charge d'enfants trouvés. Mais, au début du 19e siècle, le commerce avec l'Angleterre et l'immigration déclencha l'expansion rapide des villes où se retrouve une large population masculine, mobile et célibataire : immigrants, soldats, marins, engagés, journaliers ; il en résulte une croissance remarquable des naissances illégitimes. En 1801, l'Assemblée législative du Bas-Canada doit modifier les lois portant sur les concubines et les bâtards. Deux solutions s'offrent alors aux femmes à qui la naissance d'un enfant illégitime apporte un fardeau social et matériel insurmontable : tuer l'enfant et courir le risque de se faire accuser d'infanticide, ou bien le déposer de préférence aux portes de l'église ou d'une communauté religieuse, espérant qu'il sera ramassé avant de mourir...

Maladie et mort

L'omniprésence de la maladie et de la mort sont ressenties particulièrement par les femmes. À l'accouchement elles frôlent souvent la mort et les enfants qu'elles mettent au monde meurent fréquemment avant elles. Le taux élevé de mortalité chez les adultes fait bien des veufs et des veuves. Voici la lettre de Marguerite d'Youville écrite à une mère en France, lui annonçant la mort de sa fille, Mme Mackay :

Madame, je voudrais bien avoir quelque chose de flatteur à vous dire, mais, au contraire, j'ai une nouvelle des plus sensibles causée par la mort de Mme Macailye (Mackay), *votre chère fille, arrivée le 13 de ce mois à midi. Notre consolation est qu'elle a souffert avec une patience héroïque, qu'elle a reçu tous les sacrements et c'est elle-même qui a demandé l'Extrême-Onction, après lequel elle voulut faire encore une confession générale. Monsieur son mari et son frère se sont prêtés à tout ce qu'il fallait pour qu'elle ne manquât de rien, tant pour le spirituel que pour le temporel. Ils sont dans une affliction que je ne puis vous dépeindre... Les deux enfants sont aux soins de leur oncle, n'en soyez pas inquiète. Ils sont parfaitement aimables. Revenons à notre chère défunte. Elle est accouchée au mois de février, je crois, point bien portante, d'un garçon qui avait environ deux mois. Elle a toujours été souffrante depuis ce temps, et arrêtée tout à fait depuis la mi-avril. Son mari la promenait quelquefois en calèche pour lui faire prendre l'air. Mme de Bayouville ne l'a pas laissée depuis ce temps, et depuis le mois de mai jusqu'à celui d'août qu'elle est à Laprairie où elle est morte. Elle a toujours eu besoin de veilleuses qu'elle a trouvées ici, et je lui ai donné la vieille Champigny, qui demeure ici, pour la soigner à Laprairie ; elle n'est pas encore revenue. M. Macaily (Mackay) m'a fait prier de lui laisser quelques jours, ce que j'ai fait volontier. Il a donné sa belle robe à l'église de Laprairie*[14].

Un deuxième, et même un troisième mariage sont fréquents et souvent nécessaires pour les femmes à qui les maris n'ont pas laissé de quoi faire vivre la famille. Une veuve avec des enfants en bas âge ne peut guère cultiver sa terre seule. Les femmes avec un patrimoine se remarient vite car leurs terres font d'elles des partis intéressants pour les hommes célibataires. Les traces des frictions que ces mariages causent entre les belles-familles et les enfants des différents lits pullulent dans les archives notariales.

Mais toutes les veuves ne se remarient pas. Pour la plupart le veuvage s'associe à la pauvreté. Un homme hésite à marier une veuve dans le besoin et n'ayant pas d'héritage, quand il faut nourrir ses enfants en plus. Les femmes plus âgées ne trouvent souvent pas de mari. Elles vivotent, faisant de la couture ou prenant des pensionnaires. En 1744, 5 p. 100 des domestiques de la ville de Québec sont des veuves dont l'âge moyen est de 48 ans. Celles-ci n'ont visiblement pas d'autre gîte que celui de leurs maîtres.

Les rares veuves qui en ont les moyens peuvent se retirer chez les religieuses où elles louent une chambre, et finissent leurs jours dans la prière et la dévotion. Rares sont celles qui, jeunes et fortunées, peuvent faire ce qui leur plaît. Ce n'est pas une coïncidence si madame de la Peltrie, Marie de l'Incarnation et Marguerite d'Youville furent toutes des veuves, libérées du joug marital, qui purent dépenser leurs énergies ailleurs qu'au foyer, car les veuves jouissent de tous leurs droits sous la Coutume de Paris, hors de la portée de la puissance paternelle ou maritale. Elles peuvent d'autre part facilement devenir « veuves joyeuses » si elles ne sont pas sollicitées par une oeuvre charitable.

Les parents vieillissants songent à préparer leurs vieux jours tout en prévoyant l'établissement de leurs enfants. Bien que la Coutume de Paris prévoie une division égale de l'héritage, on peut contourner ces contraintes par le jeu des donations et, plus tard, par les testaments. D'habitude, les fils sont favorisés, recevant des terres, des instruments aratoires ou des bâtiments. Les filles reçoivent souvent leur part d'héritage en biens meubles lors de leur mariage.

La méfiance qui a pu exister entre les membres d'une famille se voit dans les actes notariés. Ces actes notariés stipulent qu'en retour du don qu'ils font à leur enfant, celui-ci entretiendra ses parents jusqu'à leur mort. On énonce soigneusement ce qui doit être fourni : chambre garnie, vêtements d'hiver et d'été, tabac et aliments préférés. Parfois, les parents garderont quelques animaux et un wagon ou carriole pour se déplacer. Beaucoup de femmes ont ainsi passé leurs dernières années chez leurs enfants.

Tout compte fait, la vie des femmes, même accaparée par de nombreuses maternités, déborde largement l'univers des langes et des enfants, car dans l'Ancien Régime, les femmes occupent une place qui nous semble aujourd'hui considérable.

Notes du chapitre III

1. Élizabeth Bégon, *Lettres au cher fils*, Nicole Deschamps éd., Montréal, Hurtubise, HMH, 1972, le 9 janvier 1749, p. 64.

2. Déclaration de Nicolas Demers, le 10 juin 1797, *Collection Baby*, Archives de l'Université de Montréal, série A 2, boîte 4.

3. Élizabeth Bégon, *op. cit.*, 21 décembre 1748, p. 54.

4. *Ibidem*, le 6 février 1749, p. 79.

5. *Ibidem*, le 14 février 1749, p. 83.

6. *Ibidem*, le 25 février 1749, p. 89.

7. *Ibidem*, le 20 février 1749, p. 87.

8. Saint-Vallier, Mgr, *Rituel du diocèse de Québec*, 1703, p. 331.

9. « Marie-Thérèse Baby à François Baby », le 17 octobre 1765, *Collection Baby*, Archives de l'Université de Montréal, boîte 115.

10. *Livre des comptes de l'église et fabrique de la paroisse Saint-Pierre en l'Isle d'Orléans commencé l'année 1789.*, CAD — Fabrique, Canada 3, 40-1, Archives Nationales du Québec.

11. Jean-Pierre Wallot, *Un Québec qui bougeait*, Montréal, Boréal Express, 1973, p. 222.

12. Cahiers des comptes divers de Pierre Guy, 1785-1810, *Collection Baby*, Archives de l'Université de Montréal, série G 2 192.

13. « Julie Bruneau à Louis-Joseph Papineau », le 24 janvier 1829, *Rapport de l'archiviste de la province de Québec*, 1957-58, p. 69.

14. « Marguerite d'Youville à Madame de Liguery », le 23 septembre 1770, cité dans A. Ferland-Angers, *Mère d'Youville, Première Fondatrice Canadienne*, Montréal, Beauchemin, 1945, p. 256.

IV

L'Ancien Régime au féminin

Travailler sans cesse

Pendant toute cette époque les habitants continuent de défricher, s'établissant de plus en plus loin du fleuve. L'expérience de la colonisation reprend à chaque génération lorsqu'on manque de terres cultivables à l'intérieur des vieilles seigneuries. La colonisation implique aussi la coupure des liens d'affection et d'entraide avec sa parenté ; donc, les femmes comme les hommes se retrouvent seuls et le sont surtout face à leur travail. Dans ce contexte l'effort quotidien pour recréer les cadres familiers de la vie devient encore plus difficile et épuisant.

Dans une société préindustrielle la majorité des gens consacrent leur temps à rechercher le strict nécessaire à la vie. Manger à sa faim, s'abriter convenablement, s'habiller chaudement pendant l'hiver et protéger sa famille des maladies nombreuses à cette époque, voilà les préoccupations quotidiennes. Seule une infime minorité habitant les villes ou les manoirs seigneuriaux peut jouir d'une sécurité matérielle assurée et d'un certain temps de loisir.

Dans ce contexte d'autosubsistance le travail de chacun et de chacune est important dans la mesure où il contribue au bien-être de la famille. Le travail des femmes est indispensable car elles sont responsables de l'étable, du potager, de la basse-cour, de la préparation des aliments, de la confection des vêtements et des soins physiques, à une époque où l'on ne peut se procurer d'aliments déjà préparés, des vêtements prêts à porter ou des soins personnels.

Sans femme au foyer, une famille se trouve dans le besoin, à moins de trouver une remplaçante, parente, fille aînée ou domestique.

Vers 1750, le remplacement des âtres et des foyers par des poêles à deux ponts sur lesquels il est plus facile de cuisiner est une modification majeure du travail domestique. Ces poêles sont fabriqués aux Forges du Saint-Maurice ou à la Fonderie de Batiscan. Les femmes réapprennent alors à cuisiner car la méthode de travail n'est plus la même. Marcel Moussette qui se spécialise en chauffage domestique croit même que c'est à cause de ce changement technologique que les recettes culinaires du Régime français ne se sont pas transmises dans notre tradition.

Les repas et le ménage

La préparation de la sempiternelle nourriture constitue la tâche la plus importante des femmes. À l'encontre de l'Europe, peu de gens meurent de faim. Toutefois, les mauvaises récoltes provoquent des disettes périodiques. Par exemple, 1769, 1789, 1833, 1834 entre autres sont de mauvaises années où la rareté du blé et d'autres céréales perturbent singulièrement les habitudes alimentaires, et ainsi amène un taux élevé de mortalité. Par contre, les grandes famines sont quand même rares à cause, principalement, de l'abondance du gibier et du poisson, facilement disponibles jusqu'au 19e siècle.

Apprêter la nourriture constitue une tâche longue et fastidieuse. Pourtant, le menu est simple et peu varié sauf en temps de fête ou chez les riches. On mange surtout du pain, du porc et des légumes, en y ajoutant poisson, gibier et fruits, selon les saisons.

Ce n'est pas tant la qualité de la cuisine que toutes les étapes de la transformation des aliments qui exigent tellement de travail. Bien des jours sont nécessaires pour tourner un cochon fraîchement tué en ragoût, en jambon, en pâté et en saucisses pour l'hiver.

Le pain est la base de tous les menus et ainsi l'élément indispensable du régime alimentaire de l'époque. Au 18e siècle, les habitants mangent de deux à trois livres de pain par jour et au moins une livre, même en temps de crise comme en 1820. Pétrir le pain, le faire lever à la bonne température, le mettre au four qui se trouve à l'extérieur de la maison et le surveiller pendant la cuisson sont des tâches qui occupent au moins une journée entière par semaine.

L'équipement ménager de l'époque reste rudimentaire. Préparer plusieurs plats à chaque repas s'avère impossible car une

HISTOIRE

D'ÈMILIE MONTAGUE,

PAR M. BROOKE;

Imitée de l'Anglois, par Monſieur
F R E N A I S.

PREMIERE PARTIE.

A P A R I S,

Chez GAUGUERY, Libraire, rue
des Mathurins, au Roi de
Danemarck.

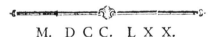

M. DCC. LXX.
Avec Approbation & Privil. du Roi.

Lorsque son mari, le pasteur John Brooke, est envoyé à Québec en 1763, Frances Moore Brooke profite de son séjour pour écrire The History of Emily Montague, *premier roman canadien. Elle y décrit les amours entre une jeune Anglaise et un officier de l'armée britannique, à Québec. Les jeunes gens insistent pour faire un mariage d'amour plutôt qu'une alliance de fortune. Le livre constitue un portrait amusant et perspicace de la vie et des préoccupations des personnes fortunées à Québec, à cette époque. Le livre suscite une édition française parue à Paris en 1770.*

femme ne possède qu'une ou deux marmites, quelques cuillères, fourchettes, couteaux, assiettes et écuelles. Chez les mieux nantis, un équipement plus complet permet une certaine variété dans la préparation des plats. Ainsi, lèchefrites, entonnoirs et appareils fromagers utilisés chez certains habitants suggèrent une cuisine plus recherchée.

Les femmes se tiennent responsables de la qualité de la nourriture qu'elles placent sur la table familiale. En temps de guerre ou de perturbations économiques, elles se plaignent dans leurs lettres de la cherté des denrées. En ville, où elles sont plus dépendantes des marchands, elles peuvent descendre dans la rue pour protester contre l'insuffisance de produits alimentaires. Ainsi, en novembre 1757, lors de la guerre de la Conquête, la rareté de viande force le gouvernement à ordonner qu'on distribue de la viande chevaline à la place du pain. Mais, au Canada, on n'aime guère manger du cheval. Les femmes de Montréal viennent donc jeter cette viande aux pieds de Vaudreuil pour manifester leur mécontentement :

> *(...) elles avoient de la répugnance à manger du cheval ; qui étoit ami de l'homme ; que la religion défendoit de les manger et qu'elles aimeroient mieux mourir que d'en manger*[1].

Même quand on leur démontre la qualité de cette viande, elles la refusent disant « (...) qu'elles n'en prendroient pas, ni personne pas même les troupes ». L'année suivante, à Québec, les femmes manifestent lorsque la ration quotidienne de pain est réduite à deux onces. En même temps, le marquis de Montcalm note :

> *Emeute des femmes de Montréal mourant de faim et se plaignant hautement qu'on vend de la farine 20 sols la livre... le marquis de Vaudreuil promit d'augmenter de 30 livres les soixante quinze qu'il distribue pour les pauvres familles*[2].

Cette fierté de fournir une bonne table se voit lorsqu'on reçoit un invité de distinction. Le voyageur Pehr Kalm raconte qu'à ce moment-là les femmes préfèrent se tenir debout près de leur hôte pour mieux le servir et veiller à la présentation des plats.

La longue crise agricole, qui précède la rébellion de 1837, force le paysan à transformer ses habitudes alimentaires car la ménagère, manquant de blé, doit modifier ses recettes. C'est probablement de cette époque que datent l'inévitable soupe aux pois et les galettes de sarrazin. Les importations par les navires britanniques introduisent le thé et la mélasse dans les menus. Une partie considérable des ressources familiales se consacre à l'alimentation, surtout en ville, où l'on achète plus de denrées et c'est aux femmes que revient cette responsabilité de choisir les produits si chèrement payés.

Les ménagères du 18e siècle ne se laissent guère obséder par la propreté, qualité qui ne prendra son importance qu'au 19e siècle lorsqu'on découvrira le lien entre les microbes et les maladies. On ne lave que très rarement les planchers, se contentant de les asperger d'eau afin d'empêcher la poussière de monter. Nettoyer sa maison, ses vêtements ou ses enfants n'occupe certainement pas une grande partie du temps des femmes. Le mobilier s'avère fort réduit. Chez les plus pauvres, quelques chaises, une table, un coffre, un grand lit, quelques paillassons et peut-être une armoire constituent la totalité de l'ameublement d'une famille. Dans les milieux populaires les maisons sont petites et l'on vit surtout dans une grande pièce qui sert à la fois de cuisine et de dortoir. Les plus nantis, les marchands prospères par exemple, possèdent beaucoup plus de meubles, parfois importés, ainsi que de l'argenterie et des tapis ; mais on ne trouve pas cette multiplicité d'objets, de bric-à-brac et de décorations que la ménagère de notre société de consommation doit épousseter, ranger et remplacer. L'on se soucie beaucoup moins de la propreté des lits et, d'ailleurs, on n'a souvent qu'une ou deux paires de draps. Mme Bégon raconte qu'en 1749 son voisin a voulu faire coucher l'intendant dans une literie « (...) ayant des taches de toute espèce », et elle s'est empressée de lui offrir « (...) un lit plus propre » [3]. Point n'est besoin de nettoyer les salles de bains puisqu'il n'y en a pas. Seuls les plus riches possèdent des latrines et les autres se contentent de pots de chambre ou de seaux qu'ils vident parfois par la fenêtre.

L'habillement

Les femmes ne lavent pas souvent le linge personnel. Les garde-robes sont relativement modestes et on ne lave les chemises ou les jupons que quand on possède des vêtements de rechange à porter pendant qu'ils sèchent. Même si on n'en a que peu, l'habillement est d'une importance énorme pour la société francophone traditionnelle. Particulièrement chez les nobles l'habillement doit refléter le rang social et autant les hommes que les femmes n'hésitent pas à y investir des sommes considérables. Au 18e siècle, le vêtement symbolise autant la classe sociale que le sexe. C'est surtout au 19e siècle que l'idéologie capitaliste transformera les femmes en symboles de la réussite matérielle de leurs maris.

Pendant que ceux-ci seront sobrement vêtus de noir, elles se plieront aux tortures des corsets, des crinolines et des tournures élégantes. Au 18e siècle, même les robes de fête ne semblent pas contraindre autant les corps. D'ailleurs, hommes et femmes, particulièrement dans les classes aisées, font usage de dentelles, de bijoux, de broderies et de colifichets.

La plupart des femmes s'habillent en étoffe du pays qu'elles filent, tissent, teignent et coupent elles-mêmes. Dans cette étoffe elles confectionnent les vêtements de dessus, alors que les sous-vêtements, chemises, jupons sont faits de lin qu'elles filent et tissent elles-mêmes. Avant le milieu du 19e siècle, les femmes ne portent pas de culottes, pas plus que les hommes d'ailleurs, mais elles mettent chemise, camisole et plusieurs jupons qu'elles peuvent enlever et laver tour à tour. Lors des menstruations les femmes se servent de vieux chiffons qu'elles lavent soigneusement de mois en mois. Selon l'historien Robert-Lionel Séguin, certaines ont dû se fabriquer des tampons dont le mode de fabrication se trouve dans les livres de pharmacopée de l'époque. On porte les jupes courtes, beaucoup plus courtes qu'en Europe, au grand amusement des voyageurs qui constatent que, malgré leurs efforts, les femmes d'ici suivent la mode d'Europe avec un trop grand retard. Les campagnardes se chaussent de « souliers de boeuf », souvent de fabrication maison, et les citadines de petits souliers à talon haut. Chez soi, on porte un grand tablier et, pour sortir, une longue pèlerine à capuchon. Celles qui ont les moyens de se payer du luxe préfèrent les tissus d'importation, surtout les tissus indiens, très colorés et imprimés de dessins fantaisistes, mais lors des deuils, elles se vêtent de noir. Les robes forment souvent la seule richesse des femmes et quelques-unes les lèguent avec soin aux parentes et aux amies.

Au 18e siècle, femmes et hommes des classes supérieures portent la perruque. On est toujours coiffé d'un chapeau. Les femmes du peuple portent le bonnet, ou coiffe, en hiver et en été, un chapeau de paille avec, autour du cou, une croix d'argent.

Quelques observateurs insistent sur le charme et la beauté des femmes d'ici. D'autres remarquent que les paysannes semblent vieillir jeunes parce que leur peau devient brune et ridée à cause du travail aux champs et à la cuisine, au-dessus de feux chauds. Jolies ou non, elles veulent plaire et, les jours de fête, elles se pomponnent et se parent de leurs plus belles robes. Ce goût pour la mode attire sur les femmes les foudres du clergé et des esprits plus puritains. Les curés enjoignent les femmes d'adopter des vêtements plus modestes et de prêter moins d'attention à leur habillement, et si on en juge par la régularité de ces avertissements tout au long du 18e siècle et jusque dans les années 1820, ils ont peu de succès.

Les travaux d'extérieur

Les travaux féminins ne s'arrêtent pas au seuil des maisons. Les femmes de même que les enfants s'occupent de l'étable, du jardin potager et de la basse-cour. Le travail quotidien à l'étable figure parmi les tâches les plus ardues qui leur sont dévolues. Le cheptel n'est pas nombreux mais les instruments de travail des plus rudimentaires obligent les femmes à de gros efforts. Chaque automne elles entreposent les légumes dans des glacières ou des caveaux creusés dans le sol, afin de les garder tout l'hiver. Parfois, un grenier froid conserve du gibier ou de la volaille. Si elles demeurent près d'un marché, elles peuvent y écouler le surplus de légumes ou d'oeufs. Même en ville, chaque maison a son petit jardin, comme en témoignent les premières cartes de Montréal.

Lorsqu'on a besoin de bras, les femmes canadiennes travaillent aux champs à côté des hommes et surtout durant les fenaisons qui nécessitent un travail intense pendant plusieurs jours. Le voyageur Pehr Kalm remarque qu'à cette étape des travaux agricoles, presque autant d'hommes que de femmes sont aux champs. D'ailleurs, il semble que bien des femmes travaillent aux champs autant que les hommes dont l'absence périodique amène les femmes à les remplacer au besoin aux travaux agricoles, car la milice française et, au 19e siècle, la coupe du bois réclament les fils et parfois les maris loin de chez eux. Ce sont surtout de jeunes célibataires qui s'engagent dans la traite des fourrures et par conséquent leurs soeurs doivent exécuter les travaux qui leur sont habituellement réservés.

Dans les villes les épouses sont souvent associées aux maris dans l'entreprise familiale. Les femmes d'aubergistes et de cabaretiers travaillent à côté de leurs maris, et les femmes d'artisans peuvent surveiller les jeunes apprentis. Les épouses de journaliers et celles dont le travail du mari est insuffisant peuvent prendre des chambreurs chez elles, faire de la couture ou travailler comme blanchisseuse pour arrondir le budget familial. La moitié des cordonniers de la ville de Québec, entre 1700 et 1760, ont des revenus d'appoint qui proviennent en partie du travail de leurs épouses domestiques, blanchisseuses ou guérisseuses.

En 1825, Jacques Viger fait le recensement de la ville de Montréal. Selon ses chiffres, une Montréalaise sur cinq a une occupation en sus des travaux ménagers. Presque 27 p. 100 de la main-d'oeuvre active de la ville est féminine. Chez ces femmes qui ont un métier, plus de la moitié sont des domestiques et plus d'un quart sont journalières. Le personnel enseignant est à 40 p. 100 féminin. D'autres occupations sont citées : gouvernante, laveuse, sage-femme, couturière ou modiste. On y relève aussi d'autres occupations, sans doute des entreprises familiales, où les femmes sont présentes en très petit nombre cependant : forgeron, carrossier, jardinier, aubergiste, corsetier, tisserand, marchand, rentier, mercier, cultivateur, garde-malade, etc.

Les documents des marchands et des administrateurs nous apprennent à quel point les femmes des classes supérieures sont impliquées dans les affaires de leurs maris, même si une lecture rapide de la Coutume de Paris laisse croire que les épouses sont absentes de la vie des affaires. En réalité, on les trouve partout. Dûment mandatées par leurs maris, elles les représentent, lorsqu'ils s'absentent, lors de démêlés judiciaires et elles participent aux négociations commerciales.

Marie-Anne Barbel est un exemple de la femme d'affaires du 18e siècle. En 1723, à l'âge de 20 ans, elle se marie à Jean-Louis Fornel, marchand bourgeois. Entre 1724 et 1741, elle met au monde 14 enfants, dont 3 seulement lui survivront. Déjà, du vivant de son mari, elle agit comme fondé de pouvoir et, après la mort de celui-ci en 1745, au lieu de procéder au partage et à la liquidation des biens de la communauté, elle décide de continuer l'entreprise. Elle obtient un permis de traite des fourrures, investit dans l'immobilier, intente des procès d'affaires et achète une fabrique de poteries. Elle fait partie du groupe des marchands moyens de la colonie. Elle ne consent au partage final des biens de la communauté entre elle-même et ses enfants que 36 ans après la mort de son mari. Entre-temps, elle s'est servie des capitaux pour ses investissements et a continué à faire vivre plusieurs de ses enfants adultes.

Chez les fonctionnaires, les épouses agissent comme agent de relations publiques afin de faire progresser la carrière de leurs maris. Dans une société où l'avancement est souvent dû aux amitiés plutôt qu'au rendement au travail, les liens personnels entre les membres de la noblesse et la bourgeoisie sont nourris avec soin. C'est la tâche des femmes de ces classes d'entretenir ces liens. Elles n'ont pas accès à l'exercice du pouvoir politique, mais elles jouissent d'un pouvoir d'influence considérable.

Le journal de Mme Bégon nous montre comment la vie sociale et la vie politique de l'époque s'entremêlent. Il semble que c'est grâce en grande partie à son épouse, Élisabeth Joybert de Soulanges, née au Canada, que la carrière du marquis de Vaudreuil et de ses fils ait été si brillante. Elle a 17 ans lorsqu'elle se marie avec ce militaire. Après avoir donné naissance à 11 enfants, elle décide, en 1709, qu'elle peut faire avancer la fortune de sa famille en les représentant directement à la Cour de Versailles. Elle réussit tellement bien que, non seulement elle déjoue ceux qui veulent intriguer contre Vaudreuil, mais se fait nommer gouvernante des enfants du roi. Angélique Renaud d'Avène des Méloizes, une autre Canadienne de naissance, reçoit son éducation chez les Ursulines à Québec et, en 1746, elle épouse le chevalier de Livaudière, M. Péan, qui est l'homme de confiance de l'intendant Bigot aux derniers jours du Régime français. Mme Péan devient l'hôtesse la plus en vue de la société mondaine et les potins courent sur l'amitié entre les Péan et Bigot, amitié consolidée par le fait qu'elle est la maîtresse de ce dernier. À leur retour de France, Péan et Bigot sont enfermés à la Bastille pendant qu'on enquête sur la corruption du régime Bigot. Madame Péan utilise son influence pour obtenir la permission de rendre de fréquentes visites à son mari et pour lui garder sa réputation et sa fortune, malgré ses méfaits. Elle ne s'arrête pas à des questions de scrupule comme en a témoigné la lettre que Marguerite d'Youville écrira, sans succès, après son départ du Canada pour lui faire acquitter des sommes qu'elle doit aux Soeurs Grises.

De même sous le Régime anglais, Lady Dorchester, femme du gouverneur de la province de Québec à la fin du 18e siècle, cultive soigneusement les liens entre le gouverneur et les vieilles familles francophones. Parlant français, elle visite régulièrement les institutions religieuses et place ses filles chez les Ursulines de Québec.

Julie Bruneau, fille d'un député à l'Assemblée législative, se marie à un homme politique, Louis-Joseph Papineau. La correspondance entre les deux époux révèle que Julie Bruneau suit de très près la politique et appuie sans réserve l'action de son mari. En 1835, elle lui écrit :

Il n'y a que la politique qui m'amuse et m'intéresse quand je peux en avoir des nouvelles mais on n'en a guère. Les gazettes ne nous donnent que peu de débats et bien incorrects[4].

Elle lui voue une grande admiration en tant que chef politique, même si, sur le plan personnel, elle lui tient parfois tête.

Julie Bruneau-Papineau et sa fille, *peinture d'Antoine Sébastien Plamondon, 1836.*

Je suis bien de ton avis qu'il y a peu d'hommes parfaitement désintéressés et qui sacrifient, en toute occasion, leurs intérêts à ceux du public comme c'est le devoir d'un homme public... c'est ce que j'admire en toi et qui m'étonne car je n'en connais pas d'autres excepté ton père et Mr. Viger[5].

La femme de Papineau est un personnage public dans la petite société du Bas-Canada. Son moindre geste peut avoir une signification politique et elle est obligée d'en tenir compte.

Les femmes ont toujours accompagné les armées quoique l'histoire passe sous silence leur présence. Au 18e siècle et au début du 19e siècle, les armées de la France et de la Grande-Bretagne ne font pas exception. On permet à une petite minorité de soldats de se marier pendant leur service et d'amener leur épouse au camp ou à la caserne. Sous le Régime anglais, on donne aux femmes la moitié d'une ration d'homme et aux enfants, un huitième. Les femmes travaillent dans les ateliers de couture, soignent les soldats malades et cuisinent pour les troupes. Et puisqu'on punit sévèrement les soldats qui se marient sans permission, il semble que les quelques femmes, épouses ou célibataires, sont souvent le sujet de querelles...

Le travail d'une femme, qu'elle soit noble ou paysanne, se fait dans le cadre des activités familiales définies par son époux. La fortune familiale déterminera si elle doit participer aux activités de son époux ou faire des travaux d'appoint, couture ou lavage, pour boucler le budget. De même, le nombre de bouches à nourrir par rapport aux enfants en âge de travailler influencera les activités de l'épouse. Une famille dont les enfants sont en bas âge nécessite beaucoup de soins. Plus tard, ces mêmes enfants seront capables de contribuer à l'économie familiale : une fille aînée qui s'occupe des benjamins peut libérer une épouse pour aider son mari et les adolescentes peuvent remplacer leur mère aux champs.

Une réception chez les Papineau

À huit heures et demie, nous arrivons pour trouver le parc et le portique de la maison très joliment illuminés avec des girandoles de couleur : la fanfare du 15e était là et un grand nombre de Dames et de Messieurs canadiens étaient réunis, tout cela nous promettant une fête brillante et une soirée dansante. Cette surprise nous fut d'autant plus agréable, venant de Monsieur Papineau et de son épouse, qui ne se mêle pas à la société de Montréal (où les gens mêlent un peu trop les sociétés). Elle n'en reçut pas moins ses invités avec beaucoup d'aise et fit les honneurs de façon remarquable. Il est certainement dans le caractère d'une française, quels que soient sa naissance et son rang social, de montrer beaucoup de tact en société et de se conduire comme s'il était tout naturel pour elle de vivre en « évidence » ; elles sont très maitresses d'elles-mêmes et elles sont en général très gracieuses. Les nuances dans les manières entre les différents échelons de la vie, sont moins prononcées que parmi nous. Une femme française, qui n'est pas affectée et qui incline à plaire, réussira généralement à être agréable...

Source : Le journal de Lady Aylmer, cité dans Dufebvre, B. *Cinq femmes et nous*, p. 144.

Croyances de toutes sortes

Les sentiments religieux chez les femmes de la société pré-industrielle sont profonds. Mais il est difficile de dire si les curés ont sur elles l'ascendant qu'ils auront à la fin du 19e siècle. Comme en France, l'anticléricalisme qui peut se manifester semble surtout émaner des hommes. Peu au fait de la philosophie des Lumières et exclues du pouvoir politique, elles ont eu moins de motivation pour remettre en question la mainmise de l'Église. Bien des femmes appartiennent à des tiers-ordres, telle la confrérie de la Sainte-Famille, espèce de société religieuse qui encourage ses membres au respect de l'enseignement de l'Église et des bonnes oeuvres. Élisabeth Bégon et Marguerite d'Youville occupent tour à tour des postes importants au sein de cette confrérie à Montréal.

Mais jusque dans les années 1830, les prêtres se plaignent du comportement des femmes et il faut croire que leur influence n'a pas toujours été très forte. Que reproche-t-on aux femmes ? De s'habiller de façon immodeste, de courir les bals et les événements sociaux de moralité douteuse, car si les femmes travaillent fort, elles savent aussi s'amuser. Dans toutes les classes sociales la danse est très populaire. Les femmes de tout âge, mariées ou non, boivent, mangent et dansent jusqu'aux petites heures du matin lors des noces campagnardes et des danses mondaines. L'exubérance, que les voyageurs remarquent, contraste avec la répression du comportement féminin à l'ère victorienne où les dames bien élevées devaient refuser l'alcool et surtout se contrôler en public.

Au milieu du 18e siècle naît la coutume des veillées chez la voisine, ce qui permet aux femmes de continuer de coudre ou de filer tout en chantant ou échangeant les nouvelles.

Au 18e siècle, le paysannat croit toujours à la sorcellerie. Cette croyance, réprimée par l'Église, s'exprimera dans les contes et les légendes. On ne chasse presque plus les sorcières en France lors du peuplement de la Nouvelle-France. La célèbre chasse aux sorcières de Salem au Massachusetts à la fin du 17e siècle est attribuable aux conditions locales et, particulièrement, à l'emprise du clergé puritain. Toutefois, au Canada, aucune femme n'a été mise à mort pour sorcellerie. Mais on n'est pas loin de la démonologie médiévale, comme en témoignent les hallucinations de mère Catherine de Saint-Augustin, hospitalière de Québec, qui, dans les années 1660, se croit tourmentée par des diables.

Les femmes ne sont pas persécutées mais l'image de la sorcière exerçant un pouvoir maléfique demeure un des stéréotypes les plus puissants qu'on applique aux femmes déviantes. En 1671, le Conseil souverain condamne à mort Françoise Duberger, veuve Galbrun, pour avoir tué son premier mari. De plus, on fit une investigation « (...) de l'enfant étouffé par la Galbrun et autres maléfices ». On la trouve

(...) duement atteinte et convaincue d'avoir celé sa grossesse, de s'estre faict soigner trois fois en divers temps et médicamanter pour faire perdre son fruict, et finalement d'avoir accouchée, tué son enfant et iceluy enterré à l'instant[6].

En 1763, Marie Josephe Corriveau qui, selon son propre témoignage, refuse de continuer à se faire battre par son mari, est condamnée pour le meurtre de celui-ci et pendue. Au début du 19e siècle, le romancier Philippe Aubert de Gaspé fait d'elle un spectre horrible qui hante les voyageurs nocturnes et les folkloristes et historiens des 19e et 20e siècles amplifieront la légende de la Corriveau, la rendant plus horrifiante à chaque nouvelle version.

Les femmes qui tuent leurs maris ou leurs enfants remettent en question l'autorité masculine. Deux des seules explications acceptées par les hommes pour justifier cette révolte subversive menaçant les fondements de leur autorité sont celles de la sorcière, de la mauvaise femme qui connaît les secrets du diable et de la folie. La rébellion féminine est ainsi niée et nommée de telle manière que les hommes ne se sentent plus menacés.

Le célibat laïc et religieux

La complémentarité des tâches encourage les jeunes filles à se chercher un mari, car sans mari elles n'ont guère de possibilité d'atteindre un niveau de vie satisfaisant et ne peuvent avoir leur propre ménage ; sinon, la seule place où loger sera une autre famille où on fera le service domestique. Les filles de familles à l'aise ou les héritières font exception parce qu'elles possèdent suffisamment de revenus pour pouvoir dédaigner le mariage. Telle est ainsi la « vieille fille de Lanaudière » décrite par Philippe Aubert de Gaspé qui, au début du 19e siècle, gère seule la seigneurie. À la fin du Régime français Louise de Ramezay, une des filles du gouverneur de Montréal, est une autre de ces femmes si bien nanties qu'elle peut se passer de mariage. Elle exploite la scierie familiale, met sur pied une nouvelle scierie avec une autre femme et administre de vastes domaines.

L'autre solution reste le célibat religieux. La vie religieuse offre la sécurité matérielle et psychologique, ainsi que l'occasion d'accomplir certains travaux hors de l'ordinaire et sans subir d'autorité masculine immédiate. Mais dans une société profondément religieuse, c'est la volonté de renoncer aux plaisirs de l'existence quotidienne pour mieux servir Dieu qui a dû motiver la plupart des femmes à entrer en religion.

Trois nouvelles communautés de femmes sont fondées au 18e siècle. En plus de l'Hôpital-Général de Québec, créé officiellement en 1701, la communauté des Ursulines est fondée l'année suivante. Cette nouvelle communauté autonome enseignera aux jeunes filles et soignera les malades.

Marguerite Dufrost de Lajemmerais, veuve d'Youville, éprouve depuis longtemps le besoin de secourir les pauvres et les délaissés de Montréal et, en 1737, elle s'associe trois compagnes, loue une maison et commence à recevoir des pauvres chez elle. Marguerite d'Youville ne veut pas fonder un ordre religieux, car ni elle ni ses compagnes n'ont de goût pour une vie monastique avec sa clôture et ses voeux solennels, même si elles veulent mener une existence pieuse. C'est la prise en charge de l'hôpital des frères Charron, entreprise défaillante, que Mme d'Youville et ses compagnes réussissent à exploiter au bénéfice de la société montréalaise qui les oblige, en 1755, à se former en association séculière avec un statut légal défini à l'intérieur de l'Église. Ce sont des « demoiselles de la Charité chargées par Sa Majesté de la direction de l'Hôpital-Général de Montréal », communément appelées les Soeurs Grises. Cette communauté se voue exclusivement à ce qu'on appelle aujourd'hui le service social. Elle recueille pauvres, vieillards et malades des deux sexes. Mais son oeuvre la plus importante demeure l'entretien et l'éducation des enfants abandonnés dont le nombre augmente en flèche de 1750 à 1770, à cause de la présence de l'armée française et ensuite de l'armée anglaise.

Au 18e siècle, les communautés religieuses ne s'accroissent que très lentement. Les autorités françaises limitent leur croissance qu'elles trouvent improductrices dans un pays de colonisation. Les religieuses sont politiquement impuissantes car plusieurs communautés ne permettent pas à leurs membres de quitter le cloître. À l'encontre des communautés masculines, tels les Jésuites, elles ne se mêlent pas d'intrigues politiques, se contentant

Parement d'autel de sainte Anne réalisé vers 1667 et attribué à Marie de l'Incarnation. Les Ursulines sont renommées pour la qualité de leurs broderies. Le médaillon central qui est peint représente sainte Anne avec la Sainte Vierge jeune. Collection Monastère des Ursulines, Québec

de fournir des services à la population environnante. Elles ne posent aucune menace à la nouvelle autorité anglaise. En 1760, elles soignent indistinctement les soldats de deux armées et les Ursulines se mettent même à tricoter des bas pour les jambes nues des soldats écossais pendant l'hiver. Cette même communauté s'empresse d'élire, comme nouvelle supérieure, une femme d'origine américaine croyant ainsi raffermir les rapports avec les autorités britanniques. Plus tard, elles recevront les jeunes anglophones dans leurs couvents. En 1764, on ne dénombre pas plus de 190 religieuses ; en 1800, 304. En 1825, Jacques Viger compte seulement 93 religieuses dans la ville de Montréal.

La vie au couvent est sereine, mais austère. La hiérarchie de la communauté reproduit sensiblement les classes sociales de la société. Les soeurs de choeur se dévouent au travail de la communauté : enseignement, soins hospitaliers et broderie de vêtements sacerdotaux, alors que les femmes d'origine plus humble jouent le rôle de domestiques, font le ménage du couvent et servent les autres.

Chaque communauté s'insère dans un groupe social distinct. Dans la première moitié du 18e siècle, l'Hôpital-Général de Québec attire les filles de la petite noblesse, alors que les postulantes chez les Ursulines ou à l'Hôtel-Dieu sont d'origines plus modestes. Elles ont néanmoins de plus grosses dots qu'elles apportent souvent sous forme de terres ou de marchandises. Lady Simcoe, femme du gouverneur général du Haut-Canada, rend visite aux Ursulines en 1791 et voici ce qu'elle raconte :

> *J'avais eu la permission nécessaire de Mgr François Hubert, l'évêque catholique de Québec, pour entrer au Couvent des Ursulines et je m'y suis rendue aujourd'hui avec Madame Baby. La Supérieure (Mère Saint-Louis-de-Gonzague) est une femme agréable, bonne causeuse et de beaucoup d'adresse. Les religieuses me parurent gaies, contentes de voir des visiteuses et disposées à converser et à poser des questions. Leur costume est noir avec une coiffe blanche et quelques-unes me parurent très jolies. Elles poussent la propreté et l'ordre au plus haut point de la perfection dans toutes les parties du couvent et elles sont très industrieuses dans l'administration d'un grand jardin. Elles enseignent les enfants et admettent des pensionnaires et des externes. Elles font toutes sortes de décorations pour leurs autels et l'église, et dorent des cadres. Elles nous montrèrent une très belle broderie faite par une religieuse anglaise, maintenant décédée. Quelques-unes d'elles font des coffrets et des coussins à épingles avec de l'écorce de bouleau, cousue avec du poil d'orignal teint. Ce poil est si court qu'il doit être enfilé pour chaque point, ce qui est bien fastidieux. Toutes sortes de gâteaux et de sucreries sont faits ici et tous les desserts de la ville sont préparés par les religieuses. Elles font sécher les pommes d'une manière bien particulière. On dirait des abricots secs.*
>
> *Toutes ces choses sont nécessaires pour leur maintien, leurs finances étant bien médiocres.*
>
> *Un autre couvent est appelé l'Hôtel-Dieu : on y reçoit les malades, qu'ils soient Français ou Anglais. Les médecins de la garnison y vont chaque jour et ils parlent hautement des attentions données aux malades par les religieuses. L'Hôpital Général est un couvent à un mille de la ville, où les malades et les aliénés étant soignés[7].*

À la fin du 18e siècle, la correspondance de soeur Thérèse-de-Jésus suggère que les préoccupations quotidiennes des religieuses ne sont guère différentes de celles des femmes laïques. Le plus grand souci de toutes les femmes est la santé. On a conservé presque une centaine de lettres que cette ursuline des Trois-Rivières a écrit à son frère François Baby et, dans presque toutes, elle se plaint de son état de santé et donne avec force détails la description de ses vomissements, maux de tête, afflictions de poitrine, problèmes d'intestins, rhumes, etc. En cela, ses lettres ne sont guère différentes de celles de ses contemporaines. Soeur Thérèse semble être en communication constante avec sa famille et demande souvent des nouvelles de chacun. Contrairement aux femmes mariées qui se préoccupent de la santé de la mère lors d'un accouchement, son intérêt porte plutôt sur le nouveau-né. En mai 1787, elle se préoccupe moins de l'état de sa belle-soeur que du bébé, espérant qu'elle « (...) auroye bientôt la satisfaction d'entendre dire qu'elle m'a donné une petite religieuse ». Soeur Thérèse occupe successivement plusieurs postes de responsabilité au couvent. Lorsqu'elle est chargée de voir à l'approvisionnement, elle s'inquiète des mauvaises récoltes et tente d'obtenir les prix les plus bas, par l'entremise de son frère. Parfois, elle demande de l'argent à sa famille, ce que peu de religieuses peuvent faire. « (...) oui je suis la seule religieuse qui ait tant d'avantages de la part des Ciens[8]. »

Vivre en marge

Ce n'est qu'en 1833 que le Bas-Canada abolit l'esclavage ; il avait été autorisé en 1709. En Nouvelle-France, comme sous le Régime anglais, les esclaves servent de domestiques et en 1744 la ville de Québec dénombre parmi ses femmes domestiques à peu près 5 p. 100 d'esclaves noires et 10 p. 100 amérindiennes. La mortalité étant précoce chez ces esclaves et leur adaptation à la société blanche difficile, elles ne sont donc pas toujours des servantes idéales, même si leur travail n'est pas payé. Leur statut au sein des familles varie entre celui d'enfant adoptif à celui de bête de somme durement exploitée. Marie-Joseph, esclave noire, dut faire parti de ce dernier lot. Outragée par les mauvais traitements qu'elle subit, elle met le feu, en avril 1734, à la maison de sa maîtresse à Montréal. Le feu se propage et 46 maisons brûlent. Sa punition : elle est pendue sur la place du marché, puis son corps est brûlé au bûcher et ses cendres répandues au vent, ultime dégradation sous l'Ancien Régime où l'on refuse ainsi aux criminels un service religieux.

Il y a bien eu quelques mariages entre les Blancs d'une part, et les Amérindiens, les Indiens ou les Noirs d'autre part. Mais plus de la moitié des enfants d'esclaves naissent en dehors du mariage, d'un « père inconnu » comme disent les registres paroissiaux. Ces enfants de mère esclave qui naissent en servitude appartiennent au propriétaire de leur mère. Parmi les noms de propriétaires d'esclaves citons : Marguerite d'Youville, le marchand Pierre Guy, le mari de Madeleine de Verchères, le gouverneur Vaudreuil et l'évêque de Saint-Vallier.

Selon l'historien André Lachance, dans la première moitié du 18e siècle seulement 20 p. 100 des accusations criminelles sont portées contre les femmes alors que celles-ci forment près de la moitié de la population canadienne. Ce taux de criminalité féminine semble bas mais il est beaucoup plus élevé qu'il ne le sera plus tard, car depuis le milieu du 19e siècle, il ne dépasse pas 15 p. 100 ; au Québec en 1967, il n'est que de 11,5 p. 100. De quoi accuse-t-on les femmes ? Selon une étude basée sur les années 1712 à 1759, presque la moitié des accusations portées contre les femmes concernent des crimes de violence contre la personne. Cette catégorie comporte les crimes allant du meurtre, de l'infanticide surtout, à la rébellion contre la justice, en passant par les insultes et les médisances. La facilité relative avec laquelle les Canadiennes se livrent à la violence laisse croire que l'idéal de la femme fragile et passive n'a pas eu beaucoup d'emprise chez les femmes de cette époque.

Entre 1712 et 1748, quatre femmes dont deux sont des domestiques sont condamnées à la pendaison pour infanticide, crime dont seules les femmes peuvent être coupables. L'une d'elle est sauvée du gibet lorsque le père de l'enfant qui, jusque-là, avait refusé de l'épouser, se ravise. Une autre, ayant réussi à se sauver, est pendue en effigie. Une troisième, mère de famille dont l'époux absent n'est pas le père de l'enfant étouffé, voit sa peine commuée au fouet et au bannissement perpétuel.

Plus de 14 p. 100 de toutes les accusations portées contre les femmes le sont pour insulte, diffamation, médisance et calomnie. Exclues du pouvoir formel, les femmes savent néanmoins se servir de leur langue, arme combien efficace, dans une société où l'honneur et la réputation représentent tout.

Presque un tiers de toutes les accusations portent sur les vols. Ceux-ci sont commis en plein jour, le plus souvent sans effraction. En ville, les servantes ont facilement accès aux biens de leurs maîtres. Ce sont de petits objets dont elles s'emparent : tabliers, rubans, ustensiles, etc. Les vols domestiques sont très sévèrement punis puisque la servante, ayant été intégrée dans la famille, a osé porter atteinte à l'intégrité familiale.

Le taux bas de criminalité féminine peut s'expliquer par les restrictions du cadre domestique. La criminalité est surtout affaire publique et affaire d'hommes. De plus, chez eux, les chefs de famille peuvent faire la loi à leur guise, sans recourir à l'appareil judiciaire. Retenues à la maison les femmes ont donc moins d'occasions de commettre des délits.

En général, les peines prononcées contre les femmes sont plus sévères que celles des hommes : plus de punitions corporelles (sauf les galères) et de peines infamantes (blâme, flétrissure, réparation

---

Le recel de grossesse et l'infanticide

Dans la France du 16e siècle, alarmé par le nombre d'infanticides, probablement d'enfants illégitimes, l'autorité royale fait publier une ordonnance enjoignant à toutes les filles et femmes de déclarer leurs grossesses. Ainsi, il devient plus difficile pour les mères de s'avorter secrètement ou de tuer leurs nouveaux-nés en cachette. Puisqu'une honnête femme n'a aucune raison de « receler » ou cacher sa grossesse, cette ordonnance sanctionne le comportement de celles qui se trouvent enceintes en dehors du mariage et essaient de cacher leur faute par l'infanticide.

Voici l'ordonnance du roi Henri II en 1556 :

(...) Que toutes Femme qui se trouvera deüment atteinte et convaincuë d'avoir celé & occulté, tant sa grossesse que son enfantement sans avoir déclaré l'un ou l'autre, & avoir pris de l'un ou l'autre témoignage suffisant, mesme de la vie ou mort de son Enfant, lors de l'issuë de son ventre, et aprés se trouve l'Enfant avoir esté privé, tant du saint Sacrement et Baptesme que sépulture publique et accoütumée, soit telle Femme tenuë & reputée d'avoir homicidé son Enfant, & pour réparation punie de mort et dernier supplice...

Source : Flandrin, J.-L., *Le Sexe et l'Occident*, Paris, Seuil, 1981. p. 169.

En Nouvelle-France, certains intendants font lire cette ordonnance à tous les trois mois dans les églises. Lors de son procès éventuel pour recel de grossesse ou infanticide, il est difficile pour l'accusée de plaider l'ignorance de cette loi.

Sous le Régime anglais, une femme qui cache la naissance de son enfant et qui tente de disposer clandestinement du corps si l'enfant est mort-né, est passible d'emprisonnement pendant au moins deux ans.

La triste histoire d'Emma Corriveau s'est rapidement transformée en légende.
Dessin d'Henri Julien

publique), comme si la punition du peu de femmes qui contre-
viennent aux lois des hommes devait servir d'exemple. C'est le sort
qui attend celle qui s'écarte de la norme.

Marie Joseph Corriveau fut une des victimes de la nécessité de
réprouver toute transgression de l'ordre masculin par une femme.
Voici sa plaidoirie de culpabilité lors de son procès en avril 1783.

> *Marie Josephte Corriveaux, veuve Dodier, déclare qu'elle a*
> *assassiné son mari Louis Hélène Dodier pendant la nuit alors*
> *qu'il dormait dans son lit ; qu'elle l'a fait avec une petite hache*
> *qu'elle n'a été incitée ni aidée par aucune personne à le faire ;*
> *que personne n'était au courant. Elle est consciente de mériter*
> *la mort. Elle demande seulement à la Cour de lui accorder*
> *un peu de temps pour se confesser et faire sa paix avec le ciel.*
> *Elle ajoute que c'est vraiment dû en grande partie aux mauvais*
> *traitements de son mari si elle est coupable de ce crime[9].*

Les autorités britanniques, voulant intimider une population
nouvellement conquise, la conduisent au gibet et, comme c'est coutume au 18e siècle, son corps est exhibé publiquement : elle est
suspendue pendant un peu plus d'un mois dans une cage de fer,
au-dessus d'une croisée des chemins, à Lauzon près de Québec.

De tous les hommes ayant tué leurs épouses, il n'y en a aucun qui ait gagné la renommée de la Corriveau, encore légendaire deux cents ans après sa mort.

Par contre, le viol des femmes semble passer sous silence. Les seuls viols portés à l'attention des autorités sous le Régime français sont ceux de très jeunes filles. Les soldats français sont punis pour une variété de crimes mais presque jamais accusés de viol. Pourtant, l'historien William Eccles raconte qu'en 1760, pendant que le commandant Murray essaie de subjuguer la campagne entre Québec et Montréal, ses soldats échappent à son contrôle et violent plusieurs Canadiennes.

Il n'y a aucune raison de croire que les femmes de cette époque furent spécialement épargnées de l'agression sexuelle. Mais dans une société où l'honneur est tout et la chasteté féminine une vertu essentielle, se plaindre de s'être fait violée ne fait que soulever des doutes sur son propre comportement. La honte que ressent la victime de viol lui fait taire les circonstances de cette brutalité et lorsqu'elle porte une accusation contre son agresseur, c'est son procès à elle que l'on fait.

Susannah Davis, 17 ans, domestique qui a fait 9 maisons en 3 ans, raconte son viol survenu le soir du Mardi gras de 1813 lorsqu'elle loge temporairement chez un dénommé Roussel :

(...) Je ne l'ai pas connu auparavant, il est un homme marié, la femme du P..y etoit (...) parti (...) à deux heures de l'après-midi laissant dans la maison du P- moimesme et deux petits enfans dont l'aine a cinq ans — a onze heures Je me suis couché. J'éteins la Chandelle — et deux heures après le P. — est venu la Chambre ou j'etois une chandelle à la main qu'il a mis sur la table ou il se mit à manger, Il m'a demande a manger aussi mais Je ne voulais pas. Il s'est approché de mon lit et m'a dit qu'il voulait coucher avec moi — Je lui ai dit que non — Et la Dessus je me suis levée. (...) il eteint la Chandelle m'a pris dans ses bras et m'a jette sur son lit — Jai resiste Je me suis mis a crier et il m'a pris par la gorge pour mempecher de crier il m'a empecher aussi de me lever — les enfans criaient, il les a dit de se taire et de rester dans leurs lits- et m'a dit levez vous, si vous pouvez — J'ai continue a crier et il m'a demandé si Je voulais me faire entendre par les voisins (...) La première fois, il m'a mouillé seulement avec ses parties privées sur mes cuisses. — le second fois il m'a fait mal avec son membre dans mon corps, dans mes parties privées — (...) Tout cela s'est fait contre ma volonté — je n'ai jamais consenti — cetait fait avec violence et par force —[10].

Mais Susannah Davis est confuse dans son témoignage, naïve dans son espoir d'un dédommagement monétaire et de comportement trop affectueux dans le passé pour faire croire à sa vertu. Seulement la voisine qui l'a abritée le lendemain du viol témoigne en sa faveur. L'accusé est un citoyen solide, père de famille, éminemment respectable ainsi qu'en témoigne 11 membres de la communauté, dont 6 hommes, qui viennent à la barre témoigner pour lui. Bref, la parole de Susannah Davis n'a que peu de crédibilité. Le verdict dans cette affaire ? Non coupable.

Entre 1712 et 1748, les soi-disant délits de moeurs des femmes, soit adultère, débauche, concubinage, prostitution, etc., ne forment qu'une très petite partie de la criminalité féminine officielle. Les comportements réels sont évidemment tout autres, mais le 18e siècle démontre une plus grande tolérance pour ce genre d'affaires que le 17e siècle ne l'avait fait. Selon l'historien André Lachance, il n'y a aucune poursuite contre une prostituée durant la dernière décennie du Régime français. Lorsque l'existence de la prostitution devient trop flagrante, les autorités de Québec renferment quelques femmes à l'Hôpital-Général. À Montréal, on suit le même procédé mais sans beaucoup de succès, selon les chroniques d'Élisabeth Bégon qui note, en 1749 :

> *Nous avons vu aujourd'hui, cher fils, Mme Bouat, que je t'ai mandé être depuis la Saint-Martin aux Frères Charon avec Mme Youville. C'est une comédie de la voir : elle ne fait plus que prêcher et parler du plaisir qu'il y a à vivre retirée du monde. Elle nous a assuré la conversion des quatre dames qu'on a mises au Géricault (Jéricho) ; elle les visite de temps en temps. Je crois te les avoir nommées : c'est Mme Guiniolète et sa fille, Mme Sans-Poil et une de Québec dont je ne sais pas le nom. Tout ce que Mme Bouat craint sont les soldats qui pourraient avoir envie de tirer ces dames de captivité, mais je ne pense pas qu'ils voulussent rien faire pour cela de mal à propos*[11].

Au début du 19e siècle, la prostitution dépasse toujours le contrôle des autorités. L'historien Wallot fait état des estimations de l'époque qui, en 1810, dénombrent, sans doute exagérément, de 400 à 600 prostituées pour la ville de Québec dont la population se situe entre 13 000 et 14 000 personnes. Même si l'Assemblée législative vote des sommes annuelles pour leur réhabilitation, aucune institution n'est capable de s'en occuper de façon adéquate. En 1825, à Montréal, 6 p. 100 de toutes les femmes ayant une profession déclarée sont des prostituées. Il faut ainsi croire que, pour bien des femmes, c'est le meilleur, sinon le seul moyen de gagner sa vie.

La pauvreté condamne beaucoup de femmes à la marginalité. Le manque de formation spécialisée et la responsabilité quasi unique des enfants en bas âge met les métiers les plus rémunérateurs hors de portée des femmes. D'ailleurs, les salaires individuels moyens des femmes varient autour de la moitié de ceux des hommes, ce qui est une constante de l'histoire du Québec. Ce qui veut dire qu'une femme sans héritage peut à peine subvenir à ses propres besoins. Si, en plus, la mort, la maladie ou l'abandon du père de ses enfants la rend seule responsable du noyau familial, elle glisse

---

REGULATIONS
Of the FEMALE COMPASSIONATE SOCIETY, established for the relief of poor married women in their confinement :

III. The Articles of clothing and nourishment shall be issued by the Storekeeper, on a Ticket from the Acting Directress, and the cloathing shall be returned to them within thirty days. On the Storekeeper's Certificate of their being complete and properly washed, a gratuity of half a dollar, or a suit of baby linen shall be given to the poor woman, at the discretion of the Acting Directress. If not returned within the time or not in proper order, the gratuity shall be forfeited, and the woman excluded from future relief. The allowance shall consist of

Half a pound of Tea,
Two pounds of Oatmeal,
Two pounds of Rice or Barley,
Two pounds of Sugar,
Six pounds of Beef,
Two loaves of Bread,
Two pounds of Soap,
Three suits of Baby Linen,
Two changes of Linen for the woman.
Medicine, Wine, Nutmegs, Wood and Bedding to be added at the discretion of the Acting Directresses.

Quebec City, Lower Canada, 1822
Female Compassionate Society of Quebec (Quebec, 1822), 14-5.
Bibliothèque de la ville de Montréal, Salle Gagnon.

rapidement en dessous du seuil de la pauvreté. Au 18e siècle, elle se tourne vers les communautés religieuses pour l'aider. Parfois, le gouvernement donnera une maigre pension aux veuves d'anciens soldats ou de loyalistes.

La pauvreté féminine s'accentue dans les villes au début du 19e siècle. Aux célibataires, aux orphelines, aux chômeuses et à celles souffrant de maladies chroniques s'ajoutent les immigrantes qui arrivent de plus en plus nombreuses à partir de 1815. Quelques-unes sont des épouses d'anciens officiers de l'armée britannique ou d'administrateurs coloniaux. Pour la plupart, ce sont des femmes pauvres qui immigrent avec leurs familles. Au début des années 1830, l'immigration irlandaise augmente apportant au Bas-Canada des gens sans le sou ou presque, parfois atteints de choléra ou d'autres maladies contagieuses.

Les femmes déjà établies au Bas-Canada tentent de soulager par le secours direct la détresse des milliers d'autres femmes qui débarquent sans argent ou sans amis. La politique de non-intervention gouvernementale qui caractérise l'époque du capitalisme naissant laisse surtout l'effort de soulager les pires effets de la pauvreté à l'initiative privée. Les religieuses se voient très vite dépassées par l'ampleur du problème. La charité individuelle, pratiquée depuis longtemps, ne suffit plus, surtout dans les milieux urbains congestionnés. À Montréal, les femmes de la bourgeoisie organisent, dès 1817, le Female Benevolent Society, organisme de charité laïque qui donnera lieu à l'établissement, en 1821, du Montreal General Hospital. En 1822, les dames de la bonne société de Québec organisent une des premières sociétés de charité laïque, la Female Compassionate Society, afin d'assister lors de l'accouchement les épouses légitimes, protestantes ou catholiques. La même année, les dames protestantes administrent le Montreal Protestant Orphan Asylum, contrepartie des orphelinats des religieuses. Le Montreal Ladies' Benevolent Society tente, dès 1824, de venir en aide aux femmes et aux enfants destitués.

Plus vulnérables à la pauvreté, plus facilement reléguées en marge de la société pour avoir enfreint la morale, les femmes se retrouvent souvent seules, vivant en dehors du cadre familial. Sans famille, surtout sans père, mari ou frère, une femme ne peut que vivoter. Une femme seule et relativement jeune peut se débrouiller, mais dès qu'elle est malade, vieille ou seule avec des enfants, son existence devient précaire. Au plus peut-elle espérer être aidée par d'autres femmes. Nourrir, habiller, réconforter et soigner sont des tâches qui échouent aux femmes et, souvent, ce sont d'autres femmes qui en ont le plus besoin.

Suzanna Moodie arrive à Montréal en 1832

I was not a little amused at the extravagant expectations entertained by some of our steerage passengers. The sight of the Canadian shores had changed them into persons of great consequence. The poorest and the worst-dressed, the least-deserving and the most repulsive in mind and morals exhibited most disgusting traits of self-importance. Vanity and presumption seemed to possess them altogether. They talked loudly of the rank and wealth of their connexions at home, and lamented the great sacrifices they had made in order to join brothers and cousins who had foolishly settled in this beggarly wooden country.

Girls, who were scarcely able to wash a floor decently, talked of service with contempt, unless tempted to change their resolution by the offer of twelve dollars a month. To endeavour to undeceive them was a useless and ungracious task. After having tried it with several without success, I left it to time and bitter experience to restore them to their scier senses. In spite of the remonstrances of the captain and the dread of the cholera, they all rushed on shore to inspect the land of Goshen, and to endeavour to realize their absurd anticipations.

Source: Moodie, S., *Roughing It In The Bush, or Forest Life in Canada*, Toronto, McClelland and Stewart, « New Canadian Library », no 31, 1970.

Les droits démocratiques

Les femmes ne participent pas à la vie politique de la colonie, sauf quand les intérêts de leur famille ou de leurs communautés sont directement touchés. Elles ne peuvent occuper de poste au sein du gouvernement. Toutefois, il semble que beaucoup de femmes suivent la politique de près. Celles qui ont laissé une correspondance s'informent régulièrement de la tournure des événements, souvent parce que les hommes de leur famille sont dans l'armée, au gouvernement ou, sous le Régime britannique, dans l'opposition.

Au 18e siècle, les femmes du peuple descendent parfois dans la rue pour protester contre des mesures impopulaires. En 1795, le gouvernement impose des corvées supplémentaires aux habitants pour l'entretien des chemins de Québec : ceux-ci résistent et, malgré les menaces de 500 femmes, on fait arrêter le chef.

L'exclusion des femmes de la vie politique se fait par habitude plutôt que par des interdictions formelles. Par exemple, la constitution de 1791 fixe la franchise à un niveau assez bas pour les propriétaires, sans distinction de sexe. Résultat : certaines femmes propriétaires ont droit de vote et l'exercent. Mais le 19e siècle, l'ère qui sacrera la femme reine du foyer et ange gardien des valeurs familiales, n'admet pas facilement la participation directe des femmes au processus politique. La surreprésentation des femmes anglophones ou amies du pouvoir chez les électrices expliquent partiellement la volonté du parti canadien, Louis-Joseph Papineau en tête, d'enlever le droit de vote aux femmes. Le parti canadien semble craindre que leur participation ne fasse perdre des sièges au profit de l'opposition.

Pétition de 1828 sur le vote des femmes

(...) Les Pétitionnaires considèrent le refus d'un vote offert selon la Loi, comme le plus dangéreux précédent, et subversif de leurs droits et priviléges constitutionnels. Les pétitionnaires représentent en second lieu, que tous les votes des veuves n'ayant pas été émis, le retour au Parlement d'Andrew Stuart, Écuyer, est nul en autant que le choix libre de tous les électeurs n'a pas été connu. Les Pétitionnaires prennent donc la liberté d'appeler l'attention de la Chambre aux raisons qui leur semblent conclusives sur le droit qu'ont les veuves de voter. Le droit de voter n'est un droit naturel ni chez l'homme ni chez la femme, il est donné par la loi. Les seules questions sont de savoir si les femmes peuvent bien exercer ce droit et à l'avantage de l'état, et si elles ont un juste titre à l'exercer. Les Pétitionnaires n'ont pas appris qu'il existe dans l'esprit des femmes aucune imperfection qui les placent plus bas que l'homme dans l'échelle intellectuelle, et qui rendraient en elles l'exercice de la franchise élective plus dangereux que ne l'est l'exercice que la loi leur a déjà donné d'un grand nombre d'autres droits. En point de fait, les femmes dûment qualifiées ont déjà exercé en cette Province le droit en question. Les Pétitionnaires sont d'avis que les femmes ont droit à ce privi-

*lège, si elles peuvent l'exércer avantageusement. La propriété
et non les personnes est la base de la représentation dans le
Gouvernement Anglais. Les qualifications requises par les
Lois d'élection Anglaises, le montrent suffisamment ; le même
principe est strictement applicable à notre Constitution. Le
payement de certaines taxes, à l'état, est une autre base de la
représentation, car c'est un principe maintenu par les premiers
hommes d'état en Angleterre qu'il ne peut y avoir de « taxation sans représentation ». Certains devoirs remplis envers
l'état peuvent aussi donner le droit à se faire représenter.
Maintenant sous le rapport de la propriété, de la taxation et
des charges de l'état, la veuve dûment qualifiée par nos Lois
d'élection, est, sous tous les points de vue essentiels, absolument dans la même situation que l'homme, sa propriété est
taxée comme celle de l'homme, elle n'est certainement pas
obligée aux devoirs de milice, l'homme au-dessus de quarante-cinq ans ne l'est pas non plus : elle n'est appelée à servir
comme Juré, non plus un médecin ; elle ne peut être éligible à
l'Assemblée, non plus un ministre ni un Juge de la Cour du
Banc du Roi. On peut dire que la nature a formé la femme
pour la vie domestique, cependant la Constitution Anglaise
permet à une femme de s'asseoir sur le Trône, et une femme a
été un de ses plus beaux ornemens. D'ailleurs il serait bien peu
politique et même tirannique de circonscrire ses efforts et de
dire qu'elle ne pourra sentir le plus grand intérêt pour le sort
de son pays et la préservation de ses droits. C'est elle dont la
tendre éloquence, nous inspire les premières impressions de
Religion et de morale, et dirons nous qu'elle oubliera notre
Patrie, et qu'elle doit être restreinte par ses Lois. Les Pétitionnaires allèguent que les veuves exercent généralement tous les
droits légaux de l'homme, sont obligées à presque tous les
mêmes devoirs légaux envers l'état, et peuvent les exercer avec
autant d'avantage. Et demandent d'après leurs premises. 1-
Que la Chambre déclare William Fisher Scott, Officier Rap-
porteur, coupable de malversation, et prenne des mesures pour
le punir selon la Loi. 2- Que l'élection pour la Haute-Ville de
Québec, close le vingt (sic) Août, mil huit cent vingt-sept, par
le retour d'Andrew Stuart, Écuyer, soit déclarée nulle, en
autant que les votes de tous les électeurs, n'ont pas été pris.*

Source :   « Pétitions à la Chambre d'Assemblée du Bas-
Canada, 4 déc. 1828 » dans *Documents relatifs à
l'Histoire constitutionnelle du Canada 1819-1828*,
édités par Arthur G. Doughty et Norah North,
Ottawa, 1935, p. 515-516.

Les femmes ne semblent pas s'être exprimées sur la question de leurs droits politiques. Quoique le livre de la féministe Mary Wollstonecraft, *Une réforme des droits des femmes*, publié en 1792, ait été lu par quelques individus, le contenu de ce livre reste inconnu à la grande majorité des citoyennes du Bas-Canada. Chez les francophones, peu de femmes possèdent la formation intellectuelle ou le temps pour participer aux débats de ce genre. Chez les anglo-

---

L'infortunée Janette Bilodeau-Parent

Janette Bilodeau-Parent fut, au début du 19e siècle, la maîtresse du juge de Bonne. Mais lorsque celui-ci la laisse tomber et se marie pour mieux faire avancer sa carrière, elle riposte par la presse. Elle publie cette lettre dans *Le Canadien* exhortant les électeurs à prendre garde à son ancien amant. Malgré son avertissement, le juge de Bonne, adversaire du Parti canadien, est réélu en mai 1808.

Aux électeurs du comté de Québec

Quoique ce ne soit pas la coutume que les femmes s'adressent à vous pendant les élections, j'espère que vous voudrez bien pardonner cette liberté à une infortunée qui n'a point d'autre moyen d'obtenir justice qu'en s'adressant à vous. Comment pourrais-je d'ailleurs, l'ingrat dont je me plains est le juge même.

Vous avez connaissance, Messieurs, des peines que je me suis données pour lui à l'élection de Charlesbourg... la pitié m'intéressa pour lui, comme elle intéressa un nombre d'entre vous, et j'employai tout mon pouvoir à le faire élire et le faire triompher. Vous avez vu ce triomphe, Messieurs, dont il s'est tant glorifié. Mais à peine l'ingrat l'a-t-il obtenu, qu'il a oublié ce que j'avais fait pour lui, il m'a lâchement abondonnée. Il a eu la perfidie de me dire que c'était moi qui lui nuisait dans votre estime, et il m'a trahie honteusement pour s'en faire un mérite auprès de vous.

L'ingrat s'est marié et s'est fait dévot ; c'est pour obtenir vos suffrages. Il n'est point converti, je vous en assure ; je le connais, il peut se jouer de tout pour parvenir à ses vues.

L'infortunée Janette Bilodeau-Parent

Source : Le Canadien, 21 mai 1808

phones, Lady Simcoe s'est gagné la réputation de bas-bleu lors de son passage à Montréal, à cause de sa curiosité intellectuelle trop marquée et d'autres anglophones à talents littéraires évidents, tels Jane Ellice, femme du secrétaire de Lord Durham, seigneur de Beauharnois, se trouvent peut-être trop près du pouvoir pour le questionner.

Les droits que la Coutume de Paris reconnaît aux femmes du Bas-Canada peuvent expliquer en partie l'absence d'expression d'insatisfaction. À l'encontre du *Common law* qui régit les Américaines, les femmes des Maritimes et du Haut-Canada, la Coutume de Paris ne fait pas disparaître l'existence légale de l'épouse au moment du mariage. Le contrôle du mari sur les biens de sa femme a des limites établies. Le douaire aussi bien que l'hypothèque judiciaire de la femme mariée sur les immeubles du mari visent à la protéger contre les vicissitudes des fortunes du mari ou sa mauvaise administration de la communauté.

La société traditionnelle se modifie

Pendant plus de cent ans, la colonie, sur les rives du Saint-Laurent, se développe autour de la vie agricole et de la vie familiale. On a plus d'enfants que jamais et on les installe les uns après les autres sur de nouvelles terres jusqu'aux confins de toutes les seigneuries. Ce mode de vie a été troublé par la guerre de la Conquête et la guerre américaine, mais la vie a repris son cours, sans bouleversements fondamentaux.

Femmes, hommes et enfants vivent dans la famille et travaillent pour la famille. Les choix matrimoniaux, professionnels, juridiques, financiers, voire politiques, sont assujettis à l'identité familiale. Cette organisation nie l'individualité des femmes et des hommes. Dans un tel contexte, ce qui prévaut, ce n'est pas une définition abstraite de ce qu'une femme devrait faire, mais ce que la réalité familiale commande à chacune. Comme la distinction entre les sphères privée et publique n'est pas rigide, les affaires familiales, économiques et politiques ont souvent tendance à s'entremêler. Femmes et hommes s'en mêlent.

Néanmoins, cette société considère que la communauté familiale ne saurait être cogérée. Il lui faut un chef et ce chef, celui qui détient l'autorité, c'est l'homme, le mari, le père de famille qui a donc toute latitude pour faire passer ses intérêts personnels pour des intérêts familiaux; en tant que chef, il dispose d'un plus grand pouvoir sur les biens de la communauté et se verra accorder plus de liberté sexuelle. Et c'est parce qu'il est chef de la communauté et inscrit comme propriétaire des biens familiaux qu'il accède aux droits politiques lors de l'instauration du parlementarisme.

Cette longue période se termine, pour les femmes du Bas-Canada, dans une conjoncture de crise. Les troubles économiques et politiques que connaît la colonie préparent la voie à l'instauration d'un nouveau système économique. D'une part, les bases de l'économie traditionnelle s'effritent, les bonnes terres sont toutes occupées et les rendements agricoles décroissants font chuter le niveau de vie de l'habitant. D'autre part, la révolution industrielle fait son apparition en terre américaine. La société traditionnelle devra se modifier. Les femmes entrent dans un siècle de bouleversements.

Notes du chapitre IV

1. « Journal des Campagnes du Chevalier de Lévis, 1756-60 », cité dans R.-L. Séguin, *La Civilisation traditionnelle de l'habitant au 17e et au 18e siècles*, Montréal, Fides, 1967, p. 75.

2. « Journal du marquis de Montcalm », cité dans R.-L. Séguin, *La Civilisation traditionnelle de l'habitant au 17e et au 18e siècles*, Montréal, Fides, 1967, p. 109.

3. Élizabeth Bégon, *Lettres au cher fils*, Nicole Deschamps éd., Montréal, Hurtubise, HMH, 1972, le 31 janvier 1749, P. 74.

4. « Julie Bruneau à Louis-Joseph Papineau », le 2 novembre 1835, *Rapport de l'archiviste de la province du Québec*, 1957-58, p. 66.

5. « Julie Bruneau à Louis-Joseph Papineau », le 15 décembre 1831, *Rapport de l'archiviste de la province de Québec*, 1957-1958, p. 65.

6. « Jugements et délibérations du Conseil souverain de la Nouvelle-France 1660 », cité dans R.-L. Séguin, *La Sorcellerie en Nouvelle-France*, Montréal, Leméac, 1971, p. 160.

7. « Journal de Lady Simcoe », cité dans Dufèbvre, B., *Cinq femmes et Nous*, Québec, Bélisle, 1950, p. 132-133.

8. « Soeur Thérèse de Jésus à François Baby », le 2 août 1786 et le 8 mai 1787, *Collection Baby*, Archives de l'Université de Montréal, boîte 115.

9. Cité dans Lacoursière, L., « Le triple destin de Marie-Josephe Corriveau, 1733-1763 », *Cahiers des Dix*, vol. 33, p. 230-231.

10. Extraits de « Sur Indictment for a Rape on Susannah-Eliza Davis, 23rd February, 1814 », 7 May 1814, Québec, Oyer & Terminer & General Gaol Delivery, *Papiers Sewell*, Archives Publiques du Canada, Serie 17 G 23, G II, 10, vol. 13, folio 6117 à 6128.

11. Élizabeth Bégon, *Lettres au cher fils*, Nicole Deschamps éd., Montréal, Hurtubise, HMH, le 9 janvier 1749, p. 64.

Orientations bibliographiques

Allard, M., éditeur, *L'Hôtel-Dieu de Montréal 1642-1973*, Montréal, Hurtubise HMH, 1973, 346 pages.

Bégon, E., *Lettres au cher fils,* édité par N. Deschamps, Montréal, Hurtubise HMH, 1972, 221 pages.

Brooke, F., *The History of Emilie Montague*, ré-édité par McClelland and Stewart, Toronto, 1961.

Barry, F., « Familles et domesticité féminine au milieu du 18e siècle » dans *Maîtresses d'école, Maîtresses de maison*, Articles choisis et présentés par Micheline Dumont et Nadia Eid, Montréal, Boréal-Express, 1982. (À paraître).

Charbonneau, H., *Vie et mort de nos ancêtres*, Montréal, P.U.M., 1975, 267 pages.

Charbonneau, H., éditeur, *La population du Québec : Montréal*, Boréal Express, Collection « Études d'histoire du Québec », no 4, 1973, 110 pages.

D'Allaire, M., *L'Hôpital-Général de Québec, 1692-1764*, Montréal, Fides, 251 pages.

Dictionnaire biographique du Canada, P.U.L., vol. II.

Dufebvre, B., *Cinq femmes et Nous*, Québec, Bélisle, 1950.

Igartua, J., « Le comportement démographique des marchands de Montréal vers 1760 » dans *Revue d'histoire de l'Amérique française*, vol. 33, no 3 (déc. 1979), p. 427-446.

Jean, M., *Évolution des communautés religieuses de femmes au Canada de 1639 à nos jours*, Montréal, Fides, 1977, 324 pages.

Lacelle, C., « Les domestiques dans les villes canadiennes au XIXe siècle : effectifs et conditions de vie » dans *Histoire sociale*, vol. XV, no 29 (mai 1982), p. 181-208.

Lachance, A., « Women and Crime in Canada in the Early Eighteenth Century, 1712-1759 » dans L.A. Knafla, *Crime and Criminal Justice in Europe and Canada*, The Calgary Institute for the Humanities, Wilfrid Laurier Press, 1981, p. 157-178.

Landry, Y., « Mortalité, nuptialité et canadisation des troupes françaises de la guerre de Sept Ans » dans *Histoire sociale,* vol. XII, nos. 23-24, 1979, p. 298-315.

Light, B. et Prentice, A., éditeures, *Pioneer and Gentlewomen of British North America 1713-1867*, Toronto, New Hogtown Press, 245 pages.

Ouellet, F., *Histoire économique et sociale du Québec, 1760-1850*, 2 volumes, Montréal, Fides 1971, 639 pages.

Ouellet, E., *Le Bas Canada, 1791-1840 Changements structuraux et crise*, Ottawa, Éd. de l'université d'Ottawa, 1976, 541 pages.

Plamondon, L., « Une femme d'affaires en Nouvelle France : Marie-Anne Barbel, veuve Fournel » dans *Revue d'histoire de l'Amérique française*, vol. 31, no. 2 (septembre 1977), p. 165-186.

Séguin, R.-L., *La civilisation traditionnelle de l'habitant au 17e et 18e siècles*, Montréal, Fides, 1967, 701 pages.

————, *La sorcellerie du Québec du XVIIe au XIXe siècle*, Montréal, Leméac, 1971, 245 pages.

Van Kirk, S., « The impact of White Women on Fur Trade Society » dans Trofimenkoff S.M. & Prentice A. *The Neglected Majority*, Toronto, McClelland & Stewart, 1977, 192 pages.

Wallot, J.-P., *Un Québec qui bougeait*, Montréal, Boréal Express, 1973, 345 pages.

LES BOULEVERSEMENTS
1832-1900

Le 19e siècle est, pour le Québec, un siècle de changements et de bouleversements qui transforment radicalement sa physionomie. Ainsi, sur le plan politique, on passe du Régime de l'Acte constitutionnel au régime de l'Union, puis à celui de la Confédération. Sur le plan économique, l'industrialisation permet une restructuration de l'économie québécoise tout en étant marquée par de fréquentes crises, du chômage, des vagues d'émigration vers les États-Unis et des afflux d'immigrants. Enfin, le Québec s'urbanise : moeurs et conditions de vie de la population changent en dépit de la résistance d'un clergé devenu omniprésent.

Dès le début du siècle, l'agitation parlementaire caractérise la scène politique du Bas-Canada et l'économie est plongée dans une crise agricole sans précédent. Dans les années 1830, la situation économique est devenue alarmante : la production du blé du Bas-Canada s'effondre définitivement en 1832 ; les cultivateurs n'ont plus d'argent ni pour payer les ouvriers agricoles ni pour établir leurs fils ; les campagnes sont surpeuplées et il y a pénurie de terres disponibles ; les marchands ne trouvent plus d'acheteurs pour leurs produits importés ou fabriqués par les artisans de Montréal et de Québec. Cette crise économique se répercute dans la vie publique. L'agitation parlementaire s'amplifie. La révolte éclate en 1837 et 1838.

Les historiens ont des vues partagées sur les causes des insurrections de 1837-1838. Ainsi, certains y voient l'éclatement d'un conflit d'abord politique, d'autres y voient prioritairement le résultat d'une crise économique ou d'un affrontement entre classes sociales ou d'un choc de modes de production. Chose certaine, ce soulèvement des populations du Bas et du Haut-Canada est durement réprimé par l'Angleterre qui impose une solution politique au conflit : l'union, dans une même entité politique, du Bas et du Haut-Canada. De 1840 à 1867, les représentants de la population du Québec et de l'Ontario siégeront côte à côte dans un même gouvernement.

À la même époque, l'Angleterre modifie sa politique économique et transforme le cadre colonial dans lequel évoluaient ses colonies d'Amérique du Nord. L'abolition progressive des tarifs préférentiels, dont bénéficiaient les produits canadiens sur le marché impérial, impose une réorganisation de l'économie canadienne. Les problèmes politiques du Bas-Canada sont solutionnés pour un temps par l'intervention de l'Angleterre, mais il n'en demeure pas moins que les problèmes économiques, eux, demeurent entiers. Le gouvernement de l'Union doit redoubler d'efforts, d'ailleurs, puisque l'Angleterre choisit cette époque pour modifier sa politique économique et pour abolir les tarifs préférentiels. Cette décision amène le gouvernement de l'Union à engager une importante réforme, la modernisation du transport. Dans une économie essentiellement axée sur l'exportation de quelques produits tels le blé et le bois, le transport joue un rôle prépondérant ; aussi, la canalisation du Saint-Laurent est-elle terminée en 1848. Puis, on s'engage dans l'extension et l'amélioration du système routier, et enfin dans la construction de chemins de fer. Pilier de l'économie québécoise, l'agriculture subit quant à elle de profondes mutations et émerge de la crise dans les années 1870-1880 en se spécialisant dans la production laitière et en développant une agriculture commerciale à côté d'une agriculture de subsistance toujours importante.

L'insurrection de 1837-1838 aura constitué un tournant également sur le plan social. Alors que le cadre politique et économique se transforme au lendemain de la crise, on assiste à une réforme des institutions juridiques, sociales, éducatives et religieuses. Ainsi, entre le gouvernement et la population s'instaurent de nouvelles structures municipales et scolaires. En 1840, une ordonnance établit dans le Canada-Est (le Québec) 22 districts municipaux, puis le gouvernement vote les lois qui caractériseront le système scolaire du Québec pendant plus d'un siècle. On crée par ailleurs des bureaux d'enregistrement et on adopte, en 1866, un nouveau code civil pour mettre fin à l'imbroglio de l'ancien droit français et du droit anglais, et régler les difficultés que pose un système juridique conçu pour une société d'Ancien Régime.

Les hommes qui gèrent la société ont aussi changé au cours de ce siècle. L'échec de la rébellion a considérablement affaibli la petite bourgeoisie libérale et permis au clergé de raffermir sa position, ce qui ne sera pas sans conséquence au plan de l'éducation. Monseigneur Bourget, évêque de Montréal, donne en effet une nouvelle impulsion à l'Église québécoise car il réussit à faire lever les restrictions qui pesaient encore sur l'Église depuis la Conquête : il fait revenir les Jésuites, incite des communautés religieuses françaises à s'établir ici et favorise la création de nouvelles communautés féminines canadiennes. L'Église s'arme donc d'un personnel imposant qui s'implante dans de multiples secteurs de la vie publique : éducation, santé, assistance sociale, culture, information sont littéralement envahis par des hommes et des femmes au service de Dieu. Mgr Bourget en tant qu'ultramontain véhicule une conception d'une société non égalitaire et fort hiérarchisée. Préconisant la domination de l'Église sur l'État ainsi que la soumission de la société civile à l'Église et au pape, il ne manque guère d'occasions de conseiller les politiciens. La scène politique québécoise est finalement contrôlée par des conservateurs et le libéralisme politique est mis en échec.

Les transformations qui interviennent au lendemain de la rébellion de 1837-1838 ne solutionnent pas tous les problèmes de la société québécoise et ne signifient en rien la fin des conflits et des mutations. Au cours du 19e siècle, c'est la base même du système économique qui change. Le Québec, d'une société préindustrielle et agricole qu'il était au début du siècle, se transforme à la fin du siècle en société industrialisée. Cette restructuration de l'économie ne s'opère pas sans heurts et les crises qui frappent l'économie occidentale dans la seconde moitié du 19e siècle se répercutent sur l'industrie québécoise naissante, provoquant des périodes de chômage.

Néanmoins, le Québec s'industrialise rapidement. Les historiens Hamelin et Roby ont calculé qu'entre 1851 et 1896, la valeur de la production du secteur secondaire passe de 2 millions de dollars à plus de 153 millions, c'est-à-dire qu'elle est multipliée par plus de 70. Les secteurs principaux de l'industrie québécoise sont l'alimentation, le bois, l'habillement, le fer et l'acier. C'est par milliers qu'hommes, femmes et enfants prennent le chemin de l'usine. C'est par milliers que les produits sortent de ces nouvelles usines.

Cette industrie naissante a besoin pour se développer d'un marché et d'une abondante main-d'oeuvre. Dans un tel contexte, il apparaît clair que la structure politique de l'Acte d'union est devenue désuète, structure par ailleurs dénoncée pour des motifs ethno-politiques dans le Haut-Canada (Ontario). En 1867, on crée alors la Confédération par l'Acte de l'Amérique du Nord britannique. Une partie des anciennes colonies de l'Angleterre deviennent alors les provinces d'un même pays. Il n'y a plus de frontières entre elles, et main-d'oeuvre, capitaux et produits peuvent circuler librement d'une province à l'autre.

Au cours du 19e siècle, on assiste donc à des transformations sans précédent : passage d'une société agricole à une société industrielle, abandon du cadre colonial, instauration de mécanismes démocratiques aux niveaux scolaire, municipal et national, adaptation du système juridique, prise en charge par l'Église d'importants secteurs de la vie collective, création d'un marché national et enfin la montée de la bourgeoisie et de la classe ouvrière.

Ce passage s'opère lentement tout au long du siècle. Avant que les nouvelles usines ne soient prêtes à absorber les surplus de la population rurale, des milliers de Québécoises et de Québécois n'ont plus de travail et doivent chercher ailleurs. Pendant ce temps, c'est aussi par milliers que des immigrants britanniques arrivent au port de Québec. Si quelques immigrants ont assez d'argent pour s'acheter des terres dans les Cantons de l'Est, la plupart vont vers les autres provinces ou passent aux États-Unis. En 1901, à peine 5,5 p. 100 de la population du Québec est née à l'étranger. À cette époque, on n'immigre presque pas au Québec, on tente plutôt d'en sortir.

Les Québécois s'embarquent par milliers dans les trains qui mènent aux États-Unis et s'installent dans les villes industrielles de la Nouvelle-Angleterre. L'exode vers les États-Unis est une véritable saignée : de 1850 à 1901, on dénombre plus d'un demi-million de Canadiens français qui émigrent. C'est donc une imposante proportion de la population québécoise qui quitte sa condition rurale pour celle d'ouvrière et cela en vivant l'expérience du travail industriel hors frontière. Cet exode est si massif qu'au tournant du siècle il y a autant de Québécois en dehors du Québec qu'à l'intérieur de ses limites.

D'autres Québécois préfèrent poursuivre l'expérience de leurs ancêtres colons. Quelques dizaines de milliers vont dans les régions qu'ouvrent les grandes compagnies forestières. C'est la colonisation du nord de Montréal, de l'Outaouais, de la Mauricie et du Saguenay-Lac-Saint-Jean. On y défriche de nouvelles terres, mais, surtout, on y coupe du bois pour les grandes compagnies. Enfin, on dénombre à la fin du siècle près de 100 000 Québécois qui ont choisi d'émigrer dans les autres provinces canadiennes, principalement en Ontario.

Malgré ces exodes, villes et villages du Québec grossissent. Dès le premier quart du 19e siècle, on avait vu s'installer dans les villages des marchands, des artisans et des membres des professions libérales. Montréal et Québec demeurent néanmoins en 1851 les deux seules villes de quelque importance avec, respectivement, 57 715 et 42 052 habitants. Le Québec est encore rural : 85 p. 100 de la population vit dans des municipalités de moins de 1000 habitants.

L'industrialisation modifie rapidement cette répartition spatiale, car les industries s'établissent dans les villes : Montréal, qui comptait moins de 60 000 personnes en 1851, passe à 268 000 en 1901. La population rurale québécoise, en 1901, ne représente plus que 64 p. 100 du total.

Cette migration massive vers les villes rend inadéquates les anciennes structures urbaines : pénurie de logements, concentration élevée de la population autour des usines, mauvaises conditions sanitaires, difficultés de transport et risques de conflagration sont le lot des nouvelles villes industrielles. De plus, dans une ville comme Montréal où les familles ouvrières forment les deux tiers de la population, les conditions de survie quotidienne sont intimement liées aux fluctuations de la production industrielle. Les nombreuses crises économiques, les mises à pied saisonnières plongent des milliers de familles dans le plus grand dénuement.

Femmes, hommes et enfants doivent apprendre à devenir des rouages du nouveau système économique qui s'implante. L'industrialisation exige des femmes de nombreuses adaptations. Les solidarités traditionnelles du monde rural ont été ébranlées, voire rompues ; pour survivre, elles doivent alors recréer de nouvelles formes d'entraide et de soutien. Les femmes sont obligées de modifier leurs comportements, d'abandonner le rythme de travail de la société préindustrielle et de se plier à la discipline des nouvelles fabriques, de vivre à l'étroit dans des logements surpeuplés, d'acheter ce que jadis elles produisaient et de changer de travail. Elles doivent réapprendre à être femme dans un monde où elles sont à la fois exclues et indispensables.

V

Le grand remue-ménage

Quand l'univers des hommes bascule

Certaines femmes ne peuvent demeurer insensibles aux remous politiques qui agitent Montréal. En 1832, l'élection partielle du quartier ouest de Montréal fait des morts et des blessés lors de l'intervention des troupes britanniques. Quelques mois plus tard, des femmes imbues de préoccupations politiques se réunissent rue Bonsecours à Montréal. C'est là que se tiennent les réunions du Club des femmes patriotes fondé en 1833.

Si les femmes de la bourgeoisie s'organisent en sociétés littéraires ou politiques et développent des modes d'action qui laissent présager le féminisme qui apparaîtra à la fin du 19e siècle, la plupart des femmes du Bas-Canada sont alors aux prises avec des problèmes beaucoup plus terre à terre. 1832, l'année de la chute décisive de la production du blé, la crise économique bat son plein. Les fluctuations du prix du blé affectent d'autant plus la population que cette céréale est encore la denrée la plus consommée. On rapporte qu'en 1833, dans la plupart des paroisses du district de Québec, seul le tiers des habitants a des réserves pour survivre jusqu'à la récolte suivante.

1832, c'est aussi l'année d'une des pires épidémies jamais vues : le choléra qui sévit en Europe arrive à Québec et à Montréal au printemps. On dénombre 3292 morts à Québec, et la ville de Montréal perd le dixième de sa population. Nouvelle épidémie de choléra en 1834. La crise se répercute aussi dans les villes et on peut

143

lire dans le journal *Le Canadien*, que le quartier Saint-Roch à Québec...

> *(...) renferme de 95 à 110 veuves qui gagnent leur vie à la journée, et dont une grande partie a bien souvent de la peine à trouver de l'ouvrage dans cette saison. Elles ont avec elles environ 200 orphelins. L'âge, la maladie, les infirmités rendent un grand nombre de ces pauvres femmes incapables de travailler une partie de l'hiver. (...) Il y a encore dans St-Roch 100 à 110 pauvres familles. (Un) certain nombre d'entre elles, il est vrai, est réduit à la misère par les suites de la boisson, dont l'usage est si funeste et si répandu parmi nos classes ouvrières... À côté de ces familles si souffrantes par la faute de leur Chef, il en est un grand nombre dont la misère ne vient qu'à la suite des maladies contagieuses qui règnent presque continuellement au milieu de notre population pauvre...* [1]

« Ni bled, ni épouseurs », dit un vieux dicton. Cette misère dans les villes et les campagnes amène de nombreuses jeunes femmes à différer leur mariage. Entre 1836 et 1840, on enregistre le plus bas taux de nuptialité depuis 1711. Même phénomène pour les naissances, car c'est aussi durant ces années que le taux de natalité est à son plus bas.

Pour la grande majorité des femmes, cette période se vit dans la misère et c'est du fond de cette misère qu'elles entendent dire que la révolte gronde dans le monde politique des hommes.

Les femmes qui ont laissé des témoignages de leur vie au cours de cette période troublée sont les rares femmes qui ont accès à l'écriture, c'est-à-dire assez fortunées pour savoir écrire et surtout pour avoir le temps d'écrire. Dans les milieux dirigeants de la société bas-canadienne les femmes, pourtant exclues de la vie politique, sont vivement intéressées par les débats de l'heure. Il n'est pas possible de se désintéresser des événements qui se produisent, explique Cordélia Lovell à sa belle-soeur, car, affirme-t-elle, les affaires de la politique occupent tout le monde et c'est le sujet de toutes les conversations.

Observatrice attentive de la scène politique, Julie Bruneau écrit à son époux, Louis-Joseph Papineau, chef du parti patriote, « (...) si l'état de Montréal n'est pas changé (...) si on ne peut rien obtenir il faudra inévitablement l'avoir par la violence... [2] » Dans les milieux politiques, la révolte apparaît imminente. C'est cependant avec une certaine inquiétude que Julie Bruneau regarde ses compatriotes. Elle s'inquiète de leur faiblesse et de leur manque de détermination politique. Le Haut-Canada réussira, croit-elle, à obtenir les réformes souhaitées, mais l'Angleterre continuera à opprimer le Bas-Canada car soutient-elle, « nous les aidons à river nos chaînes ».

L'organisation politique patriarcale exclut les femmes de la milice et de l'action politique directe. Durant cette période troublée, on les retrouve actives certes, mais à la périphérie de l'action. Le comité central permanent des Patriotes sanctionne, en 1837, la fondation par madame Girouard de l'Association des dames patriotes du comté des Deux-Montagnes. Ces femmes : se réunissent, pour « (...) concourir, autant que la faiblesse de leur sexe peut le leur permettre, à faire réussir la cause patriotique ».

Avant l'éclatement armé, la population bas-canadienne est appelée à lutter par le boycottage des produits britanniques. Un des mots d'ordre est de ne plus acheter les tissus et fines étoffes importées et de se vêtir avec la grosse toile et l'étoffe grise tissées par les Canadiennes. On voit alors d'éminents citoyens abandonner leurs élégants vêtements et on rapporte qu'à Montréal, mesdames Lafontaine et Peltier portent publiquement les étoffes canadiennes.

Mais nul ne s'attend à voir les femmes s'engager directement dans le conflit. Hortense Globensky fait figure d'exception historique. Citoyenne du comté des Deux-Montagnes, elle participe activement à la campagne électorale de son frère député du parti dit « bureaucrate » allié du *statu quo* et opposé aux Patriotes. Un jour, au cours des insurrections, on la voit se faire oratrice : elle exhorte les paroissiens, au sortir de la messe, à demeurer fidèles au gouvernement. Des Patriotes voulant la faire taire, elle les menace avec un pistolet. En réponse à ce geste, ceux-ci la font arrêter pour port illégal d'arme et la conduisent à la prison de Montréal. À un autre moment, elle doit défendre seule sa maison. La bravoure qu'elle manifeste à cette occasion est soulignée par des contemporains qui lui offrent une urne à thé (!) sur laquelle on peut lire l'épigraphe « en témoignage de l'héroïsme au-delà de son sexe déployé dans la soirée du 6 juillet 1837 » !

Du côté des Patriotes, on rapporte aussi le cas de femmes qui vont « au-delà de leur sexe ». Certaines sont armées telle Émilie Boileau-Kimber de Chambly qui tient des assemblées de Patriotes dans sa demeure. Une autre, pratiquant à sa manière la politique de la terre brûlée, met elle-même le feu à sa demeure à la fois pour démontrer aux Anglais qu'elle n'a pas peur d'eux et pour les empêcher de profiter de ses biens.

Ces femmes sont néanmoins des exceptions. Pour la plupart, la participation à la rébellion se définit davantage en termes de support à la lutte. Qu'il s'agisse de fondre des balles, de fabriquer des cartouches, de dessiner et de tisser les drapeaux tricolores des Patriotes, de soigner ou de cacher des Patriotes et des membres de leurs familles dans leur demeure, souvent au risque de voir leur propre maison incendiée, elles restent dans la vie civile. Enfin, l'immense majorité des femmes ne participent ni ne collaborent à la rébellion. Elles sont laissées seules avec les enfants et les vieillards pour affronter sans armes les troupes britanniques qui pillent et incendient les maisons des Patriotes et des villages entiers tels Saint-Denis, Saint-Benoît et Saint-Eustache.

Des femmes et des enfants de Britanniques sont aussi faits prisonniers par les Patriotes. Ainsi, le presbytère de Beauharnois sert de prison. Durant une semaine, 62 personnes s'y entassent : elles sont finalement libérées par l'arrivée des troupes britanniques. Jane Ellice seigneuresse de Beauharnois raconte cette libération dans son journal :

> *We thought the rebels were coming to murder us & locked in Tina's arms I was trying to compose my mind when Mr. Parker pushed thro' the crowd & told us that we were safe... they did not expect to find us alive. Till 4 o'clock we stood watching the village in flames ; an awful sight but very beautiful*[3].

Elles n'ont pas à vivre les souffrances du front et de l'engagement militaire direct avec l'ennemi. La répression toutefois les frappe au coeur de leur vie quotidienne. Si seulement 12 Patriotes sont exécutés, des centaines de foyers sont incendiés et des centaines de mères se retrouvent sur les chemins avec leurs enfants. Elles perdent biens, maison et souffrent de la famine. En réponse à cet affrontement militaire, les autorités britanniques châtient les populations civiles, châtient les femmes pour les agissements politiques du monde des hommes. Même Jane Ellice, sauvée par les Britanniques, ne peut s'empêcher de souligner dans son journal la dureté de la répression : « (...) *the village was still burning ; women and children flying in all directions. Such are the melancholy consequences of civil war*[4]. »

Dans les documents relatifs aux troubles de 1837-1838, des femmes s'adressent à Sir John Colborne pour expliquer la misère économique dans laquelle les plonge la mort ou l'incarcération de leur mari. Sophie Mailloux expose qu'elle-même et « (...)

sa famille se trouvent réduits (*sic*) à la plus affreuse misère par le manque de nourriture, se trouvant même dans l'impossibilité de se procurer le bois de chauffage nécessaire ». Josette Leboeuf raconte qu'une fois son mari fait prisonnier, on brûla sa maison et tout ce qu'elle contenait ; elle s'est alors « (...) trouvé réduite sur le grand chemin avec ses enfants outre deux jeunes orphelins étrangers qu'ils avaient pris en élève, et, tous, souffrant de la nudité et de la famine ». Mary Gillecey, devenue veuve, demande qu'on lui transfère le permis d'hôtelier qu'avait son mari car, affirme-t-elle, « (...) *that the only means your Petitioner has of maintaining her Children is by Continuing to keep a Hotel* ».

Rosalie Dessaules, seigneuresse de Saint-Hyacinthe, décrit l'état des campagnes aux lendemains des troubles :

> *On commence à ressentir vivement le tort qu'a fait ici le pillage. Il ne s'amène pas de viande au marché pour la moitié des besoins du village et le peu qu'il en vient est excessivement cher et de la plus mauvaise qualité et on a pas comme les autres années l'avantage de trouver dans la cour ce qu'il en manque au marché. Ils m'ont tué, emporté et détruit boeuf, vache, cochon, mouton, volaille de toutes espèces et je suis encore la moins à plaindre. Combien à qui on a fait la même chose et qui sont dénués de moyens pour voir les premières nécessités de la vie et qui sont chargés de famille, ou âgés ou infirme...*[5]

1837-1838 est aussi synonyme d'angoisse et de ruptures de famille. En plus des morts au combat, des centaines de prisonniers, 98 condamnés à mort, 58 déportés en Australie dont 44 ont des enfants, et 12 exécutés. Eugénie Saint-Germain est mariée avec J.-N. Cardinal, député de Laprairie, et lorsque ce dernier est condamné à l'échafaud, elle intercède auprès de Lady Colborne en faisant appel à la compréhension d'une femme : « Vous êtes femme et vous êtes mère ! Une femme (...) tombe à vos pieds tremblante d'effroi et le coeur brisé pour vous demander la vie de son époux bien-aimé et du père de ses cinq enfants ! L'arrêt de mort est déjà signé !! » Le lendemain, cette femme enceinte de son cinquième enfant, devient veuve.

Henriette Cadieux connaît un sort similaire. Épouse du notaire Chevalier De Lorimier, elle a trois enfants dont l'aîné n'a que quatre ans lorsque son mari est exécuté. Elle aussi intercède auprès de Colborne, lui rappelant entre autres qu'elle n'a pour vivre et supporter ses trois enfants que « (...) le produit du travail et de la profession de leur père ».

Si les femmes n'ont pas à s'engager militairement, la justice compte cependant sur leur participation. Lors des procès des prisonniers, certaines sont appelées à témoigner. Les unes témoignent en vue de blanchir un prisonnier : la tactique la plus fréquemment utilisée est d'affirmer que le prisonnier avait été forcé à suivre les rebelles et avait participé, malgré lui, à la rébellion. Les autres fournissent un alibi au prisonnier en alléguant qu'il n'a pu participer aux troubles parce qu'il était avec la déposante ou que celle-ci l'a vu. Josephte Merleau et Catherine Roy, quant à elles, pour disculper Josepht Roy, affirment que le drapeau tricolore des Patriotes trouvé chez le prisonnier était leur oeuvre. Si ces paysannes ont tissé un drapeau vert, rouge et blanc, ce n'est que pure coïncidence (*!*) « (...) puisqu'elles l'ont fait de trois couleurs (...) dans un temps de calme politique, sans en conséquence, aucune pensée révolutionnaire ni sans aucune suggestion, mais simplement comme étant de leurs idées de meilleur goût » !

Exclues de la politique, il n'est pas étonnant qu'un certain nombre de femmes témoignent sur une base de critères excluant toute conscience politique ou nationaliste et déposent contre les prisonniers rebelles. Pour nuire à un prisonnier on invoque qu'un tel a volé des tuyaux à la boutique de son fils ferblantier et qu'un tel a tenu des propos séditieux ; une autre se plaint d'avoir eu à faire la cuisine aux rebelles alors qu'une autre rapporte qu'on l'a forcée à fabriquer des cartouches. Enfin, une femme ne désire nullement intercéder en faveur de son mari prisonnier. Elle déclare qu'il tient dans leur maison des assemblées secrètes et dépose contre lui parce qu'il la bat et l'a battue à coups de poings et à coups de pieds, et qu'il l'aurait même « (...) menacé de lui oter la vie et ce sans aucune provocation de la part de ladite déposante laquelle déclare craindre que Jean-Baptiste Laguë attente à sa vie »...

On ne peut toutefois pas déduire de ces quelques cas une absence totale de sentiments patriotiques chez les femmes. Euphrosine Lamontagne-Perrault, particulièrement touchée par les troubles puisqu'elle y perd deux fils, l'un tué et l'autre en exil, n'en affirme pas moins : « (...) si c'était à refaire et que mes enfants voulussent agir comme ils l'ont fait, je n'essayerais pas à les détourner parce qu'ils n'agissent nullement par ambition mais par amour du pays et par haine contre les injustices qu'ils endurent. »

Les événements de 1837-1838, les femmes les ont vécus en exclues de la politique et de la vie publique. C'était le monde politique des hommes qui était troublé et qui a pris les armes, mais la répression s'est exercée partout. Le privé, la vie domestique, la vie des femmes ne sont pas épargnés.

Que les femmes aient lutté avec des moyens différents de ceux des hommes était inévitable. Qu'on ait jamais parlé d'elles est symptomatique d'une conception de l'histoire basée sur les faits et gestes de quelques hommes détenant le pouvoir. Qu'elles aient réagi en fonction de leurs intérêts et de leurs préoccupations personnelles et familiales n'était que normal. D'ailleurs, les Patriotes qui avaient tenté de leur enlever le droit de vote en 1834 ne devaient nullement s'attendre à ce que les femmes du pays aillent « au-delà de leur sexe » et aient des comportements semblables aux leurs.

La défaite des anciens droits des femmes

Pour quiconque est intéressé à l'histoire des femmes, c'est toujours une source d'étonnement que de voir des femmes parmi nos ancêtres se présenter aux urnes à partir de 1791. Les élites politiques auraient-elles été moins chauvines qu'ailleurs en permettant à des femmes de voter ? Les politiciens d'ici auraient-ils été plus égalitaristes que partout ailleurs en Europe et en Amérique ?

La logique du libéralisme politique exigeait qu'à plus ou moins long terme la plupart des citoyens, et citoyennes, aient le droit de vote. Mais partout, les femmes durent attendre fort longtemps et lutter ardemment avant de bénéficier des grands principes du libéralisme.

La logique qui prévaut au 19e siècle est celle de l'exclusion des femmes de la politique. Lorsque les parlementaires du Bas-Canada manifestent clairement leur désir d'exclure les femmes de la catégorie des électeurs en 1834, ils se comportent en hommes de leur époque qui veulent corriger une anomalie historique. D'ailleurs, comment penser que Louis-Joseph Papineau, libéral et chef du parti patriote, ait voulu que les femmes votent quand il écrit à sa propre épouse en 1830 :

> *Je reçois ce matin ta bonne et aimable lettre. Quoiqu'elle respire un peu trop d'esprit d'indépendance contre l'autorité légitime et absolue de ton mari, je n'en suis pas aussi surpris qu'affligé. Je vois que cette funeste philosophie gâtes (sic) toutes les têtes et le contrat social de Rousseau te fait oublier l'Évangile de St-Paul. « Femmes soyez soumises à vos maris[6]. »*

En 1849, le droit de vote est définitivement retiré aux femmes et la situation est, pour ainsi dire, normalisée. L'historienne Catherine L. Cleverdon formule l'hypothèse qu'un tel retrait a peut-être été influencé par la tenue, à Seneca Falls aux États-Unis, en 1848, d'une conférence féministe où les participantes réclament officiellement le droit de voter. Dans ce contexte de début d'agitation féministe en Amérique du Nord, les parlementaires peuvent en effet craindre que des femmes du Québec ne recommencent à utiliser ce droit de vote qui, vraisemblablement, est resté lettre morte depuis 1834. Ils n'ont donc aucune chance à prendre et doivent alors rendre le texte de la loi électorale conforme à leur conception de la politique. Les femmes d'ici se retrouvent désormais, comme partout ailleurs, privées de droits politiques.

Au cours de ce siècle la situation juridique des femmes subit aussi un certain nombre de modifications. Au Québec c'est encore le droit français, nommé « Coutume de Paris », qui règle les relations entre les individus alors que le pays est devenu une colonie britannique. Les nouveaux dirigeants ne sont pas sans éprouver certaines difficultés avec ce droit qui ne leur est pas familier. De plus, certaines dispositions de ce droit nuisent à la spéculation foncière. Sous la pression de l'expansion capitaliste menée par des Britanniques, on assiste à la modification de certains droits des femmes.

Le principal changement est la mise en désuétude du droit de douaire. Comme on le sait, par le droit de douaire, une femme et ses enfants peuvent conserver, après la mort du mari propriétaire, la jouissance de certains biens, même s'ils ont déjà été vendus ou hypothéqués. De cette manière, un propriétaire du Bas-Canada au début du 19e siècle peut découvrir que l'immeuble qu'il a acquis quelques années auparavant est, suite au décès du vendeur, maintenant sujet au douaire de l'épouse, douaire dont il ignorait parfois l'existence. On comprend pourquoi les hommes d'affaires britanniques protestent vigoureusement contre ces dispositions qui enfreignent, disent-ils, la spéculation immobilière.

Dès l'établissement du nouveau gouvernement de l'Union, la loi est modifiée. Les femmes peuvent désormais renoncer à l'ancienne protection matérielle du douaire pour elles et leurs enfants et libérer ainsi les titres de propriété de leurs maris. Pour la renonciation du droit de douaire, ni elles ni les enfants se voient accorder une indemnité ou une compensation. Même si les femmes ne sont pas obligées de renoncer au douaire, en pratique, elles doivent le faire. En effet, quel acheteur avisé est intéressé à acquérir un bien dont il aura la propriété, mais non la jouissance ?

L'instauration de bureaux d'enregistrements, en 1841, ne fait que renforcer, pour les femmes, l'obligation de renoncer au douaire. Le système des bureaux d'enregistrement, qui n'existait pas sous la Coutume de Paris, permet à l'acquéreur de consulter le registre et de voir qui est le vrai propriétaire de l'immeuble qu'il veut acheter, et avec quelles hypothèques ou douaires celui-ci est déjà grevé. Le conflit entre les droits de douaire et le principe de l'enregistrement se termine par la défaite des anciens droits des femmes et ce, à une époque où c'est une femme, la reine Victoria, qui siège sur le trône d'Angleterre.

À cause de ces lois, elles prennent un air de supériorité...

Hugh Gray est un Britannique qui séjourne quelque temps au Canada, au début du siècle. Dans une lettre écrite de Québec en 1807, il commente le régime de la communauté de biens qu'il juge préjudiciable aux intérêts des propriétaires terriens, marchands, boutiquiers et artisans. Mais pire encore, ce système, croit-il, a de fâcheuses conséquences sur le comportement des femmes :

The law making marriage co-partnership, and creating a « communauté de biens », is sanctioned by the code of French Law called « Coutume de Paris » which is indeed the text book of the Canadian lawyer ; the wife being invested with a right to half the husband's property ; and being rendered independent of him, is perhaps the remote cause that the fair sex have such influence in France ; and in Canada, it is well known, that a great deal of consequence and even an air of superiority to the husband is assumed by them. In general (if you will excuse a vulgar metaphor) the grey mare is the better horse...

C'est donc à cause de ces lois que les Canadiennes ont la réputation de porter la culotte...

Source : Pioneer and Gentlewomen of the British North America 1713-1867, Beth Light and Alison Prentice eds., New Hogtown Press, 1980, p. 103.

Note : D'autres extraits en page 84.

En 1866, le nouveau code est encore plus précis. Il spécifie qu'aucun douaire n'est valable à moins d'avoir été enregistré pour la propriété sur lequel il porte. Mais il semble qu'on néglige de plus en plus, souvent par ignorance, de faire cet enregistrement. Au début du 20e siècle, les féministes constatent que le droit de douaire est, pour la plupart des femmes, un droit fictif. Dorénavant, il doit être enregistré pour être valide contre des acheteurs ou des créanciers du mari.

La famille tout entière voit ses droits s'effriter au profit d'une nouvelle conception plus individualiste de la propriété. La possibilité pour certains membres de la famille d'exiger de racheter certains biens vendus aux étrangers est abolie en 1855.

Au Bas-Canada, le passage d'une société rurale à une société qui s'industrialise appelle la création d'un cadre légal cohérent et d'application uniforme. Ainsi décide-t-on de mettre de l'ordre dans le fouillis du droit civil français, de la *Common Law* et du droit statutaire qui régissait la province dans la première moitié du 19e siècle. On procède à l'organisation systématique des lois en vigueur et on les distille sous forme d'un code qui vient remplacer la Coutume de Paris.

Le Code civil de 1866 assure la continuité en ce qui concerne les droits des femmes. La plupart des dispositions de la Coutume de Paris touchant le statut légal des femmes sont reproduites intégralement. Quoique les rédacteurs du Code civil prennent comme modèle le code Napoléon de 1804, ils trouvent parfois que le Code français s'adapte mal aux coutumes du Bas-Canada et ils préfèrent conserver les pratiques locales. Par exemple, le Code civil du Bas-Canada autorise un enfant naturel à prendre une action en déclaration de paternité contre son présumé père, alors que le code Napoléon, rejetant le principe de la responsabilité obligatoire des hommes envers les bâtards et voulant protéger la famille légitime, défend de telles actions. En France, un enfant peut devenir légitime lorsque ses parents le reconnaissent comme le leur. Ici, la seule façon pour un enfant de ne plus être un bâtard est que ses parents le légitiment en se mariant. Voilà qui poussera plus d'un parent à se marier et à rejeter le concubinage.

Malgré cette sévérité, on semble moins prude au Bas-Canada qu'en France. Le Code civil permet l'annulation du mariage pour cause d'impuissance, motif qui est rejeté par le code Napoléon puisque la preuve en est « difficile et scandaleuse ». L'âge légal du mariage pour les femmes est maintenu à 12 ans alors qu'en

France, on l'a fixé à 15 ans. De la même façon, on rejette l'article du code Napoléon qui défend à la veuve de se remarier dans les dix mois suivant la mort de son mari, puisqu'on croit que l'opinion publique règle suffisamment la conduite des veuves.

Dans l'ensemble, les droits civils des femmes sont peu changés par le Code civil de 1866. Les épouses demeurent régies par le principe de l'incapacité juridique pendant leur mariage. On note toutefois certains assouplissements qui rendent moins difficile la vie quotidienne des épouses. Ainsi, une femme mariée en séparation de biens n'a plus besoin d'une autorisation formelle et expresse de son mari pour vendre, hypothéquer ou acheter des biens immeubles. Un consentement du mari fait sous n'importe quelle forme est valable et aucune autorisation n'est nécessaire pour faire de simples actes administratifs tels la perception des loyers ou le paiement des taxes. Pour être marchande publique, une épouse a besoin du consentement marital, mais une fois ce consentement acquis, elle peut agir seule pour les affaires de son commerce. Enfin, la ménagère est reconnue capable de faire les commissions et les modestes achats du ménage. Même si le code de 1866 présente certains assouplissements, les cours de justice préfèrent maintenir le principe de la puissance maritale en obligeant les femmes à quêter la permission préalable de leur mari avant de disposer de leurs propres biens.

Cette incapacité légale pose aussi de lourds problèmes aux femmes qui sont impliquées dans des oeuvres de charité. Leurs maris doivent sans cesse signer pour elles : on comprend aisément l'absurdité d'une telle situation ! Pour y remédier il faut prévoir dans les lois d'incorporation de certaines associations que les femmes mariées membres du conseil d'administration puissent agir comme telles sans y être autorisées par leur mari. C'est le cas, en 1841, de l'Asile de Montréal pour les orphelins et de l'Asile de Montréal pour les femmes âgées et infirmes. Le Code civil de 1866 ne vient pas modifier cette situation : la fondatrice de l'hôpital Sainte-Justine, Justine Lacoste-Beaubien, devra, en 1908, faire comme ses ancêtres et demander au parlement québécois de la relever de son incapacité juridique afin qu'elle puisse vaquer aux affaires de son hôpital.

Au 19e siècle, la principale modification à la condition juridique des femmes est la « modernisation » des clauses relatives à la transmission de la propriété : l'ancien droit de douaire étant une entrave à la libre circulation du capital, les femmes perdent progressivement cette protection que leur accordait jadis la Coutume de Paris. Le Code civil de 1866, malgré quelques modifications, ne fait que perpétuer le principe de l'incapacité juridique de la femme mariée qui était déjà dans la Coutume de Paris.

Lors de la codification de 1866, on ne retrace ni femmes ni hommes qui critiquent les dispositions confirmant le statut subordonné des épouses. Ce silence peut s'expliquer entre autres par le fait qu'au Québec, jusqu'à la fin du 19e siècle, les femmes jouissent de plus de droits que celles qui vivent dans les provinces de droit commun. Les autres provinces canadiennes sont régies par la *Common Law ;* ce système est si rigoureux que l'épouse n'a aucune existence légale séparée du mari, à qui passe, lors du mariage, le contrôle absolu de sa personne et de ses biens.

Au milieu du 19e siècle, des femmes vivant sous des juridictions de droit commun, que ce soit en Angleterre, aux États-Unis ou dans les autres provinces du Canada, font pression pour modifier cette situation. Vers la fin du siècle, les lois sont peu à peu amendées par des *Married Women's Property Acts.* Au début du 20e siècle, l'unique régime matrimonial de la plupart des provinces canadiennes est celui de la séparation de biens. Sous ce régime la femme mariée dispose de ses biens comme bon lui semble et le principe de la puissance maritale y est inconnu. La situation étant alors renversée, ce sont les Québécoises qui ont la situation légale la moins enviable au Canada. Les anglophones du Québec seront d'autant plus sensibles à leur condition juridique que les autres anglophones ont maintenant une situation plus libérale. À la fin du 19e siècle, des femmes du Québec commencent à remettre en question leur statut politique et juridique. Et ce sont évidemment des femmes qui ont quelques propriétés, les femmes de la bourgeoisie, intellectuelles et professionnelles, qui ressentent le plus le besoin d'améliorer leur sort légal.

Si les Québécoises de souche européenne perdent la protection du douaire sous la pression de la « rationalité » du nouveau système économique qui se met en place au 19e siècle, il n'en demeure pas moins que les grandes perdantes de ces bouleversements sont, sur le plan juridique, les Amérindiennes. Les Amérindiens sont peu nombreux au Québec, car ils ne représentent qu'environ 0,5 p. 100 de la population durant les dernières décennies du siècle, mais ils n'en occupent pas moins une imposante partie du territoire. Parce que les fourrures ne sont plus la base de l'économie canadienne et parce que les dirigeants veulent occuper les terres disponibles à des fins agricoles ou encore pour permettre l'exploitation forestière, plusieurs lois sont promulguées à partir des années 1850, dans le but de limiter les territoires amérindiens et de sédentariser cette population. En définissant de façon de plus en plus restrictive le statut d'« Indien », le gouvernement diminue le nombre de personnes pouvant avoir accès aux réserves et aux primes que consentent certains traités. La principale stratégie utilisée sera de priver de son statut toute Amérindienne épousant un Blanc ainsi que leurs descendants. Déjà, en 1851, le statut d'Indien au Bas-Canada avait été identifié en fonction de la lignée paternelle. La loi fédérale de 1869 ne fait d'ailleurs que confirmer cette tendance. Ces législations sont fondamentalement contraires aux traditions amérindiennes, du moins pour les Iroquois qui vivent dans une société matrilinéaire, c'est-à-dire une société où la descendance se fait en ligne maternelle.

Ainsi, par la loi de 1869, les Amérindiennes du Canada épousant des non-Amérindiens perdent leur statut. De plus, si une femme se marie avec un Amérindien d'une autre bande ou d'une autre tribu, elle appartient désormais au groupe de son mari. Elle doit nécessairement quitter la maison de ses parents et son lieu d'origine. Si son mari, par décision du surintendant de la réserve, est expulsé, elle subit le même sort. Cette loi prévoit aussi qu'à la mort de son mari elle ne peut hériter : seuls ses enfants sont les héritiers du père et il revient à ces derniers de pourvoir à la subsistance de leur mère. Cette dernière clause est néanmoins modifiée en 1874 : le tiers des biens du mari va à l'épouse et les deux tiers aux enfants. Enfin, la loi de 1869 nie totalement le rôle traditionnel que certains groupes d'Amérindiennes jouent dans les affaires politiques de leur communauté : désormais, les conseils de bande sont élus par les seuls mâles majeurs du groupe et les femmes n'ont plus voix officielle.

Pour la première fois, les Amérindiennes se voient attribuer par la loi moins de droits légaux que les hommes. Le grand conseil des tribus d'Indiens du Québec et de l'Ontario s'est opposé à cette dégradation du statut des femmes. En 1872, il demande au Premier ministre du Canada d'amender la loi afin que les Indiennes puissent épouser qui elles veulent sans être passibles d'exclusion de leur communauté d'origine et sans perdre leurs droits. Une telle requête tomba dans l'oreille d'un sourd...

Par l'imposition des valeurs et des normes occidentales, les Amérindiennes deviennent, au 19e siècle, des citoyennes de seconde zone ; leurs enfants sont ceux des hommes et seuls ces derniers peuvent posséder et transmettre droits et biens aux descendants. La « civilisation » occidentale aura fait perdre aux

Amérindiennes leurs anciens droits et les aura placées comme toutes les autres femmes du pays sous la domination du pouvoir des hommes.

On déménage !

L'espace est devenu trop restreint. Les bonnes terres sont occupées. Des milliers de Québécois quittent leur terre natale et s'en vont gagner leur vie ailleurs. Trois solutions sont possibles : aller défricher de nouvelles terres dans l'arrière-pays, émigrer vers les villes ou s'expatrier hors des frontières du Québec.

Les dirigeants québécois tentent de retenir la population qui est particulièrement attirée vers les États-Unis. Le gouvernement provincial relance le mouvement de colonisation : le nord de Montréal, la Mauricie et le Saguenay-Lac-Saint-Jean sont colonisés. La nouvelle colonisation étant éloignée des réseaux commerciaux et se faisant sur des terres généralement peu fertiles, elle est donc davantage liée au développement de l'industrie forestière qu'à une relance de l'agriculture. Les colons seront défricheurs, agriculteurs et bûcherons dans les chantiers des grandes compagnies.

Quand on est une femme, devenir colon signifie recommencer tout à neuf dans un pays hostile. Il faut se recréer un nouveau réseau d'entraide car on est loin de ses parents et amies. Il faut vivre dans une habitation de fortune avec le strict minimum tant que la nouvelle ferme n'est pas installée. Lorsque les hommes partent bûcher, il faut s'occuper seule et de la maisonnée et de la ferme. Vivre en pays de colonisation signifie aussi qu'on a de nombreux enfants, car dans une telle économie, une famille a intérêt à avoir une abondante main-d'oeuvre familiale. L'analyse des comportements démographiques qu'a menée Gérard Bouchard sur la population du village de Laterrière, situé à dix milles de Chicoutimi, révèle une tendance à reproduire des comportements démographiques en voie de diminution ailleurs au Québec. Du milieu du 19e siècle jusqu'à la crise de 1929, les taux de fertilité sont semblables à ceux de l'Ancien Régime et les femmes donnent naissance à des enfants tous les deux ans. L'État encourage d'ailleurs les familles nombreuses par des politiques natalistes. En 1890, une loi stipule que les parents d'au moins 12 enfants vivants peuvent recevoir une terre de 100 acres ou une prime en argent de 50$. Lors de l'abrogation de cette loi en 1906, plus de 5000 familles ont réclamé cette récompense de l'État provincial.

Famille au champ à Alma, Lac-Saint-Jean, à la fin du 19e siècle.
Musée McCord, université McGill, Montréal

Comme l'explique l'historien Normand Séguin, cette économie agro-forestière va consolider les bases de la société traditionnelle rurale et même en accentuer certaines caractéristiques. C'est
le cas de la natalité. Alors que des milliers de Québécois font des
familles un peu moins nombreuses, dans les régions de colonisation
la natalité atteint des sommets inégalés. Certains interprètent ces
hauts taux de natalité comme un signe de la force du clergé catholique qui impose ses valeurs natalistes. L'historien Chad Gaffield
qui a étudié la colonisation de la vallée d'Ottawa constate néanmoins qu'il y a peu de différences dans la taille des familles de cultivateurs, qu'ils soient anglophones ou francophones. Pour ces
familles engagées simultanément dans l'agriculture et l'industrie
forestière, de nombreux enfants sont une garantie de prospérité.
Ceci suggère que, si les femmes de colons font tant d'enfants, ce
n'est peut-être pas tant par soumission au clergé que par adaptation
à une situation économique où il est avantageux d'avoir une
famille nombreuse.

Les écrits sur la colonisation et les romans édifiants, comme
ceux d'Antoine Gérin-Lajoie, laissent une image bucolique de la vie
sur les « terres neuves ». Une Louise Routhier, telle que décrite par

Gérin-Lajoie, est l'épouse heureuse de Jean Rivard et la mère modèle empreinte de vaillance et de courage exemplaire. L'étude de Normand Séguin sur le village d'Hébertville nous laisse une image différente où la colonisation ne charrie pas toujours le bonheur. Dans ce seul village Séguin rapporte quatre cas de sévices graves infligés à des femmes par leur mari. Le curé, s'inspirant d'événements réels, les dénonce en chaire ; on le verra, en 1885, condamner l'ivrognerie : « Ce que fait l'ivrognerie, écrit-il dans son cahier d'annonces. Une femme jette son enfant dans la rue et veut en jetter un autre... Je suis bien décidé à faire tout mon possible pour que la tempérance règne ici. »

La dépendance juridique des femmes mariées pose aussi de lourds problèmes. Il peut arriver qu'un mari vende tout ou encore soit saisi pour dettes, ce qui laisse femme et enfants « tous nus dans le bois ». Pour éviter de telles situations, la loi du Homestead est promulguée en 1882. Désormais, le patrimoine familial ne peut être saisi pour dettes préalables à la colonisation et il ne peut plus être aliéné à titre gratuit ou onéreux sans le consentement du conjoint. Il a fallu que l'État tienne beaucoup à la colonisation pour qu'il consente à accorder une certaine protection juridique aux femmes mariées vivant en pays de colonisation !

Cette vie a des attraits limités. Tout à côté, les villes industrielles des États du Nord-Est américain recrutent de la main-d'oeuvre. Il y a dix fois plus de Québécois qui répondent à l'appel des villes industrielles américaines que de Québécois qui répondent aux exhortations des colonisateurs. L'exode vers les États-Unis a commencé vers 1830, mais c'est vraiment à partir de 1860 que des familles entières traversent la frontière. Au 19e siècle, c'est un demi-million de Québécoises et de Québécois qui déménagent aux États-Unis pour s'engager principalement dans les usines de textile et de chaussure.

Amoskeag Corporation, à Manchester au New Hampshire, est au tournant du siècle la plus grande usine de textile au monde. Chaque année, avant la Première Guerre mondiale, 14 000 ouvrières et ouvriers y travaillent et les Québécois forment 40 p. 100 de la main-d'oeuvre. L'historienne Tamara K. Hareven explique que, durant les années 1870, la compagnie Amoskeag découvre que la main-d'oeuvre québécoise est la plus docile et la plus vaillante. Elle fait alors du recrutement systématique au Québec, transporte et loge des familles entières qu'elle engage dans ses filatures. Femmes, hommes et enfants travaillent dans les mêmes ateliers et reproduisent en milieu industriel les mêmes modèles de travail familial qu'ils avaient l'habitude de vivre dans les fermes québécoises. Malgré les nombreux enfants et malgré la réprobation cléricale face au travail des femmes mariées, les deux tiers des femmes mariées de la ville sont à l'usine. C'est de sa mère que la petite fille apprend le tissage et le filage industriel, de la même façon que sa mère lui a enseigné le tissage et le filage artisanal.

La mère de Maria Chapdelaine parle des années 1880

Du temps que j'étais fille, dit la mère Chapdelaine, c'était quasiment tout un chacun qui partait pour les États. La culture ne payait pas comme à cette heure, les prix étaient bas, on entendait parler des grosses gages qui se gagnaient là-bas dans les manufactures, et tous les ans c'étaient des familles et des familles qui vendaient leur terre pour presque rien et qui partaient du Canada. Il y en a qui ont gagné gros d'argent, c'est certain, surtout dans les familles où il y avait beaucoup de filles ; mais à cette heure les choses ont changé et on n'en voit plus tant qui s'en vont.

Source : Louis Hémon, *Maria Chapdelaine*, Montréal, Fides, p. 64.

Dans ces villes industrielles, les familles nombreuses sont un avantage économique car elles grossissent les revenus familiaux puisque, dès l'âge de 11 ou 12 ans, les enfants accompagnent leurs parents chaque matin à l'usine. Contrairement à Manchester, les mères de familles établies à Lovell au Massachusetts travaillent à la maison et contribuent au revenu familial en logeant des chambreurs. Avec le temps cependant, les femmes commencent à avoir moins d'enfants et au début du 20e siècle, l'instruction obligatoire ainsi que les lois sur le travail des enfants font qu'il est moins avantageux d'avoir plusieurs enfants.

On voit s'installer en Nouvelle-Angleterre un Québec hors Québec. Le clergé, d'abord hostile au mouvement d'émigration, n'a pas le choix ; il suit ses ouailles et transplante aux États-Unis ses structures d'encadrement : des paroisses s'érigent, des écoles et des couvents se fondent.

Des professionnels, des avocats, des médecins, des commerçants voient dans ces « petits Canadas » qui s'érigent de l'autre
côté de la frontière une clientèle à conquérir. La communauté
franco-américaine a ses institutions, ses écoles, ses journaux français et au 19e siècle on peut y vivre et mourir sans avoir à parler
anglais.

Enfin, plusieurs quittent leur ferme natale pour s'installer dans
les villes du Québec qui commencent à pouvoir absorber une partie
du surplus de la population rurale et peuvent offrir des emplois en
manufacture. Les jeunes rurales qui ne peuvent s'engager comme
bûcherons ou comme ouvrier agricole n'ont d'autre choix que de
chercher du travail en ville. La population urbaine est proportionnellement deux fois plus importante à la fin du siècle qu'elle ne
l'était dans les années 1850. Pourtant, il arrive souvent que les
jeunes filles soient seules : de 1844 à 1901, il y a toujours plus de
femmes que d'hommes dans les villes de Montréal et de Québec.

Notes du chapitre V

1. *Le Canadien*, 23 janvier 1837, cité dans Fernand Ouellet, *Histoire économique et sociale du Québec 1760-1850*, Montréal, Fides, 1966.

2. Lettre de Julie Bruneau à L.-J. Papineau, 17 février 1836, dans *Rapport de l'Archiviste de la Province de Québec*, nos 38-39.

3. Patricia Godsell éd., *The Diary of Jane Ellice*, Oberon Press, 1975, (10 novembre 1838).

4. *Ibidem*, (11 novembre 1838).

5. Rosalie Dessaules, 13 avril 1839, citée dans F. Ouellet, *Op. cit.*

6. Lettre de L.-J. Papineau à Julie Bruneau, 15 février 1830, dans *Rapport de l'Archiviste de la Province de Québec*, nos 34-35.

VI

Quand on se marie

Trouver un mari

La plupart des femmes quittent un jour le toit familial et ensuite leur travail pour prendre toutes le même travail, celui d'épouse et de mère. Mais ont-elles le choix ? Une femme dont la destinée n'est pas liée à celle d'un homme peut-elle survivre au 19e siècle ?

Habituellement, les femmes n'ont que peu ou pas de biens personnels, sauf quelques exceptions issues de milieux bourgeois. La fille de cultivateur reçoit une dot quasi symbolique car on considère qu'il revient aux garçons de fournir le capital dans l'établissement agricole. Qui peut donc survivre avec un lit et deux moutons ? Celle qui aura reçu un peu d'instruction sait qu'elle ne pourra vivre décemment avec son salaire d'institutrice. L'artisane, l'ouvrière, la couturière, la domestique savent déjà que leur salaire ne leur permet même pas de survivre seules. Se faire servante ? Se faire religieuse ? Trouver un homme qui possède une terre ou qui gagne un revenu deux fois plus élevé que le sien est pour la majorité la voie la plus intéressante.

Mais ne se marie pas qui veut. À Montréal, ville où il y a, à cette époque, toujours plus de femmes que d'hommes, ce ne sont pas toutes les filles qui trouvent un mari et la concurrence est vive. À la campagne, où depuis 1851 il y a presque autant d'ouvriers agricoles (63 365) que de cultivateurs (78 437), celle qui marie l'héritier d'une terre est une veinarde. Enfin, celle qui épouse le cultivateur riche et prospère du rang fait figure d'exception car les trois quarts des censitaires possèdent une terre de moins de 100 acres. Néanmoins, on tente sa chance avec l'espoir de trouver le meilleur parti possible. À la campagne, les fréquentations des jeunes se font lors de corvées traditionnelles telles la cueillette des fruits sauvages, les sucres, les épluchettes de blé d'Inde ou le broyage du lin. À la ville, on rencontre à la sortie de l'usine des compagnons de travail. La vie paroissiale crée aussi des occasions de rencontre : les vêpres, la messe dominicale, les pratiques de chant ou les bazars de charité.

Un lit garni, un buffet, deux moutons, une vache. Voilà tout...

Le père et la mère, par leur testament conjoint fait devant notaire, ont institué Charles, le second des fils, leur légataire universel (...) Quant aux autres enfants, outre leurs hardes et linge de corps, ils devront recevoir : les garçons à leur majorité, un cheval, un harnais, une voiture de travail ; les filles, au jour de leur mariage, un lit garni, un « buffet » (armoire), deux moutons, une vache. Voilà tout (...)

Même dans les familles de cultivateurs aisés, les filles ne reçoivent qu'une dot mobilière assez modeste. On considère en effet qu'elles ne seront pas appelées à fonder une nouvelle communauté familiale, mais qu'elles devront simplement s'adjoindre à titre d'auxiliaires à quelque communauté préexistante ou en voie d'établissement.

Source : *Léon Gérin et l'Habitant de Saint-Justin*, Montréal, Presses de l'Université de Montréal, 1968, p. 72 et 89.

Les veillées demeurent des moments privilégiés de rencontre. Qu'on se berce ou qu'on danse, toujours les amoureux tentent de se rapprocher, et on raconte que la jeune fille qui reçoit son amoureux lui offre une chaise berçante qui a tendance à se déplacer : l'amoureux se berce ainsi de plus en plus près... Les curés redoutent davantage les soirées dansantes et multiplient les interdits contre la danse. Néanmoins on danse souvent. Léon Gérin observe même en 1886 que les danses les plus connues à la campagne paraissent être

Ce qu'ils en pensent...

Montréal, 8 janvier 1890
Mon cher Arthur,
Notre compagnon du Nord est venu me faire une scène.
(...)
Sa soeur, une jeunesse de trente-trois ans, veut se marier et elle espère avoir plus de chance ici. Il me l'a dit, comme il te le dira, tout crûment.
La pauvre fille semble incapable de concevoir la beauté du célibat volontaire dans le monde. Elle paraît ignorer que beaucoup de jeunes filles ne se sont pas mariées, par dévouement, par choix, pour réaliser le rêve de leur charité, ou de leur intelligence, de leur haute éducation, de leur piété filiale ; ou bien pour ne pas s'unir à un homme quelconque, comme il est aisé, même aux plus dépourvues, d'en trouver.
Veux-tu me permettre — toi qui connais mon horreur pour les agences matrimoniales — de te la recommander ? Elle glisse vers la maturité, comme tu vois ; elle est douce, mondaine, je ne saurais dire si elle est laide : cela ne me regarde pas, et ça dépendra de ton amour ; elle est gentille, et elle le serait bien davantage si elle marchait au lieu de galoper, mais d'un petit galop qui n'a pas du tout l'air de l'essouffler. C'est de la voir que ça essouffle. On dirait toujours qu'elle court après quelqu'un. Vu son âge, elle a dû, de ce train-là, en manquer plusieurs. Et c'est ce qui la rend très méritante : chasser tant de lièvres, et si vite, et toujours faire chou blanc ! Avoir tant couru, et n'avoir jamais montré ses fatigues résignées que par d'affectueux soupirs !
(...)
Elle a recommencé ses recherches, lundi soir, au patinoir Victoria. Après avoir chassé quinze ans en souliers ou en savates, elle veut chasser en patins. Elle va peut-être trouver, mais... c'est un terrain glissant.
(...)

Source : *Entre Amis*, lettres du Père Louis Lalande s.j. à son ami Arthur Prevost, 1881-1900, Montréal, Imprimerie du Sacré-Coeur, 1907.

celles qui ont été introduites par les jeunes gens de retour des États-Unis. L'influence américaine se fait aussi entendre : on abandonne les chants des ancêtres pour fredonner les « romances modernes et cosmopolites » des voisins du Sud.

Dans les années 1830, les doux sentiments et l'amour romantique, mais aussi la prudence, font partie des fréquentations. Dans la revue littéraire de madame Gosselin, *Le Musée de Montréal*, on peut lire de jolis poèmes romantiques tout autant que des historiettes moralisatrices. Les femmes sont mises en garde contre la passion amoureuse. Une histoire en anglais intitulée *Folly of Marrying « all for love »* raconte la métamorphose de l'élégant prétendant en buveur de brandy après le mariage : *No, No* ! écrit l'auteure, *no more marrying for love in the family*. S'il est important d'aimer, il est encore plus important de faire un bon mariage.

De façon générale, on sait peu de choses sur l'attitude des parents face aux fréquentations. Influencent-ils le choix de leurs enfants ? S'opposent-ils à certaines fréquentations ? Une, Henriette Dessaules, s'en est longuement confiée à son journal intime. Née à Saint-Hyacinthe en 1860, cette jeune fille de la bourgeoisie a écrit son journal dès l'âge de 14 ans jusqu'à son mariage à 21 ans. Amoureuse à 14 ans d'un ami d'enfance qu'elle épousera, Henriette est constamment surveillée par sa mère. Pas question de tutoyer ce jeune homme :

> *On a remarqué que je tutoyais Maurice, que nous nous tutoyions et on trouve que ce n'est pas convenable, trop familier etc.*

Pas question non plus de lui écrire :

> *Maman à mon grand ahurissement, me parle de mon amitié pour Maurice et me dit que je suis ou que je serai peut-être tentée de recevoir ses lettres et d'y répondre et que ce serait de la dernière inconvenance (...) Elle insiste pour que je promette de ne pas lui écrire durant ces trois années d'université. Il a fallu promettre ou bien j'avouais mon intention de lui écrire. (...) Demain, la Saint-Maurice, j'irai à la messe pour lui... en attendant qu'on m'interdise de prier pour lui !*[1]

La mère d'Henriette semble préférer un autre jeune homme pour sa fille ; ce dernier jeune homme est donc souvent invité chez les Dessaules. La mère les laisse même seuls au salon, au grand ennui d'Henriette d'ailleurs.

Le confesseur aussi veille au grain : Henriette se fait dire au confessionnal qu'elle ne doit pas chercher à rencontrer seule à seul son amoureux ni l'encourager à être tendre ; elle doit prendre un air froid devant lui et même éviter de le regarder en face ! Le journal d'Henriette Dessaules nous montre une mère interventionniste et sévère sur les amours de sa fille. Mais les Dessaules, autrefois seigneurs de Saint-Hyacinthe, sont des gens fortunés et les malheurs d'Henriette reflètent l'attitude de la bourgeoisie face aux mariages de ses enfants.

Dans les familles de cultivateurs ou d'ouvriers agricoles la situation semble différente. Certains observateurs remarquent que les jeunes sont moins respectueux de l'autorité paternelle. Le père Bourassa écrit, en 1851, que la vie de chantier menée par les jeunes gens « (...) fait trouver dur et insupportable jusqu'au joug paternel[2] ». Le sociologue Léon Gérin note que la possibilité de gagner sa vie dans les fabriques américaines, associée à la rareté des terres, rend les jeunes plus indépendants de leurs parents. Dans un tel contexte, comment des parents peuvent-ils imposer leur choix de partenaire à leurs enfants ? Seul l'enfant héritier de la terre paternelle a intérêt à se soumettre aux désirs parentaux ; les autres enfants sans héritage sont relativement libres de fréquenter qui ils veulent.

Se marier et avoir des enfants

Henriette Dessaules se marie en robe blanche, selon la nouvelle mode de l'époque, avec Maurice Saint-Jacques à l'âge de 21 ans. Elle aura cinq enfants. En cela, elle ressemble aux autres Québécoises qui ont eu, en 1851, en moyenne sept enfants et qui n'en auront plus que cinq à la fin du siècle.

Les naissances ne sont pas toujours l'occasion de réjouissances :

> *Mde (sic) Blanchard est accouchée hier soir après une longue et douleureuse maladie de trois jours l'enfant a perdu la vie en venant au monde c'était une petite fille ; ils sont bien attristé (sic) la mère est tout doucement donnant de l'inquiétude[3].*

Naître et accoucher présentent les mêmes risques qu'aux siècles précédents. Mais, ce siècle voit se dessiner une nouvelle conception de l'accouchement : cette « maladie » est peu à peu prise en main par les médecins. Si les sages-femmes sont encore fort nombreuses, les médecins accoucheurs qui vont quérir une formation aux États-Unis prennent de plus en plus d'importance. En 1845, une ordonnance interdit à quiconque n'est pas médecin diplômé d'une université ou n'a pas l'autorisation expresse du gouverneur d'exercer la profession d'accoucheur dans les villes de Québec et Montréal. À partir de 1847, la formation des sages-femmes est contrôlée par le Collège des médecins et chirurgiens.

Naître au Québec avant 1850

Quand vient le temps « d'acheter* », on envoie tous les enfants chez la voisine en leur disant que « les Sauvages » ou « le corbeau » vont passer et qu'à leur retour, ils auront « un petit frère ou une petite soeur ». La mère de celle qui accouche ou une vieille tante assiste la « pelle-à-feu** » ou le médecin. (...) Les femmes ont depuis longtemps apprivoisé cet événement et, d'ailleurs, le vivent souvent exclusivement entre elles. Après la délivrance, chaque intervenant s'offre un petit verre de vin, histoire de célébrer cette naissance.

* Expression populaire pour désigner le fait d'accoucher.

** Nom populaire donné à la sage-femme.

Source : J. Provencher et J. Blanchet, *C'était le printemps*, Montréal, Boréal Express, 1980, p. 102.

Au recensement de 1871, seulement une quarantaine de femmes se déclarent sages-femmes et à partir de 1891, elles disparaissent des recensements. Ceci ne signifie pas que l'activité ait disparue car, en milieu rural, tout au long du 20e siècle, les sages-femmes aideront des milliers de femmes à accoucher. Cependant, l'imposition par le Collège des médecins d'examens très difficiles empêche les femmes de vouloir en faire un métier. Les sages-femmes sont la plupart du temps des mères de famille qui assistent les médecins ou les remplacent à l'occasion.

Cette invasion des hommes dans un domaine jadis réservé aux femmes ne s'effectue pas qu'à coup d'ordonnances ou de règlements sur la pratique du métier d'accoucheur. Elle s'effectue aussi au nom de la science et s'appuie sur l'exclusion des femmes de la science médicale. Quelques Québécoises seulement ont été admises à la faculté de médecine de l'université Bishop, mais, en 1900, il n'est plus possible pour aucune femme de recevoir des cours de médecine au Québec. Les femmes sont exclues du processus de professionnalisation de ce métier. L'accouchement qui jadis était une affaire de femmes devient une activité « scientifique » masculine. En 1900, les rédactrices de *Femmes du Canada* constatent que, même s'il est encore possible d'obtenir une formation de sage-femme ainsi qu'un permis de pratique, ce métier leur apparaît comme une chose du passé. L'accouchement est désormais, en milieu urbain, le métier de médecins assistés d'infirmières ; en milieu rural, les sages-femmes « non-patentées », demeurent nombreuses.

Généralement, on accouche à domicile. L'acte de la naissance est encore très intégré à la vie familiale pour la majorité de la population. Seules les femmes « déchues », des mères célibataires ou des femmes vivant dans une extrême pauvreté accouchent dans des maternités. Au cours du 19e siècle, plusieurs de ces institutions voient le jour. Dès 1840, Mlle Métivier ouvre la Maison Notre-Dame-de-la-Merci à Québec, et à Montréal, des anglophones fondent le Montreal Lying-in Hospital. Ces maternités, d'abord institutions charitables, servent aussi de lieux d'apprentissage pour les étudiants en médecine. Les femmes admises dans certaines maternités affiliées à des universités servent alors de cobayes pour les cours d'obstétrique. Mais c'est aussi l'époque où des femmes proches des milieux médicaux commencent à vanter les mérites d'une naissance sous contrôle scientifique en milieu hospitalier. Pour faire valoir leurs convictions, elles vont accoucher à l'hôpital.

Avoir un peu moins d'enfants

> *I think, dearest Uncle, you cannot REALLY wish me to be the « Mamma d'une famille nombreuse », for I think you will see with me the great inconvenience a LARGE family would be to us all, and particularly to the country, independant of the hardship and inconvenience to myself. Men never think, at least seldom think what a hard task it is for us women, to go thorough this very often.*
>
> *Queen Victoria*
> *5 janvier 1841*

Les Canadiennes du 18e siècle ont eu en moyenne un peu plus de huit enfants. Les femmes nées en 1825 font partie des dernières générations de femmes à avoir tant d'enfants : en moyenne, elles ont 7,8 enfants. Leurs filles nées en 1845 n'auront, quant à elles,

*Enfant Lemay avec les jouets destinés aux petites filles de riches en 1892.
Musée McCord, université McGill, Montréal*

que 6,3 enfants et leurs petites-filles nées vers 1867 n'auront que 4,8 enfants. Selon les estimations du démographe Jacques Henripin, la fécondité des Québécoises subit une chute de 41 p. 100 entre 1831 et 1891.

Les Québécoises commencent donc à avoir moins d'enfants à partir du 19e siècle. Si la baisse des natalités est plus lente qu'en Ontario, elle n'en est pas moins empiriquement observable dans certains groupes sociaux. Les bourgeoises francophones ont moins d'enfants que leur mère ; un cas parmi tant d'autres : Marie Gérin-Lajoie, née en 1867 d'une famille de 13 enfants, n'aura quant à elle que 4 enfants. La bourgeoisie des villes n'est pas seule à limiter ses naissances : Léon Gérin observe que dans les villages ruraux du bord du fleuve certaines familles se préoccupent de limiter le nombre de leurs enfants.

Limiter les naissances implique le recours à certaines formes de contrôle de la fécondité. Les couples peuvent, pour espacer les naissances, pratiquer la continence pure et simple, ou le coït inter-rompu. Les femmes peuvent diminuer les probabilités de grossesse en allaitant de longues périodes, en utilisant des moyens méca-niques ou encore, en s'avortant elles-mêmes ou en se faisant avorter. Jusqu'à tout récemment, les femmes ont dû limiter le nombre de leurs enfants en comptant sur leurs propres réseaux informels d'information et en agissant la plupart du temps soit con-tre les enseignements de l'Église, soit contre les lois canadiennes. L'Église veille particulièrement à ce que l'information concer-nant la sexualité ne circule pas. Mgr Bourget fera mettre à l'index une publication française sur la sexualité.

Je suppose qu'elle n'est pas plus renseignée que moi...

Quelque temps avant son mariage, Henriette Dessaules dis-cute avec son amie Jos des enfants qu'elle aura. Elle sent bien que limiter le nombre des enfants « a du bon sens », mais elle ne semble avoir reçu aucune information à cet égard avant son mariage. Elle écrit dans son journal :

Jos me disait « j'espère mes enfants que vous jouirez de votre bonheur deux ou trois ans avant d'avoir un enfant ? »...

Je suppose que Jos n'est pas plus renseignée que moi, mais j'espère impliquerait que l'on n'a des enfants que si l'on veut bien, c'est d'ailleurs ce qui a du bon sens, mais ce qui se passe dans les familles pauvres m'en fait douter. La semaine der-nière chez les X, père et mère étaient découragés parce qu'il leur arrive un sixième enfant et que les cinq autres souf-frent de la faim.

Source : Fadette, *Journal d'Henriette Dessaules 1874-1880*, Montréal, HMH, 1971.

L'État, qui avait été relativement discret sur cette question, décide que ce qui était affaire·« privée » concernant les femmes, devient de plus en plus affaire publique. Par exemple, en 1869, les avortements sont sévèrement réprimés : l'avorteuse ou l'avortée est passible d'emprisonnement à perpétuité et la femme qui pro-voque son propre avortement risque sept ans de prison.

En 1892, c'est la distribution d'information et de matériel contraceptif ou abortif qui devient illégale. Pour avoir moins d'enfants, ou bien il faut compter sur la collaboration de son mari (continence ou coït interrompu), ou bien il faut se situer dans l'illégalité.

Le Code criminel canadien et le corps des femmes

Est coupable d'un acte criminel et passible d'emprisonnement à perpétuité celui qui dans le but de provoquer l'avortement d'une femme enceinte ou pas administre une drogue... fait usage de quelque instrument...

(55-56 V. c29, art. 272)

Est coupable d'un acte criminel et passible de deux ans d'emprisonnement celui qui (...) offre en vente, annonce pour les vendre ou en disposer, quelque médecine, drogue ou article destiné ou représenté comme servant à prévenir la conception ou à causer l'avortement ou une fausse couche, ou publie une annonce de cette médecine drogue ou article.

(63-64 V. c46 art. 3)

Des ouvrages publiés en langue anglaise préconisent la continence périodique. Ces ouvrages sont publiés entre 1869 et 1916, c'est-à-dire avant que ne soit véritablement connu, vers 1920, le fonctionnement du cycle menstruel. Les auteurs de ces théories commettent d'ailleurs une petite erreur : dans plusieurs cas ils identifient comme période stérile la période où, normalement, une femme ovule et recommandent d'avoir des relations sexuelles aux périodes où les chances de conception sont le plus élevées !

Les moyens mécaniques présentent certes moins de risques de conception mais tombent directement sous le coup de la Loi. L'historien McLaren remarque que les pharmacies des grandes villes ne vendent pas moins de condoms et en font même la réclame sous le pudique terme de « produits en caoutchouc ». Des Canadiennes devaient aussi avoir recours au diaphragme et aux mousses vaginales puisqu'on a retrouvé, dans les archives personnelles de Canadiennes de l'époque, des recettes maison de diaphragmes. *Eaton*, annonce dans son catalogue de 1901, le *Every Woman Marvel*

Whirling Spray, une mousse vaginale. Mais combien de femmes peuvent « lire entre les lignes » de cette annonce et faire servir à des fins contraceptives ce produit annoncé pour l'hygiène vaginale ? Et combien de Québécoises lisent assez bien l'anglais pour comprendre de quoi il s'agit ? L'efficacité des moyens contraceptifs connus demeure limitée, la distribution des contraceptifs « mécaniques » est clandestine et l'information circule plus difficilement parce que c'est illégal. Les chutes de natalité autant au Québec qu'en Ontario laissent supposer que les femmes ont outrepassé les interdictions et qu'elles ont su se communiquer l'information.

L'Église et la sexualité

Au 19e siècle, l'Église veille à tenir loin des fidèles toute information sur la sexualité et la contraception. Lorsqu'en 1871 circule à Montréal un manuel sur la sexualité et la reproduction pour les époux, Mgr Bourget le condamne comme étant dangereux, détestable et « (...) injurieuse à la sainteté de la virginité et du célibat ». (*Mandements, lettres pastorales et circulaires au clergé*, vol. VI, p. 213-4.)

Ce livre, intitulé *Hygiène et physiologie du mariage, histoire naturelle et médicale de l'homme et de la femme mariés dans ses plus curieux détails*, est l'ouvrage d'un médecin français, Auguste De Bey. Écrit probablement vers 1850, il semble connaître une grande popularité puisqu'en 1876, il est déjà à sa 90e édition. Il est encore réédité en 1891.

On y enseigne que les hommes et les femmes sont égaux, que les plaisirs du mariage sont nécessaires et que le clitoris est l'organe de la volupté chez la femme. L'excision ne rencontre pas l'approbation de l'auteur qui n'hésitera pas, cependant, à recommander cette opération pour celles qui se masturbent, car la masturbation est une cause de stérilité. Si on conseille au mari de ne pas être brutal et de savoir éveiller les désirs de sa femme, on suggère néanmoins à celle-ci de céder au mari et de simuler le plaisir si nécessaire. Mais, selon docteur De Bey, si l'acte sexuel dure assez longtemps la femme aussi peut parvenir à l'orgasme.

La sexualité féminine n'était peut-être pas aussi méconnue au 19e siècle qu'on l'aurait cru. Toutefois, les connaissances sur la contraception demeurent très rudimentaires.

Les grossesses non voulues devaient néanmoins être fréquentes. La femme qui veut avorter tentera probablement d'avoir ses règles en absorbant des infusions ou remèdes abortifs de fabrication domestique ou commerciale. Ces produits sont fabriqués à partir de substances traditionnellement reconnues pour leurs propriétés abortives ; outre la sabine particulièrement populaire, McLaren mentionne qu'on utilise le pouliot, la quinine, les racines de coton, la tanaisie (barbotine ou herbe aux vers), l'illebore noire (rose de Noël) ou l'ergot de seigle.

En feuilletant les quotidiens canadiens-anglais des années 1890, il a dénombré pas moins de 11 potions ou pilules abortives s'annonçant comme des produits contre l'irrégularité féminine. Parmi ceux-ci, le *Ladies Safe Remedies : Apoline* est fabriqué à Montréal par la compagnie Lyman and Sons. On ne connaît pas l'efficacité de ces produits mais si la médecine populaire les a retenus, ils devaient parfois produire le résultat escompté. Parmi ces produits, les ergots de seigle étaient d'ailleurs utilisés par les sages-femmes pour déclencher les contractions des futures accouchées.

En cas d'échec, il reste le recours au charlatan avorteur, à la faiseuse d'ange, qui s'annoncent discrètement dans les journaux ou encore au médecin reconnu pour être spécialisé dans les « troubles sexuels ».

Élever seule ses enfants ?

Au 19e siècle, malgré la baisse des naissances, les femmes mariées ont encore des familles fort nombreuses. Le temps où une femme vit grossesse après grossesse et où elle s'occupe d'une ribambelle d'enfants en bas âge tous moins autonomes les uns que les autres occupe une importante partie de son existence. L'aide de la parenté ou le soutien de la communauté est essentiel pour quiconque a une grosse famille.

Dans certaines familles, les grands-parents, les oncles ou les tantes célibataires vivent sous le même toit que la famille qui a de jeunes enfants. La mère peut alors compter sur une forme quelconque d'appui. Toutefois, la plupart des familles, tant en milieu

Annonce publicitaire d'une mère soignant ses enfants.
Musée McCord, université McGill, Montréal

rural qu'urbain, sont nucléaires, c'est-à-dire qu'elles sont formées d'un homme, d'une femme et de leurs enfants : il est alors nécessaire de compter sur de l'aide venant de l'extérieur. Chez les cultivateurs prospères ou dans les familles à l'aise, on engage une ou des domestiques qui aident la mère et parfois même la remplacent dans le soin des enfants et le travail ménager. La femme qui a épousé un ouvrier risque, quant à elle, de n'avoir aucun soutien de ce type.

Les débuts de l'industrialisation sont fort difficiles pour les familles ouvrières. Les salaires moyens des ouvriers ne peuvent permettre d'élever une famille avec un seul gagne-pain. La venue d'enfants les uns après les autres empêche la mère de gagner un salaire. La famille ouvrière vit alors une phase critique car elle a son nombre maximum de bouches à nourrir et, en même temps, un nombre minimum de gagne-pain.

L'historienne Bettina Bradbury constate que, pour joindre les deux bouts durant ces quelques années critiques, le quart des familles ouvrières du quartier Saint-Jacques à Montréal partagent leur logement avec d'autres familles ou prennent des chambreurs.

L'équilibre de la famille n'en demeure pas moins menacé : la mise
à pied du père, un accident de travail, une maladie de la mère, la
venue d'un nouvel enfant ou la mort d'un des parents provoquent
l'éclatement du noyau familial. Il faut alors placer des enfants chez
la parenté ou en conduire quelques-uns à l'orphelinat.

Les enfants abandonnés

Plusieurs femmes n'élèvent pas les enfants qu'elles ont portés
et vont les déposer aux portes d'institutions charitables en
espérant que quelqu'un s'en occupe. Les Soeurs Grises se
voient ainsi confier en 1875 une moyenne de deux enfants par
jour. Des 719 enfants reçus, elles n'en rescapent que 88.

*719 enfants ont été reçus chez les Révérendes Soeurs grises
durant l'année dernière : 81 de ces enfants venaient de
Québec et de Rimouski, 34 de Saint-Hyacinthe, 96 du Haut-
Canada dont 44 d'Ottawa, 47 des États-Unis, 11 de France, 2
d'Irlande, 37 des paroisses environnantes de Montréal et 421
de Montréal. De ce nombre, 631 sont morts durant l'année
1875. Le chiffre élevé de la mortalité chez les enfants trouvés
est dû aux mauvais traitements et à la misère qu'endurent
ces enfants avant d'arriver à cette institution charitable.*

En 1880, les Soeurs Grises reçoivent toujours des enfants :

*On évalue à près de cinq à six cents les abandons faits de
cette manière (enfants laissés à l'entrée du Couvent) chaque
année. Ce qu'il y a de terrible à raconter, c'est que ces pauvres créatures transies, à moitié gelées quand on les apporte
là, meurent presque toutes. Les enfants qui ont résisté sont
mis en nourrice et lorsqu'ils sont sevrés, les soeurs les reçoivent dans la maison et les placent plus tard en qualité d'apprentis chez les bourgeois de la ville.*

Source : Citations tirées de Jacques Bernier, *La Condition
ouvrière à Montréal à la fin du XIXe siècle,
1874-1896*, Thèse de maîtrise, université Laval,
1971, p. 75-76.

Bradbury a établi qu'à l'orphelinat Saint-Alexis de Montréal,
la plupart des « orphelines » ont des parents encore vivants et elles
retournent chez ces derniers après   chez ces derniers après un
séjour moyen de moins de deux ans à l'orphelinat. Seulement 1 p.

100 des orphelines n'ont plus de parents. Montréal compte, en 1863, une douzaine d'institutions semblables qui prennent en charge 750 enfants, soit 2,5 p. 100 des enfants montréalais.

La prise en charge des enfants par des institutions charitables se fait aussi sur une base journalière. En 1858, les Soeurs Grises fondent des « salles d'asile », sortes de garderies pour les enfants d'âge préscolaire. Installées dans les quartiers ouvriers de Montréal et dans les villes de Longueuil, Saint-Jean, Québec, Saint-Jérôme et Saint-Hyacinthe, ces salles d'asile reçoivent, jusqu'à la fin du siècle, des milliers d'enfants. Elles permettent aux mères de se livrer à une activité rémunérée, ou aux familles de surmonter une période difficile.

Ces salles d'asile reçoivent, comme le montre le tableau suivant, un nombre impressionnant d'enfants. Les religieuses prennent en charge des centaines d'enfants et même l'État contribue financièrement à leur entretien en subventionnant ces garderies.

TABLEAU 3
Nombre d'enfants recueillis dans les salles d'asile des Soeurs Grises à Montréal

Nom de l'asile	Période	Nombre d'enfants	Moyenne quotidienne
Saint-Joseph	1858-1899	9793	242
Nazareth	1861-1914	14 925	?
Bethléem	1868-1903	12 853	350
Saint-Henri	1885-1920	16 700	450
Sainte-Cunégonde	1889-1922	6000	?

Source : ASGM, Fonds particulier à chaque salle d'asile

Tiré de Micheline Dumont Johnson, « Des garderies au XIXe siècle », *R.H.A.F.*, vol. 34, no 1 p. 40.

L'existence des orphelinats et des salles d'asile témoigne que les familles ont su trouver de nouvelles stratégies pour survivre dans les périodes difficiles. Dans ces institutions on voit des femmes-religieuses soutenir les femmes-mères : sans elles, les Québécoises auraient peut-être dû, elles aussi comme les autres Canadiennes, faire moins d'enfants.

*La salle d'asile Saint-Joseph vers 1898. A l'avant-plan, deux enfants font leur
sieste...*
Archives des Soeurs Grises

Envoyer ses filles à l'école

Ces diverses institutions de soutien aux familles surgissent à
une période où la société a déjà commencé à intégrer les enfants
dans un système scolaire. Bien que, dès la Nouvelle-France, un
certain nombre d'écoles ou de couvents se soient chargés d'instruire
filles et garçons, l'éducation demeure largement une affaire familiale. Les parents transmettent à leurs enfants les connaissances
utiles pour se débrouiller dans la vie. Dans un tel contexte, l'analphabétisme est chose courante car pour vivre, ni l'artisan ni le cultivateur n'ont vraiment besoin de savoir lire et écrire.

Au milieu du 19e siècle, le taux d'analphabétisation est comparable à celui de l'Italie, de l'Espagne ou des pays des Balkans.
Toutefois, la situation se modifie rapidement et les données de la fin

du siècle montrent que le Québec a rejoint les pays à haute alphabétisation. Les données compilées par l'historien Allan Greer
démontrent cette progression chez les francophones : en 1838-1839,
13 p. 100 des femmes lisent et écrivent, et 42 p. 100 sont semi-
alphabétisées, c'est-à-dire qu'elles lisent mais n'écrivent pas. En
1891, c'est dans une proportion de 87 p. 100 que les jeunes femmes
(âgées de 10 à 19 ans) savent au moins lire. Ce développement
spectaculaire de l'alphabétisation peut découler des lois de 1845 qui
ont réorganisé le réseau scolaire sur une base paroissiale, de l'expansion croissante des communautés religieuses enseignantes ainsi
que de la nouvelle organisation économique où les enfants travaillent de moins en moins. La tradition populaire a toujours laissé
entendre que les femmes d'ici étaient plus instruites que les
hommes : effectivement, dans les années 1838-1839, il y a chez les
francophones presque autant de femmes que d'hommes qui lisent et
écrivent (15 p. 100 d'hommes contre 13 p. 100 de femmes) et, chez
les semi-alphabétisés, les femmes sont plus nombreuses (42 p. 100
contre 29 p. 100). Cette quasi-égalité est un fait inhabituel dans les
sociétés préindustrielles : ainsi, en Europe, on rencontre généralement deux à trois fois plus d'hommes alphabétisés que de femmes.

C'est ainsi que les mères de famille confient désormais filles
et garçons à d'autres adultes chargés de les instruire. Bien que
l'école ne soit pas obligatoire au Québec avant 1943, les relevés officiels estiment que 85 p. 100 des garçons et 90 p. 100 des filles d'âge
scolaire sont officiellement inscrits à l'école dans la dernière
décennie du 19e siècle. Mais y vont-ils régulièrement ? De nombreux documents attestent que l'assiduité est précaire, tant à la
ville qu'à la campagne.

Les enfants vont à l'école, soit dans le réseau public, soit dans
le réseau privé. À l'école publique qui n'est pas gratuite on peut
faire surtout des études de niveau « primaire » mais il est aussi possible de faire, là où les classes existent, deux ans d'études de
niveau « secondaire », qui se nomme à ce moment-là, le cours
académique. Néanmoins, il ne s'agit pas d'études secondaires comme celles d'aujourd'hui. Le concept d'instruction de niveau secondaire n'apparaît, dans le réseau public, qu'au 20e siècle. La durée
d'un programme complet dans le secteur public est approximativement de 9 ans, mais rares sont celles et ceux qui sont encore à
l'école à 14 ans. La durée et la régularité de la fréquentation scolaire sont subordonnées aux besoins économiques des familles, et les
statistiques de fréquentation scolaire sont habituellement gonflées
car on s'assure que les enfants soient à l'école la journée de la visite

de l'inspecteur. En campagne, on retient les enfants à la maison lorsque les travaux de la ferme requièrent leur participation. La mère ouvrière retire ses filles de l'école dès qu'elles sont en âge de garder les plus jeunes à la maison ou dès qu'elles peuvent commencer elles aussi à gagner de l'argent comme domestique ou apprenties en usine.

Le travail industriel des enfants est une réalité du 19e siècle fortement dénoncée par divers groupes sociaux. Les enfants forment 8 p. 100 de la main-d'oeuvre des établissements industriels du Québec en 1891 et nombreux sont ceux qui participent aux travaux de confection à domicile sans être recensés comme travailleurs. Malgré les chiffres officiels de fréquentation scolaire, on s'alarme de l'analphabétisme des enfants de milieu ouvrier. C'est dans ce contexte que s'établissent, en 1889, des écoles du soir, à la suite des revendications d'associations ouvrières. Ces écoles donnent aux ouvriers une instruction élémentaire de base. Elles sont gratuites et gouvernementales, mais les femmes qui veulent s'y inscrire se font répondre qu'elles n'y sont pas admises.

Dès qu'une fille désire poursuivre des études au-delà de la petite école, le faible développement du réseau public francophone ne lui laisse guère le choix. Elle doit entrer dans un couvent privé où elle recevra une scolarité équivalente à 11 ans, le plus haut niveau accessible aux filles. Pas question de fréquenter les collèges classiques, les collèges industriels ou l'université qui sont réservés aux garçons. Seules les anglophones peuvent poursuivre leurs études dans les *High Schools* publics ou tenus par des communautés religieuses et être, par la suite, admises à l'université. En 1888, l'université McGill décerne pour la première fois des baccalauréats à des femmes.

Néanmoins, un progrès fantastique s'opère à cette période : sous l'impulsion des communautés religieuses, l'instruction devient accessible aux filles dans la plupart des centres urbains et régions avoisinantes. Les écoles et pensionnats tenus par les soeurs poussent comme des champignons : à la fin du siècle, il y en a plus de 200 comparativement à 14 en 1830. Ces pensionnats n'accueillent pas que des pensionnaires, car en fait, la plupart des filles vivent avec leur famille. L'historienne Marta Danylewicz a calculé que, durant les trois dernières décennies du siècle, entre 7 et 11 p. 100 des filles étaient pensionnaires, ce qui était beaucoup plus élevé que dans les provinces anglophones. Bien qu'ils soient privés, ces pensionnats ne sont pas nécessairement réservés aux seules familles fortunées. Ils n'ont pas tous ni la prétention, ni la renommée d'un

Villa-Maria ou d'un Mont-Sainte-Marie qui préparent les filles de
la bourgeoisie à « (...) briller dans les meilleurs salons et peut-être
dans les cercles les plus polis de l'Europe ». La plupart ont une
clientèle plus modeste qui paie parfois les frais de scolarité en
denrées agricoles ou en bois de chauffage. Ceci est particulièrement le cas en milieu rural où la majorité des pensionnaires sont
issues de familles nombreuses et ont un père cultivateur ou artisan.

Qu'apprend-on aux couventines ?

Les constitutions des soeurs des Saint-Noms-de-Jésus-et-de-
Marie l'expliquent clairement :

*Les religieuses des Saints Noms de Jésus et de Marie ouvri-
ront des écoles dans tous les lieux où elles sont établies. Elles
y enseigneront la lecture, l'écriture, la grammaire, la géographie, l'histoire, le calcul, etc... Elles doivent aussi former leurs
élèves à la bonne tenue d'une maison, au travail des mains
comme le tricot, la couture, la broderie et autres. Dans les pensionnats où cela sera jugé utile et nécessaire, elles enseigneront le chant, la musique, le dessin et les autres connaissances
ou arts d'agréments qui complètent une éducation solide et
tout à fait soignée ; mais ces connaissances, dont on fait tant
de cas dans le monde, ne seront aux yeux des Soeurs qu'un
accessoire et comme un appât dont elles se serviront pour faire
goûter à leur élèves la science du salut.*

Source : Marie-Paule Malouin, *L'Académie Marie-Rose
(1876-1911)*, Thèse de Maîtrise, Université de
Montréal, 1980, p. 141.

Marie-Paule Malouin dans sa thèse sur l'académie Marie-
Rose a examiné les plans d'études en vigueur à cette académie
entre 1857 et 1894. Il semble bien que l'élève qui suit l'ensemble du
programme possède des connaissances générales de niveau
« secondaire » et, pour ce qui est de la philosophie, des connaissances de niveau « collégial ». Entre 1857 et 1894, Malouin note
une adaptation progressive de l'enseignement aux besoins des femmes et du marché du travail : la tenue de livres, la sténographie, la
dactylographie et la télégraphie sont intégrées au programme d'études en 1894. Même si ce couvent n'est pas une école normale, il pré-

pare celles qui veulent enseigner à passer les examens pour obtenir un brevet d'enseignement.

Malgré ce souci de formation humaniste et professionnelle, l'académie Marie-Rose n'en continue pas moins de dispenser des cours d'économie domestique et de développer des habilités manuelles essentielles aux ménagères. Les soeurs ne sont pas les seules à vouloir former de bonnes maîtresses de maison. Le programme d'études du secteur public prévoit des cours d'économie sociale pour le garçons : ils y apprennent l'organisation politique et administrative du Canada et les données de base de l'économie canadienne, sa production agricole et industrielle et son commerce. Mais pour les filles on dispense des cours d'économie domestique comprenant le tricot, la couture et la broderie.

Le rapport du département de l'Instruction publique de 1872-1873 signale même que dans les couvents on attache trop d'importance aux connaissances « de pur agrément » aux dépens de connaissances véritablement utiles telles l'économie domestique, la couture et la tenue de livre. Selon le rapport la tenue de livre est importante, car la future épouse doit être en mesure de rendre compte des affaires du ménage, et de mettre de l'ordre et de l'économie dans la direction de la maison. L'insistance sur cette matière scolaire rappelle que certaines couventines devront diriger du personnel domestique et que d'autres, plus nombreuses encore, seront peut-être obligées de faire la comptabilité et les écritures de l'épicerie, du commerce ou du bureau de leur mari. Une bonne ménagère se double alors d'une « collaboratrice » du mari.

Dans ce même rapport on insiste sur le savoir-faire en couture. Si en plus de la couture il faut enseigner aux jeunes filles la coupe des vêtements, c'est que, dit le rapport, ces élèves auront autre chose à faire dans la vie que de tenir un salon : « Le coût des choses nécessaires à la vie est devenu si élevé que dorénavant la femme devra ne compter que sur elle-même pour la confection d'une foule de choses qu'elle pouvait auparavant faire faire par des mains étrangères. » Signe que l'instruction des couvents est désormais à la portée des filles de milieux modestes.

Une partie de la transmission du savoir-faire domestique passe des mains des mères aux professionnels du réseau scolaire. En même temps, de plus en plus de mères se privent de l'aide quotidienne de leurs filles pour leur permettre de fréquenter l'école ou le couvent. Ces mères qui investissent dans la formation de leurs filles pensent peut-être qu'une fille instruite, même pauvre, a plus de chance qu'une autre de faire un mariage avantageux. Et si, par hasard, sa fille ne se marie pas ou n'entre pas en religion, elle aura au moins reçu une certaine instruction qui devrait lui permettre de gagner sa vie plus facilement qu'une ouvrière ou qu'une domestique.

Devenir ménagère

Dans la société préindustrielle d'avant 1850 on pratique surtout une agriculture d'autosuffisance et le travail des femmes se module sur le rythme des saisons, des naissances ainsi que sur le nombre de bouches à nourrir. À la fin du siècle, cet ordre des choses, même s'il se perpétue dans certaines régions du Québec dont les nouvelles régions de colonisation est considérablement ébranlé. Des milliers de femmes tant rurales qu'urbaines vivent une vie différente de leurs ancêtres et se transforment peu à peu en ménagères.

Jusqu'au milieu du siècle, la vie rurale québécoise s'organise selon les traditions ancestrales ; hommes, femmes, enfants et vieillards produisent dans la maison et autour de la maison ce qui est nécessaire à la survie du groupe familial. Il existe néanmoins une spécialisation des tâches selon l'âge et le sexe des membres de la famille, mais les femmes autant que les hommes participent à la production.

Chacun par son travail produit des biens qui sont tous, les uns autant que les autres, essentiels à la vie du groupe. Les relations entre parents et enfants et entre hommes et femmes sont principalement des relations d'interdépendance entre divers producteurs. L'autosuffisance est un modèle qui se retrouve rarement à l'état pur : de tout temps, depuis les débuts de la colonie, les agriculteurs québécois se sont épisodiquement livrés à la traite des fourrures, au commerce du blé ou à la coupe du bois. Ainsi, certains membres de la famille, les hommes en l'occurrence, voient leur propre production acquérir une valeur sur le marché, alors que les productions des femmes sont destinées, la plupart du temps, à la consommation familiale. Ce n'est qu'occasionnellement que les femmes vendront leur production sur le marché.

À Saint-Justin, les femmes de la famille Casaubon ont des activités de production fort variées

Au premier rang viennent le filage et le tissage. En 1886, 18 ou 20 bottillons de lin furent soumis par les femmes de la maison aux opérations préparatoires du hâlage, du broyage, de l' « écorchage » ou espadage, du peignage, du filage et du blanchissage. Quarante-cinq livres de laine, désuintées à la maison puis portées à l'usine de Karl, sur la rivière Maskinongé, pour être cardées, ont aussi été filées dans le courant de l'hiver par la mère, les deux tantes, la bru et l'aînée des filles, sur leur rouets à pédale. Des 45 livres de laine, 18 ont été teintes, toujours au foyer.

Du fil de lin ou de laine ainsi obtenu, une petite quantité a été laissée en cet état ; une autre a été tricotée ; mais la plus grande partie a été mise sur l'ourdissoir, puis sur le métier à tisser et convertie par la mère, ses deux filles et sa bru, en toile, flanelle, étoffe et drap. Il n'y a eu de fait hors du foyer que le pressage et le foulage des étoffes. La couture et le tricotage complètent les travaux précédents et permettent à la famille de se pourvoir directement de son linge de ménage, draps de lit en toile ou en flanelle, nappes et essue-mains en toile, dont les belles douzaines s'empilent dans les armoires. Elle se pourvoit aussi elle-même de la plupart de ses vêtements de travail. Les femmes ne tissent pas et ne cousent pas seulement pour les besoins de la famille. Elles font sur commande des vêtements en « étoffe du pays ». La mère vend des courtes-pointes mi-laine mi-coton, garnies de franges. Philomène confectionne de grands châles en laine et de grands couvrepieds en coton ou en indienne, ainsi que des « catalognes » (tissu de retailles) qui servent indifféremment de tapis pour le plancher ou de couvertures de lits.

Au temps de la moisson, la vieille tante Marguerite, aidée de Julie et de Philomène, recueille les plus beaux brins de paille de froment et en fait de longues tresses, qu'elle passe ensuite entre les rouleaux d'un petit pressoir. Deux cents brasses sont ainsi tressées chaque année. Puis Julie en confectionne des chapeaux pour tous les gens de la maison.

Avec les débris des animaux abattus, la famille fait sa provision de chandelle de suif et de savon. Les peaux de vaches, de veaux, de moutons, sont portées chez le tanneur. Ce cuir sert ensuite à la réparation des harnais ou à de menus ouvrages de cordonnerie. Les peaux de mouton leur servent à confectionner des mitaines de travail ou des genouillères. Il n'y a que pour les chaussures que l'on s'adresse au cordonnier du village. Enfin, du poil des porcs abattus, la mère Casaubon confectionne des étrilles, brosses à poêle, brosses à bardes et pinceaux à blanchir.

En juillet, ils ont fait la rentrée du foin ; en août et septembre, la récolte et le battage des grains. Dans ces trois dernières opérations, les femmes, la mère, la bru, Philomène, Eulalie et même la tante Julie, munies de fourches et de râteaux, ont prêté main-forte aux hommes.

Mais ce sont les femmes qui traient les vaches et qui voient au service de la laiterie. A l'occasion même, elles aident aux hommes à soigner les bestiaux. Ce sont les femmes seules qui sont chargées de faire dans le jardin les cultures qui s'exécutent à la bêche ou à la pioche. C'est la mère Casaubon qui s'occupe spécialement de la plantation de tabac. C'est elle qui au printemps, a fait les semis en boîtes, qui plus tard les a transplantés, a sarclé, arrosé, édrageonné la plantation. Ce sont encore les femmes qui sont chargées presque seules de la culture du lin ; les hommes ne leur donnent de l'aide que pour l'arrachage et le battage de la plante. Ce sont aussi, les femmes qui tondent les moutons, pendant que les hommes tiennent les bêtes immobiles.

Source : Léon Gérin et l'habitant de Saint-Justin, op. cit., p. 59-62.

Dans la société préindustrielle, on observe aussi une symbiose entre la famille et le travail. Vie de famille et vie de travail ont lieu au même endroit et sont étroitement imbriquées. Cette symbiose est évidente chez le cultivateur propriétaire de sa ferme. Elle existe aussi dans la famille de l'artisane et de l'artisan : couturière, cordonnier, forgeron, boulanger travaillent et vivent dans leur maison-atelier. L'avènement des premières manufactures, en augmentant considérablement le travail à la pièce fait à domicile, maintient le caractère productif de l'unité familiale. Mais l'avènement des grandes fabriques où les machines remplacent les millions de gestes des artisans à domicile draine hommes et femmes vers les fabriques. Une partie du travail productif de la famille se fait maintenant à l'extérieur. Pour se nourrir, se loger, se vêtir, il faudra de

Femme cuisant son pain dans un four extérieur, à La Malbaie.
Musée McCord, université McGill, Montréal

plus en plus fréquemment travailler hors de la famille. La famille devient, pour une partie de ses membres, le lieu où on ne travaille pas. Peu à peu, ce sera le lieu de travail des mères de famille seulement.

L'industrialisation modifie aussi l'organisation de la vie rurale. Les produits des fabriques se vendent partout et même dans les coins les plus reculés du Québec où, depuis les années 1870-1880, on peut commander par catalogue. Les produits choisis sont livrés soit par la poste, soit par chemin de fer. La famille rurale perd ainsi un peu de son autosuffisance et devient consommatrice des produits des nouvelles industries. Le travail traditionnel des femmes se modifie et un peu partout comme le note Gérin : « Les toiles et étoffes du pays sont de plus en plus remplacées par les cotonnades, les indiennes, les tweeds et les draps du commerce. »

La famille abandonne certaines fonctions productives pour acquérir des fonctions de consommation. Dans cette transformation, les hommes et les femmes ne s'orientent pas de la même façon. Alors que les agriculteurs québécois qui se spécialisent dans la production laitière produisent pour le marché urbain et reçoivent en échange du numéraire qui permet d'acheter des produits manufacturés, les femmes rurales ont un travail encore essentiellement axé sur l'autosubsistance et la reproduction du groupe familial, travail qui ne rapporte pas de numéraire. En milieu rural, à mesure que l'agriculture devient commerciale, les femmes n'ont plus la même fonction économique que les hommes. Désormais, les familles regroupent des membres qui ont des fonctions économiques différentes et les anciens rapports d'interdépendance se transforment en rapport de dépendance entre ceux qui ont des revenus et ceux qui n'en ont pas. La transformation des femmes d'anciennes productrices rurales qu'elles étaient en ménagères rurales s'opère lentement et les femmes de certaines régions résistent longtemps à ces modifications dans leur travail en produisant, jusque tard au 20e siècle, ce qui était nécessaire à la vie de leur famille.

En milieu urbain, la transformation se fait plus rapidement. Il est difficile d'avoir un jardin en ville, car le développement des villes industrielles est accompagné d'un processus de spéculation foncière et d'utilisation maximale des espaces urbains. On construit

---

Une « créature » qui ne se considère pas l'inférieure de son mari...

En 1886, Léon Gérin observe la famille Casaubon à Saint-Justin. *Madame Casaubon est une femme énergique et entendue. Elle paraît occuper dans la famille une position à peu près égale à celle du père (...) Elle peut bien parfois ne pas être à table pendant que les hommes mangent ; mais c'est plutôt parce qu'il y a presse d'ouvrage, que la table est trop petite et le service trop limité. Elle ne se considère pas l'inférieure de son mari (...) Fait significatif, son mari manque rarement de la consulter avant de conclure le moindre marché.*
Et Léon Gérin de noter qu'ici comme en Vendée, on a l'habitude familière de dénommer les femmes de l'appellation de « créatures », mais, ajoute-t-il, « ce terme n'a pas ici une signification avilissante »...

Source : Léon Gérin et l'Habitant de Saint-Justin, op. cit., p. 86-87.

maintenant des maisons en rangée à plus d'un étage et, dans les fonds de cour encore disponibles, se dressent les logements ouvriers. Le processus est d'autant plus rapide à Montréal que la majorité des citadins sont des locataires. Le peu d'espace disponible oblige donc les ménagères urbaines à travailler de plus en plus à l'intérieur des maisons et à abandonner progressivement jardins et petites productions agricoles. Tout comme l'industrialisation, qui fut un lent processus s'étalant sur plusieurs décennies, l'avènement de sa contrepartie, c'est-à-dire de l'invisibilité du travail des ménagères, s'est développé sur plusieurs générations de femmes.

Avoir de nouveaux instruments de travail

Dans les fabriques de nouvelles machines font désormais le travail des artisans. La nouvelle technologie tend à se répandre dans tous les secteurs de la production, y compris le travail ménager. Des inventeurs de tout acabit font breveter de multiples appareils ménagers qui ont tous, à des degrés divers, la prétention de réduire le travail ménager. L'historienne américaine S.M. Strasser constate qu'il y a un écart considérable entre la date de l'invention des appareils domestiques d'une part et leur diffusion et utilisation par les ménagères d'autre part. Même si la plupart des appareils ont été inventés et brevetés avant 1900, dit-elle, seules quelques femmes fortunées ont pu ressentir les « bienfaits » de la technologie. Aux États-Unis, les innovations technologiques, à cause de la lenteur de leur diffusion, ont eu peu d'impact sur la vie domestique d'avant 1920. Les résidentes des grandes villes sont les premières touchées ; pour les résidentes des petites villes, il faudra attendre après 1930. Pour que la nouvelle technologie influence la vie des femmes, il ne suffisait pas que l'électricité soit inventée ou que des compagnies de gaz aient pignon sur rue. La Compagnie du gaz de Montréal, formée en 1847, se consacre d'abord à l'éclairage des rues, de même que les compagnies d'électricité qui voient le jour à Montréal à partir de 1878. Ces services sont distribués par des compagnies privées qui desservent surtout les entreprises industrielles, les municipalités et quelques citoyens fortunés.

Les produits offerts par le magasin *Eaton* dans son catalogue de 1901 nous renseignent sur ce qui est facilement disponible pour les acheteuses éventuelles. Les appareils électroménagers sont quasiment absents et *Eaton* n'annonce que quelques objets fonctionnant à l'électricité tels que des éventails, des sonnettes et des lampes. On retrouve autant de lampes à gaz et à l'huile que de lampes électriques, ce qui nous rappelle que l'électricité n'est pas encore la source première d'éclairage des maisons canadiennes.

Des innovations technologiques font leurs apparitions dans les cuisines. À Montréal, *Meilleur & Co.* produit en 1864 des poêles au charbon. Beaucoup plus efficaces que les anciens au bois, ces nouveaux poêles n'allègent guère, semble-t-il, le travail des ménagères. D'une part, explique Strasser, il faut surveiller autant qu'avant les jeunes enfants pour qu'ils ne se brûlent pas et, d'autre part, faire le feu est une tâche longue et malpropre. Elle rapporte une expérience menée en 1899 à l'école ménagère de Boston : le transport quotidien du charbon, l'allumage du feu, le nettoyage et l'entretien du poêle demandèrent 5 h 26 mn de travail pour les six jours que dura l'expérience. Pour la même période de temps, le poêle à gaz, quant à lui, totalisa 1 h 40 mn consacrée principalement au nettoyage, de quoi faire rêver toute ménagère, mais, hélas, ce poêle était probablement inabordable pour la majorité des ménages.

Une grande partie du temps des ménagères est monopolisée par la préparation des repas. Tant à la ville qu'à la campagne, il y a des étapes préalables à la confection de mets. Si on avait salé les aliments pour les conserver, il fallait, au moment de la consommation, les dessaler. Au marché, on trouve des volailles, mais la ménagère doit les plumer et les vider. La viande peut être offerte en coupes immédiatement comestibles, mais son prix est élevé. La plupart du temps d'ailleurs, on retrouve de la viande marinée, salée ou fumée ; ce n'est qu'avec l'utilisation massive des réfrigérateurs qu'il sera possible d'avoir régulièrement de la viande fraîche.

L'alimentation des Québécois s'est considérablement modifiée au cours du siècle. Les crises successives de la production du blé ont stimulé la culture des pommes de terre, puis de l'avoine. Chez les Casaubon, ces agriculteurs dont la vie a été scrutée si attentivement par Léon Gérin en 1886, les aliments qu'on consomme le plus sont le pain qu'on boulange une fois la semaine, la soupe aux pois, le lard et les pommes de terre. On mange aussi de la soupe au riz, de la soupe aux choux, de la galette de sarrasin ; les divers animaux et volailles de la ferme finissent souvent leurs jours sur la table familiale. Les pâtisseries et les confitures de petits fruits sont réservées pour les dimanches, les jours de fête ou de grands travaux. Enfin, on boit surtout du thé et du lait. Les Casaubon sont des gens qui vivent encore d'une agriculture d'autosuffisance et qui résistent bien à l'invasion du marché.

Dans plusieurs fermes où la spécialisation de l'agriculture a entraîné l'abandon des petites productions, il faut s'approvisionner chez le marchand. Il en est de même pour la population des villes et des villages qui ne produit certes pas tout ce qu'elle consomme. Le développement d'un réseau ferroviaire entraîne une diversification dans l'alimentation. Fruits et légumes peuvent être transportés dans des wagons frigorifiques qui font leur apparition aux États-Unis en 1865, après la guerre civile. L'industrie de la conservation alimentaire connaît aussi une certaine expansion durant les dernières décennies du siècle ; au Québec, cette industrie démarre après 1870 et de plus en plus de produits en conserve se retrouvent sur le marché. Le coût des conserves est cependant élevé : la boîte de corned-beef et la boîte de pêches se détaillent 15¢ l'unité en 1901, soit approximativement le salaire d'une heure de travail. Inutile de préciser que la ménagère de milieu ouvrier n'a pas les moyens d'offrir du « prêt-à-servir » à ses enfants.

Les tâches reliées à l'utilisation de l'eau constituent une partie importante du travail ménager. Montréal modernise son réseau d'aqueduc dans les années 1850, mais avoir un système de distribution d'eau n'est cependant pas synonyme d'eau courante tel que nous le connaissons aujourd'hui. L'eau peut être disponible à proximité des maisons et les ménagères doivent chaque jour charroyer des seaux d'eau à l'intérieur afin de faire la lessive, la vaisselle, le lavage des planchers, et l'entretien général de la maison. À la fin du siècle, les maisons montréalaises ont maintenant l'eau courante, mais on recense plus de 5000 logements qui ont des « toilettes extérieures avec fosse dans le sol », ce qui signifie, en certaines saisons ou la nuit, l'utilisation de « pots de chambre » et, il va sans dire, leur nettoyage.

La venue de l'eau courante dans chacune des maisons modifie la vie domestique. L'historienne suisse Geneviève Heller remarque que la lessive qui était auparavant une activité de société devient, avec l'eau courante, une affaire privée et individuelle, et sape par le fait même une des bases du caractère communautaire du travail domestique. L'état des recherches sur la vie domestique au Québec ne permet pas de vérifier si le travail domestique comportait de telles dimensions communautaires.

Ce que la venue de l'eau courante modifie très certainement, c'est la notion même de propreté. Un accès plus facile à l'eau change les critères de propreté : on lave plus souvent vêtements et objets, et la propreté corporelle devient le thème privilégié des hygiénistes. Cependant, la lessive, étant la tâche ménagère la plus fastidieuse, est peu modifiée par les innovations techniques : 2000 brevets d'invention de machines à laver sont enregistrés aux États-Unis vers 1869, mais la plupart de ces machines qui sont commercialisées sont destinées à des entreprises. Les quelques rares appareils destinés aux travaux domestiques, souligne Strasser, n'économisent finalement que peu de temps et de travail. La lessive a de tout temps été une tâche qu'il était possible de confier à l'extérieur : il y a toujours eu des femmes souvent des mères de famille, dont c'était le métier de laver le linge des autres. Ce n'est donc pas dans chaque foyer que la lessive accapare une grande partie du temps.

Enfin, là où la technologie a envahi la vie de la plupart des femmes, c'est dans la confection des vêtements. Quinze ans après l'invention de la machine à coudre en 1846, l'industrie québécoise du prêt-à-porter n'en est qu'à ses premiers balbutiements mais, en 1871, la valeur de la production atteint déjà près de 6 millions de dollars et elle triple en 30 ans. De plus en plus de vêtements sont offerts sur le marché mais, jusqu'à la fin du siècle, on fabrique beaucoup plus de vêtements pour hommes. Donc, la plupart des mères doivent continuer à coudre pour elles-mêmes et pour leurs enfants. La machine à coudre est importante dans la vie des femmes parce qu'elle permet une confection beaucoup plus rapide des vêtements familiaux et parce qu'elle permet aux femmes de rester à la maison et d'effectuer des travaux confiés par l'industrie.

Coudre à la maison

Les salaires insuffisants et irréguliers forcent souvent les femmes des familles ouvrières à s'engager dans un travail rémunéré. Durant les premières années de l'industrialisation, nombreuses sont les femmes et les mères de famille à prendre, elles aussi, le chemin de l'usine avec leur mari et leurs enfants. Cependant, plus nombreuses encore sont celles qui prennent un travail rémunéré à domicile, travail qui permet de contribuer financièrement à la subsistance familiale et de continuer le travail domestique essentiel aussi à la survie de la famille.

L'industrie de la confection caractérisée par le travail à domicile permet aux femmes d'associer encore pour quelques décennies habitat et travail rémunéré. Cette industrie, la quatrième plus importante du Québec quant à la valeur de la production, est dotée

Annonce publicitaire de machine à coudre vantant les bienfaits qu'elle procure à la couturière.
Musée McCord, université McGill, Montréal

d'une organisation particulière ; il existe peu de grands établissements de confection et, dans ces derniers, on y effectue surtout la
coupe des vêtements. Les pièces ainsi taillées sont envoyées à
l'extérieur pour y être cousues. L'historienne Suzanne Cross
rapporte qu'en 1892 la compagnie J.W. Mackedie emploie 900
ouvrières à domicile et la compagnie H. Shorey, qui n'emploie
que 130 ouvrières en atelier, en embauche 1400 à domicile.
« Tout notre ouvrage est fait par des familles, la mère et les filles
travaillant ensemble et nous payons tant par pièce... », explique un
entrepreneur devant la Commission sur les relations entre le capital

et le travail (1886). Le phénomène est si répandu qu'une enquête menée par W.L. Mackenzie King en 1898 révèle que les trois quarts des vêtements fabriqués à Montréal le sont dans des centaines de petits ateliers et dans des milliers de maisons par des femmes juives et canadiennes-françaises.

Le chemin de fer permet à ces entreprises d'avoir accès à une main-d'oeuvre rurale : on envoie les pièces à coudre par train et ce, dans des villages situés jusqu'à une trentaine de milles de Montréal. Si plusieurs femmes sont propriétaires de leur machine à coudre, plusieurs autres travaillent sur des machines louées ou fournies par le manufacturier.

Ce type de travail est fréquemment désigné sous le nom de *sweating system*, c'est-à-dire « régime de la sueur ». Sous ce terme, on fait cependant référence à des réalités différentes : les entreprises de confection peuvent donner directement le travail à des ouvrières à domicile ou passer par des sous-contractants qui recrutent eux-mêmes les ouvrières, leur distribuent le travail, le contrôlent et les paient après avoir gardé pour eux-mêmes une bonne commission. Dans d'autres cas les ouvrières sont rassemblées dans un petit local de fortune afin de répondre à certaines commandes : les conditions de travail de ces petits ateliers improvisés sont réputées pour être particulièrement malsaines et l'exploitation des ouvrières y est telle qu'on les nomme aussi « ateliers de surmenage ».

La confection dans le cadre du *sweating system* donne lieu à une exploitation économique particulièrement criante. Mackenzie King révèle dans le rapport de son enquête qu'en « (...) trimant soixante heures par semaine, une femme gagne 2$ à 3$ par semaine tandis qu'un charpentier fait 3$ par jour ». Il aurait été impossible, dit-il, que ces femmes vivent à partir de leur seul gagne-pain.

La loi des manufactures de 1885, première intervention du gouvernement provincial dans les relations de travail, ne s'applique qu'aux entreprises de plus de 20 employés. Les modistes et couturières travaillant en majorité à domicile ou dans de petits ateliers sont exclues de la protection de la loi et peuvent donc être astreintes à travailler plus longtemps que le maximum légal permis pour les femmes, soit dix heures par jour.

En 1894 est votée la Loi des établissements industriels qui s'applique aux entreprises, quelle que soit leur taille. Si certains ateliers de « surmenage » sont désormais régis par la Loi, le travail à domicile y est toujours exclu. L'inspectrice de manufactures, Louisa King (qui doit d'ailleurs son poste aux pressions des féministes), constate en 1898 :

> *Concernant le « sweating system » dont on parle tant, je dois dire que je n'ai pu en découvrir les traces dans mon district. Quand j'ai demandé aux fabricants de me donner l'adresse de ceux qui travaillent pour eux et qui ont des employés, ils m'ont presque toujours répondu que l'ouvrage était fait dans des ateliers de famille sur lesquels l'inspecteur n'a point de contrôle.*
>
> *Je me permettrai donc de suggérer que les ateliers de famille soient placés sous la Loi (...) L'inspecteur pourrait alors atteindre plusieurs endroits où la santé du public est en danger et où les ouvriers travaillent dans des conditions fort nuisibles[4].*

Malgré les conditions difficiles de ce travail, les femmes rurales et urbaines s'y adonnent pendant longtemps car elles y voient une des seules façons de concilier travail ménager, soin des enfants et revenu financier. Les autres possibilités sont minces : prendre des pensionnaires a permis à des milliers de femmes de boucler leur budget, mais cette solution n'est pas toujours possible quand les enfants sont jeunes et occupent tout l'espace des logements urbains déjà exigus. Faire des lavages chez soi est une autre solution qui pose cependant des problèmes de conciliation d'horaire avec les autres tâches domestiques et encombre passablement l'espace lorsque le temps ne permet pas de faire sécher les vêtements à l'extérieur.

Que le travail à domicile ait été mal payé et source d'exploitation, il est probable que les femmes en aient été conscientes, étant assez informées sur les salaires industriels. Cependant, il faut se rappeler que dans les sociétés préindustrielles les femmes ne s'attendaient pas à vivre par leur seul travail, car la survie de tous était assurée par le travail conjoint du groupe familial. Ces anciennes conceptions se transplantent dans le travail industriel à domicile et les femmes y voient surtout le grand avantage de concilier travail domestique et revenu. De plus, mis à part les périodes de difficultés économiques où elles doivent assumer par ce seul travail la survie de toute la famille et travailler de très longues heures, les ouvrières à domicile peuvent généralement contrôler l'organisation de leur temps puisqu'elles sont payées à la pièce et non à l'heure.

Ce qui, de nos jours, est perçu comme une surexploitation des femmes à la maison peut être considéré comme une adaptation particulière des femmes à l'industrialisation et comme une stratégie qui leur a permis de retarder le moment de leur transformation en ménagères économiquement dépendantes d'un mari pourvoyeur.

Notes du chapitre VI

1. Extraits du journal, 7 avril et 21 septembre 1875, Fadette, *Journal d'Henriette Dessaules 1874-1880*, Montréal, Hurtubise HMH, 1971.

2. *Le Journal de Québec*, 20 mai 1847, cité dans F. Ouellet, *Histoire économique et sociale du Québec 1760-1850*, Montréal, Fides, 1966.

3. Lettre de Julie Bruneau à L.-J. Papineau, 23 février 1836, dans *Rapport de l'Archiviste de la Province de Québec*, nos 38-39.

4. Cité dans J. De Bonville, *Jean-Baptiste Gagnepetit, Les travailleurs montréalais à la fin du XIXe siècle*, Montréal, éditions de l'Aurore, 1975.

VII

Travailler sous un autre toit

Gagner sa vie au 19e siècle implique, la plupart du temps, qu'on quitte sa maison pour s'engager ailleurs comme domestique, ouvrière ou institutrice. En 1891, 13,4 p. 100 de la main-d'oeuvre au Québec est composée de femmes. Dix ans plus tard, la proportion passe à 17,8 p. 100. Si on considère la population féminine, on constate qu'une Québécoise sur dix âgée de dix ans et plus (9,8 p. 100) est engagée dans une occupation rémunérée en 1891. Ce sera le cas pour 12,8 p. 100 des Québécoises en 1901.

Le secteur où les femmes sont employées et les métiers qu'elles exercent sont restreints. En 1891, 45 p. 100 des travailleuses sont classées dans les « services domestiques et personnels » et l'immense majorité de ces travailleuses sont des domestiques. Un groupe important se retrouve en manufactures : 33,6 p. 100 des travailleuses. Encore là, un métier domine car plus de la moitié des ouvrières sont en fait des couturières. Le secteur dit « professionnel » regroupe 10,3 p. 100 des travailleuses et les 9/10 de ces « professionnelles » sont des institutrices. Enfin, le dernier 10 p. 100 des travailleuses oeuvrent dans le secteur agricole et des pêcheries (5,4 p. 100) ou encore dans le commerce et le transport (5,6 p. 100). Ces travailleuses sont, pour la plupart, des cultivatrices, des commis ou des vendeuses.

Domestiques

Source première de l'emploi féminin, la domesticité se présente sous des formes multiples. La servante de ferme, la bonne à tout faire dans une famille de la ville, la cuisinière d'une grande maison bourgeoise ou d'un hôpital et la ménagère d'un presbytère ou d'un couvent sont toutes des domestiques. Mais leurs conditions de vie et leur travail quotidien diffèrent radicalement d'un endroit à l'autre. De plus, à côté de celles qui sont engagées à plein temps, il y a toutes les femmes qui font par-ci par-là une journée de ménage dans des familles qui n'ont pas les moyens d'avoir des domestiques à plein temps.

De toutes ces travailleuses on sait peu de choses. Ce travail, tout comme le travail de mère de famille, se fait dans le secret des familles. On sait que c'est, au début du siècle, le principal métier des femmes mais à mesure que le siècle avance, la domesticité prend moins d'importance en tant que secteur d'emploi puisqu'au Canada, en 1891, les domestiques ne représentent plus que 41 p. 100 de la main-d'oeuvre féminine.

Il y a aussi moins de maisons où on retrouve des domestiques. L'historienne Claudette Lacelle qui a étudié la domesticité urbaine recense à Québec, au début du siècle, des domestiques dans un ménage sur cinq. En 1871, la proportion tombe à un ménage sur dix. Les employeurs sont des commerçants, des professionnels, des fonctionnaires ou des rentiers. Ce ne sont pas des gens assez riches pour avoir plusieurs domestiques et les deux tiers de celles-ci travaillent seules avec leur maîtresse ; elles sont donc des bonnes à tout faire.

Au début du siècle, les contrats d'engagements sont peu explicites sur les tâches. La domestique s'engage à obéir à son maître « (...) en tout ce qu'il lui commandera de licite et d'honnête ». Dans la seconde moitié du siècle cependant, ces tâches doivent être exécutées selon des règles de plus en plus précises, car on assiste à cette époque à un mouvement de rationalisation de l'organisation ménagère. De nombreux traités d'économie domestique et de manuels à l'usage des domestiques sont publiés en Europe à partir des années 1840 et inspirent les maîtres d'ici.

Les tâches sont multiples : la domestique est chargée de l'entretien de la maison, de la cuisine, de l'approvisionnement, du jardin potager que plusieurs maîtres possèdent même à la ville et, parfois, du soin des enfants. La lessive est souvent faite par une femme engagée à la journée spécialement pour cette tâche, mais il arrive que la domestique en soit aussi chargée. Il va sans dire qu'on lui réserve aussi certaines tâches particulièrement lourdes ou pénibles telles l'allumage des feux au lever du jour ou le nettoyage des poêles.

Maîtresse faisant ses recommandations à sa domestique, en 1882.
Archives publiques du Canada

La journée est longue : de 16 à 18 heures de labeur quotidien, 6 jours par semaine, sous le même toit que ses employeurs. La nuit n'apporte pas nécessairement le repos : consoler les jeunes enfants qui se réveillent la nuit ou veiller les malades peut faire partie du travail. Le temps de congé se limite au dimanche, après midi.

Faire les courses est pour certaines un des rares moments de liberté ou de distraction de la journée. Au marché, il n'y a pas que les victuailles ou les diverses marchandises offertes, on y voit parfois des attractions, des forains et des spectacles de funambules. On y rencontre peut-être des connaissances, un amoureux, des amies et d'autres domestiques. On peut y bavarder, échanger les nouvelles et qui sait, y trouver un mari.

L'organisation spatiale des villes du 19e siècle permet le voisinage et les rencontres plus fréquentes. Vers la fin du siècle cependant, les familles possédantes quittent les centres-villes et entraînent leurs domestiques dans leur émigration progressive vers les faubourgs. Plus loin des centres et des marchés, les domestiques connaîtront de plus en plus l'isolement de la ménagère moderne.

La domesticité n'est pas qu'un travail, c'est aussi un toit. En 1871, 70 p. 100 des domestiques urbaines, d'après Lacelle, sont résidentes. Ceci signifie donc que, lorsqu'elles sont mises à pied, elles perdent aussi leur logis. Généralement, elles sont logées au grenier ou près de la cuisine, dans une petite pièce meublée fort sommairement ; lorsque plusieurs domestiques travaillent dans une même maison, les femmes ont des chambres plus petites que celles des hommes ; ces derniers ont même parfois un vestibule devant leur chambre.

Peu d'informations nous sont parvenues sur les relations entre maîtres et domestiques. Dans la correspondance de la famille Papineau, il y a ça et là des allusions au personnel domestique. Certains, comme Marguerite qui élève presque tous les enfants du couple Bruneau-Papineau, font partie de la famille. Ainsi, Marguerite est tellement intégrée à la vie familiale qu'elle suit les Bruneau-Papineau en exil à Paris. À l'occasion il est question d'elle dans les lettres que Julie Bruneau envoie à ses enfants demeurés en Amérique.

Cette attitude familiale face à une domestique, si elle est probablement fréquente, ne se retrouve pas partout. Dans les maisons où la patronne est trop exigeante, le roulement de personnel est élevé. Louis-Joseph Papineau fustige sa fille Azélie parce que « (...) elle ne peut conserver ses engagés ». « Il lui en manquera toujours, dit-il, parce qu'elle ne sait commander personne avec ménagement ! » Si le grand Papineau se préoccupe des problèmes domestiques de sa fille, c'est que, lorsqu'Azélie perd ses domestiques, c'est la famille qui doit la dépanner... Ces remarques de Papineau sont intéressantes parce qu'elles révèlent non seulement les problèmes que causent aux familles les départs des domestiques, mais aussi parce qu'elles indiquent que ces dernières n'hésitent pas à quitter les patronnes trop autoritaires.

Femmes de la maisonnée mais étrangères à la famille, elles vivent au milieu de gens d'une classe sociale différente de la leur, mais ne vivent pas comme ces gens puisque c'est leur travail qui permet aux autres de vivre différemment. Elles sont aussi différentes puisque, souvent, elles viennent d'un milieu rural. Le service domestique est un milieu privilégié d'intégration des jeunes rurales à la ville.

La distance maîtres-domestiques s'est aussi probablement accrue au fur et à mesure que les domestiques deviennent des étrangères au sens ethnique du terme. Au début du siècle, les domestiques sont, la plupart du temps, de même nationalité que leur maître. En 1871, les domestiques d'origine irlandaise et écossaise forment près de 70 p. 100 du personnel résident des demeures des quartiers cossus de Montréal ; à Québec, 59 p. 100 sont canadiennes-françaises et 33 p. 100, irlandaises. Ces immigrantes sont particulièrement sujettes au mépris, à tel point que *Le Journal de Françoise* dénonce, en 1903, les réactions négatives de la population à l'annonce de l'arrivée d'une « cargaison » d'immigrantes « (...) recueillies sur le pavé des grandes villes de la Grande-Bretagne ».

Un travail dans une maison ne garantit certes pas l'intégration au milieu familial. La construction, au cours du 19e siècle, d'escaliers de service menant de la cuisine à la chambre de la bonne est en soi révélatrice de l'exclusion spatiale et familiale des domestiques. Généralement, elles prennent leurs repas à part dans la cuisine. Les familles ne semblent pas non plus considérer qu'elles ont des responsabilités sociales face à leurs domestiques. On assiste à Montréal, durant la période estivale, à plusieurs mises à pied lorsque la bourgeoisie va s'installer en villégiature dans les endroits à la mode sur la côte de Charlevoix ou à Cacouna et, également, en période de récession économique. Il ne reste plus à ces femmes qu'à se dénicher dans la journée même un endroit où coucher et si possible un nouvel emploi. On est alors loin de la famille d'accueil qui protège la jeune campagnarde de la corruption et des dangers de la ville.

L'insécurité et la vulnérabilité des domestiques en chômage ou mises à pied permettent d'illustrer que, si le service domestique offre un toit, il n'offre pas nécessairement la sécurité, la chaleur et la protection de la vie familiale comme le prétendent les recruteurs de domestiques. La société canadienne tente de régler à cette époque ce qu'on appelait la « crise domestique » ou la « crise de la domesticité ». Bien que formant encore 41 p. 100 de la main-d'oeuvre féminine au Canada en 1891, les domestiques sont devenues rares. Pour les travailleuses, la domesticité n'est plus le seul débouché : l'usine offre des salaires et une liberté, en dehors des heures de travail, incomparables aux conditions prévalant dans les maisons. Et c'est en grand nombre que les jeunes femmes vont en manufacture.

La crise domestique, c'est non seulement la pénurie de domestiques mais c'est aussi les problèmes liés à la très grande mobilité du personnel. Quitter son emploi, changer de place, c'est souvent la seule façon de protester contre de mauvaises conditions de travail et d'améliorer sa situation. Crise, aussi, parce que les « bonnes » domestiques sont rares et les plaintes de maîtresses de maison concernant l'absence de formation des domestiques se font de plus en plus nombreuses.

Et vous êtes heureuse ainsi ?

Henriette Dessaules, jeune fille de 15 ans de milieu bourgeois, raconte dans son journal intime sa rencontre, le 23 octobre 1875, avec la couturière qui travaille pour sa famille 6 jours par semaine, 12 heures par jour :

J'ai découvert une belle âme. Rosalie notre petite couturière (elle est très vieille, 30 ans au moins...) est toujours seule dans la chambre de couture et hier je passais très nonchalante près d'elle : « Vous êtes bien pâlotte, mam'zelle Henriette, êtes-vous fatiguée ? » « Je suis surtout bien « tannée » Rosalie. » « Et de quoi ? » « Oh de moi, je suppose ! » « Vous êtes pourtant bien heureuse, mam'zelle. » « Moi heureuse ? » « Mais oui, vous avez de bons parents, tout à « souhaitte », vous êtes riche, vous restez dans une belle maison, vous êtes servie comme si vous étiez manchotte, vous vous instruisez dans toutes les sciences. Y'en a pas beaucoup de si heureuse que vous ! » Je ne répondis pas tout de suite. À elle, que pouvais-je répondre ? « Et vous Rosalie, questionnai-je, vous n'êtes pas heureuse ? » « Faites excuse, mam'zelle, je suis bien contente de mon sort. » « Vous demeurez chez vos parents ? » « Non, ils sont tous morts. Je loue une petite chambre où je vis toute seule, mais pas longtemps, ajoute-t-elle avec son bon sourire, puisque je travaille ici tous les jours de 7 heures à 7 heures. Quand je sors d' « icitte » le soir, je vais faire mes prières à l'église puis en arrivant je me couche pour me lever à cinq heures le lendemain. » « Et le dimanche ? » « Je passe beaucoup de temps à l'église et de temps en temps j'écris à mon neveu qui est vicaire aux États-Unis. » « Et vous êtes heureuse ainsi ? » « Oui, je fais mon devoir tant que je peux et je sais que le Bon Dieu fera le sien vis-à-vis de moi. » Je l'ai laissée, toute songeuse...

Source : Fadette, *Journal d'Henriette Dessaules 1874-1880*, Montréal, Éditions Hurtubise HMH, 1971, p. 82.

Pour résoudre cette crise, on tente diverses solutions qui vont du recrutement en milieu rural à l'immigration, de la formation professionnelle à des projets de services collectifs. Dès le 18e siècle, on avait favorisé l'immigration de domestiques portugaises. Au 19e siècle, on ira les chercher particulièrement dans les Îles britanniques. C'est le moyen le plus populaire pour tenter de régler la crise domestique. Des sociétés d'émigration se forment en Grande-Bretagne et des associations vouées à l'accueil et au placement se développent dans les colonies. Entre 1880 et 1920, la British Women's Emigration Association est la principale agence de recrutement de personnel domestique en provenance des Îles britanniques. Si des Anglaises oeuvrent dans le domaine de l'émigration, c'est en fonction de certains critères. La bourgeoisie anglaise, tout comme la bourgeoisie canadienne, vit la crise domestique. Ce ne sont donc pas des domestiques d'expérience qu'on envoie aux colonies mais des femmes sans métier, des chômeuses ou des paysannes qui, victimes de la pénurie de terres, affluent vers les villes.

L'immigration féminine est bienvenue au Canada et même encouragée par l'État qui subventionne une société telle la Women's National Immigration Society. L'État fait même de la promotion : les agents d'immigration vantent les mérites de la société canadienne qui serait plus démocratique et où les domestiques seraient intégrées à la vie familiale. Ils attirent des recrues en leur promettant des salaires deux fois plus élevés que ce qu'ils sont en réalité.

Mais cette immigration est bienvenue en autant que les femmes se fassent domestiques. Pour s'assurer qu'elles se rendent à bon port et qu'elles ne soient pas détournées vers d'autres emplois ou vers la prostitution, les sociétés d'émigration envoient leurs immigrantes accompagnées d'un chaperon. À leur arrivée aux villes portuaires canadiennes, elles sont prises en charge par des associations qui leur offrent temporairement gîte et couvert jusqu'à ce qu'elles soient placées dans des foyers.

Ce recrutement externe ne résoud toutefois pas la crise domestique. Ces immigrantes s'avèrent aussi « instables » que les domestiques nées au pays. Une des solutions préconisée par les femmes de la bourgeoisie est alors la professionnalisation du métier. Moins de domestiques, mais des domestiques plus efficaces et déjà formées par les institutions scolaires. Elles espèrent ainsi qu'une formation professionnelle leur évitera de recommencer sans cesse la formation sur le tas de leurs domestiques et que, par le fait même, on améliorera la réputation du métier en le rendant plus attrayant pour les jeunes femmes. C'est dans la foulée de ce mouvement que sont tentées diverses expériences. Ainsi, dès 1860, on initie au travail domestique les jeunes placées à la Home and School of Industry ; on fait de même dans les orphelinats tenus par les communautés religieuses. En 1895, la Young Women's Christian Association fonde une école de couture et de cuisine. Les associations féministes en viennent toutes à préconiser l'intégration d'un programme d'enseignement ménager dans les écoles. C'est dans ce climat de pénurie de personnel domestique que se forment au Québec les premières écoles ménagères.

La crise domestique se prolongera et s'accentuera au cours des premières décennies du 20e siècle. Les tentatives de canaliser la main-d'oeuvre féminine vers le travail domestique seront plus ou moins fructueuses. C'est que de nouvelles perspectives de travail s'offrent aux femmes en dehors de l'univers domestique.

Ouvrières

Avant 1850, on compte bien quelques industries, mais le mouvement d'industrialisation démarre véritablement dans la seconde moitié du siècle. Tant dans l'ensemble du Québec qu'à Montréal, un nombre restreint d'industries embauchent des femmes : les industries du vêtement, les usines de textile (coton, laine et soie), les manufactures de chaussure, de tabac et de caoutchouc. Ailleurs qu'à Montréal on retrouve également des femmes dans des manufactures d'allumettes, des conserveries de poisson et des conserveries de fruits et légumes.

Au Québec, en 1891, un ouvrier de manufacture sur cinq est une femme. Comme une grande partie des industries employant des femmes sont situées à Montréal et à Québec, on remarque que dans ces villes près d'un ouvrier sur trois est en fait une ouvrière.

L'historienne D.S. Cross qui a particulièrement étudié la situation des Montréalaises constate qu'entre 1871 et 1891 la proportion des femmes chez les travailleurs industriels diminue : elle passe de 33 p. 100 de la main-d'oeuvre à 28 p. 100 en 20 ans. Les nouveaux emplois, explique-t-elle, s'offrent moins aux femmes qu'aux hommes.

Les métiers féminins sont peu variés. Il y a bien entendu des exceptions et, à cette époque comme aujourd'hui, l'exception sert souvent à camoufler le faible éventail professionnel des femmes.

Les féministes rédactrices du recueil *Femmes du Canada* en 1900, constatent :

> *Les femmes se font placer dans beaucoup de genre d'ouvrages qui étaient considérés jusqu'ici comme des emplois exclusivement réservés aux hommes. (...) Parmi ces emplois, mentionnons la décoration des maisons (peinture d'intérieur), peinture à fresque, culture maraîchère (...). Quelques femmes s'occupent de l'exploitation d'écuries de louage, ou de commerce de la glace.*

L'activité de quelques femmes dans des métiers « non traditionnels » est brandie comme une glorieuse « preuve de ce que peut faire une femme ». Ces mêmes féministes constatent néanmoins que les femmes touchent dans l'ensemble des salaires moindres que ceux des hommes. Cela ne signifie pas, affirment-elles, que leur travail soit à plus vil prix, mais simplement qu'on leur assigne des tâches différentes de celles des hommes. La discrimination salariale se camoufle déjà derrière un sexisme prononcé.

La vie d'une ouvrière est très dure. Six jours sur sept, tôt le matin, il faut quitter son lit pour entrer à l'usine à 6 h 30. Le moindre retard entraîne d'importantes coupures de salaire. Dans les filatures de coton une ouvrière surveille en moyenne quatre métiers à tisser. Ce travail ne demande pas une force considérable, il requiert surtout une attention soutenue, une concentration de tous les instants pour déceler les manques dans les tissus et une grande rapidité. Les erreurs d'inattention ou les maladresses sont punies d'une amende qu'on déduit à la source sur le salaire. Les cas d'amendes les plus extravagants concernent les manufactures de chaussures : l'ouvrière qui reçoit un centin pour chaque semelle se voit retirer quatre centins pour chaque semelle qui a un défaut !

Dans les filatures, la température est élevée, les machines bruyantes et l'air poussiéreux. Pour se détendre un peu, il faut attendre à midi et, après cette pause, le travail reprend jusqu'à 18 h 30 ou 19 h. Ce n'est qu'en 1885 que la journée de travail des femmes sera limitée à 10 heures par jour et à 60 heures par semaine. Cette loi étant fort mal observée, les journées de 12 ou 13 heures ne seront pas rares jusqu'à la fin du siècle.

Règlements et châtiments dans les entreprises ont une allure nettement paternaliste. Une ouvrière a dû payer 25¢ d'amende pour avoir pris un morceau de papier de toilette pour se friser les cheveux. Georgina Loiselle, 18 ans, ouvrière apprentie dans une fabrique de cigares, est battue par le propriétaire parce qu'elle

Ouvrières franco-américaines travaillant à la compagnie Amoskeag au New Hampshire vers 1895.
Le magazine OVO

refuse de fabriquer 100 cigares en surplus. Dans cette même fabrique, on a aussi l'habitude d'envoyer au *black hole*, espèce de cachot au sous-sol de la fabrique, des apprentis trouvés coupables de vols de cigares ou d'absences au travail. Le propriétaire justifie ces réprimandes devant la Commission du travail en invoquant que c'est à la demande même des parents qu'il châtie les apprentis. Dans bien des cas, la sévérité des employeurs face aux enfants ne devait apparaître aux intéressés que comme un simple prolongement de la discipline familiale, encore marquée par l'autoritarisme des parents.

La plupart des femmes sont payées à la pièce et non à l'heure. Certaines entreprises maintiennent une stricte division sexuelle du travail en payant les femmes au rendement et les hommes à la semaine. Travailler à la pièce signifie adopter un rythme de travail de plus en plus accéléré si on veut augmenter son salaire ou bénéficier de la prime de rendement. Travailler à la pièce, c'est aussi être à la merci de bris de machine sans compensation salariale, ou se retrouver devant des machines arrêtées parce que l'usine enregistre une surproduction. Les salaires moyens des femmes sont très bas et inférieurs à ceux des hommes comme l'indique le tableau suivant. En aucun cas, cependant, on ne peut dégager une moyenne annuelle à partir de ces salaires hebdomadaires car les périodes de chômage sont fréquentes, surtout en hiver où il est courant d'être mis à pied.

Les salaires des femmes varient beaucoup selon l'âge et l'occupation. L'historienne Trofimenkoff, qui a analysé les dépositions des femmes qui ont témoigné devant la Commission sur les relations entre le capital et le travail, rapporte qu'une fille de 14 ans gagne 2$ par semaine dans une imprimerie, l'ouvrière de 20 ans d'une filature de coton touche 4$, la couturière d'expérience, 7$ et enfin, la contremaîtresse d'une tannerie, 10$ par semaine. L'historien Harvey fait l'hypothèse qu'il en coûte à cette époque 9$ par semaine pour assurer la subsistance d'une famille. Avec de tels salaires, on imagine aisément la misère des veuves ou des femmes seules gagne-pain de leurs familles.

TABLEAU 4

Variations des salaires hebdomadaires de certains métiers à Montréal, été 1887*

Métier	Minimum	Salaire moyen approximatif	Maximum
Cordonnier (H)	5,50$	8,00$	15,50$
Cordonnier (F)	1,00$	4,00$	7,00$
Coton (H)	3,50$	5,00$	6,00$
Coton (F)	2,00$	4,50$	5,00$
Tailleur (H)	4,50$	8,00$	10,50$
Tailleur (F)	2,00$	3,00$	5,00$

* Il s'agit des salaires établis à partir des témoignages devant la Commission d'enquête sur les relations entre le capital et le travail.

Source : Fernand Harvey, *Révolution industrielle et travailleurs*, Montréal, Boréal Express, 1978, p. 150.

Les salaires des apprenties ou des jeunes ouvrières inexpérimentées sont encore moins élevés. Les maisons de pension et les institutions demandent 2$ par semaine à leurs pensionnaires. Dans un tel contexte ces ouvrières n'ont probablement pas d'autre choix que de vivre dans leur famille. Leur maigre salaire s'avère d'ailleurs essentiel à la survie de leurs parents, frères et soeurs. Le travail à l'extérieur de la famille ne pouvait certes pas être perçu comme un moyen d'atteindre une certaine indépendance et d'acquérir plus de liberté. Devant l'impossibilité de vivre seule avec son salaire, unir ses jours avec un homme qui fait le double de son propre salaire est souvent la seule façon de sortir de sa maison et de sa misère. C'est peut-être cela qui fera dire à une contremaîtresse que « (...) les jeunes couturières de son atelier sont plus intéressées à se marier qu'à prendre un travail permanent ».

Plusieurs observateurs du monde du travail croient que cet attachement des femmes au mariage et à la famille explique leur faible intérêt au travail et aussi aux luttes syndicales. Aucune recherche n'a encore été faite sur les femmes et le syndicalisme aux débuts de l'industrialisation. Certains faits épars laissent cependant soupçonner qu'elles n'étaient pas totalement indifférentes à leurs conditions de travail.

Ainsi, c'est en 1880, aux moulins Hudon d'Hochelaga, qu'a lieu la première grève importante dans les textiles. Elle est menée par 500 ouvrières qui réclament des augmentations de salaire et des réductions d'heures de travail. Jusqu'en 1900, la Montreal Cotton de Valleyfield connaît, quant à elle, sept grèves ; or, dans cette usine où plusieurs conflits sont violents, la majorité des ouvriers sont des femmes. À côté de ces grandes grèves, on signale de nombreux petits conflits spontanés. Harvey rapporte qu'à Saint-Hyacinthe, 15 ouvrières de la fabrique de laine Granite débrayent spontanément parce que le contremaître exige d'elles une nouvelle tâche qui réduit leur salaire à la pièce de moitié. Ces grèves spontanées, sortes de « jacqueries industrielles », sont très fréquentes au 19e siècle, et c'est souvent en dehors de tout soutien et de toute organisation syndicale que des ouvrières protestent.

L'organisation syndicale les Chevaliers du travail, qui regroupe les ouvriers non seulement par métiers mais aussi par industries, est sensible aux problèmes du travail féminin. Elle compte même dans ses rangs des chômeurs et des ménagères. Dans son manifeste publié en 1887, elle exige « (...) qu'on mette en application le principe : à travail égal, salaire égal pour les deux sexes ». Le Parti socialiste ouvrier adopte une résolution similaire dans son manifeste de 1894 et exige même le « (...) droit de suffrage universel et égal pour tous sans considération de croyance, couleur ou sexe ».

Parallèlement à ces appuis militants se dessine tout un courant de méfiance et d'hostilité face au travail des femmes. Les salaires inférieurs des femmes exercent une pression à la baisse sur les salaires masculins, car cette main-d'oeuvre sous-payée est dans plusieurs secteurs industriels en concurrence directe avec la main-d'oeuvre masculine. Alors qu'une partie du mouvement ouvrier veut en finir avec cette concurrence en réclamant des salaires égaux pour les femmes, une autre partie s'oriente plutôt vers une dénonciation du travail des femmes et préconise leur retour au foyer.

La Commission royale d'enquête sur les relations entre le capital et le travail, qui avait pour mandat d'étudier la condition ouvrière, a quasiment évacué les problèmes des ouvrières. En premier lieu, les femmes ne constituent que le 1/10 des témoins au Québec alors qu'elles forment le 1/5 des ouvriers. À cette sous-représentation numérique s'ajoute un biais dans les questions posées aux femmes. Trofimenkoff rapporte que les commissaires cherchent la dimension scandaleuse ou immorale du travail en manufacture. « Y a-t-il des toilettes séparées ? Y a-t-il des filles enceintes ? » demandent-ils. Peu de témoignages viennent confirmer cette présumée immoralité du travail en usine. Par ses questions sur l'état moral des ouvrières, cette commission d'enquête a réussi à passer à côté des conditions de vie et de travail des ouvrières et a évité le débat de fond sur l'exploitation des ouvrières en considérant le travail féminin comme une question morale. L'image d'indifférence ou de docilité accolée aux ouvrières n'est, finalement, peut-être pas sans raison. Les ouvrières de la Stormont Cotton Mills de Cornwall qui protestent contre leurs conditions de travail se font répondre que les remplaçantes sont nombreuses. Une ouvrière qui témoigne contre son employeur en Cour perd son emploi. La répression contre les indociles est vive. Devant la Commission du travail, 42 p. 100 des Canadiennes témoignent sous l'anonymat alors que seulement 2 p. 100 des hommes taisent leur nom.

Peur de parler, peur de protester. Peur de trop se faire remarquer puisque, déjà, on leur fait sentir que leur présence en usine est quasi illégitime. Peur de protester parce que déjà elles savent qu'elles ne pourront plus compter sur l'appui des syndicats ouvriers.

Pionnières ou maîtresses d'école

Lorsqu'une jeune fille possède une certaine instruction ou vient d'une famille aisée, il n'est évidemment pas question de se faire ouvrière ou domestique. La plupart du temps elle séjourne chez ses parents en attendant le jour de ses noces. Néanmoins, un nombre croissant de ces filles décident, par choix ou par obligation, de chercher un travail qui a un certain prestige.

À priori, la plupart des professions libérales leur sont interdites, soit parce qu'elles n'ont pas accès à l'université, soit que les corporations professionnelles refusent d'accepter des femmes parmi leurs membres. Ainsi, seules une dizaine d'anglophones qui ont étudié la médecine à l'université Bishop, à partir de 1889, deviennent médecins. L'université McGill n'admet les femmes qu'à son école normale et qu'à sa faculté des Arts : plus d'une centaine de filles vont y chercher des diplômes allant du baccalauréat au doctorat dans diverses disciplines humanistes ou scientifiques ; mais elles doivent se tourner vers l'enseignement pour gagner leur vie. Les autres facultés de cette université sont fermées aux femmes. En milieu francophone, la situation est encore plus désastreuse : les femmes ne sont admises à l'université que pour y écouter les conférences... Seules deux écoles normales, ouvertes en 1857 et en 1899, quelques écoles d'infirmières qui se fondent à la fin du siècle et quelques écoles privées de secrétariat sont ouvertes aux filles. Enfin, de nombreux couvents offrent une formation musicale, ce qui produira de nombreuses « maîtresses de piano ».

Çà et là surgissent donc des pionnières, journalistes, pharmaciennes, professeurs d'université, dentistes, éditrices, commerçantes ou encore fonctionnaires. Mais il s'agit d'exceptions qui se méritent souvent le titre de « première » et qui ont dû parfois livrer des combats épiques pour pratiquer leur métier.

Parmi les professions traditionnelles seul le journalisme est ouvert aux francophones. La prolifération des couvents a produit à la fin du siècle une pléiade de femmes instruites mais sans profession. Bon nombre d'entre elles verront dans l'écriture une façon de gagner leur vie. C'est donc doucement, à la maison, que l'on écrit et tente de faire publier ses premiers textes. Parmi celles qui collaborent aux revues et journaux de la fin du siècle, quelques-unes réussissent à en faire non seulement un moyen d'expression littéraire, mais aussi un gagne-pain. Les grands journaux ont dans la dernière décennie du siècle leur chronique féminine et leur chroni-

Étudiantes à l'école de Mrs. Watson, 1882.
Musée McCord, université McGill, Montréal

queuse qui signe généralement sous un pseudonyme : à *La Presse*,
Gaëtane de Montreuil ; à *La Patrie*, Françoise ; au journal *Le
Temps*, Madeleine ; au *Montreal Star*, « The Hostess » ; et *Le
Journal*, Colette. Ces journalistes sont les premières femmes à
entrer dans ce monde d'hommes que sont les journaux. En 1900,
une enquête menée auprès de 32 journaux québécois dénombre au
total 49 collaboratrices et correspondantes. C'était, par le biais des
chroniques féminines, le premier petit pas des femmes dans les
« professions masculines ».

L'enseignement demeure sans contredit le principal débouché
pour les femmes instruites. Pour obtenir un brevet d'enseignement
on peut fréquenter un couvent et se présenter aux examens du
Bureau des examinateurs catholiques, ou encore étudier à l'école
normale et y obtenir un diplôme plus prestigieux. Le tableau ci-
dessous indique que les écoles normales produisent deux fois plus de
femmes diplômées que d'hommes. Néanmoins, les femmes reçoivent pour la plupart le diplôme élémentaire et, à l'époque, aucun
diplôme académique n'est décerné à une francophone.

Majoritaires parmi les diplômés, les femmes sont aussi majoritaires dans la profession. Dès 1856, elles forment 68 p. 100 du réseau public. Cette féminisation du personnel enseignant ne fait que s'accentuer au cours du siècle : en 1878, la proportion des femmes passe à 78 p. 100. Le processus de féminisation de l'enseignement qui caractérise le réseau scolaire dès les années 1850 est un phénomène qui se produit partout en Amérique du Nord, les instituteurs cédant leur place aux institutrices.

TABLEAU 5
Diplômes décernés par les écoles normales de 1857 à 1888

	Institutrices		Instituteurs		
	Laval	McGill	Jacques-Cartier	McGill	Laval
Diplôme académique	—	110	109	88	118
Diplôme modèle	588	540	269	101	319
Diplôme élémentaire	697	1112	204	52	305
Total	1285	1762	582	241	742
Total par sexe	3047		1565		

Source : Rapport du surintendant de l'Instruction publique, 1888.

L'historienne Alison Prentice qui a étudié ce phénomène constate que l'entrée d'un si grand nombre de femmes dans cette profession est acceptée, car généralement elles y tiennent une position de subordonnées. La féminisation croissante du système scolaire va de pair avec une hiérarchisation du système scolaire où on retrouve les femmes concentrées dans les classes primaires et s'occupant des plus jeunes, et les hommes dans les classes plus élevées et les postes d'inspecteurs d'écoles.

À cette position subordonnée correspond un important écart salarial entre hommes et femmes. Des estimations des salaires les plus courants en 1853 indiquent que les femmes touchent 40 p. 100 du salaire des hommes. À la fin du siècle, cet écart de salaire entre les sexes persiste, mais on peut aussi constater d'impressionnants écarts entre les institutrices elles-mêmes : si le salaire moyen est de 99$ par an en 1899, des enseignantes dans les *High School* montréalais sont parfois payées plus de 300$. Les moins bien nanties sont les institutrices rurales. Leur salaire varie selon le degré d'avarice des commissaires d'école. Dans bien des cas il est comparable à celui d'une domestique, sauf qu'il arrivera qu'elle doive accepter d'être payée en denrées agricoles ou qu'elle soit obligée, à même son salaire, d'acheter le bois de chauffage pour l'école.

Les institutrices qui réussissent à avoir un poste, ou un poste mieux rémunéré qu'ailleurs, sont chanceuses car nombreuses sont les diplômées qui ne trouvent pas d'emploi. Souvent seule femme dans un rang ou dans un village à être payée par les taxes de la collectivité, son poste est souvent archiconvoité et ses faits et gestes semblent étroitement surveillés par la communauté villageoise. Même des écarts de conduite, en dehors des heures de classe, peuvent entraîner, pour cause d'immoralité, le renvoi de l'institutrice. Les commissaires du village de Saint-Hermas tentent, en 1871, d'expulser la maîtresse d'école parce qu'elle « (...) aurait eu des rapports très intimes avec son amant maintenant son mari », et aurait donné naissance à un enfant trois mois après son mariage. Si cette institutrice de Saint-Hermas a pu profiter du logement de l'école pour se permettre des libertés peu licites à l'époque, la vie seule dans une école de rang devait être, pour la plupart des femmes, source d'inquiétude. L'historien Normand Séguin rapporte que l'institutrice d'Hébertville reçut, une nuit d'hiver, la visite d'un homme au visage couvert qui tenta de la violer, elle ainsi que sa compagne. Il ne faut pas se surprendre si bon nombre d'institutrices aient préféré loger chez des parents d'élèves.

L'iniquité des conditions salariales des institutrices est dénoncée dès 1864. Le journal des instituteurs, *La Semaine*, réclame « (...) qu'il ne fut fait aucune distinction entre les institutions tenues par des instituteurs ou des institutrices et que leurs salaires fussent les mêmes ». On ne sait si cette revendication témoigne de la peur qu'ont les instituteurs de la concurrence des femmes à bas salaires ou encore d'une prise de conscience par les institutrices elles-mêmes de l'injustice de leur situation.

À la fin du siècle, des enseignantes montréalaises signent une pétition dans laquelle elles démontrent que leur salaire annuel est trop faible pour quiconque doit payer chambre et pension, et exigent une hausse de traitement. Miss Binmore, en 1893, écrit dans *The Educational Record* de Québec un article dans lequel elle fait le point sur les conditions salariales des institutrices dans des villes nord-américaines. Dans ces villes, souligne-t-elle, il y a de moins en moins de discrimination salariale, mais constate par ailleurs :

> « *In Montreal the distinction is retained ; but let us not, therefore, feel discouraged. It can only be a question of time, when the difference shall be removed*[1]. »

L'article de Miss Binmore témoigne d'une nouvelle attitude de travailleuses maintenant conscientes de l'importance sociale de leur travail. Il témoigne aussi de la prise de conscience que les temps changent : « *It is no longer absolutely necessary that every woman in the family should be dependent upon the men — to be reduced to unknown straits and intolerable suffering on the death of the latter.* »

Enseigner et vendre au temps des semailles...

St. Arsène, 31 Décembre 1858
L'Hble P.J.O. Chauveau
S.E.
Montréal.
Monsieur
Depuis quelques années Messieurs les commissaires d'école de St-Arsène obligent les Institutrices de cette municipalité à recevoir la moitié de leus traitement en produits agricoles dont ils fixent le prix beaucoup plus élevé que le prix courant, de sorte que nous sommes obligés, outre le désagrément de courir les marchés pour nous défaire de ces produits, de les vendre à perte. Cette année, par exemple, le blé se vend cinq à six chelings, le seigle quatre chelings, et ces Mess. en ont fixé le prix pour le blé à huit chelings et pour le seigle cinq chelings, il en est de même des autres produits.
Vous comprenez, Monsieur le Surintendant, qu'enfin (sic) *de compte, Messieurs les commissaires ne nous paient qu'une partie de nos gages, sous prétexte que les lois d'éducation leur permettent d'en agir ainsi.*

Je serais heureux que vous voulussiez bien me dire si les lois d'éducation sont à ce point arbitraires, et ce qu'il me reste à faire avec les commissaires à ce sujet. Remarquez que tous les commissaires sont des agriculteurs.

J'ai l'honneur d'être,
Monsieur,
Votre obéissiante (sic)
Adeline Roy
Institutrice

Et les commissaires de se justifier (!!)
En réponse à votre lettre en date du 20 janvier 1859 qui nous informe que Melle A. Roy se plaint que nous la forçons d'accepter les produits agricoles à des prix trop élevés, voici les explications que nous avons l'honneur de vous donner (...) si elle y perd en les vendant trop tôt, sans nécessité, c'est sa faute, parce qu'elle y aurait probablement gagné si elle l'avait gardé pour le vendre au temps des semailles, il lui aurait été facile ayant un bon grenier pour le conserver.

J'ai l'honneur d'être, monsieur le Surintendant, votre très humble et très obligeant serviteur.
Romain Dubé,
Président des C.E. St-Arsène

Sans grand succès !
Votre lettre du 31 janvier, en réponse à la mienne du 20 du même mois, me laisse croire qu'en effet Melle Adeline Roy a droit de se plaindre du prix que vous lui chargez pour les produits que vous la forcez de prendre pour son paiement. Dans un semblable cas, vous devez prendre le prix vendable et non celui qu'on pourra obtenir plus tard. L'instituteur n'est pas en état d'attendre, il lui faut vendre immédiatement, et quand par exception, il le remet, ce ne serait pas la corporation qui aurait droit au bénéfice, mais lui-même.
J.O. Chauveau
Référence : ANQ no 48-1899.

Source : Éducation Québec, vol. 11, no 1, p. 30.

La lutte pour l'autonomie financière et l'égalité salariale est néanmoins fortement handicapée par la cléricalisation de la profession, car dans de nombreux villages les institutrices sont moins en demande. À Hébertville des paroissiens prétendent ne pouvoir envoyer leur fils à l'école parce que c'est une personne « du sexe » qui y enseigne. Ils veulent une école de soeurs (c'est bien connu, les soeurs n'ont pas de sexe). Même phénomène en 1852 à Saint-Grégoire de Nicolet : les paroissiens, inspirés par leur pasteur, avaient tenté en vain de faire venir chez eux les soeurs de la congré-gation Notre-Dame. En attendant, c'est une enseignante, mère de cinq enfants, qui dirige l'académie de Saint-Grégoire. Le clergé ne trouve pas de meilleure solution que de provoquer la fondation, au village même, d'une nouvelle communauté, les soeurs de l'Assomp-tion de la Sainte-Vierge.

Chaque village, chaque commission scolaire tente d'avoir ses enseignantes religieuses qui ont fait voeu de pauvreté et coûtent ainsi moins cher à la collectivité. Alors qu'en 1830 on ne dénom-brait que 2 communautés enseignantes, en 1900, il y en a 20 dont 10 possèdent plus de 10 pensionnats. En 1853, une institutrice sur 10 est religieuse ; 30 ans plus tard, la moitié le sont. La fille instruite qui veut enseigner a dès lors le choix entre l'exercice du métier en tant que laïque ou en tant que religieuse. Il est probable que, malgré le voeu de pauvreté que pratique la religieuse, ses conditions maté-rielles d'existence soient moins difficiles que celles de l'institutrice laïque : la religieuse a une sécurité d'emploi à toute épreuve, la garantie de trouver un poste et l'assurance du gîte et du couvert jus-qu'à sa mort. La voie royale d'entrée dans la profession ensei-gnante est devenue, à la fin du siècle, la vie religieuse.

Prostituées

Mais, comment survivre si les usines n'embauchent pas assez ou embauchent à des salaires si bas qu'on se refuse à y aller ? Que faire si on a peu d'instruction ? Que faire si on ne peut supporter de se faire domestique et d'être suivie à longueur de journée par une maîtresse de maison accaparante ?

Pour certaines, la prostitution est une façon de gagner sa vie qui, malgré la réprobation sociale qui l'entoure, a au moins l'avan-tage, la plupart du temps, de procurer des revenus plus intéressants que ceux que les femmes peuvent toucher à l'époque.

Montréal est une ville où les maisons de prostitution ont pignon sur rue. Selon les données de Jacques Bernier, on en dénom-bre 41 en 1871 et, en 1891, 102 qui emploient 390 prostituées. Ces chiffres venant du chef de police de Montréal ne portent que sur celles qui en font un métier à temps plein. On ne sait combien de femmes pratiquent la prostitution sur une base occasionnelle, à temps partiel, pour survivre lors des mises à pied ou pour boucler les fins de mois. En 1875, outre les 245 prostituées travaillant dans des maisons, le chef de police y ajoute une cinquantaine de vaga-

---

Entre la littérature satanique et la prostitution

En 1835, paraît à New York le livre *Horribles exposés des crimes commis au couvent de l'Hôtel-Dieu de Montréal*, par Maria Monk. On y apprend, entre autres, que les religieuses exécutent de leurs propres mains toutes leurs supérieures dès que celles-ci ont atteint l'âge de 40 ans, que la réception d'une nouvelle soeur est toujours accompagnée de la disparition par voie d'assassinat d'une ancienne, qu'on y fait périr à chaque année de 30 à 40 enfants nouveaux-nés et plusieurs autres crimes tout aussi abominables.

Cette publication suscite, on s'en doute, tout un émoi, non seulement à l'Hôtel-Dieu mais dans tout le Bas-Canada et la Nouvelle-Angleterre. Tous les journaux de l'époque en font mention dans un élan unanime pour prendre la défense des religieuses de l'Hôtel-Dieu. Les journaux anglophones et protestants sont les plus empressés à assurer cette défense ; on organise des visites de l'Hôtel-Dieu en 1836 ; un journal de Boston démontre, preuve à l'appui, que les calomnies ont été copiées d'un ouvrage portugais de 1781.

Dans le but évident de faire de l'argent, Maria Monk et ses agents publient d'autres révélations encore plus sensationnelles. En 1849, on continue à publier des démentis et des analyses des mensonges proférés par Maria Monk.

Maria Monk, jeune Irlandaise, a été domestique dans la région de Montréal, à Sorel, à Saint-Ours, à Saint-Denis et à Varennes, entre 1831 et 1835. Emprisonnée plusieurs fois pour vol et vagabondage, elle a vraisemblablement séjourné quelque temps à la maison des Repenties de Montréal où des religieuses tentaient de réhabiliter les prostituées. En 1836, elle est à New York où elle sert de prête-nom au scandale des *Awful Disclosures*. Elle meurt en prison à New York, en 1849, à l'âge de 32 ans. La vie de Maria Monk est révélatrice de l'existence d'une société parallèle qui n'a ni la stabilité ni le respect des institutions et de leur ordre.

bondes qui n'ont aucune résidence et une centaine de femmes entre-
tenues, ce qui porte selon lui le nombre de prostituées à environ
400. Un peu plus de la moitié de ces femmes sont des Canadiennes
françaises, les autres étant pour la plupart des immigrantes irlandaises ou écossaises.

Des femmes et des oeuvres

Un bon mari ne peut pas toujours être une assurance contre
tous les risques de la vie. Crises économiques, mise à pied, accidents de travail, maladie, mortalité, fléaux naturels, autant d'événements qui bousculent la vie quotidienne et plongent des milliers de
familles dans la misère. Le « bon vieux temps », s'il a déjà existé,
ne se situe certes pas au 19e siècle. Dans les villes canadiennes il y
a toujours environ la moitié de la population qui peut être classée
comme « pauvre » et la pauvreté à cette époque ne signifie pas
l'absence de luxe, mais bien l'absence de logis convenable, de bois
de chauffage, de charbon, de vêtements ou de nourriture. La vie
d'une majorité de femmes est une vie consacrée à l'organisation de
la survie.

Les fléaux naturels, tels les incendies ou les épidémies, sont
particulièrement cruels car ce sont des milliers de personnes qui
ont besoin au même moment de secours. À Québec, c'est en 1845
que deux incendies ravagent successivement le quartier Saint-Roch
et une partie du quartier Saint-Jean, faisant 20 000 sans abris. Dans
la même ville en 1866, 1500 logis sont rasés par les flammes. À
Montréal, c'est le sixième de la population qui se retrouve sur le
pavé en 1852. Les femmes y perdent à la fois le gîte et leur lieu de
travail. Qu'elles soient ménagères ou ouvrières à domicile, elles
perdent aussi leurs instruments de travail. Les grandes épidémies
ont les mêmes effets pertubateurs. Le choléra de 1832 fait mourir le
dixième de la population montréalaise. Nombreux sont les orphelins et les veuves qui doivent avoir recours à la charité :

> *Un vaste champ attend les travaux de l'Association (des*
> *dames de la Charité). Cent soixante-douze veuves et cinq*
> *cent vingt orphelins vont se trouver dans le plus grand dénue-*
> *ment pendant la saison rigoureuse qui s'approche. La charité*
> *des citoyens aidera sans doute les Dames de la société à les*
> *vêtir et à passer l'hiver*[2].

Devant de tels fléaux « naturels » ou devant les nouveaux problèmes sociaux engendrés par l'entassement de populations de plus

En faveur de la Tempérance...
Musée McCord, université McGill, Montréal

en plus nombreuses dans les villes, les anciennes structures d'entraide ne suffisent plus. On assiste alors à la création simultanée de deux orphelinats, soit l'orphelinat catholique de Montréal par les dames de la Charité et l'orphelinat anglo-protestant de la Ladies Benevolent Society. La veuve Émilie Tavernier-Gamelin investit son avoir et tout son temps dans l'organisation de refuges et de maisons d'accueil pour femmes pauvres, âgées ou malades. La veuve Rosalie Cadron-Jetté accueille chez elle des célibataires enceintes qui ne savent où aller. La conférence de Saint-Vincent-de-Paul de Québec met sur pied un refuge pour les ex-prisonnières et en confie la conduite à la veuve Marie Fitzbach-Roy.

Une organisation plus systématique de la charité s'impose. La veuve Gamelin fait signer des requêtes pour obtenir du gouvernement des fonds pour son asile de vieilles. Elle fait du lobbying auprès des épouses des députés Viger et Papineau, et Julie Bruneau en parle à son mari :

(...) elle m'as (sic) bien prié de m'interesser auprès de toi (.) je l'ai prévenu (sic) que cela serait en vain que je savais que tu étais opposé à cette manière de surcharger la Chambre de pareilles demandes qui devraient se faire par souscriptions volontaires d'individus (.) mais tout le monde est à la gêne et elle dit que ces pauvres vieilles vont mourir de besoin[3].

Même si, en période de crise économique, il est difficile de recueillir des souscriptions volontaires, ces oeuvres doivent se fier d'abord sur la charité privée. C'est à coup de collectes, de quêtes et de bazars que les femmes de la bourgeoisie anglophone et francophone font fonctionner ces services. De riches commerçants et des veuves fortunées donnent maisons, terrains ou en numéraire. Les bazars, activités autant sociales que charitables, sont très à la mode et permettent la cueillette de sommes parfois fort substantielles.

Ce à quoi sert la prison...

En 1852, le docteur Wolfred Nelson produit un rapport sur l'état des prisons au Bas-Canada. On y apprend qu'à la prison de Montréal, les femmes forment 47% de la population carcérale au moment de l'enquête. Selon le shérif de Montréal, « il est très commun de voir incarcérer des personnes qui sont simplement sans asile et sans ressources. Des personnes avancées en âge, des malades, des infirmes et des fous sont souvent envoyés en prison sous l'accusation très indéfinie d'être des débauchés fainéants et perturbateurs de l'ordre ».

Le médecin de la prison de Montréal note quant à lui que « La prison de Montréal est improprement appelée prison seulement (...) on pourrait presque l'appeler une maternité, tant sont nombreuses les femmes enceintes qui y viennent, qui y font leurs couches... On pourrait la nommer une hospice pour les enfants qui y sont reçus en nombre très considérable et à un âge très tendre... ». Souvent ces enfants se trouvent en prison parce que leurs parents étant incarcérés, ils n'ont pas d'autres lieux où aller.

Source : Raymond Boyer, *Les Crimes et les Châtiments au Canada français*, Montréal, Le Cercle du livre de France, 1966, p. 477, 482.

Si les veuves semblent particulièrement enclines à se dévouer, il n'en demeure pas moins qu'il pourrait être hasardeux de se fier à leur seul bénévolat pour assurer la survie à long terme de ces institutions. L'État qui intervient peu laisse le champ libre à l'Église. Monseigneur Bourget, évêque de Montréal, fait lui-même une collecte auprès de ses ouailles pour recueillir des fonds afin de loger les vieilles de madame Gamelin dans un nouveau lieu, l'asile de la Providence. Il fait des démarches auprès d'une communauté religieuse française pour qu'elle vienne prendre en charge l'oeuvre d'Émilie Gamelin.

La prise en charge de ces oeuvres charitables par des communautés religieuses devient la solution aux problèmes de financement, d'organisation et de permanence. De grandes fondations de communautés canadiennes, que l'histoire a attribuées au zèle et à l'envergure de Mgr Bourget, sont en fait la récupération d'oeuvres mises sur pied par des femmes laïques bénévoles. Les soeurs françaises ayant finalement refusé de s'occuper de l'asile de la Providence, c'est Émilie Gamelin elle-même qui fonde, en 1840, les soeurs de la Providence pour assurer la permanence de son oeuvre. Monseigneur Bourget convainc Rosalie Cadron-Jetté d'ouvrir l'hospice Sainte-Pélagie « (...) pour recueillir les filles tombées, les ramener à une meilleure vie, assurer le baptême et l'éducation chrétienne à leurs enfants ». Trois ans plus tard, en 1851, les collaboratrices de madame Jetté deviennent les soeurs de la Miséricorde. Scénario semblable à Québec où la directrice de l'asile du Bon-Pasteur, la veuve Fitzbach-Roy, devient la fondatrice, en 1856, des soeurs du Bon-Pasteur. Les anciennes communautés se développent et envahissent elles aussi le champ des services sociaux. L'orphelinat catholique de Montréal, après cinquante ans de gestion laïque, est abandonné aux Soeurs Grises.

Entre 1840 et 1902, 21 nouvelles communautés sont fondées. Ce sont les soeurs qui répondent dès lors aux besoins engendrés par la nouvelle conjoncture économique et sociale, qu'il s'agisse d'éducation ou de services sociaux. Autant les institutrices laïques sont remplacées par des soeurs, autant les organisatrices de la charité se voient reléguées au rôle de soutien financier de communautés religieuses et se transforment en dames patronnesses. Dans les deux cas ce sont certes des femmes qui remplacent ces laïques, mais des femmes soumises à l'autorité ecclésiastique.

Cette cléricalisation de la charité et de l'assistance sociale touche les catholiques du Québec. Chez les anglo-protestants, les laïques continuent à organiser la charité. C'est souvent à partir de groupes féminins formés sur la base des confessions religieuses que sont mis sur pied associations charitables, hospices, orphelinats, etc.

À la différence des francophones, les laïques anglophones ont le choix de s'engager, à partir des années 1870 et 1880, dans des organisations philanthropiques laïques ayant tendance à devenir multiconfessionnelles et diversifiant leurs interventions. Des organisations féminines comme la Young Women's Christian Association à Montréal (1874) et à Québec (1875), qui se consacre surtout aux problèmes des filles pauvres des villes se détachent peu à peu d'un travail strictement relié à la religion. Elles en viennent à définir des champs d'actions qui leur sont propres et à poursuivre des activités qui sortent des strictes limites de la charité.

Ménagères, les femmes deviennent de plus en plus dépendantes, pour leur survie, du salaire de leur mari ou de leurs enfants. Ouvrières, domestiques, institutrices ne peuvent généralement pas avec leur seul salaire atteindre une certaine autonomie financière et doivent compter sur d'autres pour survivre. Dans un tel contexte une existence isolée est impossible, non seulement parce qu'inconcevable au 19e siècle mais aussi financièrement quasi impossible. Le mariage est et demeure pour la majorité le chemin le plus sûr vers une sécurité matérielle. La multiplication des communautés religieuses à partir de 1840 offre à certaines une alternative sécuritaire au mariage.

Épouses du Christ

En 1870, il y a dix fois plus de religieuses qu'il y en avait en 1830. Au tournant du 20e siècle, un peu plus d'une Québécoise sur cent âgée de plus de vingt ans a pris le voile. À côté de toutes ces femmes qui font leurs voeux perpétuels, il y a toutes celles qui ont été novices quelques mois, voire quelques années, et qui ont quitté la vie religieuse le jour où elles ont compris qu'elles n'avaient pas la vocation. Ainsi, l'historienne Marta Danylewycz évalue qu'il faudrait multiplier par deux ou par trois le nombre de religieuses recensées à chaque décennie pour avoir une idée du nombre de femmes qui ont expérimenté la vie religieuse. Par exemple, on enregistre des taux d'abandon avant les voeux perpétuels de 60 p. 100 chez les soeurs de la Miséricorde et de 35 p. 100 chez les soeurs de la congrégation Notre-Dame. Pour quelques milliers de Québécoises, la vie de novice aura été en quelque sorte un travail communautaire avant le mariage.

Si ces femmes répondent si massivement à l'urgent besoin de main-d'oeuvre à bon marché pour les réseaux d'éducation, de santé et de services sociaux, c'est que la vie religieuse doit présenter certains attraits. Il s'agit là d'une alternative fort intéressante à l'exil en pays de colonisation ou aux États-Unis, ou à une vie passée en domesticité ou encore au mariage. Le célibat consacré signifie une vie différente de celle de sa mère, une vie loin des grossesses à répétition, des nuits blanches au chevet d'enfants malades, du labeur de la ferme ou de la couture à domicile. Une vie débarrassée de l'insécurité matérielle, sauf pour les pionnières des jeunes communautés, souvent confrontées à des problèmes financiers. Tout ça, et l'assurance d'un toit pour ses vieux jours et enfin un lit à soi, en attire plus d'une.

Parce qu'elles ont troqué leur vie sexuelle et personnelle pour le voile, ces femmes jouissent de considération et d'estime de la part de leurs compatriotes, et certaines peuvent devenir des « femmes de carrière ». Toute une pléiade de professions s'ouvre devant celles qui veulent ou qui ont les moyens de réussir : supérieures, administratrices, économes, musiciennes, peintres, enseignantes, infirmières, pharmaciennes, historiennes, etc. Pour plusieurs la vie religieuse est la voie d'une ascension personnelle, sociale, intellectuelle ou artistique qui leur serait généralement interdite ou difficilement accessible « dans le monde ».

Mais, évidemment, derrière chaque économe affairée aux transactions de sa communauté, on compte 10, 20 soeurs qui changent les lits des malades ou qui sont aux cuisines des hôpitaux. Les oeuvres gérées par les communautés soit foyers, crèches, hospices, asiles d'aliénés, hôpitaux, orphelinats, salles d'asile, exigent une main-d'oeuvre abondante. Même si les communautés recrutent du personnel laïque ou font travailler leurs orphelines, prisonnières et filles repenties, il n'en demeure pas moins qu'une grande partie des cuisinières, blanchisseuses et ménagères qui voient quotidiennement à la bonne marche des institutions ont des cornettes sur la tête. Ménagères comme leur mère, leurs soeurs ou leurs grands-mères, les religieuses jouissent néanmoins d'une certaine considération sociale.

Le clergé saura aussi tirer parti de ce grand courant de bénévolat consacré. Si des soeurs peuvent être au service de Dieu en étant ménagères d'un couvent, pourquoi ne pourraient-elles pas

exercer ce même apostolat dans des séminaires de prêtres ? L'historienne soeur Marguerite Jean rapporte des cas d'ecclésiastiques
incitant des jeunes filles à fonder des communautés dévouées
exclusivement au service du clergé. Au 19e siècle, deux communautés auxiliaires se fondent.

Elles nous servent gratuitement...

*En quêtant, les Soeurs font notre travail. Elles nous servent
gratuitement. Elles sont nos commis-voyageurs auprès du
Christ et de ses membres souffrants.*

*Beaucoup de Canadiens n'ont pas l'air de savoir que la société
est tenue, en vertu du droit naturel, de prendre soin de ses pauvres, de ses malades abandonnés, de ses vieillards, de ses
orphelins, de ses délaissés de tous noms. Et ne le sachant pas,
ils oublient de dire merci à celles qui nous déchargent de cette
obligation.*

*Les Soeurs se font les agents bénévoles de nos devoirs. (...)
Ceux qui sont fatigués de donner ou de refuser un sou d'au-
mône à ces quêteuses du bon Dieu, paieront plus tard une
piastre au gouvernement pour accomplir la même oeuvre
qu'avec un sou les Soeurs accomplissaient.*

Source : *Entre amis*, Lettres de P. Louis Lalande s.j. à son
          ami Arthur Prévost, Montréal, Imprimerie du
          Sacré-Coeur, 1907, p. 273.

Les soeurs de Saint-Marthe de Saint-Hyacinthe sont une petite
communauté de « religieuses domestiques » au service du séminaire
de Saint-Hyacinthe. Leur constitution décrit clairement leur
vocation d'épouses du Christ et établissent une stricte dépendance
de la communauté face au séminaire. « Notre pensée dominante, dit
l'abbé Gendron du séminaire de Saint-Hyacinthe, a été de les faire
absolument dépendantes de nous pour les forcer à n'avoir d'autres
intérêts que les nôtres. » Et d'ajouter : « En pratique, les Soeurs
gardent beaucoup des qualités et des défauts de leur sexe, et elles
n'aiment pas beaucoup cette dépendance[4]. »

Dans ces communautés auxiliaires, la vie religieuse présente
d'étonnantes similarités avec la vie de milliers d'épouses-
ménagères. Ces communautés auxiliaires forment cependant l'ex-

ception, car une telle caricature de la répartition traditionnelle du travail entre les hommes et les femmes ne se retrouve pas dans les autres communautés où travaux manuels et travaux intellectuels ne se partagent pas selon la ligne des sexes : du bas de l'échelle jusqu'à la haute direction de la communauté on ne retrouve que des femmes vivant entre elles des rapports hiérarchiques.

Devenir de vraies épouses...

D'après l'article premier de leur constitution les soeurs de Sainte-Marthe doivent devenir de vraies épouses de Jésus-Christ :

Les soeurs de Sainte-Marthe, en se réunissant sous une règle commune ont pour première fin de s'aider mutuellement dans l'oeuvre de leur sanctification et de devenir des vraies épouses de Jésus-Christ. C'est pour cela qu'elles prennent le nom de soeurs. Elles sont aussi averties à tous les instants qu'elles ne forment toutes ensemble qu'une même famille dont le chef invisible est Jésus-Christ, à qui seul elles doivent chercher à plaire.

D'après une clause de leur décret d'érection canonique, les soeurs de Sainte-Marthe doivent aussi devenir de vraies ménagères :

Les Soeurs de Sainte-Marthe sont vouées à l'entretien et aux travaux du séminaire diocésain auquel elles s'identifient pour toujours, et à la charge duquel elles sont pour toute leur vie. Elles ne devront jamais s'occuper d'autre oeuvre que de celles qu'elles ont acceptées en entrant dans l'institut, et Nous voulons qu'elles ne sortent jamais de ce but principal de leur fondation.

Source : Marguerite Jean, *L'Évolution des communautés religieuses de femmes au Canada de 1639 à nos jours*, Montréal, Fides, 1978, p. 136.

L'absence des hommes dans l'organisation de la vie des religieuses ne signifie pas pour autant l'absence d'un pouvoir patriarcal dominant toute la communauté. Monseigneur Bourget, rapporte Marguerite Jean, s'est proclamé le premier supérieur des congrégations fondées avec son assentiment et a bien pris soin d'établir ces nouvelles communautés sous sa propre « dépendance » et sous sa « juridiction ». Il a un droit de regard sur l'admission des novices, le règlement quotidien et les nominations.

Le véritable pouvoir n'appartient donc pas à la supérieure de la communauté ou à la fondatrice, mais à l'évêque ou à son représentant. Mère Marie-Anne, fondatrice des soeurs de Sainte-Anne, l'apprend à ses dépens. Elle se voit imposer un jeune chapelain ambitieux, l'abbé Maréchal, avec qui elle ne s'entend pas très bien. Ce chapelain se permet même de biffer des articles des constitutions qu'elle avait rédigées pour sa communauté. Le conflit est tel entre mère Marie-Anne et le jeune abbé Maréchal qu'elle doit abdiquer comme supérieure de sa propre communauté. Pour être sûr que la fondatrice n'influence plus les destinées de la communauté, on l'envoie à Saint-Ambroise où elle devient sacristine et doit s'occuper de l'entretien des robes des soeurs.

Ainsi la vie religieuse était au 19e siècle, compte tenu de l'absence d'éducation supérieure chez les francophones, probablement la seule façon d'éviter d'être mère de famille nombreuse ou d'être la vieille fille de la famille qui doit pensionner chez quelque parent. À court terme, c'était une stratégie intéressante de la part des femmes du Québec pour se soustraire à la dépendance directe des hommes. C'était aussi une façon de conserver formellement sa capacité juridique puisque les soeurs sont en fait des célibataires conservant tous leurs droits civils. C'était assurément pour la majorité une assurance contre la misère et la pauvreté, pour certaines un moyen de contester le destin de la procréation et, pour quelques-unes, le moyen de faire une carrière.

Mais à long terme, cette stratégie a eu son revers. En premier lieu, les champs d'intervention des communautés religieuses ont contribué à ancrer la conception que le rôle des femmes dans la société ne pouvait s'exercer qu'en termes de dévouement ou de charité. En second lieu, parce que les femmes qui voulaient vivre autrement que leur mère pouvaient réaliser leurs désirs sans avoir à lutter contre l'opposition à l'éducation supérieure des filles et au travail des femmes, la vie religieuse est devenue une voie d'évitement. Alors qu'à la fin du siècle, partout dans le monde occidental des femmes forçaient les portes des universités et des corporations professionnelles, les catholiques du Québec, elles, entraient en communauté.

Prendre la parole

Si les souffrances et les espoirs des femmes ont été dits, il n'en reste guère de traces écrites. Mais comment les femmes auraient-elles le temps d'écrire la vie ? Julie Bruneau, pourtant assistée de domestiques, écrit à son mari :

> *(...) quant à moi je ne puis t'écrire rien de plus (.) je suis occupée et ne pouvant écrire qu'à la hâte je ne puis rassembler mes idées et je fais rien qui vaille (.) quand on a pas l'habitude (.) il faut un peu de temps pour le faire d'une manière passable (.) et puis je m'attends à te revoir bientôt je te dirai de vive voix ce que je sais et ce que je pense (.) je voulais seulement te donner des nouvelles des enfants (...)*
>
> > *Ton amie et épouse affectionnée*
> > *Julie Bruneau Papineau*[5]

Seules les femmes instruites et fortunées ont assez de temps pour écrire une fois que leurs enfants sont élevés. Plusieurs sont épistolières, écrivent la vie quotidienne dans des lettres adressées à des parents et amis. Mais ces lettres, probablement le lieu d'expression privilégié des femmes, ont rarement été conservées. Si une partie de la correspondance de Julie Bruneau s'est rendue jusqu'à nous et qu'elle ait même été jugée digne de publication en 1959, n'est-ce-pas d'abord parce que cette femme était l'épouse du grand et illustre Louis-Joseph Papineau ? Certaines familles ont par ailleurs conservé des lettres, des journaux intimes ou des « mémoires de famille » qui, aujourd'hui seulement, prennent le chemin des imprimeries.

La littérature québécoise du 19e siècle a des préoccupations fort éloignées du quotidien. C'est l'heure de gloire de la « bonne littérature » aseptique, stérile et hors de la vie qui met à l'honneur des oeuvres inspirées de l'histoire et des oeuvres valorisant les moeurs traditionnelles ou le patriotisme. Hors de ces nobles orientations, il y a peu de chance pour un écrivain d'être publié.

Pourtant, dès 1832, dame Gosselin fonde le *Musée de Montréal* ou *Journal de littérature et des arts*. Ce journal montréalais destiné aux femmes se veut une oeuvre d'éducation et de culture qui se propose d'éviter dans ses pages tout débat religieux et politique. Seul le premier numéro est totalement rédigé en français ; par la suite cette publication sera bilingue. Il ne s'agit certes pas d'une publication féministe comme on peut en trouver en Europe à l'époque. Au contraire, les modèles de femmes qui sont véhiculés dans le *Musée de Montréal*, mis à part celui de la femme de lettres, sont ceux de l'épouse et de la mère. Cette revue, par son existence, témoigne néanmoins d'une prise de conscience que l'univers des femmes ne saurait être que domestique.

Le **Musée de Montréal**

En 1832, madame L. Gosselin publie à Montréal le premier numéro du *Musée de Montréal* ou *Journal de littérature et des arts*. Cette revue aussi désignée familièrement sous le nom de *Ladies Museum* est publiée jusqu'en 1834. Dans leur inventaire de la presse québécoise les historiens Beaulieu et Hamelin précisent :

La rédactrice affirme que sa revue sera une réponse définitive aux remarques désobligeantes que formulent les étrangers sur le manque d'éducation littéraire des Canadiens ; cette revue sera un médium qui fera connaître « le génie créateur canadien » (numéro de déc. 1832).

Dans tous les pays, poursuit Madame Gosselin, les femmes ont joué et jouent un rôle important dans la carrière des lettres. Au Canada, les quelques rares entreprises littéraires se sont soldées par des échecs : discussions politiques et controverses religieuses ont détruit les premiers essais d'établissement de revues littéraires.

Le Musée évitera donc les écueils passés en bannissant de ses pages la politique et la religion. « L'éducation, le perfectionnement du coeur, la culture de l'esprit, l'avancement de la vertu, tels seront les principaux objets que nous aurons en vue. » Des extraits des littératures anglaise et française, des nouveautés littéraires américaines alimenteront les pages de la revue qui s'est assurée la collaboration des dames de Montréal, de Québec et du Haut-Canada.

Source : A. Beaulieu et J. Hamelin, *Les Journaux du Québec de 1764 à 1964*, Québec, P.U.L., 1965, p. 75.

Après la mort du *Musée de Montréal*, des femmes publient dans des revues littéraires du Bas-Canada. Avant 1880, on retrouve les écrivaines les plus prolifiques chez les anglophones. Une, Eliza Cushing-Foster, publie abondamment romans, nouvelles et poè-

Soirée de musique chez les Normandin, rue Papineau à Montréal, vers 1895.
Collection privée — Jacques Léonard

mes, devient directrice de revue littéraire puis fonde en 1847 un
périodique pour enfants. Rosanna Mullins-Leprohon est lue par les
Canadiens des deux langues. Fille d'Irlandais, elle étudie en français chez les soeurs et commence fort jeune à écrire des romans. Sa
carrière littéraire, interrompue par son mariage avec un francophone de qui elle a 13 enfants, reprend quelques décennies plus tard.
Son biographe, John C. Stockdale ne semble pas la considérer
comme une grande écrivaine ; néanmoins, il lui concède un certain
talent particulièrement dans la description de querelles de ménages
où le dialogue devient plus incisif et les sentiments plus authentiques... Mais si Rosanna Leprohon peut publier cinq romans entre
1860 et 1873, c'est probablement parce qu'elle les publie d'abord en
anglais avant de les faire traduire pour la presse francophone.
Cette appartenance partielle au monde anglophone l'aida peut-être
à se frayer un chemin interdit aux autres. Chez les francophones,

c'est pour soi et dans sa maison qu'on écrit ; les femmes semblent
être les grandes absentes de la littérature officielle.

Et en 1880, on entend la plus belle voix de femme du monde.
Dans ces journaux du 19e siècle où les femmes n'existent pas, on
se met soudainement à parler d'une comédienne d'outre-mer,
Sarah Bernhardt. Sa venue à Montréal est délirante : elle est
accueillie à la gare par le maire, des notables, une foule d'étudiants
et le poète Louis Fréchette qui compose pour elle l'*Ode à la Diva*.
À la porte du théâtre on s'arrache les billets pour l'entendre. Sarah
Bernhardt n'est pas qu'une vedette, c'est un mythe. Sa vie privée,
marginale, libre et excentrique est rapportée dans les journaux.
Alors que certains voient dans sa venue un événement de théâtre
autant qu'un événement patriotique, on peut y voir aussi la création
d'un *nouveau mythe de la femme* ; femme libre et scandaleuse
qu'on admire d'autant plus qu'elle est loin du quotidien des
Québécois.

La cantatrice Albani, née à Chambly sous le nom d'Emma
Lajeunesse, a le même effet électrisant sur les foules montréalaises.
En 1883, c'est 10 000 personnes qui l'accueillent à la gare et Louis
Fréchette, pareil à un barde, y va d'un de ses plus beaux poèmes.
Dans l'amour pour la « diva Albani » se retrouve l'immense fierté
de voir une « petite fille de chez nous » (mais élevée aux États-Unis)
devenir une grande vedette internationale. Dans l'amour des
femmes pour Albani se retrouve aussi, probablement, la fierté de
voir pour la première fois l'une des leurs reconnue et admirée.
Albani est la seule femme à être passée à l'histoire officielle d'ici
pour autre chose que sa charité ou son dévouement. N'avait-elle pas
la chance d'être elle aussi un mythe qui ne vivait plus depuis longtemps au Québec ?

La venue de ces grandes artistes coïncide avec le premier dégel
dans la littérature québécoise de ce siècle. Et ce dégel, on le doit à
une femme, Laure Conan, qui écrit, en 1884, *Angéline de Montbrun*. Laure Conan, née Félicité Angers à La Malbaie, inaugure
avec *Angéline de Montbrun* le roman psychologique. Ce roman est
fondamental dans l'histoire de la littérature québécoise, mais au-
delà de l'événement littéraire, Angéline, c'est aussi la première
femme de notre littérature qui dit sa peine d'amoureuse délaissée.

Laure Conan doit cependant, sous la pression de l'abbé
Casgrain, abandonner ce type de roman et se consacrer, comme ses
compatriotes, au roman historique. Mais elle saura pervertir ce
genre littéraire et écrire des romans d'analyse sur un fond historique. Ses héros seront davantage les délaissés des historiens, les

MADAME LEPROHON.

Rosanna Mullins Leprohon (1832-1879), écrivaine prolifique, publia des romans et des nouvelles en anglais et en français.
Types of Canadian Women, *vol. 1,* Morgan

MADAME DANDURAND.

Joséphine Dandurand, femme de lettres et féministe engagée, publia quelques pièces de théâtre et fonda un journal féminin, Le Coin du feu, *en 1892.*
Types of Canadian Women, *vol. 1,* Morgan

obscurs. L'oeuvre de Laure Conan rapporte aussi la souffrance des femmes : ses héroïnes qui ont toujours tout pour être heureuses ne le sont jamais.

À partir des années 1880, les femmes écrivent un peu plus. Anne-Marie Duval-Thibeault, Américaine de langue française, publie à Montréal un recueil plein de rêve et d'amour, *Les Fleurs du printemps* (1892) : cette poésie est une des rares de l'époque à ne pas s'inspirer des élans patriotiques. Adèle Bibaud, quant à elle, écrit deux romans. Françoise (Robertine Barry) publie un recueil de chroniques et un de contes, et Joséphine Dandurand écrit des contes et des pièces de théâtre.

Des femmes commencent à dire et à écrire. Cette écriture, contrairement à la tradition littéraire de ce siècle, sait dire plus facilement les peines d'amour, les chicanes de ménage, les rancunes d'amoureux, les peines d'enfants et la vie autour de soi.

Cette écriture n'est pas sans s'attirer les remontrances du clergé. Laure Conan est rappelée à l'ordre par l'abbé Casgrain. Duval-Thibeault, seule poétesse recensée de ce siècle, vit outre-frontière, loin des foudres cléricales. Françoise se fait reprocher par l'ultramontain Jules Tardivel l'inspiration naturaliste et peu religieuse de ses contes, *Les Fleurs champêtres* (1895). Elle lui réplique qu'il n'est pas dans son intention d'écrire « un paroissien romain ». Mais Françoise, c'est la journaliste libre-penseuse, une des rares féministes des années 1900 à oser critiquer le clergé, une femme qui appartient à l'autre siècle.

En 1893, Joséphine Dandurand fonde *Le Coin du feu*, revue littéraire dont l'objectif est de relever le niveau intellectuel des Canadiennes françaises. Cette revue devient un forum littéraire où les grands noms de l'époque se rencontrent, ou des féministes écrivent leurs premiers textes. Soixante ans après le *Musée de Montréal*, Joséphine Dandurand relance le journalisme littéraire féminin. Si on y trouve, comme dans la revue de madame Gosselin, une valorisation de la sphère féminine, on y trouve aussi les nouvelles idées qui ont cours dans la bourgeoisie francophone. Après tout, Joséphine Dandurand et certaines des collaboratrices de son journal, dont Marie Gérin-Lajoie, ne sont-elles pas membres du Montreal Local Council of Women, organisation féministe qui se fonde la même année ?

Une toute petite place pour les femmes

Même si ce siècle a l'allure d'un immense remue-ménage, même si des milliers de femmes font leurs bagages et partent avec leurs petits aux États-Unis, dans les Pays d'En-Haut, dans l'Ouest canadien ou en ville, on n'entend guère de plaintes de femmes.

Même si la vie de mère, de domestique ou d'ouvrière est ardue, même si la soumission s'inscrit dans chacun des gestes, les protestations sont feutrées.

Même si la seule façon d'échapper à cette vie est de prendre le voile, les couvents ne laissent retentir que des cantiques à la gloire du Seigneur.

Tout semble en ordre. Pas de manifestations, pas de poèmes, presque pas d'associations revendicatrices. Comme si ce siècle de bouleversements n'avait pas bousculé les femmes, n'avait causé ni pleurs, ni rages, ni espoirs, ni désespoirs. Seul nous parvient le souvenir de milliers de femmes religieuses qui, silencieusement, soignent, consolent et nourrissent ceux qui sont frappés par les misères de ce siècle. Seules nous parviennent les images bucoliques d'un Québec rural immuable. Paradoxalement, ce 19e siècle est identifié dans la mémoire collective comme « le bon vieux temps ».

Et pourtant, ce siècle aura dessiné une autre place pour les femmes : elles perdent leurs anciens droits, et la vie politique et économique devient résolument masculine. L'importance des femmes dans l'économie familiale diminue ; plusieurs deviennent des ménagères dépendantes d'un mari pourvoyeur. Les hommes définissent la nouvelle société qui s'instaure en fonction de ce qu'ils font, eux, et ils en excluent les femmes. Les hommes redéfinissent seuls cette nouvelle société. Ils définissent également ce que sont les femmes, ce qu'elles doivent faire et ne pas faire. Ils leur réservent une toute petite place où elles sont reines prisonnières : la sphère domestique.

Or, le 20e siècle qui s'ouvre aux lueurs de l'électricité et dans le bruit de l'automobile ne viendra pas arranger les choses. D'une part, les changements qui se sont amorcés au 19e siècle se poursuivront et s'accéléreront. Les femmes n'ont pas le choix. Tous les jours, elles dérogent au modèle idéal de « la » femme. Tous les jours elles souffrent des injustices découlant d'une société dont les normes sont définies par les hommes, et pour eux.

D'autre part, on assistera à une redéfinition, par des féministes cette fois, de ce qu'elles sont, de ce qu'elles veulent être. L'image domestique des femmes, telle que définie au 19e siècle, sera sans cesse contredite par le quotidien féminin et le discours féministe.

Notes du chapitre VII

1. Miss E. Bimmore, « Financial Outlook of the Woman Teachers of Montreal », Québec, mars 1893, cité dans R. Cook et W. Mitchinson, *The Proper Sphere, Woman's Place in Canadian Society*, Toronto, Oxford University Press, 1976.

2. *La Minerve*, 29 octobre 1832, cité dans E. Nadeau, *La Femme au coeur attentif Mère Gamelin*, Montréal, Éditions Providence, 1969.

3. Lettre de Julie Bruneau à L.-J. Papineau, novembre 1835, dans *Rapport de l'Archiviste de la Province de Québec*, nos 38-39.

4. Lettre de l'abbé Gendron, 6 juin 1887, citée dans Marguerite Jean, *L'Évolution des communautés religieuses de femmes au Canada de 1639 à nos jours*, Montréal, Fides, 1978, note 23 p. 136-137.

5. Lettre de Julie Bruneau à L.-J. Papineau, 9 mars 1829, *op. cit.*

Orientations bibliographiques

Bradbury, Bettina, « The Family Economy and Work in an Industrializing City : Montreal in the 1870's » dans *H.P./Ch*, Ottawa, CHA, 1979, p. 71-96.

Cleverdon, C.L., *The Woman Suffrage Movement in Canada*, Toronto, University of Toronto Press, 1950, 1974.

Cross, Suzanne D., « La majorité oubliée : le rôle des femmes à Montréal au XIXe siècle » dans Marie Lavigne et Yolande Pinard, *Les Femmes dans la société québécoise, aspects historiques*, Montréal, Boréal Express, 1977.

Dumont-Johnson, Micheline, « Des garderies au XIXe siècle : les salles d'asile des Soeurs Grises à Montréal » dans *R.H.A.F.*, 34, 1, 1980, p. 27-56.

Danylewycz, Marta, « Changing Relationships : Nuns and Feminists in Montreal, 1890-1925 » dans *Histoire Sociale*, XIV, 28, 1981, p. 413-434.

Gaffield, Chad M., « Canadian Families in Cultural Context : Hypotheses from Midnineteenth Century » dans *H.P./Ch*, Ottawa, CHA, 1979, p. 48-70.

Hamelin, Jean et Yves Roby, *Histoire économique du Québec 1851-1896*, Montréal, Fides, 1971.

Henripin, Jacques, *Tendances et facteurs de la fécondité au Canada*, Ottawa, B.F.S., 1968.

Jean, Marguerite, *L'évolution des communautés religieuses de femmes au Canada de 1639 à nos jours*, Montréal, Fides, 1978.

Lacelle, Claudette, « Les domestiques dans les villes canadiennes au XIXe siècle : effectifs et conditions de vie » dans *Histoire sociale*, XV, 29, 1982, p. 181-208.

Léon Gérin et l'Habitant de Saint-Justin, Falardeau J.C. et P. Garigue éd., Montréal, Presses de l'Université de Montréal, 1968.

Linteau, Paul André, René Durocher et Jean-Claude Robert, *Histoire du Québec contemporain, De la Confédération à la Crise*, Montréal, Boréal Express, 1979, parties 1 et 2.

McLaren, Angus, « Birth Control and Abortion in Canada 1870-1920 » dans *Canadian Historical Review*, IX, 3, 1978.

Ouellet, Fernand, *Histoire économique et sociale du Québec 1760-1850*, Ottawa, Fides, 1966.

Prentice, Alison, « The Feminization of Teaching » dans S. Mann Trofimenkoff et Alison Prentice, *The Neglected Majority Essays in Canadian Women's History*, Toronto, McClelland and Stewart, 1977.

Reeves-Morache, Marcelle, *Les Québécoises de 1837-1838*, Montréal, Éditions Coopératives Albert Saint-Martin, 1975.

Séguin, Normand, *La Conquête du sol au XIXe siècle*, Montréal, Boréal Express, 1977.

Stoddart, Jennifer et Veronica Strong-Boag, « And Things Were Going Wrong at Home » dans *Atlantis,* I, 1, 1975, p. 38-44.

Trofimenkoff, Susan Mann, « One Hundred and Two Muffled Voices : Canada's Industrial Women in the 1880's » dans *Atlantis,* 3, 1, 1977, p. 66-83.

Women of Canada, Their Life and Work, compilé par National Council of Women of Canada for The Paris International Exhibition, 1900, réédition 1975.

LES CONTRADICTIONS
1900-1940

Les quatre premières décennies du 20e siècle sont traversées par l'âge d'or du capitalisme, le premier conflit mondial et l'écroulement des rêves bourgeois avec la crise de 1929. Elles voient l'Amérique du Nord participer à un développement industriel sans précédent. Au Québec, ces changements continuent de susciter des réactions diversifiées, une partie des courants idéologiques favorisant cette évolution et une autre s'y opposant.

De nouveaux secteurs liés à l'exploitation des richesses naturelles se développent. On assiste à un développement massif de la production hydro-électrique et des pâtes et papiers. Les textiles, le vêtement et les produits alimentaires continuent d'occuper une place importante dans la production manufacturière. Les tendances à la concentration des entreprises transforment les structures financières de celles-ci et permettent la création de vastes ensembles de production et de vente. À titre d'exemples de regroupements, mentionnons la fondation de la Dominion Textile en 1905 et de la Wabasso en 1907, la construction d'un premier barrage à Shawinigan autour de 1900, la fondation, par William Price, de la première papeterie électrifiée, au Saguenay-Lac-Saint-Jean. On voit aussi les ouvriers chercher à mieux s'organiser par la syndicalisation.

La crise économique, dont le krach du 24 octobre 1929 est le détonateur, vient freiner cette croissance en frappant les exportations et en restreignant l'activité commerciale et manufacturière. À la fin de 1929, le taux des sans-emploi au Québec est d'environ 15 p. 100. En 1931, il atteint près de 20 p. 100 et, au début de 1933, il dépasse 30 p. 100.

Sur le plan démographique, le Québec connaît une évolution importante. La population augmente de 107 p. 100 en passant de 1 560 000 en 1896 à 3 230 000 en 1939. Ceci est dû, bien sûr, à l'accroissement naturel, mais aussi à l'augmentation de l'immigration.

L'urbanisation se poursuit à un rythme rapide et change le visage du Québec : au début du siècle, un Québécois sur trois vit à la campagne ; en 1940, la proportion est inversée. Ainsi, en 1931, près de 60 p. 100 des Québécois sont dans les villes. Montréal, avec plus de la moitié de la population urbaine, et Québec demeurent les villes les plus peuplées et plusieurs nouvelles villes se développent, particulièrement au nord du Québec. Cette urbanisation se fait en liaison étroite avec l'exploitation des richesses naturelles, car la localisation des usines de pâtes et papiers, de produits chimiques et d'électro-métallurgie amènent la création de nouvelles villes. Ainsi, des régions telles que la Mauricie et le Saguenay-Lac-Saint-Jean s'urbanisent rapidement.

Cette émigration vers les villes modifie les fonctions familiales, créant de nouveaux besoins relativement à la garde des personnes âgées et l'aide à apporter aux indigents. Les nouvelles industries requièrent une main-d'oeuvre mieux formée, ce qui entraîne des réformes du système d'éducation. La Crise, avec le chômage qui en est le produit, accentue ces difficultés.

Le mouvement de colonisation continue. Au début du siècle, le Lac-Saint-Jean, l'Outaouais, le Témiscamingue, le Bas-Saint-Laurent et la Gaspésie sont des régions de colonisation active. La Crise suscite des tentatives d'implantation massive de colons dans certaines régions de l'Abitibi, et la colonisation est pratiquée au Québec, pendant les années 30, de façon plus intense et plus systématique et avec une plus grande collaboration des gouvernements que pendant les décennies antérieures. Plus de 200 000 personnes sont transplantées de la ville à la campagne ou maintenues sur la terre grâce à différents programmes d'aide. Mais ce mouvement est en bonne partie une création artificielle du clergé et de l'État, et plusieurs familles reviennent rapidement à la ville ou au village qu'elles ont quittés.

Les usines de textiles de la Nouvelle-Angleterre continuent d'attirer hommes, femmes et enfants. Au début du 20e siècle, les départs demeurent élevés mais représentent un pourcentage moindre de la population totale qu'à la fin du 19e siècle. Ce mouvement prend fin dans les années 30. À partir d'octobre 1930, une loi interdit l'entrée aux États-Unis à toutes les personnes non admissibles à l'obtention d'un visa.

Quant à l'immigration soulignons que le début du siècle est marqué par des arrivées massives de Juifs d'Europe de l'Est, d'Italiens et d'Allemands qui font quintupler, au Québec entre 1901 et 1931, les effectifs autres que français et britanniques. Ces immigrants s'établissent presque tous à Montréal. Le groupe britannique, concentré à Montréal, continue de former le groupe majoritaire parmi les ethnies autres que françaises, même si son pourcentage par rapport à l'ensemble de la population québécoise diminue entre 1901 et 1931, passant de 17,6 à 15 p. 100.

Au début du siècle, l'État québécois prend certains traits de sa physionomie actuelle. Il devient un peu plus interventionniste et est amené à réglementer la vie économique et sociale, ce qui suscite les craintes du clergé. L'appareil administratif prend forme durant le long règne du Premier ministre Alexandre Taschereau. On assiste, durant les années 30, à la montée d'un nouveau parti politique, l'Action libérale nationale, dont Maurice Duplessis se sert pour prendre le pouvoir en 1936 et fonder l'Union nationale. Duplessis est cependant défait en 1939 et le Parti libéral, dirigé par Adélard Godbout, prend le pouvoir.

Au cours de cette période, si on se fie à la littérature, le Québec francophone continue de se voir comme un « éternel assiégé », écrit l'historien Richard Jones. « Cependant, il ne faut pas oublier, ajoute-t-il, que c'est une élite minoritaire, composée largement de clercs et d'hommes des professions libérales éduqués dans les collèges classiques dirigés par l'Église, qui propage cette littérature. » Mais cette élite est-elle représentative des femmes et des hommes ? On peut en douter. Il n'en demeure pas moins que les attaques de ces penseurs contre les Anglais, les protestants, les Américains, les Juifs, les bolchévistes, les féministes, ne sont pas sans avoir une certaine influence sur les masses. Les « attaques » à l'ordre social traditionnel, sur lequel repose une bonne part de l'identification nationale des Québécois francophones — agriculture, catholicisme, langue française —, font hésiter ceux-ci entre des possibilités d'organisation différente et l'abandon des traditions.

Par ailleurs, une partie de l'élite francophone et la majorité des anglophones ne sont pas rejointes par ce discours d'arrière-garde, d'où l'émergence de tensions et de contradictions dans l'action.

Ce combat entre les forces du changement et celles de l'ordre établi marque la vie et la réflexion des femmes, au cours de la période. Dans un Québec qui se modernise, le début du siècle est marqué de multiples contradictions. La distance entre un certain discours conservateur et la réalité s'accentue. Les débats qui s'amorcent autour du rôle de la femme mettent en évidence l'ambivalence de la société face aux transformations de la vie de celles qu'on surnommait les « gardiennes de la race ».

L'industrialisation, en marche au Québec depuis le milieu du 19e siècle, entraîne une demande accrue de main-d'oeuvre féminine, *cheap labor* exploité dans des secteurs où le capitalisme se porte bien : vêtements, textiles, tabacs, travail de bureau, commerce de détail, alimentation, et où le clergé domine : éducation, soin des malades, oeuvres sociales.

Dans une société où la pauvreté est perçue comme une tare individuelle et où on laisse croire que « celui qui veut peut tout », des centaines de femmes sont appelées à soulager les misères issues de la croissance du capitalisme et de son achoppement : la crise des années 30. Bourgeoises pénétrées de l'idéologie réformiste et libérale aussi bien que des enseignements des encycliques papales *Rerum novarum* (1891), *Casti connubii* (1930) et *Quadragesimo anno* (1931), de même que religieuses trouvant là un canal d'expression à leur altruisme et à leur potentiel intellectuel, s'enrôlent par milliers à l'appel du clergé et des médecins pour combattre la misère.

Le début du siècle voit partout dans le monde industrialisé un effort de regroupement à partir d'intérêts particuliers : ouvriers, patrons, femmes tentent de s'organiser pour mieux faire face à de nouveaux besoins ou pour juguler leur insécurité et se donnent des tremplins d'expression remportant des succès plus ou moins importants, suivant les périodes. Travailleuses, bourgeoises et fermières n'échappent pas à ces tendances. Elles s'unissent : les unes pour obtenir des meilleures conditions de travail, s'engageant ainsi dans un processus d'identification d'une condition spécifique ; les autres dans la lutte pour l'obtention des droits fondamentaux et, particulièrement, du droit de vote, se ralliant, par ces préoccupations, au combat féministe mené en d'autres pays.

VIII

Femmes modernes

Faire comme maman et grand-maman

Comme depuis le début de la Nouvelle-France, les premières années de la vie de la petite fille lui servent à s'initier à son rôle de femme. La mère de famille lui enseigne très tôt les rudiments du travail domestique.

La fréquentation scolaire n'étant pas obligatoire, les enfants peuvent quitter l'école très jeunes. À la ville, en milieu ouvrier, il n'est pas rare que les fillettes soient, entre 10 et 14 ans, chargées de garder les jeunes enfants pendant que la mère est au travail. Il est difficile d'estimer leur nombre puisque les statistiques ne tiennent pas compte de ces travailleuses invisibles. Les filles sont parfois aussi appelées à remplacer une mère malade ou décédée et se retrouvent donc, souvent très tôt, à la tête d'une famille.

À l'heure des choix, il est convenable de se marier ou d'entrer en religion ! Le célibat laïque est encore considéré comme un statut ridicule et condamnable, parce qu'il dénote, dit-on, un certain égoïsme. Pourtant, bien loin d'être un choix, il est souvent le lot d'une femme qui doit s'occuper de sa famille et gagner une partie du revenu annuel.

Les fréquentations et la sexualité sont peu abordées dans les témoignages actuellement recueillis auprès des femmes de cette époque. Cependant, ils permettent d'avancer qu'en milieu rural, le romantisme des fréquentations s'assortit encore de préoccupations utilitaires. L'homme recherche une fille apte à remplir les tâches ménagères et la jeune fille se fait souvent conseiller par ses parents un bon garçon « honnête et travaillant ».

Ah !... fais pas simple ! De la belle amour... ça apporte-t-y à dîner la belle amour ? En tous les cas, moé, j'ai mis une croix dessus à la belle amour ! Si j'tais pas enfarmée icitte à l'an-née je connaîtrais p'tête dans mon boutte un bon gars travail-lant pis pas buveur. Là ça me tenterait de faire mon règne avec. Toutes les autres affaires, comme la belle amour, c'est de la bouillie pour les chats. Nous autres les femmes on a besoin d'un homme qui apporte de quoi faire bouillir la marmite. Le reste, on s'en charge, élever les enfants, faire à manger, tenir la maison propre.

Source : Marielle Brown-Désy, *Marie-Ange ou Augustine,* Montréal, Parti-Pris, 1979, p. 35.

Le recrutement d'épouses pour les colons isolés n'est pas sans rappeler, par certains côtés, l'épopée des « filles du roy ». Dans une monographie sur le village de Guérin, cette forme de fréquentations forcées est décrite dans les termes suivants : « Les prêtres recruteurs de colons devaient voir au recrutement des jeunes épouses. Au Témiscamingue, ce recrutement se fit par celui des institutrices. » Les institutrices découvrent souvent à leur arrivée dans ces pays de colonisation qu'elles ont été prises au piège et qu'on veut plus les voir épouser un colon qu'enseigner.

Les jeunes urbaines, de leur côté, veulent de plus en plus faire des mariages d'amour et refusent les prétendants qui ne leur con-viennent pas. Une célibataire née en 1890, qui a travaillé dans les usines de textile toute sa vie, raconte : « À l'étranger comme ici, j'ai des prétendants ; mais, pour me marier, il faut aimer, puis ceux que j'aime ne viennent pas, et ceux qui viennent ne m'intéressent pas ; c'est pourquoi je suis encore célibataire. Vous pouvez dire aux jeunes filles d'aujourd'hui qu'on ne me fera pas croire que toutes celles de mon temps restaient chez elles près de leurs parents en attendant le prince charmant. Il en avait comme nous qui ont connu l'autonomie. » En voilà une qui ne s'est pas fait imposer un mari !

Les mouvements de « modernisation » amorcés au cours de la période précédente prennent de l'ampleur. L'invasion de la radio, le

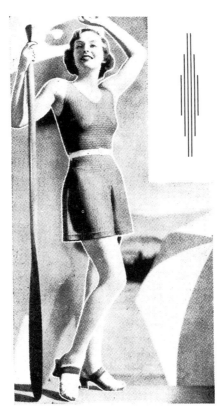

Le maillot de bain approuvé par la Ligue catholique féminine.
Almanach de la langue française, *1936*

développement du commerce de détail et du prêt-à-porter, l'arrivée des capitaux et, avec eux, des modes américaines, les déplacements plus faciles par automobile, mettent les femmes en contact avec de nouvelles idées et de nouvelles modes.

Qu'elles soient bourgeoises, employées dans les services ou ouvrières, les femmes, influencées par les États-Unis, aspirent à une certaine modernité. Ces préoccupations ne cessent d'affoler le clergé catholique et les autorités civiles qui condamnent ces nouveautés sans pouvoir arrêter l'engouement qu'elles provoquent. On reproche aux jeunes filles leur vernis à ongles, leurs sourcils épilés et leurs lèvres maquillées de même que leur goût pour la cigarette et les cocktails, toutes choses auxquelles, suivant leur fortune, elles ont plus ou moins accès.

Avec la guerre, des changements importants se produisent dans les vêtements féminins : les robes deviennent plus droites et plus courtes. Le vêtement se standardise et la mode, inspirée de Londres, Paris et New York, prend une importance capitale, particulièrement durant les années 20. Les bas de soie, les coiffures ondulées, les shorts, les *breeches*, les pyjamas de plage, font l'objet de discussions dans les revues de mode. Les femmes doivent avoir l'air « sexy ». Les Américaines inventent alors le mot « *flappers* » pour représenter le nouveau style. Aux États-Unis, plusieurs Américaines croient que l'émancipation de la femme a atteint un sommet. Il faut reconnaître que la *flapper* a permis d'atteindre certains objectifs auxquels les féministes ne s'attarderont pas : libérer la femme de ces accoutrements encombrants du 19e siècle, lui faire accepter de porter des vêtements confortables dans lesquels elle se sent belle et athlétique. Mais ce n'est souvent là que l'instauration de nouvelles normes. Alors qu'on a jusque-là demandé aux femmes d'avoir l'air pures, on les convie maintenant à avoir l'air « sexy ». On voit donc grimper les ventes de cosmétiques.

Les plages, les danses, les excursions du dimanche, font la joie des femmes. Les éléments conservateurs du clergé catholique font appel aux mères canadiennes en leur mentionnant, par exemple, qu'il est inconvenant et même dangereux que la natation soit enseignée aux personnes du sexe féminin par des instructeurs masculins. Mais, ces interdits ont de moins en moins de poids.

L'ambiance anglo-américaine tente aussi d'engendrer, au Canada français, un type de femme standardisée. Le cinéma, les magazines, les journaux, la musique même, empreints d'américanisme, exercent sur l'âme de la Canadienne française une influence qui contredit ses traits héréditaires. L'engouement de nos soeurs pour les frissons d'une aventure singulière, leur habitude du hot-dog, *du sandwich aux tomates et des boîtes de conserves, leur penchant pour la musique folichonne du jazz, pour les cocktails et les films d'émotion violente ; leurs initiatives souvent téméraires, leur béguin pour le colossal et le trompe-l'oeil, ainsi que leurs allures de femmes affranchies, sont les conséquences d'influences américaines qui altèrent peu à peu leurs traits ethniques.*

Source : *Almanach de la langue française*, Éditions Albert Lévesque, 1936, p. 12.

Musée McCord, université McGill, Montréal

Almanach de la langue française, *1936*   *Musée McCord, université McGill, Montréal*

Les femmes accèdent à la pratique des sports.   *Musée Beaulne, Coaticook*

Le sport prend aussi une importance de plus en plus grande dans la vie des femmes. Le tennis, le ski, le canot, la natation, sont pratiqués par les femmes, surtout par les jeunes bourgeoises qui ont évidemment plus de temps et d'argent à y consacrer. Le sport d'équipe n'existe à peu près pas, en milieu francophone, pour les filles.

Il est bien évident que la situation matérielle précaire d'une bonne partie des familles, conjuguée à la pénétration rapide des nouvelles idées apportées par le développement des communications et aussi par les immigrants, ébranle les modes de vie traditionnels et continue de fissurer les modèles de vie des femmes. Même si les rôles d'épouse et de mère, ou encore de religieuse, seront encore et pour longtemps dominants, de nouvelles aspirations apparaissent qui marqueront au sceau de l'ambivalence et de la contradiction le discours et l'action des femmes au cours des prochaines décennies. Céline Beaudet a analysé le journal *Radio-Monde*, paru pour la première fois en janvier 1939. Ce journal sur la vie artistique québécoise concède « à la femme le droit d'avoir une vie professionnelle, d'afficher une ambition dans son travail, mais en autant qu'elle conserve les attributs de la femme ordinaire, c'est-à-dire ménagère et mère de famille. Le domaine privilégié de la femme, c'est l'amour, le mariage, la maison ; celui de l'homme, c'est le travail ».

Les grosses familles : une espèce en voie d'extinction

Amorcée au cours de la période précédente, la chute de la natalité persiste, de sorte que les Québécoises n'auront plus que trois enfants en moyenne vers 1940.

Mais le mythe des familles nombreuses n'en continuera pas moins d'avoir la vie dure pour plusieurs décennies à venir, et nous aurons pour longtemps l'impression que toutes les Québécoises avaient 10 ou 12 enfants. Si l'on sait que 20,5 p. 100 des Québécoises mariées nées vers 1887 (20 ans en 1917) ont donné naissance à plus de 10 enfants, produisant de la sorte plus de la moitié des enfants nés des femmes de cette génération, on peut comprendre qu'il y aura des centaines d'enfants qui pourront se vanter de venir d'une grosse famille. Mais ces grosses familles ne seront le lot que d'une Québécoise sur cinq !

Les femmes prolifiques sont donc une race qui s'éteint et, chez les femmes nées entre 1916 et 1921, seulement 7,6 p. 100 de celles qui se marieront auront plus de 10 enfants, soit 24,3 p. 100 du total des enfants. Cette tendance s'accentuera chez la génération suivante (femmes nées entre 1922 et 1926), alors que seulement 3,5 p. 100 des femmes mariées auront plus de 10 enfants, et 19,2 p. 100 plus de 6. Ce sont donc ces groupes de femmes, vivant pour la plupart à la campagne, qui sont responsables de la reproduction du plus grand nombre d'enfants, puisque 40 p. 100 des Québécoises mariées ont un ou deux enfants ou n'en ont pas du tout. Pour limiter les familles on utilise le coït interrompu. L'usage des condoms et des pessaires (diaphragmes) se répand.

Lorsqu'une naissance va se produire, on raconte aux autres enfants de la famille qu'un bohémien ou « le sauvage » viendra porter un bébé à leur mère et essaiera de le lui donner. Devant son refus, il lui cassera une jambe et lui laissera de force le bébé, ce qui explique qu'elle soit couchée. Selon le sociologue Horace Miner qui rapporte cette légende, le refus de la mère de prendre le bébé laisse entendre que les femmes appréhendaient les longues suites de grossesses. Il ajoute que c'est le mari qui désirait avant tout une grosse famille.

Dans les années 30, on relie souvent travail féminin, américanisation et contrôle des naissances. En 1935, un médecin, Joseph Gauvreau, écrit : « C'est auprès des ouvrières que fut poursuivie avec le plus d'activité la propagande de l'union libre et inféconde. Sournoisement, mais systématiquement, commencèrent les campagnes de stérilité et la stérilisation par les rayons artificiels. Et, chose inouïe, jusque-là, l'on vit, chez nous, s'abaisser considérablement le taux des naissances. »

Dans *30 arpents*, Ringuet décrit la visite de cousins américains qui n'ont que deux enfants. Le cultivateur demande à son cousin si sa femme est malade. Lorsque celui-ci mentionne que non, qu'il ne voulait tout simplement pas une grosse famille, le cultivateur répond : « Mais, on ne mène pas ça comme on veut. » L'Américain rétorque : « *Damn it!* ma femme pi moé on a décidé de mettre les brékes... » Le cultivateur en conclut qu'il s'agit sans doute là « de quelqu'une de ces pratiques monstrueuses dont M. Le curé avait parlé un jour à la retraite des hommes et qui ont pour but d'empêcher de s'accomplir les desseins de la Providence ». « La femme ne pourra à la fois se donner à la recherche du plaisir et aux charges de la maternité. »

Le procès d'Eastview, en 1936, fournit une somme d'informations intéressantes au sujet de la limitation des naissances qui, le nombre d'enfants par famille l'indique, était pratiquée plus souvent qu'on ne l'a cru.

Eastview (aujourd'hui Vanier) est une banlieue canadienne-française de la région d'Ottawa où le chômage sévit fortement (17,6 p. 100 des familles vivent du secours direct) et compte 71 p. 100 de catholiques. Une infirmière, Dorothea Palmer, employée par le Parents' Information Bureau de Kitchener, visite les familles nombreuses pour leur offrir du matériel contraceptif ainsi qu'une brochure décrivant pas moins d'une douzaine de méthodes contraceptives. En 1936, Dorothea Palmer est arrêtée en vertu du Code criminel qui interdit toute promotion et vente de matériel contraceptif.

Le procès s'ouvre par le témoignage des 21 femmes que l'infirmière Palmer a visitées. Diane Dodd, qui a fait l'histoire de ce long procès, rapporte que ces femmes sont toutes catholiques et francophones, sauf une. Par l'intermédiaire du Parents' Information Bureau, elles ont reçu gratuitement, par la poste, une boîte contenant trois condoms et un tube de gelée contraceptive, ainsi qu'une brochure en français intitulée *Le contrôle de la natalité et quelques-unes de ses méthodes les plus simples.* Pour obtenir à nouveau des produits, elles doivent payer si elles en ont les moyens financiers. Interrogées par le procureur de la Couronne, la plupart (sauf deux ou trois) répondent qu'elles ne voient aucun mal à la pratique de la contraception.

Ce procès amène aussi des Canadiens français à témoigner. Parmi les francophones, seul un travailleur social se déclare favorable à la contraception. Le Dr J.E. De Haître, opposé à la contraception, n'admet pas moins, lorsqu'il est contre-interrogé par la défense, que des avortements sont fréquents et qu'ils pourraient être évités grâce à l'usage de contraceptifs.

Le témoin vedette de la Couronne est le Dr Léon Gérin-Lajoie, professeur de gynécologie à l'Université de Montréal (et aussi fils de la féministe Gérin-Lajoie). Ce médecin croit qu'il y a trop d'information médicale donnée à la population ; aucune méthode contraceptive, affirme-t-il, ne devrait se pratiquer sans contrôle médical. Les prescriptions de l'Église, en ce qui concerne la contraception, sont rigoureuses et l'encyclique *Casti connubii* publiée en 1930 l'interdit explicitement. Malgré cela, il semble qu'au cours du procès des médecins doivent avouer que l'idéal catholique n'est pas toujours facilement applicable. L'extrait suivant de l'interrogatoire du Dr Gérin-Lajoie en témoigne :

Q : *Do you think the mother should wait until doctors study this out to get unanimous (...) and when doctors have established it, a clinic can come along, is that your idea ?*
A : *No.*
Q : *What will the poor mother do in the meantime ?*
A : *See her doctor.*
Q : *Not you ?*
A : *Yes, on the contrary ; you would be surprised.*

Finalement, Dorothea Palmer, passible de deux ans d'emprisonnement, est acquittée sur la base du principe que son travail de promotion des contraceptifs est légal, parce qu'inspiré par le bien public.

Peu de temps après le procès, une infirmière du Parents' Information Bureau oeuvre à Montréal. Léa Roback, qui travaille alors à Montréal à organiser les travailleuses de la robe, l'accompagne chez des familles ouvrières qu'elle connaît. Elle raconte que « cette infirmière était très consciencieuse. Elle expliquait aux femmes comment installer le pessaire (diaphragme). Mais, la plupart des maris nous recevaient très mal. Nous avons visité quinze familles et réussi trois fois seulement à faire la démonstration. L'infirmière était très étonnée de l'autorité qu'avaient les maris et de leur volonté de ne pas voir leur femme empêcher la famille. Elle décide d'abandonner, ne voulant pas être cause d'ennuis, d'autant plus que le procès d'Eastview avait fait pas mal de bruit ».

À la campagne, les accouchements à la maison, avec l'aide du médecin ou de la sage-femme, sont encore monnaie courante. Les médecins étant souvent éloignés et les routes impraticables l'hiver, il y a toujours une femme apte à venir aider ses voisines. Une chroniqueuse du bas du fleuve écrit : « Toutes les femmes n'étaient pas qualifiées pour exercer cette profession. L'essentiel, c'était le sang-froid... Une autre femme de la parenté ou une voisine venait seconder la sage-femme. Le mari était presque toujours absent à cause de son travail aux chantiers ou ailleurs ; de toute façon, il sentait qu'il ne faisait pas partie du décor, l'accouchement était une affaire de femme. » Affaire de femme, se faisant gratuitement, et qui est déjà devenue largement affaire d'hommes dans les villes, où les femmes sont accouchées, la plupart du temps, par des médecins.

Une scène de vacances au lac McDonald en 1924.
Collection privée — Françoise G. Stanton

Hélène Laforce, qui a étudié l'histoire des sages-femmes, démontre que l'intervention médicale évacue lentement les femmes d'une profession qui leur appartient. Il est devenu de plus en plus payant pour les médecins d'effectuer les accouchements dans les villes. On fait donc du bébé un malade potentiel. La population résiste à sa façon aux médecins et, en 1919, une pétition des habitants du village du Sacré-Coeur au Saguenay défend les sages-femmes dans un procès intenté contre elles par la Corporation professionnelle des médecins. Laforce mentionne qu'il y aura encore quelques sages-femmes jusqu'au moment où l'assurance-hospitalisation incitera les femmes à aller se faire accoucher à l'hôpital.

1914-1918 : une première guerre qui fait avancer quelques attitudes

La première grande guerre ne va pas changer de façon drastique le rôle des femmes dans la main-d'oeuvre. L'augmentation du nombre de femmes sur le marché du travail, à l'occasion de la première guerre, ne marque qu'une accentuation de la tendance qui prend forme au tournant du siècle et se continue tout le long du 20e siècle. Il n'en demeure pas moins que la première guerre amène une accélération soudaine et temporaire de la croissance du nombre de travailleuses, des changements dans les occupations et quelques changements dans les attitudes face au travail des jeunes filles.

La conscription ne survenant qu'à la fin de la guerre, la demande de main-d'oeuvre féminine sera moins forte que durant le deuxième conflit mondial. Comme l'a souligné l'historienne Ceta Ramkhalawasingh dans sa recherche sur les femmes durant le premier conflit mondial, ce sont majoritairement des célibataires qui occupent les nouveaux emplois, et cette donnée permet un changement important et définitif au niveau des attitudes face au travail des jeunes filles. On reconnaît qu'il est convenable pour elles de travailler avant le mariage, d'autant plus que leurs salaires sont nécessaires aux familles pour se procurer les biens de consommation autrefois produits à la maison. De plus, on convient que certains travaux, dont on ne les croyait pas capables physiquement, peuvent être assumés par elles.

En 1919, Enid Price publie une étude sur la question des femmes et la première grande guerre à Montréal. Elle avait visité des manufactures de munitions, des industries de chemins de fer, des grossistes, des magasins, etc. Elle se rendit compte que, durant la guerre, les femmes travaillant dans l'industrie y avaient été affectées à des travaux plus lourds. Ainsi, dans les chemins de fer où seuls des hommes construisaient, réparaient les locomotives et les wagons, on vit des femmes affectées à ces travaux. En 1918, à Montréal, il y avait 2315 femmes employées dans les chemins de fer, l'acier et le ciment, et occupées à des emplois qui avaient, jusque-là, été remplis par des hommes ; dans les munitions, au sommet de la guerre, on retrouvait, à Montréal et en Ontario, 35 000 femmes, la plupart en provenance d'autres secteurs manufacturiers. Dans les manufactures non concernées par l'effort de guerre, Price note qu'il y avait peu de changement dans la composition de la main-d'oeuvre mais, dans les emplois de bureaux et les postes à caractère clérical, la guerre permit d'accentuer la tendance au remplacement des hommes par des femmes.

En ce qui a trait au salaire, Ramkhalawasingh note que les femmes reçoivent, dans les industries d'armement, entre 50 et 80 p. 100 du salaire des hommes. De son côté, Price a identifié qu'entre

1914 et 1918, les salaires payés aux commis de bureau passèrent de 10 à 60 p. 100 de ceux des hommes. En général, on note donc, durant la guerre, un rétrécissement des écarts salariaux diminuant les énormes inégalités que l'on connaissait sans jamais les éliminer.

À la fin de la guerre, plusieurs femmes doivent faire face au chômage consécutif à la diminution de la main-d'oeuvre dans les industries de guerre et au retour des hommes dans les secteurs où elles les ont remplacés. Ceci confirme la théorie qui veut que les femmes forment un réservoir potentiel de *cheap labor* que l'on peut manipuler au gré des conjonctures économiques.

Débrouillardise en temps de crise

En octobre 1929, le marché boursier de New York s'effronde lançant le monde dans la crise qui durera jusqu'à la fin des années 30. Le monde des hommes s'écroule et les femmes aussi doivent en payer le prix.

La Crise marque profondément la vie des femmes. Elles en parlent abondamment lorsqu'elles racontent leur vie. Les hauts taux de chômage, les diminutions de salaires, la difficulté de se marier, les problèmes de logement et d'alimentation, aussi bien que ceux de l'habillement, les obligent à un surcroît de travail domestique.

Rappelons que le chômage au Québec passera de 15 p. 100 à la fin de 1929 à 20 p. 100 en 1931 et à 30 p. 100 au début de 1933. Plusieurs femmes doivent se chercher de l'emploi pour joindre les deux bouts et compenser le manque à gagner du mari. Dans un article sur le travail des femmes durant la Crise, Ruth Milkman constate qu'en période de récession la théorie d'armée de réserve utilisée lorsqu'on parle des femmes devient contestable. Elle remarque que la division sexuelle du travail fait en sorte que, du moins aux États-Unis durant la Crise, les femmes perdent moins vite leurs emplois que les hommes, la récession affectant particulièrement les secteurs masculins de l'emploi. Cependant, la Crise s'accentuant et les hommes ne trouvant plus d'emplois, la tendance se modifie. Un plus grand nombre de femmes cherchant de l'emploi deviennent comptabilisées dans la main-d'oeuvre, ce qui augmente le taux de chômage chez les femmes. Ces constatations font aussi ressortir le fait que les femmes n'occupaient pas des emplois qui auraient pu être postulés nécessairement par des hommes, comme on tenait à le faire croire.

Pour ce qui est du Québec, l'après-guerre et la Crise marquent un certain retour en arrière, succédant aux tentatives de redéfinition du rôle des femmes. Afin de protéger le travail féminin, les revendications du mouvement ouvrier telles que la fixation de salaires minima, les allocations aux mères, la réglementation des heures de travail et la sécurité accrue que l'on peut retracer par les résolutions des congrès annuels des diverses centrales syndicales font place, particulièrement à la nouvelle Confédération des travailleurs catholiques du Canada, à des dénonciations des travailleuses qui prennent les emplois des «pauvres pères de famille». Cette dénonciation atteint un certain sommet avec la présentation du projet de loi Francoeur, en 1935, à la Législature provinciale. Ce projet décrète « que les femmes et les jeunes filles sollicitant un emploi devront faire la preuve qu'elles ont réellement besoin de le faire ». On veut limiter le travail des femmes à celui de fermières, cuisinières ou domestiques. Le projet de loi est rejeté, 47 voix contre 16, mais il reflète bien l'état d'esprit d'une société partagée entre une idéologie conservatrice catholique et une idéologie libérale.

Témoignant de leur travail durant la Crise, les femmes mentionnent avoir fait des lavages à la maison, pris des pensionnaires, servi des repas, trouvé des logements moins dispendieux.

« J'ai remarqué, j'avais raccommodé les pantalons de mon mari 7 fois. Ceux qui étaient plus fortunés nous passaient le linge de leurs enfants. Pendant deux ans, j'enlevais le linge sur le dos des enfants, je le lavais et je leur remettais », affirme une ménagère qui a vécu la Crise.

Une autre note : « On mangeait beaucoup de *baloney*... On faisait des fèves au lard... On est venu à bout de survivre. »

Source : La Fédération des femmes canadiennes-françaises, *La part des femmes, il faut la dire*, Kaice-tec Reproduction Ltée, juin 1981, p. 35.

Quand la science s'en mêle : santé et bienfaisance

Dans le sillon du mouvement de réforme urbaine, l'organisation systématique de la santé et de la bienfaisance se poursuit. Les préoccupations scientifiques envahissent ces secteurs où s'affirme de plus en plus le pouvoir de la profession médicale. Les femmes continuent à exercer un rôle prépondérant dans la dispensation de l'aide sociale, comme laïques réformistes, via les associations de bienfaisance ou comme religieuses oeuvrant dans les institutions. Composées majoritairement de femmes appartenant à la bourgeoisie et créées pour soulager la pauvreté urbaine, les sociétés de bienfaisance sont soit d'inspiration individuelle soit organisées à la suggestion d'une église, d'une communauté religieuse ou de médecins hygiénistes dont le pouvoir s'accroît considérablement au cours de la période.

Durant toute la période, le zèle des femmes s'exerce dans une foule de domaines : orphelinats, asiles, crèches, hôpitaux, foyers, refuges, patronages, ouvroirs, bibliothèques, salles d'oeuvres, associations pieuses. Ces organisations demeurent toutefois sous la coupe du clergé via les aumôniers et les conseillers religieux dont l'approbation ou la désapprobation peuvent en influencer la bonne ou la mauvaise marche. Quant aux femmes protestantes, leurs activités charitables sont fortement influencées par la religion et en étroites relations avec les églises. Cependant, une hiérarchisation moins lourde que dans l'Église catholique permet aux femmes d'avoir plus d'autonomie, le pasteur n'assumant pas comme l'aumônier un contrôle direct de l'action des femmes.

Les problèmes sont nombreux et les mesures sociales, de même que l'organisation plus systématique de la charité, amorcée au cours de la période précédente, ne suffisent pas à s'attaquer véritablement aux fléaux suscités par l'insalubrité de l'environnement et des logements urbains et par les bas salaires d'une grande partie de la population qui y réside.

Montréal a un niveau de mortalité supérieur à celui de toutes les grandes villes occidentales, et il faudra attendre l'après-guerre pour voir cette situation se corriger de façon significative. Entre 1901 et 1929, la mortalité infantile est responsable de 12,6 à 17 p. 100 de tous les décès au Québec et cette mortalité frappe plus directement les quartiers pauvres des milieux urbains. En six ans, de 1910 à 1915, 78 000 enfants de moins d'un an sont morts au Québec.

La mauvaise qualité du lait et des eaux consommées sont la cause majeure des nombreux décès dus à ce qu'on appelait la diarrhée infantile. À Montréal, on ouvre, en 1914, une usine de filtration d'eau mais il faut attendre 1926 pour voir la pasteurisation du lait se généraliser. En 1914, seulement le quart du lait consommé à Montréal est pasteurisé et les grandes laiteries en limitent la distribution aux secteurs cossus de l'ouest de la ville.

Cette situation alarme les médecins hygiénistes qui incitent alors les mères de famille à allaiter leurs nouveaux-nés afin de leur éviter la consommation du lait contaminé.

Regroupés dans le Conseil d'hygiène de la province de Québec, fondé en 1887, ces médecins hygiénistes se lancent, selon l'historienne Claudine Pierre-Deschênes, entre 1895 et 1914, dans une phase d'éducation populaire, de croisades et de renforcement du pouvoir de la profession médicale. Comme ils arrivent difficilement à rejoindre les femmes de la classe ouvrière, les hygiénistes embrigadent dans leur croisade les femmes issues de la bourgeoisie qui sont déjà convaincues du bien-fondé des mesures préconisées par les médecins. Un tract, préparé par le Conseil d'hygiène et intitulé « Sauvons nos petits enfants. Appel aux mères », est distribué systématiquement lors de l'enregistrement des naissances. Il prône fortement l'allaitement maternel qui doit s'accompagner de toute une pratique d'hygiène infantile touchant la croissance, la dentition, la toilette, le vêtement, le régime alimentaire.

Une foule d'organismes assure « les Veillées des berceaux » : les Gouttes de lait, Ligue des petites mères, Garderie de nourrissons, Day Nursery, Baby Welfare Committee, Fédération nationale Saint-Jean-Baptiste. Le « prenatal work » importé des États-Unis s'étend au Québec. En général, ce sont les médecins hygiénistes qui dirigent ces organismes et les femmes qui font le travail, la plupart du temps bénévolement. Dans les années 20 la campagne contre la mortalité infantile commence à donner des résultats probants. Donc, via le développement scientifique, le savoir officiel concernant l'hygiène infantile et le soin des nourrissons, après celui de l'accouchement, échappe aux femmes. Les hommes construisent ce savoir, les femmes en appliqueront les recettes.

Donc, la professionnalisation de l'hygiène et de la bienfaisance accentue la domination du pouvoir patriarcal exercé sur les femmes dans ces deux secteurs. Au début du siècle s'organise, selon Pierre-Deschênes, un bio-pouvoir qui repose sur l'investissement et l'assujettissement des corps. L'hygiène devient un enjeu socio-politique important, source de contrôle et d'emprise, et il faudra attendre les années 70 pour entendre les femmes parler d'autosanté et de réappropriation de leurs corps.

En 1900, la création de la Charities Organization Society à Montréal, puis du Montreal Council of Social Agencies, en 1919, vise à mieux coordonner l'action des sociétés de bienfaisance et à leur donner un caractère plus scientifique et professionnel. La Charities Organization Society n'arrive pas, cependant, à devenir l'organisme parapluie de la société francophone et la Saint-Vincent-de-Paul continue parallèlement son action. Cette modernisation n'est qu'apparente car ces nouvelles organisations ne s'attaquent pas aux racines de la pauvreté, qu'elles continuent à considérer comme un problème individuel plutôt que comme un phénomène social résultant du chômage et des bas salaires.

Comme les autres, les femmes aussi sentent ce besoin d'améliorer la qualité scientifique de leurs interventions « charitables ». La bienfaisance changeant de nature, les femmes voient que, pour être prises au sérieux, il faut maintenant rencontrer des critères scientifiques reliés à la qualité de la formation de personnel, à l'hygiène, à la tenue de statistiques concernant les interventions, etc.

Ces préoccupations font émerger au Québec, comme dans le reste de l'Amérique du Nord, une nouvelle profession, celle de travailleuses sociales. Deux femmes y font leurs armes, au début du siècle, en suivant des itinéraires fort différents : une anglophone, Bella Hall Gould, et une francophone, Marie Gérin-Lajoie, fille de la féministe du même nom. Née en Ontario en 1878, Bella Hall Gould déménage au Manitoba en 1882. Elle poursuit des études musicales en Allemagne, au tournant du siècle, et y rencontre la pauvreté dans laquelle vivent les masses, à côté d'une classe privilégiée. À son retour elle s'occupe des immigrants et se rend travailler à Winnipeg avec J.S. Woodsworth, pasteur protestant qui fondera plus tard le Canadian Commonwealth Federation (CCF). Se rendant compte que le travail auprès des immigrants demande une formation spécialisée, elle entre, en 1912, en service social à l'Université de Toronto. Vers 1915, à la recommandation de Woodsworth, elle accepte la direction de l'University Settlement, fondé à Montréal par un groupe de femmes diplômées de l'université McGill. Cette oeuvre sociale offre aux femmes des quartiers pauvres un lieu où prendre une tasse de thé et une collation, se reposer et se divertir. Bella Hall se dissociera graduellement de cette forme d'intervention et dirigera sa réflexion vers le

Infirmière arrivant à l'Île-aux-Coudres en 1943.
Collection privée — Adrienne Picard

marxisme et son action vers les travailleurs(euses) et les chô-
meurs(euses).

De son côté, Marie Gérin-Lajoie négocie avec sa mère de
demeurer célibataire afin d'être dégagée des soucis de la famille et
d'avoir la liberté de se consacrer aux oeuvres sociales. Selon l'historienne Marcienne Proulx, son directeur spirituel l'incite à fonder
une communauté, afin de pouvoir poursuivre ses objectifs d'organisation du travail social à Montréal. En 1923, naît donc l'institut
des soeurs Notre-Dame-du-Bon-Conseil de Montréal. Les démarches de Marie Gérin-Lajoie laissent deviner qu'en dehors du cadre
religieux, il était difficile pour les femmes francophones, même
aussi instruites qu'elles pouvaient l'être, de sortir du rôle de bien-
faitrices, de faire carrière dans l'action sociale ou simplement
d'avoir une profession.

Le gouvernement, de son côté, se voit incité par les médecins et
les organisations charitables à accroître son action, à réglementer
les conditions sanitaires et à aider les plus démunis. Malgré quelques interventions au début du siècle, comme la vaccination anti-

variolique obligatoire en 1903, ce n'est que dans les années 30 que son action prendra vraiment de l'importance.

Jeunes filles et femmes de la bourgeoisie se sentent concernées par la misère des mères des quartiers ouvriers et fondent plusieurs organisations pour les secourir. Épouses d'hommes d'affaires ou de professionnels participant au développement industriel et foncier du Québec, Caroline Béique, Marie Gérin-Lajoie et bien d'autres utilisent les loisirs que leur laisse leur aisance pour secourir d'autres femmes. Devant l'absence de secours aux mères nécessiteuses, une femme, Caroline Leclerc Hamilton, démarre, en 1912, l'Assistance maternelle, organisation destinée à venir en aide aux mères de familles pauvres, « (...) souffrantes, lourdement grevées d'enfants et de charges, et mettant au monde, dans le dénuement et l'angoisse, d'autres enfants qui ne feront que recommencer cette existence de peine et de misère ». L'histoire de l'Assistance maternelle démontre, comme bien d'autres, comment le bénévolat fut une façon, pour les femmes, d'utiliser leur potentiel d'organisation sous le regard bienveillant de l'Église et de la profession médicale. L'oeuvre veut soigner et secourir la mère pauvre, avant, pendant et après la naissance de son enfant. Des comités paroissiaux sont organisés. Formés d'équipes de bénévoles et encadrés de conseillers médicaux (médecins et infirmières), ils fournissent conseils médicaux, layettes, lingerie, literie, provisions et combustible. L'Assistance maternelle est affiliée à la Saint-Vincent-de-Paul et à l'hôpital Sainte-Justine. En 1936, cette oeuvre donne des soins à 4294 mères accouchées.

En 1897, Georgiane et Léontine Généreux, et Aglaée Laberge avaient fondé l'hôpital du Sacré-Coeur destiné à recueillir des cancéreux ou des invalides. En 1908, Justine Lacoste-Beaubien, épouse de Louis de Gaspé Beaubien, avocat et banquier, fondera l'hôpital Sainte-Justine. Atterré par le taux élevé de mortalité infantile chez les Canadiens français et par le manque d'espace dans les hôpitaux catholiques où l'on refuse les enfants de moins de cinq ans, un comité se réunit, en mai 1907, à l'appel du docteur Irma Levasseur, première femme médecin du Québec, pour discuter de ce projet. On retrouve, dans le premier comité honoraire, les noms des grandes bourgeoises montréalaises : mesdames Caroline Béique, épouse de Frédéric Liguori Béique, que le *Montreal Star* classera comme millionnaire en 1911, Joséphine Dandurand, épouse du sénateur Raoul Dandurand, Marie Thibaudeau, épouse de Rosaire Thibaudeau, sénateur et homme d'affaires s'occupant de commerce, de finance et du chemin de fer, madame Leman, épouse

Salle d'orphelines chez les Soeurs Grises.
Archives des Soeurs Grises

de Beaudry Leman, gérant général de la Banque Canadienne Nationale et Marie Gérin-Lajoie, épouse de l'avocat Henri Gérin-Lajoie.

L'hôpital ouvre en 1908. Le bureau médical s'organise en janvier, et les dispensaires ouvrent en mars. Les cours d'infirmière et d'aide maternelle débutent peu après. Afin d'être en mesure de gérer l'hôpital, ces femmes doivent demander au Parlement québécois, comme leurs ancêtres qui avaient fondé des refuges 50 ans plus tôt, d'être relevées de leur incapacité juridique, ce que leur permettra l'incorporation. À la suite de batailles juridiques, rapporte Thaïs Lacoste, secrétaire de l'hôpital, elles « (...) sortirent victorieuses d'une petite lutte, engagée contre nous, les femmes, qui voulions la plus grande liberté pour travailler le plus efficacement possible à notre chère oeuvre, et messieurs les hommes qui, jaloux de leurs droits, ne voulaient pas, sans se faire prier un peu, les partager avec nous... serait-ce même pour la charité ».

On voit que l'assistance aux mères vient des mères elles-mêmes, dans un premier temps, et que leur préoccupation va en premier vers l'accouchement et les premiers mois de la vie. À travers l'histoire, on retrouve ce souci des femmes de s'entraider au moment de leurs maternités. Cependant, même si elles sont femmes de bourgeois, elles ont souvent peu de moyens pour poursuivre leur action. Elles sont, la plupart du temps, les instigatrices d'oeuvres qu'elles démarrent difficilement et qui sont ensuite prises en charge par une communauté religieuse ou par l'État, quand elles ne sont pas « re-fondées » par un homme. Prenons, comme exemple, les Gouttes de lait, centres de puériculture destinés à informer les mères et à distribuer du lait de bonne qualité, que le gouvernement ne supportera par un octroi qu'en 1922.

En 1935, le docteur Joseph Gauvreau prononce une conférence au congrès-souvenir du 25e anniversaire de la fondation des Gouttes de lait. Il y fait l'éloge de Mgr Le Pailleur qui, en 1910, fonda cette oeuvre dans la paroisse Saint-Enfant-Jésus. Il rappelle « (...) qu'une tentative semblable avait été faite sur la rue Ontario, du 5 juillet au 24 novembre 1901, sous le patronage du journal *La Patrie*, à l'instigation de sa correspondante féminine, Madeleine (madame Huguenin), et de madame L.-G. Beaubien (Justine Lacoste). Ce sont donc des femmes qui ont réellement fondé les Gouttes de lait ! » Poursuivant sa causerie, le docteur Gauvreau décrit l'action de Mgr Le Pailleur, soulignant le rôle indispensable des médecins hygiénistes et le rôle *secondaire* mais fort efficace, « même indispensable », ajoute-t-il, joué par les mères elles-mêmes, par les dames patronnesses et par les garde-malades.

Selon lui, les garde-malades et les dames patronnesses font un travail efficace d'éducation mais, pour former, il faut plus « (...) que des charmes de séduction. Il faut une foi». Et, cette foi, ce sont les médecins, précise-t-il, qui l'inculqueront. Les femmes sont « enrôlées » par Mgr Le Pailleur au service organisé de toutes les misères physiques et morales et le fondateur assiste même aux «réunions mondaines » pour le faire. Les noms du groupe fondateur laissent songeuse. Le docteur Gauvreau y mentionne le souvenir de quelques garde-malades bénévoles, « (...) dont la première et la plus fidèle au poste fut Mme Labelle, la femme du sacristain ». On peut, sans risquer de se tromper et en lisant entre les lignes, penser que cette dame Labelle a probablement assuré la bonne marche de l'affaire et récolté peu de gloire !

La Loi de l'assistance publique, en 1921, et la Loi des pensions de vieillesse que le Québec adopte en 1936, neuf ans après sa promulgation par le fédéral, marque l'aboutissement des efforts de

ceux qui incitaient à un nouveau partage des responsabilités en
santé et bienfaisance. Selon l'historien Terry Copp, ces lois, en
général, actualisent une espèce de compromis grâce auquel le gouvernement fournit les normes et le travail de planification, tout en
mettant à profit le réseau déjà existant des organismes bénévoles
privés. Les femmes passent d'un encadrement ecclésiastique plus ou
moins marqué selon les ethnies à un encadrement étatique où,
finalement, elles n'auront même plus, à long terme, le pouvoir que
leur confère la gestion des communautés religieuses. Les années 30
et 40 annoncent une situation que la Révolution tranquille va rendre
encore plus visible en faisant perdre aux religieuses les champs de la
santé et de l'éducation des filles.

Ce n'est qu'en 1937 que l'État québécois se substitue aux
efforts individuels en promulgant la loi instituant l'assistance aux
mères nécessiteuses. Au début des années 30, la Commission des
assurances sociales de Québec (commission Montpetit) recommande au gouvernement du Québec d'adopter une loi des mères
nécessiteuses, comme l'ont fait sept provinces à l'appel des médecins, des féministes et des travailleurs sociaux, qui voyaient là une
des façons de conserver l'unité familiale et d'empêcher la mortalité
infantile et la délinquance juvénile. Les féministes soutiennent que
la mère de famille peut assurer, même si elle est seule, la direction
de la famille, alors que des éléments plus conservateurs de la société
soutiennent que la femme ne peut être autonome et qu'il faut l'aider
si son mari décède. La Commission rappelle que les mères nécessiteuses ne peuvent pas compter sur le revenu normal du travail, ni
sur l'assistance sociale octroyée en institution, ni s'en tirer uniquement avec la charité privée. La Commission incite le gouvernement
à aider les mères d'au moins un enfant de 16 ans, dont le mari est
décédé, interné dans un asile ou invalide, des mères dans le besoin
et de bonnes moeurs, sujets britanniques et résidant dans la province depuis au moins 3 ans. On exclue donc les mères séparées,
divorcées ou dont le mari est en prison, ainsi que les immigrantes
récemment arrivées.

La province de Québec est l'une des dernières à adopter une
telle loi qui existe aux États-Unis depuis 1911 et, au Manitoba,
depuis 1916. Cette législation, qui est une forme de salaire aux
mères de famille, marque le début de la sécurité sociale au
Canada et représente, selon l'historienne Véronica Strong-Boag,
un tournant important dans l'histoire canadienne du bien-être de
l'enfant. L'emphase que ses promoteurs mettent à soutenir que le
noyau familial est le meilleur environnement pour éduquer l'enfant

marque une rupture avec les pratiques antérieures qui mettaient l'accent sur les orphelinats et les refuges.

Instituée par le Premier ministre Maurice Duplessis en 1937, la loi québécoise est plus sévère encore que celle suggérée par la commission Montpetit. Elle exige d'avoir au moins 2 enfants de moins de 16 ans, d'être mariée, d'être sujet britannique depuis au moins 15 ans et d'avoir résidé dans la province durant les 7 dernières années. De plus, il faut offrir des garanties raisonnables d'habileté à donner à ses enfants les soins de bonne mère, condition qui fait entrer en considération la conduite morale des mères. Il faut produire deux certificats : l'un provenant d'un ministre du culte et l'autre, d'une personne désintéressée. Il faut aussi faire preuve de sa pauvreté. On imagine à quel point ces conditions exposent les femmes à des démarches humiliantes et vexatoires. En 1938, l'application de la loi permet au gouvernement du Québec de redistribuer 2 000 000$ et de secourir 5000 femmes chefs de famille, alors que, la même année, l'Ontario secoure 12 000 femmes et dépense 5 000 000$. Cette loi marque une étape dans l'histoire des politiques sociales au Québec, en rejoignant des personnes dans le besoin, situées « hors les murs » des institutions d'assistance et en se démarquant de l'idéologie de la charité privée véhiculée à l'époque. Mais ces conditions d'admissibilité sont teintées de sexisme et d'une vision pour le moins moralisatrice du rôle de la femme dans la société.

IX

Se débrouiller

Les fées du logis

La vie à la campagne n'est plus une réalité pour une bonne partie des Québécoises, au tournant du siècle, et ne sera le fait que d'une minorité en 1940. Les femmes doivent donc apprendre à vivre en ville où les Québécois sont locataires à 80 p. 100 au cours de cette période. Le loyer et la nourriture absorbent les trois quarts de leurs revenus et la majorité de la classe ouvrière vit en dessous du seuil de la pauvreté, ce qui, pour les femmes, signifie créativité, énergie et intelligence pour joindre les deux bouts.

Au début du siècle, les bourgeois se déplacent vers les banlieues, ce qui laisse disponibles d'anciennes maisons qui sont subdivisées pour former plusieurs logements mal conçus, où l'on vit parfois à plusieurs familles. À Montréal, le stock de logements se détériore rapidement et on en construit en série, à la hâte. La maison montréalaise type construite à cette époque a deux étages et trois logements ou trois étages et cinq logements. Elle est dotée des célèbres escaliers extérieurs et se déroule en longueur avec, dans chaque logis, un corridor intérieur reliant les pièces. Ces logements mal éclairés et mal aérés n'ont souvent que des toilettes extérieures. Les propriétaires ont d'autant plus de latitude que la ville n'a pas de code de construction et se contente de quelques règlements d'hygiène, d'ailleurs peu respectés. Dans les quartiers d'ouvriers, les arbres et les espaces verts sont nettement insuffisants et les usines polluent l'atmosphère. De plus, les équipements collectifs sont tout à fait insuffisants. Les fenêtres ouvrent sur des rues poussiéreuses et les femmes hésitent souvent à les ouvrir, tellement la poussière est envahissante.

Les maigres salaires ne permettent évidemment pas d'acheter beaucoup de meubles. En 1928, une enquête de la Fraternité canadienne des cheminots sur le coût de la vie au Canada est menée dans plusieurs localités, incluant Montréal, et vise à savoir ce qui est nécessaire aux ouvriers salariés pour avoir un standard de vie convenable. À partir d'un *budget type* de 2000$ par année, jugé nécessaire à l'époque pour une vie décente, on suggère l'achat des meubles suivants pour une famille de cinq :

a. Pour le salon : *du chêne, des fauteuils recouverts de cuir, un divan-lit assorti , pouvant aussi au besoin servir de lit d'appoint, une table en chêne et un tapis peu cher de dimension standard.*

b. Pour la salle à manger : *une table de prix moyen en chêne avec six chaises, une rallonge et un bahut. Sur le parquet, un* congoleum.

c. Pour la cuisine : *une cuisinière à charbon ; une table en pin de 48 pouces, deux chaises et une batterie de cuisine complète de prix moyens (par ex. émaillée gris).*

d. Pour les chambres : *des lits modernes en acier, des meubles simples mais durables en chêne ; des tapis de catalogne ; une literie de qualité moyenne, durable et économique.*

Il a été convenu que ces articles avaient été achetés au moment où la famille a pris possession de son logement. Ils constituent les meubles meublants nécessaires à une famille de cinq pour leur assurer la santé et une vie honnête. Le budget ne prévoit qu'un coût d'entretien de 7%.

On remarquera qu'il n'existe aucun crédit pour des articles divers comme les rideaux, les stores, etc. Ces articles doivent être achetés à même les économies de la famille.

Source : T. Copp, *Classe ouvrière et pauvreté*, Montréal, Boréal Express, 1978, p. 177.

Lorsqu'on sait qu'en 1931 les gains moyens des travailleurs masculins adultes sont de 1200$, auxquels s'ajoutent parfois, 200$ provenant de la femme et des enfants, on comprend que la plupart des familles n'ont même pas un minimum de meubles.

En milieu urbain, quel que soit son statut civil ou économique, la femme est, à différents degrés, un citoyen de seconde zone. Privée de plusieurs droits juridiques et des droits politiques, ayant peu ou pas accès à l'éducation, étant enfermée dans la fonction de reproduction à laquelle la société reconnaît une importance primordiale, elle devient, et particulièrement durant la crise des années 30, une « bricoleuse du quotidien », comme l'a écrit une historienne française, Pascale Werner. « Quand le bricolage signifie invention, ingéniosité, savoir et pouvoir faire, les femmes ont créé, dans la précarité du jour le jour, cette maille la plus fine du temps social autour de laquelle l'histoire s'est faite et défaite... »

Même si la pauvreté des données sur la vie quotidienne des ménagères occulte encore de larges pans de la vie des femmes, il n'en demeure pas moins permis d'affirmer que, et particulièrement en milieu urbain, si la femme travaille souvent de la même façon que l'homme et est soumise à une même instabilité socio-économique, cette symétrie du masculin et du féminin vis-à-vis du travail n'est qu'apparente, car le rapport que la femme entretient avec son travail ne peut se séparer de son rôle familial. L'ouvrière doit faire une double journée de travail et les maris ne participent pas aux tâches ménagères. À la sortie de l'usine, on les retrouve souvent à la taverne ou à la barbotte où, selon Léa Roback, s'engouffrent bien des salaires hebdomadaires. Le jour de la paye, les femmes et les filles doivent souvent attendre les hommes à la sortie de l'usine pour être certaines d'avoir un peu d'argent.

On a peut-être trop rapidement conclu à la disparition de la famille élargie et à l'apparition de la famille nucléaire avec l'urbanisation. En effet, les histoires de vie de femmes que nous avons parcourues, les romans d'époque et les témoignages recueillis laissent voir que le réseau des relations familiales se perpétue en ville et que la famille nucléaire vit souvent en situation de famille élargie. La plupart du temps, c'est très près les uns des autres que les membres d'une même famille continuent à vivre et, fréquemment, un membre de la famille trouvant un emploi pour un des siens et le faisant ensuite venir en ville, le loge chez lui.

Ainsi, un membre d'une famille montréalaise comptant quatre enfants en 1926 nous a raconté comment ils ont vécu avec un très petit salaire rapporté par le père ferblantier. Une fille, domestique chez un médecin, ajoutait son salaire à ce revenu et une autre demeurait à la maison pour aider sa mère et s'occuper du grand-père. Une troisième fille, mariée, habitait le deuxième étage ;

son époux étant alcoolique, ses parents et ses soeurs s'occupaient des enfants la majeure partie du temps.

Cette réquisition des femmes pour assurer l'alimentation de la famille et apporter un supplément de revenu marque toute cette période.

TABLEAU 6

Budget pour un homme, une femme et trois enfants dont une fille de 13 ans et deux garçons de 11 et 9 ans (1926)

BUDGET HEBDOMADAIRE	Prix locaux ou du quartier	
Lait et fromage		
14 pintes de lait............................	$0,14	$1,96
1/2 livre de fromage....................	0,25	0,12 1/2
Oeufs et viande		
3 livres de rumsteck	0,20	0,60
3 livres de boeuf salé	0,22	0,66
2 livres de haddock......................	0,12 1/2	0,25
1 livre de foie	0,30	0,30
1 douzaine d'oeufs	0,45	0,45
Légumes		
4 livres de carottes	0,03	0,12
2 livres de raves...........................	0,03	0,06
2 livres d'oignons	0,05	0,10
12 livres de patates......................	0,02 1/2	0,30
2 boîtes de tomates......................	0,10	0,20
Fruits		
6 oranges.....................................	0,30	0,15
18 pommes	0,30	0,30
1 livre de prunes..........................	0,12 1/2	0,12 1/2
1 livre de figues	0,12 1/2	0,12 1/2
1/4 de livre de raisins ou de groseilles..................................	0,16	0,04

Pain et céréales

14 livres de pain	0,12	1,68
2 livres de farine........................	0,07	0,14
1 livre de macaroni....................	0,08	0,08
1 livre de riz.............................	0,09	0,09
1/2 livre de gruau de maïs	0,06	0,03
3 1/2 livres de gruau d'avoine......	0,6	0,21
1/4 de livre de sagou	0,10	0,02 1/2
1/4 de livre de tapioca................	0,10	0,02 1/2
1/4 de livre d'orge......................	0,10	0,02 1/2
1/2 livre de pois fendus	0,10	0,05
1/4 de livre de haricots................	0,09	0,02 1/2
2 livres de sucre.........................	0,07	0,14

Desserts

1 livre de gelée	0,12 1/2	0,12 1/2
1/2 livre de sirop de maïs	0,09	0,04 1/2

Graisses

1 1/2 livre de beurre....................	0,46	0,69
1 livre de graisse.........................	0,21	0,21
1/2 livre de suif.........................	0,18	0,09
1/2 livre de cacao.......................	0,16	0,08
1 boîte de beurre d'arachides	0,25	0,25
1/4 de livre de thé	0,60	0,15
1/4 de paquet d'amidon	0,12	0,03
1/4 de paquet de poudre à pâte....	0,32	0,04
1/4 de boîte de poivre.................	0,09	0,02 1/4
1/4 de sac de sel	0,10	0,02 1/4
		$ 10,14

Source : T. Copp, *Classe ouvrière et pauvreté*, Montréal, Boréal Express, 1978, p. 169.

Gagner sa vie au service du capital et du patriarcat

(...) la grande industrie tuant l'atelier familial, prit les rouets et les métiers et les riva à la manufacture, la femme et l'enfant qui avaient faim prirent le chemin de l'usine, et c'est là que nous les retrouvons aujourd'hui[1].

L'histoire de la participation visible des femmes à la production continue, au cours de la période, d'apparaître comme une vaste exploitation d'une main-d'oeuvre en sursis, sur qui ne cesse de peser une sanction qui arrange à la fois le capital et les autorités civiles et religieuses : « Tu ne dois pas travailler. » Que ce soit pour déclarer que les jeunes filles sont en perdition sur le marché du travail, que les mères, en travaillant, négligent leurs enfants, ou que les femmes prennent, en période de récession, les emplois des hommes, le verdict est inlassablement le même et servira de prétexte à tous les types de discrimination : salaires, ghettos d'emplois, conditions de travail, etc. L'historien Terry Copp, en parlant des jeunes filles au travail à Montréal, en 1921, remarque que les inspecteurs de fabriques attachent peu d'importance aux conditions de travail qui leur sont faites parce qu'ils pensent qu'elles vont bientôt se marier et assumer des tâches ménagères non rétribuées.

Les conditions des travailleuses montréalaises, à cette époque, ont été particulièrement étudiées par Jennifer Stoddart et Marie Lavigne. Les secteurs des textiles, du vêtement et du tabac continuent de requérir une main-d'oeuvre féminine abondante. L'alimentation et les services (bureaux, banques, vente au détail) se développent rapidement et les employeurs ne sont que trop heureux d'accueillir des femmes prêtes à travailler durant de longues heures pour des salaires dérisoires.

Montréal, point central de la production industrielle, fournit un bon exemple du travail féminin au cours de la période. Entre 1900 et 1940, la participation féminine au travail croît sans cesse, la guerre et la Crise n'interrompant pas ce mouvement irréversible. En 1941, les femmes forment 27 p. 100 de la main-d'oeuvre montréalaise. Ces travailleuses sont, pour la plupart, des célibataires (en 1921, plus de 25 p. 100 des femmes qui travaillent à Montréal ont moins de 21 ans et 51 p. 100 moins de 25 ans) qui gagnent leur vie parce qu'elles sont seules ou qu'elles apportent un revenu de plus dans une famille ouvrière. Cependant, on note au Québec une légère croissance du taux d'activité des femmes mariées, lequel passe de 1,8 en 1921 à 2,8 en 1931 et à 3,3 en 1941. L'éventail des emplois demeure assez mince, la majorité se retrouvant dans les manufactures, les services ou le travail de bureau.

En ce qui a trait aux salaires, mentionnons que les femmes touchent en moyenne la moitié des salaires masculins. Ainsi, à Montréal, elles reçoivent 53,6 p. 100 du salaire des hommes en 1921, 56,1 p. 100 en 1931 et 51 p. 100 en 1941. Cette stabilité dans les écarts de gains les réduit au statut de main-d'oeuvre à bon marché.

TABLEAU 7

**Répartition procentuelle de la main-d'oeuvre féminine
selon les principaux secteurs occupationnels,
Montréal, 1911-1941**

Secteur occupationnel	1911	1921	1931	1941
Manufactures	40,1	33,5	23,4	29,6
Services personnels	32,6	20,2	29,3	26,9
Commis de bureau	—	18,5	18,9	19,9
Services professionnels	9,6	14,2	11,6	10,0
Commerce	13,9	8,8	8,4	10,0
Transports	2,7	3,6	4,4	1,5
Pourcentage de femmes dans la main-d'oeuvre totale	21,6	25,2	25,4	27,4

Source : M. Lavigne, J. Stoddart, « Ouvrières et travailleuses montréalaises, 1900-1940 » dans M. Lavigne, Y. Pinard, *Les femmes dans la société québécoise*, Montréal, Boréal Express, 1977, p. 127.

TABLEAU 8

**Différences entre les gains selon le sexe et l'âge
à Montréal, 1930-1931**

	Gains par année	Nombre moyen de semaines de travail	Gains par semaine de travail
Hommes (plus de 20 ans)	1083$	41,3	26,23$
Femmes (plus de 20 ans)	629$	45,4	13,53$
Garçons (moins de 20 ans)	406$	41,1	9,88$
Filles (moins de 20 ans)	368$	43,8	8,40$

Source : T. Copp, *Classe ouvrière et pauvreté*, Montréal, Boréal Express, 1978, p. 39.

Aux différences salariales s'ajoutent, comme facteur de discrimination, le nombre d'heures travaillées qui est plus élevé chez les femmes que chez les hommes et chez les filles que chez les garçons.

Les manufactures

Le secteur manufacturier est celui qui engage la plus grande partie des femmes. Au Québec, en 1911, 63 p. 100 des ouvrières sont dans le textile et la confection, 6 p. 100 dans le cuir et les produits de caoutchouc, et 7 p. 100 travaillent dans le tabac. Cette répartition demeure sensiblement la même jusqu'en 1941. En 1911, 27 p. 100 et, en 1941, 30 p. 100 des ouvriers de la production sont des femmes. La structure industrielle du Québec, basée sur une industrie légère, requiert une abondante main-d'oeuvre à bon marché. Les ouvrières canadiennes-françaises, polonaises, italiennes, syriennes, sont cantonnées dans des industries bien spécifiques : la confection, les textiles, le tabac et la chaussure. Ce sont les industries qui paient les moins bons salaires. La surexploitation des ouvrières est donc un élément important de la structure de l'économie québécoise à l'époque.

L'industrie de la confection ne nécessitant que de faibles investissements de capitaux, on a tendance à ouvrir de petits ateliers spécialisés dans la réalisation de sous-contrats où l'on retrouve une majorité de femmes. L'industrie de la confection est aux mains des Juifs et les femmes y fabriquent, du matin au soir, des manteaux, des chapeaux, des cravates, des robes et apportent souvent chez elles l'ouvrage non terminé afin de le continuer le soir avec les enfants et les grands-mères.

En 1919, le gouvernement du Québec passe une loi qui institue des minima aux salaires des femmes. Elle ne sera pas appliquée avant la mise sur pied d'une commission chargée d'établir les heures de travail et les salaires des femmes dans diverses industries manufacturières. Cette commission est instituée en 1925. Elle couvre d'abord deux secteurs : celui des buanderies, teintureries et nettoyage à sec, et celui de l'imprimerie, de la reliure, de la lithographie et des fabriques d'enveloppes. En 1930, sa réglementation est étendue aux femmes travaillant dans les établissements commerciaux et, en 1935, aux hôtels, clubs et restaurants.

La commission tente d'abord d'établir le budget de base d'une femme au travail. Elle fixe entre 10,35$ et 19,81$ le coût de la vie pour une femme célibataire. Elle arrête à 12,20$ par semaine ou 634,40$ par année le salaire minimum. Il semble qu'elle se soit laissée influencer par le salaire minimum payé dans la grande entreprise. Le président explique qu'avec 7,00$ par semaine, une femme peut se loger et se nourrir ; 11,50$ par mois est affecté à l'habillement et 11,00$ aux dépenses diverses. Il reste, une fois déduit le prix des transports, 0,25$ par jour pour économiser en prévision des ralentissements de travail et pour les autres imprévus. Le premier règlement de la commission entre en vigueur en 1928. Il s'applique à 10 189 femmes au travail dans 39 filatures. L'employée expérimentée comptant plus de 24 mois d'ancienneté doit recevoir au moins 12$ par semaine pour 55 heures de travail.

Dans l'industrie de la chaussure, qui emploie 2304 femmes, on fixe le salaire minimum à 12,50$ après 2 ans. Dans l'industrie du vêtement qui, en 1929, embauche 9510 femmes, près de la moitié des ouvrières sont classées parmi la main-d'oeuvre inexpérimentée, avec un salaire hebdomadaire moyen de 8,50$; les 5431 femmes dites expérimentées touchent leur minimum établi à 12,50$ par semaine. On connaît la même situation dans le tabac.

Pour tromper les inspecteurs, on utilise toutes sortes de tactiques, comme celle de classer comme apprenties, des ouvrières expérimentées, ou encore celle de forcer deux ou trois femmes de la même famille à poinçonner la même carte de présence, de sorte qu'un seul salaire soit versé pour le travail exécuté.

En définitive, les diverses ordonnances sur le salaire minimum des femmes empêchent les patrons de commettre des abus trop flagrants. Cependant, cette loi ne remet pas en question les écarts salariaux hommes/femmes. Cette loi a pour effet de consacrer les femmes dans leur statut de travailleurs « pas comme les autres » et même de consacrer le principe de l'inégalité des salaires selon le sexe. Des salaires aussi bas poussent souvent les jeunes filles à la prostitution, que s'empressent de dénoncer les autorités civiles et religieuses tout en ne faisant à peu près rien pour améliorer leur rémunération.

Ajoutons à cela que la confection de vêtements est caractérisée par le travail effectué à domicile et dans de petits ateliers plus ou moins clandestins. Les revenus d'un tel travail sont extrêmement bas ; malgré certaines dénonciations, les conditions de surexploitation de cette forme de travail se maintiennent au cours de la

Budget du coût de la vie
d'une ouvrière

ITEM   Décembre, 1925   *Coût par année*

Chambre et Pension (évaluez le coût
    sur la base de deux personnes habitant
    la même chambre) ....

HABILLEMENT :
    Chaussures et réparations (.....paires @ ....
       pantoufles.... prs @ ..... ; claques, ... prs @ ....
    Bas, ... paires @ ....
    Sous-vêtements, ... @ ....
    Chemises de nuit ....
    Jupons et pantalons ....
    Corsets (......) Cache-corset (......) ....
    Kimona..
    Chapeaux,..
    Costumes (subdivisez le coût par le nombre d'années ..
       en usage — 2 ans ou plus)....................................
    Manteaux d'hiver ....
    Robes d'hiver ....
    Robes d'été ....
    Blouses (matinées)..
    Gilet de laine (chandail)...
    Tabliers ....
    Mouchoirs ....
    Gants..
    Foulards ....
    Parapluie (divisez le coût par le nombre d'années
       d'usage)..
       Montant total pour habillement ....

DIVERS :
    Buanderie ....
    Médecin, dentiste, opticien ....
    Billets de tramways (..... par semaine) ....
    Journaux et autres ....
    Timbres et papeterie...
    Amusements, récréation (concerts, théâtre, etc.) ....
    Église et bienfaisance...
    Assurance (vie et maladie) ....

Articles de toilette (peignes, brosses, savon, poudre à dent, talcum, cirage et vernis, aiguilles, épingles, fil, lacets)..

Montant total des divers ....

Montant total des dépenses pour l'année....................

Chambre et pension par semaine ....

Habillement par semaine.....................................

Divers par semaine...

Montant total par semaine...............................

Nom de la personne ou Association..............................

Source : Commission du Salaire minimum des Femmes.

période. En 1935, une commission d'enquête fédérale sur les prix rapporte qu'une douzaine de pantalons courts confectionnés à domicile donne 0,25$ à la couturière, alors que le même travail effectué dans une usine syndiquée est payé 1,50$. Ce système, puisqu'il permet à la ménagère de concilier travail rémunéré et éducation des enfants, bénéficie de la complicité de cette dernière, et les féministes ont à son sujet une position ambiguë : d'une part, elles sont contre l'exploitation des femmes à la maison et, d'autre part, elles voient dans cette formule une possibilité pour la femme de concilier travail rémunéré et soin des enfants.

De plus, comme on n'aime guère voir les femmes travailler à l'extérieur du foyer pour gagner leur vie, mieux vaut inciter celles qui sont obligées de le faire à oeuvrer dans un milieu protégé. Ainsi, elles ne sont pas touchées par des idées subversives. D'ailleurs, on verra la Fédération nationale Saint-Jean-Baptiste, organisation féministe fondée en 1907, encourager les femmes à prendre des travaux de couture à domicile, pendant la Première Guerre mondiale et pendant la Crise, afin d'arrondir le budget. À celles qui protestent contre un tel travail très peu payé, on répond que l'ouvrière à domicile rencontre moins de dépenses et qu'elle épargne sur ses vêtements. Ce travail lui permet aussi de s'occuper de ses enfants. D'ailleurs, ces derniers sont souvent mis à contribution pour aider leur mère.

Dans les manufactures, l'hygiène est fort déficiente et toutes les enquêtes la dénoncent. Ainsi, en 1938, la commission Turgeon sur l'industrie du textile recueille les plaintes des travailleuses. Elles dénoncent encore une fois la mauvaise ventilation, la poussière, l'humidité, la malpropreté, le bruit et l'insuffisance des lieux sanitaires ; mais les améliorations sont longues à venir.

Les relations entre les cycles de vie et le travail des femmes ont été étudiées par l'historienne Gail Cuthbert Brandt. Selon elle, les jeunes travailleuses célibataires ont peu d'autonomie personnelle à cette époque et elles doivent continuellement aider financièrement leur famille. Cette obligation retarde leur mariage et, avant 1940, l'âge moyen de celui-ci est 25 ans. Les femmes ont un modèle de participation différent de celui des hommes qui se caractérise par une alternance famille-travail.

Le service domestique

Malgré ces conditions difficiles, les jeunes filles préfèrent souvent l'usine et la manufacture au travail domestique. Vers 1920, une travailleuse du textile, entrée à la *factory* à 14 ans aux États-Unis et revenue au Québec à 17 ans, déclare : « Tout ce que je trouve sont des places d'aide familiale... Il y a si longtemps que je joue ce rôle chez-nous et les salaires sont si peu élevés que cet avenir ne me sourit guère. Avec ma soeur de cinq ans mon aînée, je retourne dans les usines de textile, d'abord à Trois-Rivières, puis, de là, au Massachusetts. »

En 1891, les domestiques constituent au Canada 41 p. 100 de la main-d'oeuvre féminine. En 1921, elles ne représentent plus que 18 p. 100, tout en constituant encore la deuxième catégorie d'emplois féminins. L'historienne Geneviève Leslie note que le service domestique demeure un emploi qui occupera un grand nombre de femmes jusqu'à la deuxième grande guerre. Cependant, les conditions qui contribuent à faire en sorte que les femmes se retirent de ce secteur sont clairement visibles entre 1880 et 1920. L'industrialisation déplaçant la production à l'extérieur de la maison crée de nouveaux emplois qui permettent aux femmes de faire des choix et transforme la maison et la nature du travail domestique.

Ces nouvelles conditions permettent aux travailleuses de développer des mécanismes de revendication collective relativement aux salaires et aux heures de travail, ce que ne peuvent pas faire les domestiques. Ce type de travail, n'étant pas considéré comme partie intégrante de l'économie, est exclu des enjeux économiques et politiques. C'est un travail « non-productif » se passant à la mai-

Costumes de domestiques en 1901.
Catalogue Eaton *de 1901*

son et dépendant d'une relation personnelle entre un employeur et une employée. Dans une société de plus en plus fondée sur la production de biens rapportant des profits, le travail domestique se dévalue progressivement, à mesure que la production ne se fait plus à la maison.

La situation des domestiques s'apparente de plusieurs façons à celle de certaines catégories de femmes. Leurs relations avec la famille se comparent, à celles d'épouses, de fillettes, de « vieilles filles », de cousines pauvres qui ont toujours, comme on l'a vu, fourni un travail domestique gratuit ou misérablement rémunéré pour aider la famille à joindre les deux bouts.

N'étant protégées d'aucune façon, les domestiques mises à pied du jour au lendemain en période estivale ou au moment de récession économique doivent se trouver un endroit pour loger et un nouvel emploi. L'ensemble de ces conditions de travail fait des domestiques une catégorie de travailleuses particulièrement vulnérable.

Une enquête menée à Toronto en 1913 révèle que près de la moitié des prostituées de l'échantillon sont d'anciennes domestiques. Mais, pourquoi donc ? L'historienne Lori Rotenberg soutient que leur perte d'emploi entraîne une plus grande insécurité que chez les ouvrières puisqu'elles perdent en même temps leur toit. L'isolement du travail domestique rend plus difficile, pour les immigrantes et les domestiques d'origine rurale, la création d'un réseau d'amis qui pourraient les secourir. Enfin, elle souligne qu'étant donné le peu de prestige social rattaché à ce métier, la perception d'une déchéance sociale est alors peut-être moins aiguë, dans le passage de la domesticité à la prostitution.

Ces remarques ne nous autorisent d'aucune manière à voir en chaque domestique une prostituée en puissance. Il faut plutôt voir, en chaque servante, à cause de la chute même du service domestique, une ouvrière ou une mère de famille en puissance. L'insécurité et la vulnérabilité des domestiques en chômage ou mises à pied permettent d'illustrer que, si le service domestique offre un toit, il n'offre pas nécessairement la sécurité, la chaleur et la protection de la vie familiale, comme le prétendent les recruteurs de domestiques.

À Montréal, entre 1900 et 1940, la plupart des domestiques sont de jeunes filles fraîchement arrivées de la campagne québécoise ou d'Europe et qui s'engagent dans les familles résidant dans le quartier Saint-Antoine ou dans les nouvelles banlieues d'Outremont et de Westmount. Selon Léa Roback, de jeunes Irlandaises, Russes, Tchèques, s'engagent à la journée et sont payées un dollar. Certaines patronnes leur donnent du linge et de la nourriture pour leur famille, tandis que d'autres les nourrissent très mal, ne les paient pas ou vont même jusqu'à leur lancer l'argent pour les obliger à le ramasser. Ces jeunes filles sont d'origine paysanne, peu habituées aux grandes villes, quasiment analphabètes et incapables, au moment de leur arrivée, d'aller travailler en usine.

Ailleurs dans la province, les jeunes campagnardes vont « servir » chez les patrons francophones ou anglophones installés à Trois-Rivières, Grand-Mère, Chicoutimi, Jonquière, Québec. Ces jeunes filles quittent le toit familial pour s'engager dans une famille en ville qui, leurs parents l'espèrent, les protégera des dangers moraux de la vie urbaine. Cependant, le harcèlement sexuel des femmes continue et, selon Léa Roback, les jeunes filles sont continuellement ennuyées par les maris et les fils de la famille : « J'en ai connues qui se sont enfuies sans se faire payer leurs gages. » Bien des jeunes filles du Saguenay et de la Gaspésie ont été ainsi violées par leurs patrons. Leur séjour dans une même famille, du moins à Montréal, n'est pas long et la bourgeoisie s'en plaint.

Dans une société très hiérarchisée les domestiques sont totalement soumises aux conditions imposées par leur patronne. D'ailleurs, la soumission est considérée comme une qualité très importante dans le service domestique. Il faut savoir accepter les ordres, et les agents recruteurs qui travaillent pour l'Immigration reçoivent la consigne de trouver des jeunes filles sachant faire. Tout acte de rébellion signifie une perte d'emploi. Au Québec, le clergé exerce aussi un contrôle étroit sur la vie des jeunes filles de la paroisse et ainsi, on voit, comme chez les institutrices, des domestiques perdre leur place parce que le curé est venu à la maison blâmer leur conduite personnelle.

Quoique nous ayons peu de témoignages de domestiques, les nombreuses campagnes de recrutement de domestiques faites par l'intermédiaire des curés de villages québécois ou par le ministère de l'Immigration sont significatives du peu d'attrait qu'exerce le métier. Ladite instabilité des servantes est probablement le signe de leur mécontentement. Cette catégorie de travailleuses ne verra jamais ses gages fixés par la Loi du salaire minimum. Même les femmes de la bourgeoisie qui s'intéressent, à cette époque, aux conditions de travail des ouvrières ne se préoccupent pas des longues heures de travail que doivent fournir leurs propres domestiques.

Autre facteur important de cette désaffection, le statut social très bas reconnu au travail domestique. Les ouvrières et les vendeuses sont, semble-t-il, mieux considérées que les domestiques, et les jeunes filles vont même jusqu'à dire que les jeunes gens les préfèrent comme épouses aux domestiques « (...) même si elles ne savent guère tenir maison ».

Aussi, lorsque la guerre crée une grande demande de main-d'oeuvre, on constate une chute du pourcentage dans ce secteur, alors qu'il se gonfle à nouveau, à Montréal, durant la crise des années 30, au moment où l'emploi diminue dans le secteur manufacturier. Le travail des domestiques, cuisinières, femmes de ménage, semble donc jouer le rôle de réserve de main-d'oeuvre pour le secteur manufacturier.

Au Québec, la ménagère du curé constitue un type particulier de domestique puisqu'elle a un homme « consacré » comme patron. L'homme « n'étant pas constitué » pour les tâches domestiques, il faut une femme auprès de lui, une femme qui assume la bonne marche de la maison, l'aide parfois dans ses tâches religieuses et qui ne soit d'aucune façon visible. De plus, elle doit, pour être engagée, avoir l'âge canonique (40 ans), ne se prêter à aucun commentaire défavorable et ne permettre, en aucune façon, que la réputation du curé soit remise en question par sa présence. C'est, en somme, servir un homme ou des hommes sans en retirer les avantages économiques et la sécurité qu'offre le mariage.

Le témoignage de Rose-Marie Dumais qui a été ménagère de presbytère fournit, à notre avis, une bonne illustration du service domestique et des analogies qui existent entre lui et toute forme de travail domestique.

Une ménagère de presbytère, c'est comme une maîtresse de maison, avec la différence qu'elle n'a pas les honneurs. Elle voit à tout : la cuisine, l'entretien ménager, les achats, les choses à remplacer ; elle est responsable du bien-être des êtres qui vivent sous le même toit, mais elle doit demeurer discrète et effacée ; on sent sa présence, mais on ne la voit presque jamais. (...) Il existait des rivalités entre curés, au sujet des ménagères. Chacun voulait avoir la meilleure et au plus bas prix... Ainsi, les salaires pouvaient se situer entre 8,00$ et 25,00$ par mois. Je me souviens d'avoir entendu un curé dire à un autre : « Tu donnes trop à ta ménagère, tu vas faire monter les prix. » Dans les presbytères, c'était comme dans les familles : plus tu savais faire des choses, plus on t'en demandait... On s'occupait du jardin, de la mise en conserve des légumes, des confitures et, assez souvent, c'est aussi à nous que revenait l'entretien des ornements d'église : le lavage des chasubles, surplis et nappes d'autel... Si j'avais un conseil à donner, je dirais : qu'il n'est pas toujours bon de se montrer trop habile, si nous ne voulons pas qu'on abuse de nos qualités.

Source : Jeanne d'Arc Lévesque-Martin et Liliane Greven-Raymond, *Les reconnaissez-vous ?*, La Pocatière, 1980, p. 142-145.

Aussitôt qu'elles peuvent ou ont d'autres possibilités, les femmes rejettent le service domestique. De ce fait, la société va bientôt faire reposer entièrement le travail ménager sur l'épouse, en « glorifiant » tous les aspects de ce rôle.

Les technologies modernes qui pénètrent à la maison n'abolissent pas le travail ménager mais modifient les méthodes de travail. On tente donc de persuader les jeunes bourgeoises que la science ménagère est tout aussi importante que les autres sciences. Les historiennes Strong-Boag et Stoddart ont noté que cette idéologie domestique, qui glorifie le rôle polyvalent de la maîtresse de maison, consommatrice efficace et opératrice compétente d'appareils ménagers, n'est pas sans être appréciée par un grand nombre de femmes. Ironiquement cependant, celles-ci se plaignent rapidement des mêmes inconvénients que leurs anciennes employées : solitude, heures interminables de travail, manque d'indépendance, gratification insuffisante, statut non reconnu, troubles de santé ou encore absence de motivation pour les tâches ménagères.

Dans les magasins et les bureaux

Les emplois de bureau exigent un minimum d'instruction et, de ce fait, sont accessibles aux jeunes filles issues de milieux ouvriers plus à l'aise ou de la petite bourgeoisie qui entrent dans cette profession en pleine croissance. En 1916, année de la fondation du O'Sullivan Business College, il existe, à Montréal, quatre autres *business colleges* où l'on peut apprendre la dactylo, la sténo, la pratique de bureau et l'anglais.

Correspondance Traduction Copies et Circulaires
Cours spéciaux et préparatoires
pour situations de bureaux.
Mme. E. Bouthillier
STENOGRAPHE-CLAVIGRAPHISTE
Employées compétentes fournies
à la demande des patrons.

Spécialité ouvrage au Miméographe
474 RUE DORCHESTER EST
TEL. EST 5859
MONTREAL

Source : 1907, *Premier congrès de la Fédération Nationale Saint-Jean-Baptiste*, Montréal, mai 1907.

L'entrée des femmes dans les professions cléricales ne va pas de soi. Elles sont la cible idéale d'attaques contre le travail féminin parce qu'elles envahissent un secteur qui, jusque-là, était strictement masculin. On brandit le spectre des dangers moraux. L'opposition prend aussi, au tout début du siècle, la forme d'une tentative d'expulsion des femmes de la carrière de sténographe et, plus tard, on voudra interdire l'accès des femmes à la fonction publique. Dans les années 30, une association de collets blancs effectue même une enquête sur le travail féminin, avec le but avoué de remplacer graduellement les femmes par des hommes. Dans ce secteur aussi les salaires féminins sont inférieurs aux salaires masculins, mais l'écart y est moins prononcé que dans d'autres secteurs. Par exemple, en 1931, les travailleuses de bureau touchent 73 p. 100 des salaires masculins.

> *Ce sont les organismes gouvernementaux fédéraux et provinciaux qui ont fait connaître le métier de secrétaire, tel que nous le connaissons actuellement. Des jeunes filles de nos villages sont allées, comme madame Eugène Martin (Jeanne Guérin), suivre des cours bilingues dans des institutions spécialisées, pour obtenir des positions assez bien rémunérées pour le temps. La société voyait d'un oeil sévère ces jeunes personnes délurées qui osaient se mêler aux hommes et travailler à des postes de responsabilité.*
>
> *Source :* Jeanne d'Arc Lévesque-Martin et Liliane Greven-Raymond, *Les reconnaissez-vous ?*, La Pocatière, 1980, p. 168-169.

Quant aux vendeuses, leurs conditions de travail sont passablement pénibles : elles ont de longues heures, fréquemment des journées de 12 heures, qu'elles passent debout à servir la clientèle, dans des endroits où les courants d'air sont fréquents. Ces conditions attirent l'attention des femmes réformistes qui fondent l'Association des demoiselles de magasin. Durant les deux premières décennies du siècle, la Fédération nationale Saint-Jean-Baptiste et le Conseil local des femmes de Montréal organisent des campagnes pour la fermeture des magasins de bonne heure le soir et pour l'observance de la Loi des sièges. Cette loi demande qu'on fournisse des sièges aux vendeuses pour qu'elles puissent s'asseoir en

Travailleuses dans une compagnie de cinéma en 1915.
Musée McCord, université McGill, Montréal

l'absence de clients, mais, en 1927, une enquête permet de constater qu'elle est peu observée.

Le personnel employé à temps partiel se retrouve surtout dans les magasins à rayons : les magasins *Woolworth's* engagent jusqu'à 40 p. 100 de femmes à temps partiel, ce qui, selon la Commission sur les écarts de prix, empêche les femmes de se trouver du travail à temps plein ailleurs.

Un métier pour joindre les deux bouts

Comme les domestiques, les ouvrières et les vendeuses sont des proies faciles pour les souteneurs ! « La prostitution fleurit à Montréal, à cette époque, mentionne Léa Roback. On utilise les hôtels, les bordels, les salons de massage. Les filles doivent fréquemment payer à leur souteneur, homme ou femme, le prix de leurs dessous de soie qui est déduit de l'argent qu'elles rapportent. Les rues Saint-Laurent, Saint-Dominique, Guilbault sont pleines de bordels. »

Cette face cachée de l'histoire, nous la connaissons peu, car elle concerne les femmes et, parmi celles-ci, les plus pauvres et les plus démunies : celles qui ont souvent vécu une enfance difficile, celles qui se sont retrouvées très jeunes sur le marché du travail, sans métier et sans spécialité. Maimie Pinzer, l'une d'entre elles, née à Philadelphie en 1885, a vécu à Montréal vers 1913. Elle a laissé une abondante correspondance qui décrit la vie d'une prostituée au tournant du siècle.

Les naissances illégitimes sont nombreuses et les jeunes filles qui vont terminer une grossesse dans des refuges tenus par les religieuses, à la Miséricorde par exemple, sont considérées comme des pécheresses, alors que le milieu anglophone semble moins répressif. Les enfants illégitimes vont remplir des crèches où on a parfois 500 bébés dont on s'occupe avec peu de ressources. « De toute façon, disent les religieuses, ils feront des anges ! »

Malgré tout, selon Léa Roback, les travailleuses sont gaies et courageuses. Elles rient souvent entre elles et s'épaulent les unes les autres. « Je me rappelle, dit-elle, d'une débrouillarde qui, lorsqu'à l'été elle n'avait plus d'emploi, allait travailler à Old Orchard comme serveuse et se faisait beaucoup d'argent en exigeant un pourboire supplémentaire si un client lui relevait la jupe ou lui pinçait les fesses ! Elle était excellente couturière et ses patrons juifs voulaient la garder. Lorsqu'ils menaçaient une jeune fille timide, elle leur disait de lui ficher la paix et ils l'écoutaient souvent. »

Au service de Dieu : le célibat consacré

Au Québec, entre 1900 et 1960, on assiste à la fondation de 18 communautés religieuses féminines oeuvrant au Québec ou en mission étrangère. Elles s'ajoutent aux 23 déjà existantes. En 1901, il y a, au Québec, 6628 religieuses et, en 1941, 25 488. Des démographes ont établi que le nombre des entrées en communauté est proportionnellement le plus grand durant la crise économique des années 30.

Les mouvements profonds de la société québécoise se reflètent sur l'implantation des communautés religieuses. La concentration de la population dans les villes, les problèmes sociaux issus de cette concentration et de l'exode rural, la pauvreté, la désintégration sociale et culturelle, la marginalité et la constitution de communautés ethniques, incitent les communautés religieuses à accentuer leur action dans les centres urbains. La proportion de nouvelles communautés qui s'occupent d'oeuvres sociales ou se spécialisent pour le service d'un milieu ethnique est plus grande. Cette importance est encore accentuée par le fait que le secours aux défa-

Litanies des vieilles filles

Kyrie	Je voudrais
Christé	Être mariée
Kyrie	Je prie tous les saints
Christé	Que ce soit demain
Ste-Marie	Faites que je me marie
St-Joseph	Dans un bref délai
Ste-Claire	Avec Mr le Maire
St-Gervais	Ou le juge de paix
St-Mucaire	Ou le notaire
St-Clément	Ou le recevement de l'enregistrement
St-Didier	Le brigadier
St-Anatole	Le maître d'école
St-Lucien	Ou le pharmacien
St-Alexandre	Ne me faite pas attendre
St-Oreste	Faudra-t-il que je reste
St-Irénée	C'est moi qui est l'ainée
St-Padoux	Il me faut un époux
St-Léon	Qu'il soit garçon
St-Barthélémy	Qu'il soit joli
St-Julien	Qu'il se porte bien
St-Adrien	Qu'il soit un homme de bien
St-Antoine	Qu'il est du patrimoine
St-Cyprien	Qu'il soit bon chrétien
St-Leu	Qu'il n'aime pas le jeu
St-Jean	Qu'il m'aime tendrement
Ste-Éloi	Qu'il n'aime que moi
Ste-Félicité	Qu'il fasse ma volonté
Ste-Charlotte	Que je porte la culotte
Ste-Isabelle	Qu'il me soit fidèle
St-Lazare	Qu'il ne soit pas avare
St-Loup	Qu'il ne soit pas jaloux
Ste-Marguerite	Envoyez-le vite
Ste-Madeleine	Sortez-moi de peine
Grand St-Nicolas	Ne m'oubliez pas.

Source : Cahier manuscrit de chansons de Florence Proulx, grand-mère de Lucie Charlebois, rédigé autour de la Première Guerre mondiale à Montréal vorisés et aux marginaux est encore largement laissé à l'initiative privée.

D'ailleurs, la Loi d'assistance publique de 1921 entérine, en quelque sorte, le système privé des institutions de bienfaisance en leur reconnaissant un caractère d'utilité publique et en leur accordant des subventions statutaires, ce qui permet à l'Église de conserver son emprise.

En 1936, on évalue à 150 le nombre d'établissements régis par des religieuses. Elles disposent de 30 000 lits où sont reçus orphelins, malades et personnes abandonnées. Souvent initiées par des femmes laïques, au 19e siècle, comme nous l'avons mentionné, ces oeuvres passent ensuite aux religieuses qui en assument la gestion quotidienne ; des groupes de femmes laïques bénévoles continuent d'y remplir certains services plus reliés au rôle de dames patronesses.

À cette époque, l'état religieux est, pour bien des femmes, une façon de choisir un célibat qui leur permettra de se réaliser et de faire carrière, car le célibat non consacré est taxé d'égoïsme. « Les femmes non mariées, c'est un fléau de l'humanité » dit, en 1925, un prédicateur à Notre-Dame, tandis que soeur Marie Gérin-Lajoie écrit : « Évidemment, toutes les femmes ne sont pas appelées à fonder un foyer, ni à concourir directement aux activités familiales. L'Église encourage le célibat pour des motifs surnaturels et confie à ses religieuses des tâches maternelles. »

Professions masculines et professions féminines

Partout dans le monde occidental, les femmes doivent mener des luttes acharnées pour pénétrer dans les professions libérales, d'abord pour accéder à l'enseignement supérieur, ensuite pour vaincre les préjugés des universités ou des corporations professionnelles. En 1918, l'université McGill ouvre sa faculté de médecine aux femmes, alors que l'Université de Montréal le fera seulement dans les années 30. La pratique du droit sera permise aux femmes, en 1941, et celle du notariat, en 1956.

L'élite canadienne-française garde jalousement l'accès des professions les plus prestigieuses afin de laisser les femmes à la maison et dans les professions moins bien rémunérées, comme celle d'infirmière et d'enseignante.

La professionnalisation du métier d'infirmière se dessine au tournant du siècle. À ce moment, tous ceux qui peuvent éviter de se faire soigner à l'hôpital le font, car ceux-ci sont surpeuplés, sales et porteurs de maladies. Le développement de la science médicale crée une demande de travailleurs hospitaliers ayant une bonne formation de base. Le savoir médical devient le monopole de ceux qui sortent des écoles de médecine, et le service médical se centralise dans les hôpitaux. L'institution des services de santé contribue à évacuer les praticiennes indépendantes et, comme très peu de femmes accèdent à la profession médicale, elles deviennent infirmières.

L'Institut dont je me fais gloire d'être l'élève, (L'Hôpital Notre-Dame) me délègue aujourd'hui vers vous. Notre devise à nous c'est : « O.B.I. » ; donc je viens vous dire que l'entraînement hospitalier prépare admirablement la femme à ses devoirs dans la famille et dans la société.

(...)

Après trois années de travail et de lutte, quand l'étudiante a complété ses connaissances professionnelles, quand surtout elle a appris comment, sous la grande loi du devoir, la femme peut subjuguer toutes les répugnances de la nature, tous les élans de sa volonté et tous les désirs de son coeur, quand elle est mûre pour le monde qui souffre, on l'appelle une diplômée.

Source : P. Williams, « La carrière d'infirmière pour les femmes », *Premier congrès de la Fédération nationale Saint-Jean-Baptiste*, Montréal, 1909, p. 20-21.

En 1875, désirant offrir une formation adéquate aux infirmières, le Montreal General Hospital demande conseil à la fondatrice de la profession, Florence Nightingale. Elle délègue une graduée de l'école qu'elle avait fondée en 1860. Cette jeune fille, raconte Judy Coburn qui a examiné l'histoire des infirmières, est horrifiée de l'état sanitaire de l'hôpital et elle démissionne, de même que les trois infirmières qui lui succéderont. L'argent de l'hôpital sert, entre autres, à acheter du champagne pour les patients devant être opérés, afin de leur donner du courage, et les infirmières demeurent dans un vieil édifice où la neige pénètre facilement. On leur inculque une morale puritaine qui impose les valeurs de la classe bourgeoise aux filles de la classe ouvrière. Finalement, l'école ouvre en 1890. Les hôpitaux constatent rapidement les économies qu'ils peuvent réaliser en formant les infirmières et, au Canada en 1909, on retrouve 70 écoles. Rapidement, la formation est étendue à trois ans, ce qui permet une exploitation éhontée, car les infirmières en formation ne gagnent rien ou à peu près rien.

Le fait, pour les francophones, d'avoir à subir la concurrence des religieuses leur rend difficile l'accès à la carrière d'infirmière. Ce n'est qu'en 1897 qu'un cours d'infirmière est offert à des laïques en langue française à l'hôpital Notre-Dame.

Les batailles pour obtenir une législation contrôlant l'accès à la profession sont longues. En 1922, c'est chose faite dans toutes les provinces, mais les législations sont loin d'être parfaites et permettent encore de nombreux abus au niveau des conditions de travail. L'accès à l'université est ardu. Au Québec, l'université McGill offre, vers 1920, un diplôme de premier niveau aux infirmières. Les conditions de travail sont cependant demeurer pénibles pour de longues années encore.

Le métier d'institutrice, de son côté, met en relief le stéréotype parfait de la travailleuse de l'époque, accomplissant « une mission » reliée au rôle maternel de la femme, dans des conditions la plupart du temps pénibles aussi bien sur le plan matériel que psychologique.

Avant 1960, moins de 10 p. 100 des institutrices laïques catholiques enseignent dans les villes de Montréal et de Québec. On se souvient que la féminisation du personnel enseignant s'est faite au milieu du 19e siècle. Elle se continue par la suite et, jusqu'en 1950, entre 80 et 88 p. 100 du personnel enseignant laïque et religieux est féminin. Cette situation inquiète les autorités scolaires qui tentent, par des subventions, d'inciter les hommes à prendre des postes d'instituteurs, car « il faut un homme pour former un homme ».

Les institutrices rurales, qui forment le gros des effectifs laïques et catholiques, continuent d'être mal payées, mal logées, mal nourries, et sous la constante surveillance des commissaires, des parents et des curés qui n'hésitent pas à les congédier parce qu'elles ont reçu un jeune homme dans leur classe après les heures de travail, ou pris un verre de bière à l'hôtel, ou été jugée trop sévère avec un enfant.

Toujours moins bien rémunérées que les institutrices qui enseignent dans les villes, les institutrices rurales doivent aussi voir à l'entretien ménager de leur classe, chauffer le poêle l'hiver, déneiger et, parfois, partager leur dîner avec les enfants. De plus, ayant diffi-

Institutrice dans sa classe en 1929.
Musée McCord, Université McGill, Montréal

cilement accès au perfectionnement et au recyclage, et possédant
une formation souvent élémentaire, les institutrices laïques catholiques enseignent surtout au niveau élémentaire. Les protestantes,
de leur côté, n'ayant pas à faire face à la concurrence des religieuses, ont souvent un meilleur choix de postes.

Les statistiques canadiennes démontrent que, tout au cours de
la période de 1900-1960, les enseignants du Québec sont les moins
rémunérés du pays, souligne l'historienne Maryse Thivierge. En
1924, sur 7262 institutrices laïques catholiques dans la province, 73
p. 100 reçoivent moins de 350$ annuellement. De plus, si on
examine certains métiers où les femmes se retrouvent en majorité,
on constate que les institutrices sont les moins bien payées. Le
temps des vacances scolaires les oblige à se trouver un apport bud-
gétaire supplémentaire. On les voit s'engager comme domestiques,
vendre des fruits aux touristes, travailler probablement gratuitement sur la ferme paternelle. Durant la Crise, plusieurs institutrices expérimentées sont renvoyées et remplacées par des enseignants engagés au rabais.

Le salaire des institutrices augmente surtout après 1937. En 1936, le surintendant de l'Instruction publique dénonce « (...) l'injustifiable tendance de plusieurs municipalités à diminuer outre mesure le salaire des institutrices rurales. Pendant les cinq années précédant l'année 1931-1932, écrit-il, il n'y avait aucune institutrice recevant un salaire inférieur à 150$ par année. En 1931-1932, les rapports en mentionnent 5 ; en 1932-1933, on en compte près de 400, dont 135 ne retirant que 80$ à 125$. Alors que les institutrices protestantes gagnent en moyenne 1140$, dit-il, les catholiques gagnent 394$. »

« La disparité dans la rémunération sous toutes ses formes des institutrices tient à la mentalité générale voulant que la femme, sur le marché du travail, n'accomplit qu'accidentellement une tâche rémunérée, parce que sa vocation réelle est domestique. Tant que les institutrices elles-mêmes souscrivent à cet énoncé, aucun organisme ne peut changer leurs conditions économiques », conclut

---

Albert Laberge, dans son roman, *La Scouine*, paru en 1918, raconte le renvoi d'une institutrice ayant donné trois coups de martinet à une fillette qui l'avait poussée à bout.

À sa mère alarmée, elle raconta que la maîtresse lui avait donné douze coups de martinet sur chaque main. Mâço (la mère) partit immédiatement. Elle arriva comme une furie et, devant tous les élèves, fit une scène terrible à l'institutrice l'accablant de mille injures... Le soir, dans toutes les familles du rang, on ne parlait que du drame qui s'était passé à l'école.

Le samedi, l'un des commissaires alla voir Mlle Léveillé et lui dit que pareille chose ne pouvait être tolérée... Il ajouta que tous les parents révoltés demandaient sa démission. Le dimanche, avant la messe, l'institutrice alla voir le curé et lui raconta les faits, tels qu'ils étaient arrivés. Patiemment, le prêtre l'écouta jusqu'au bout. Il parut reconnaître que la justice était de son côté mais, lorsque Mlle Léveillé lui demanda d'intervenir auprès des commissaires, il déclara que malgré son vif désir de lui être utile, il ne pouvait se mêler de cette affaire, car ce serait un abus d'autorité. La commission scolaire devait être laissée libre d'agir à sa guise.

Mlle Léveillé, la petite demoiselle blonde et mince, si gentille dans sa robe bleue, dut s'en aller après une semaine d'enseignement.

Pique-nique des employés de l'usine Belding-Corticelli de Holland, Vermont, à Coaticook.
Musée Beaulne, Coaticook

Thivierge, en ajoutant que patrons et syndicats n'ont que des privilèges à retirer de cette situation.

La fréquentation scolaire obligatoire jusqu'à 14 ans ne survenant au Québec qu'en 1943, ce sont les parents qui décident si leurs enfants demeureront ou non à l'école. L'institutrice rurale doit donc fréquemment faire face à des parents qui désirent rapidement faire travailler leur fils ou leur fille. Les enfants quittent souvent l'école après la première communion, vers 10 ou 11 ans, et peu poursuivent au-delà de la sixième année. Une institutrice ayant travaillé en Abitibi cite l'exemple d'une mère à qui elle tenta d'expliquer les difficultés scolaires de son fils et qui répondit : « Quand j'ai marié son père, il ne savait pas faire son signe de croix et ça a fait pareil. »

Ces conditions de travail n'incitent pas les institutrices rurales à poursuivre longtemps cette carrière. Entre 1900 et 1964, près de 80 p. 100 enseignent pendant 10 ans et moins, démontre Maryse Thivierge, en ajoutant que ce sont les institutrices rurales qui pratiquent le moins longtemps, avec une moyenne de 5,84 années, alors que les institutrices urbaines affichent une moyenne de 13,4 ans. « En milieu rural, peu d'institutrices peuvent résister plusieurs années aux pressions exercées sur elles, ajoutées à l'insécurité du lendemain. » De plus, même si la loi n'exclut pas formellement les femmes mariées de l'enseignement, l'usage et les mentalités les excluent pratiquement du marché du travail. Cependant, on voit dans les campagnes des institutrices mariées poursuivre quelque temps leur carrière, afin d'empêcher la fermeture de l'école, faute de personnel.

Présente et absente dans l'écriture et les arts

On a dit que les femmes ont toujours écrit parce que le papier ne coûte rien et qu'elles ont pu facilement inscrire l'écriture à l'intérieur de leurs tâches quotidiennes.

La liste des femmes journalistes s'allonge et elles continuent de s'affirmer comme chroniqueuses, mais certaines veulent aller plus loin que les pages littéraires féminines et fondent leur propre publication, comme l'avait fait Joséphine Dandurand au 19e siècle. Ainsi, Robertine Barry rédige *Le Journal Françoise*, qui paraît de 1901 à 1908, Gaétane de Montreuil édite *Pour vous Mesdames*, de 1913 à 1915, et Madeleine Huguenin fonde, en 1919, *La Revue moderne*.

La création de nombreux romans, contes pour enfants, poésie et oeuvres théâtrales peut être portée au crédit des femmes entre 1900 et 1940. Réginald Martel a relevé plus de 80 romans ou recueils de poésie produits par des femmes durant cette période. Les codes sociaux confinent cependant la femme à certaines limites, lui interdisant un féminisme agressif ou une écriture trop forte. Les auteures se replient donc souvent dans la production pour enfants ou le conte mélodramatique, reflétant en cela l'enfermement des femmes dans leur sphère domestique.

Les noms de Marie-Claire Daveluy, Michelle Le Normand, Gaétane de Montreuil, Jovette Bernier, défraient les chroniques littéraires. La poésie occupe plusieurs femmes qui y abordent le terroir, le patriotisme, la nature, l'amour maternel. Jovette Bernier se sert de ce médium pour aborder l'amour, même s'il l'a « dix fois, vingt fois trompée ». Dans son roman *La Chair décevante*, elle aborde le thème de l'amour maternel.

Les pseudonymes continuent d'abonder et on peut émettre l'opinion que les écrivaines voulaient ainsi dissimuler leur identité afin de pouvoir aller plus loin dans une expression personnelle que la société acceptait avec réticence. Les femmes sont donc présentes dans la littérature, mais souvent, d'une certaine façon, absentes. À quelques exceptions près — Jovette Bernier, Gaétane de Montreuil —, « (...) elle laisse les mots finir, le sens s'enfuir et, dans l'abandon le plus total, toute résonnance d'elle-même s'évanouir », comme l'a écrit Gabrielle Frémont. Alors que les femmes journalistes s'associent aux demandes d'élargissement de la sphère féminine réclamées par les féministes de l'époque, le roman, le conte et la poésie reflètent peu ces préoccupations. L'imaginaire féminin y est encore centré sur les valeurs dites féminines.

Les arts offrent une voie d'expression privilégiée pour les femmes. Sur les traces d'Albani, les musiciennes se font nombreuses. Pianistes, violonistes, cantatrices, elles gagnent le prestigieux « Prix d'Europe » et la plupart vont poursuivre leurs études à l'étranger. Un répertoire publié en 1935 dénombre 55 musi-

---

CLÉMENT, LUCIE
En marge de la vie (1934)...0.60
(Prix d'action intellectuelle 1934). Style simple, rapide, dépouillé d'incidentes. Allure forte qui surprend sous une plume féminine. Leçon très actuelle à l'égard des mariages mixtes, sans déploiement de thèse.

* TASSÉ, MME HENRIETTE.
Québec.
Nièce de l'humoriste Hector Berthelot. Mme Tassé est une féministe convaincue mais non agressive. Secrétaire de divers clubs féminins.
La Vie et le rêve. De Tout un peu. La Femme et la civilisation. Les Salons français. La Vie humoristique d'Hector Berthelot.
En prép. : *L'Art culinaire.*
Montréal.

Source : La Femme canadienne-française, Almanach de la langue française, Éditions Albert Lévesque, Montréal, 1936.

ciennes francophones qui ont eu accès à la notoriété internationale. La pianiste Germaine Malepart, la violoniste Annette Lasalle, les chanteuses Béatrice Lapalme, Éva Gauthier, Victoria Cantin, contribuent à la réputation musicale du Québec.

Des comédiennes comme Mimi d'Estée, Marthe Thierry, Antoinette Giroux, Camille Bernard, régalent les publics qui fréquentent des théâtres comme le *Stella* ou le *His Majesty* et l'apparition de la radio contribue à faire de ces comédiennes des vedettes connues du grand public.

Pauline Donalda (1882-1970)

Pauline Donalda, Montréalaise d'origine juive, est une chanteuse qui se range parmi les grands noms de l'opéra, à côté de Caruso, Melba. Après une brillante carrière de 18 ans (1904-1922), elle enseigne le chant à Paris où son cours est une pépinière de grands prix.

De retour à Montréal en 1937, elle fonde l'Opéra Guild en 1942, dont elle a assumé la direction artistique jusqu'en 1969. Elle poursuit également sa carrière de professeure.

Toutefois, même si les élèves qui fréquentent les écoles des Beaux-Arts sont majoritairement des filles, on ne trouve que peu de femmes peintres ou sculpteures. Sylvia Daoust, Simone Hudon semblent des exceptions. Du côté anglophone, Lilias Torrance Mewton, Mabel Lockerby, Kathleen Morris, Annie Savage, Sarah Robertson et Prudence Heward dominent le Beaver Hall Hill Group formé durant les années 20 à l'initiative du peintre Alec Jackson. Fait à remarquer, les artistes qui se créent une réputation sont presque toujours célibataires. Il semble que de beaucoup de femmes artistes on pourrait dire ce qu'on lit dans une biographie de chanteuse : « Hortense Mazurette aurait pu briller dans le monde musical. Elle préféra fonder un foyer plutôt que de suivre la voie du théâtre. »

Syndicalistes et grévistes

Au début du siècle et jusqu'à la Crise, le syndicalisme est en pleine croissance au Québec. La Crise provoque cependant une chute radicale de ses effectifs. Les unions internationales regroupées au sein du Congrès des métiers et du travail du Canada (C.M.T.C.) qui se donne une aile québécoise en 1937, la Fédération provinciale du travail du Québec (F.P.T.Q.), et au sein du Congrès des organisations industrielles (C.I.O.) ainsi que les syndicats catholiques et nationaux, incarnés principalement par la Confédération des travailleurs catholiques du Canada (C.T.C.C.) fondée en 1921 tentent de rejoindre les femmes.

Il existe aussi, avant 1920, des associations de secours et de protection des ouvrières. Par exemple, des associations affiliées à la Fédération nationale Saint-Jean-Baptiste regroupent, sur une base volontaire, les ouvrières soucieuses d'améliorer leur sort. Ces associations tentent de protéger leurs membres en veillant surtout à ce que les lois déjà existantes sur le travail féminin soient respectées ; la promotion individuelle des membres est favorisée par une éducation qui doit faire de ces travailleuses une « élite » de la classe ouvrière. Les employées de magasins, les travailleuses en manufacture, les institutrices catholiques de Montréal, les aides ménagères et les infirmières sont regroupées dans ce genre d'associations qui déclineront après la première guerre, alors que l'Église appuie les syndicats catholiques naissants.

Lorsqu'elles sont organisées en syndicats, les ouvrières ne se soumettent pas allègrement à l'exploitation dont elles sont victimes. Ainsi, avant 1937, bien que seulement un faible pourcentage d'entre elles soit regroupé dans les unions (environ 2,6 p. 100 en 1923 et 5,6 p. 100 en 1937), elles ont une participation active et militante qui contribue à permettre l'efficacité de l'agitation ouvrière.

Entre 1901 et 1915, au Québec, les textiles, où les femmes constituent 58 p. 100 des employés, et le vêtement, où elles comptent pour 60 p. 100, sont, après les transports, les secteurs les plus affectés par le nombre de jours de grève ou de lock-out.

Les journaux rapportent que, lors de la grève de la Dominion Textile en 1908, les femmes se présentent aux assemblées syndicales parées de leurs vêtements de fête et forment la grande majorité de l'assistance. Elles font preuve de courage et de solidarité. D'ailleurs, le syndicat qui dirige cette grève, la Fédération des ouvriers du textile, est composé aux deux tiers par des femmes. Elles participent pleinement à la structure syndicale et sont généralement les vice-présidentes des cellules locales.

De nombreuses grèves éclatent après 1930. Plusieurs sont de petites grèves limitées à une seule boutique, pour des motifs très particuliers. Ainsi, à Montréal par exemple, une petite grève de 14 presseuses a lieu entre les deux guerres dans une fabrique de corsages, lesquelles « (...) quittèrent le service à la suite d'une mise à pied de 3 presseuses, provoquée par une modification du régime de travail à la tâche ». Cette grève dure sept jours.

Le 21 août 1934, dans le secteur de la confection de la robe, une grève générale est déclenchée ; 4000 ouvriers et ouvrières manifestent dans la rue. La Ligue d'unité ouvrière, centrale fondée sous l'impulsion du Parti communiste à la fin de 1929, dirige cette grève générale par le biais du Syndicat industriel des ouvriers de l'aiguille. C'est la première grande grève dans la confection pour dames et c'est une grève où les femmes jouent un rôle important. Des policiers municipaux et provinciaux montés à cheval dispersent les grévistes et les jeunes filles se défendent en enfonçant des épingles dans la chair des chevaux. Lors d'une manifestation le 28 août, 10 femmes sont arrêtées et seulement 2 hommes.

Le syndicat rejette une offre d'arbitrage et la grève se termine par une défaite du syndicat qui n'est plus reconnu que dans quelques entreprises. Cependant, les ouvriers ont, selon le représentant du ministre du Travail, une augmentation de 20 p. 100 de salaire. La Ligue est dissoute en 1935.

C'est l'Union internationale des ouvriers du vêtement pour dames (U.I.O.V.D.), liée au C.I.O., qui ravive le militantisme des midinettes québécoises. Bernard Shane dirige l'Union, assisté de Rose Pesotta, une organisatrice de grand talent, nourrie dans sa jeunesse de doctrines libertaires et passionnée de la cause syndicale. En 1934, raconte la journaliste Évelyn Dumas, elle assure une émission bilingue à la radio, prépare des circulaires et fait du porte-à-porte pour rejoindre les midinettes.

Une nouvelle grève éclate en 1937, année de crise où surgissent de nombreuses grèves au Québec. Cinq mille midinettes, en majorité canadiennes-françaises et juives, débraient pendant trois semaines et gagnent l'essentiel : reconnaissance de leur syndicat et meilleures conditions de travail et de salaire. Cette « grève dans la guenille » est suivie d'une autre, en 1940, qui se termine par une augmentation des salaires de 5 p. 100.

Grève des fileuses de la Filature Sainte-Anne en 1908.
La Presse, *5 mars 1908*

Les syndicats défendent généralement bien les femmes, mais n'en continuent pas moins, lorsque celles-ci sont syndiquées, à ne pas les considérer au même titre que les ouvriers masculins. Peu de revendications concernant l'égalité salariale sont élaborées à cette période et la discrimination est à la base des négociations collectives. Ainsi, dans la convention collective des travailleurs de l'Union internationale du vêtement pour dames, en vigueur le 30 avril 1940, il est spécifié que le salaire minimum des presseurs doit être de 54 1/2¢ l'heure et celui des presseuses, de 36 1/4¢ l'heure : une différence de 18 1/4¢ l'heure pour le même travail...

Certaines revendications liées à l'exploitation spécifique des femmes remportent quelques succès. *La Gazette du travail* rapporte que, dans une usine, l'usage des ascenseurs est interdit aux ouvriers parce qu'ils y importunent les femmes. Des ouvrières demandent des contremaîtresses plutôt que des contremaîtres et aussi de travailler dans des départements où seules les femmes sont admises, ou encore de quitter le travail, midi et soir, cinq minutes plus tôt que les hommes. Tout cela afin de contrer le harcèlement sexuel persistant dont elles sont victimes.

Yvette Charpentier, qui participa activement dans les années 30 à l'organisation syndicale des ouvrières du vêtement pour dames (U.I.O.V.D.), répondant, en 1967, à la question : « La femme participe-t-elle à la vie syndicale ? », dit : « Ses raisons de ne pas participer à la vie syndicale sont évidentes : elle n'a pas le temps puisque sa journée de travail ne se termine pas avec la fermeture de son atelier. La femme qui appartient, comme on le dit souvent, au sexe faible, a une journée à entreprendre en rentrant chez elle. » Elle poursuit en affirmant que les femmes mariées peuvent travailler à condition que personne dans la famille n'en soit dérangé. Selon elle, les femmes célibataires et les veuves sont les plus militantes dans les syndicats naissants.

En somme, entre 1900 et 1940, la syndicalisation des femmes s'amorce et ce processus est révélateur des attitudes et des courants de pensée qui continueront de coexister dans les décennies suivantes. Paternalisme, protectionnisme, division des activités entre hommes et femmes, manque de partage dans les prises de décisions, identification de la travailleuse à quelqu'un qui est temporairement sur le marché du travail, sont autant de paramètres qui, au gré des conjonctures économiques, prendront plus ou moins de vigueur.

En ce sens, l'histoire du Syndicat des allumettières de Hull, entre 1919 et 1924, qu'a rapportée Michelle Lapointe, est un bon exemple de ces attitudes. L'Association syndicale féminine catholique, qui regroupe les allumettières, est affiliée au Conseil central qui s'occupe véritablement de la négociation. La vie de cette association est marquée de deux conflits majeurs, en 1919 et en 1924. Les allumettières se mobilisent rapidement, durant les deux conflits, mais, en 1924, « (...) pendant toute la durée du lock-out, plusieurs des différents intervenants manifestèrent des sentiments paternalistes à l'égard des allumettières. Cette attitude les amena à marginaliser la présence des ouvrières au niveau décisionnel. Ainsi, des agents plus ou moins extérieurs au conflit prirent en main les leviers de commande au cours de la contre-grève ». Lapointe note que ce sont des femmes qui amassent les fonds et ce sont les hommes qui vont expliquer à la population les motifs du conflit de travail. Les négociations sont menées par les hommes, représentants syndicaux et aumôniers. L'auteur conclut que le syndicalisme féminin, dans ce contexte, constitue un double encadrement pour les travailleuses et qu'en remettant au syndicat masculin la négociation des conditions de travail, on évite que « (...) la femme ait pu développer une conscience de classe qui l'aurait amenée à défendre ses intérêts de travailleuse et ses intérêts de femme, se soustrayant ainsi, en tout ou en partie, aux paramètres étroits de son rôle traditionnel ».

L'organisation ouvrière féminine se distingue nettement de l'organisation ouvrière ordinaire, en ce que ses membres ne doivent, d'une manière générale, n'en faire partie que pour un temps plus ou moins long, selon qu'ils entreront plus ou moins vite dans l'état du mariage.

Nous n'apprendrons rien à personne en disant que toute jeune fille qui reste dans le monde doit avoir la légitime ambition de se marier un jour. Il peut y avoir des exceptions à cette règle, mais comme l'exception est toujours le très petit nombre, nous n'insisterons pas. D'ailleurs, la majeure partie de ces exceptions n'ont décidé ou ne décident de rester vieilles filles que pour continuer à élever une famille que la mère a abandonnée lorsque la mort est venue la ravir à l'amitié des siens ou pour soutenir de vieux parents...

Source : Thomas Poulin, *Le Droit*, 29 octobre 1919, cité par Michelle Lapointe, « Le syndicat catholique des allumettières de Hull, 1919-1924 », *R.H.A.F.*, vol. 32, no 4, mars 1979, p. 611.

Depuis 1845, au Québec, il existe chez les enseignants des associations d'instituteurs à appartenance libre. Mais la plupart demeurent, et cela jusqu'à l'entre-deux guerres, sous le contrôle plus ou moins direct des commissions scolaires et du département de l'Instruction publique. Après la guerre de 1914-1918, le corps enseignant se réveille, grâce aux institutrices.

L'instigatrice de ce réveil des enseignants est une jeune femme énergique, Laure Gaudreault, qui dit : « Le meilleur avocat dans sa propre cause, c'est soi-même. » À 16 ans, elle débute dans l'enseignement au salaire de 125$ par an, en 1906, aux Éboulements. Jusqu'en 1937, elle enseigne dans diverses localités du comté de Charlevoix et de Chicoutimi. Elle collabore aussi à la chronique féminine du *Progrès du Saguenay*. Après avoir lancé dans ce journal l'idée d'une association des institutrices rurales, elle met son projet à exécution en 1936, à la suite de la décision du gouvernement de ne pas donner suite aux augmentations de salaires promises aux institutrices. Lors d'une conférence pédagogique, Laure Gaudreault expose son intention, recueille 29 signatures et fonde l'Association catholique des institutrices rurales.

De novembre 1936 à février 1937, Laure Gaudreault parcourt le diocèse de Chicoutimi et fonde trois autres associations (Jonquière, Saint-Joseph d'Alma et Chicoutimi) et, le 19 février 1937, naît la Fédération catholique des institutrices rurales. Le siège social est établi à La Malbaie et la contribution annuelle est fixée à un dollar. Laure Gaudreault devient ainsi « permanente syndicale », à 450$ par année, et le bulletin syndical, *La Petite Feuille*, prend la défense, durant les 12 années qui suivent, des intérêts des institutrices rurales. Jusqu'en 1943, la lutte est menée particulièrement sur le front des salaires, afin d'obtenir leur hausse et leur réglementation.

L'acception généralisée du rôle unique d'épouse et de mère pour la femme produit un climat qui ne peut guère mener avant plusieurs années à des changements d'attitude. Il n'en demeure pas moins, comme nous l'avons déjà dit, que ces croyances, parfois plus ou moins acceptées, vont commodément servir à justifier les plus flagrantes discriminations à l'égard des femmes, et les syndicats n'en sont pas exempts.

Léa Roback

Léa Roback est née rue Guilbault, près de la rue Saint-Laurent à Montréal. Son père, originaire de Pologne, est tailleur. La famille, n'arrivant pas à suffire à ses besoins, déménage à Beauport, près de Québec, où la mère de Léa ouvre un commerce qu'elle tient jusqu'en 1919. La vie est difficile pour cette seule famille juive dans un village catholique. La plupart des hommes du village sont des fonctionnaires pauvres et les femmes font le ménage la nuit. À 18 ans, Léa, revenue à Montréal, travaille dans une boutique de nettoyage de 8 h 30 à 16 h 30 pour huit dollars par semaine.

En 1925, elle se rend étudier en France avec l'argent amassé en travaillant le soir, dans un théâtre, à vendre des billets. En 1929, on la retrouve à Berlin où elle assiste à la montée de l'antisémitisme. Revenue à Montréal, elle ouvre la première librairie marxiste et travaille, en 1935, pour Fred Rose, un militant communiste qui se présente aux élections générales.

Elle s'engage ensuite dans l'organisation des ouvrières de la robe. En 1937, on la retrouve animatrice de quartier dans Rosemont où elle fait du porte à porte pour inviter les parents à envoyer leurs enfants dans un atelier d'art où elle les fait dessiner. En 1942, de retour à l'organisation syndicale, elle travaille à la R.C.A. Victor, à Saint-Henri, où elle se mêle étroitement à la vie du quartier.

Source : Lucie Lebeuf, « Léa Roback ou comment l'organisation syndicale est indissociable de la vie de quartier » dans *Vie ouvrière*, no 128, octobre 1978, p. 461-470.

Note du chapitre IX

1. Marie Gérin-Lajoie, « Le travail des femmes et des enfants dans la province de Québec » dans *La Bonne Parole*, octobre 1920, p. 5-6.

X

Travailleuses invisibles
ou presque

Semer l'idée rurale

Au Québec, l'agriculture demeure artisanale et la main-d'oeuvre familiale continue de jouer un rôle très important dans l'unité de production agricole. Les Québécois utilisent moins d'engagés que les Ontariens et, jusqu'en 1931, alors que la moyenne des travailleurs engagés se maintient à 17,1 p. 100 en Ontario, elle n'est que de 10 p. 100 au Québec. C'est dire que le père de famille compte encore sur ses enfants pour s'assurer « les bras » dont il a besoin à la ferme.

Les autorités civiles et religieuses s'affolent et tentent, sans beaucoup de succès, de contrer l'urbanisation. Les textes de l'époque ne cessent de vanter les avantages de la vie champêtre, même si les femmes continuent d'y mener une vie très rude, marquée au rythme des saisons, des naissances, des morts et des lourds travaux quotidiens. Au moment où l'agriculture, particulièrement dans les centres ruraux situés près des villes, devient une agriculture de marché, la production étant vendue par le mari, le travail domestique continue à être, pour l'agriculteur, perçu comme une collaboration essentielle de sa femme mais devient, pour la société, le travail invisible, non payé, car il n'est pas monnayable. Les femmes ressentent aussi cette situation et leur regroupement dans les cercles des fermières n'est peut-être pas étranger à cette perception de la perte de leur fonction économique traditionnelle.

Comme à la ville, la vie « sur la terre » se modernise. Le monde extérieur à la paroisse pénètre de plus en plus dans les foyers. La femme rurale consulte de plus en plus les catalogues d'*Eaton* et de *Dupuis frères*, et voit circuler des automobiles. La radio et l'électricité font aussi timidement leur apparition.

Les tâches domestiques : « Mon Dieu, faites que j'aille au ciel en balayant la place »

La femme rurale assume encore durant cette période la cuisine, le potager, l'habillement, les récoltes en période des foins, la fabrication du pain, du savon et, une fois par année, des conserves.

De plus, la Dépression force plusieurs femmes, à la ville et à la campagne, à travailler la nuit pour confectionner tricots, vêtements et couvertures qui seront vendus afin de grossir le maigre budget familial et à abandonner l'achat de vêtements prêt à porter commandés par catalogue chez *Dupuis frères*.

Bien que, comme le note l'historienne Geneviève Leslie, la plupart des précurseurs des appareils domestiques que nous connaissons maintenant soient inventés vers 1920, ils sont peu disponibles, particulièrement dans les campagnes et les milieux ouvriers urbains. Les premiers catalogues sont une bonne façon de se renseigner sur ce qui était mis en vente à l'époque. Le premier catalogue *Eaton's* fait son apparition en 1885. Au fil des ans, on y voit apparaître de nouveaux poêles, de nouvelles brosses à nettoyer, etc. Les poêles continuent de chauffer au bois et au charbon durant la période, bien qu'on note l'apparition de quelques fournaises à l'huile. Le poêle au gaz apparaît en 1919, mais la cuisson demeure une activité salissante.

La réfrigération électrique n'apparaît pas dans les catalogues avant 1920 et l'on voit, en 1909-1910, des illustrations de deux aspirateurs électriques. Avant 1940, les bourgeoises habitant les villes ont accès à certains de ces appareils modernes, mais les femmes à la campagne et les familles ouvrières des villes continuent d'utiliser des techniques rudimentaires. Enfin, Leslie ajoute que plusieurs Canadiennes cuisinent sur leur poêle à bois, lavent les couches à la main et nettoient la maison sans aspirateur jusqu'en 1940. Il en va de même, jusqu'en 1950, dans plusieurs régions du Québec.

NOTRE-DAME-DES-PETITES-BESOGNES

Aidez-moi à assurer la propreté dans la maison de mon amour, à chasser la poussière des cœurs, à garder les esprits clairs et nets, afin que j'aille au ciel, en balayant la place.

(FRANÇOISE GAUDET-SMET)

Notre-Dame-des-Petites-Besognes
Collection privée — Michèle Jean

Recette de savon domestique

15 pots d'eau (12 pintes)
20 livres de graisse (qu'on fait consommer et couler)
5 livres de caustique
5 livres de résine

Laisser bouillir une heure en brassant avec une palette de bois constamment ; en terminant, ajouter 5 livres de gros sel ; laisser reposer jusqu'au lendemain et couper en briques.

Cette recette donne un beau savon doré.

Source : Jeanne d'Arc Lévesque-Martin et Liliane Greven-Raymond, *Les reconnaissez-vous ?*, La Pocatière, 1980, p. 86.

De toute façon, ces innovations, même si elles réduisent la fatigue reliée aux tâches ménagères, n'éliminent pas le caractère répétitif et ennuyeux du ménage et du lavage. De plus, elles incitent souvent les femmes à nettoyer plus à fond ou à faire le ménage plus souvent.

La femme colonisatrice

La femme du défricheur vit sensiblement la même existence que celle du cultivateur, mais elle est cependant encore plus éloignée de la civilisation. Alors que les exploitations agricoles situées près des marchés urbains peuvent vendre leurs produits à la ville, celles qui sont loin des marchés demeurent encore autarciques.

Face à l'urbanisation croissante, les promoteurs de la colonisation organisent, en 1916, la Ligue nationale de la colonisation afin de garder à la campagne les ruraux et y ramener les fils du terroir. En 1923, les évêques publient une lettre pastorale pour appuyer la colonisation. L'Union catholique des cultivateurs, fondée en 1924, harcèle le gouvernement Taschereau pour qu'il s'en occupe. Ces incitations ont peu de succès avant la Crise, alors qu'une politique audacieuse de colonisation en permet un certain regain. Cependant, une bonne partie des exilés reviennent rapidement à la ville, démontrant le côté artificiel de ce mouvement.

En 1932, le gouvernement du Québec forme le Comité de retour à la terre qui établit une liste de critères pour choisir les nouveaux colons. Cette liste inclut, entre autres, les critères suivants : tout aspirant colon doit avoir un certificat de mariage authentique, aller sur son lot avec sa famille seulement, avoir les vêtements pour l'hiver, poêle, machine à coudre, ustensiles de cuisine et avoir une épouse qualifiée. Elle doit connaître la couture, le tricot et tous les travaux de ménage, et elle devra apprendre à cuire le pain, si elle ne le sait déjà. Un colon mal marié ne peut réussir.

Il est à remarquer qu'on souligne qu'un colon mal marié ne peut réussir. L'importance primordiale du travail de l'épouse du colon est donc reconnue. Pourtant, même si nos manuels d'histoire nous parlent des bûcherons et des défricheurs, ils ne mentionnent jamais la contribution tout aussi importante de leurs femmes qui, très souvent, veuves dans la quarantaine et à la tête d'une nombreuse famille, continuent seules à défricher la terre.

Les mesures destinées à contrer la désertion des campagnes et le chômage connaissent un succès mitigé. Et, comme l'on croit à l'importance du rôle de la femme dans le maintien ou le retour à la terre, plusieurs écrits et discours ne se gênent pas pour les désigner comme les coupables de l'abandon des terres familiales et de l'exode vers les villes.

L'importance du travail des femmes est tout de même reconnue puisque, entre 1920 et 1940, les concours agricoles retiennent, comme critères d'évaluation des actifs des propriétaires, ses productions agricoles, ses méthodes de travail, l'envergure du troupeau et... sa femme (le fait d'en avoir une augmente le nombre de points). C'est là peut-être ce qui fait dire à Adélard Godbout : « La ferme vaut ce que vaut la femme... » Selon les Romains, l'important pour l'homme est d'avoir une maison, un boeuf et une femme. Les siècles se suivent et se ressemblent !

Enrayer la désertion de la terre

L'affolement des autorités civiles et religieuses devant la désertion des campagnes suscite l'organisation de Cercles de fermières. Dès le début du 20e siècle, on songe à introduire, dans les milieux ruraux, une organisation d'économie domestique. Plusieurs modèles existent. Les Homemakers Clubs, fondés au Canada anglais en 1902, sont organisés en 1911, au Québec anglophone à l'instigation de madame G. Beach. Originaires des Cantons de l'Est, ces cercles travaillent en étroite collaboration avec le collège MacDonald. Cette association prend le nom en 1920, de Women's Institute. Il existe également une association de fermières en Belgique et c'est ce dernier modèle qui est finalement retenu dont on importe les objectifs, les constitutions et le mode de fonctionnement. Alphonse Désilets et Georges Bouchard, agronomes au ministère de l'Agriculture, s'en font les propagateurs. À leur instigation, le premier cercle des fermières est fondé en 1915, dans la région de Chicoutimi.

L'extension de ces cercles doit permettre d'attacher la femme à son foyer, en utilisant les méthodes d'art ménager, et de garder « (...) nos fils sur la terre en empêchant nos filles de déserter la paroisse rurale ».

En quatre ans, le nombre de cercles passe de 5 à 34 et le nombre des membres est décuplé. Les premières présidentes sont des femmes des petites bourgeoisies locales. En octobre 1919, un premier congrès réunit à Québec les présidentes et les secrétaires de tous les cercles. On procède alors à la véritable organisation des cercles : élection d'un conseil provincial qui assurera la liaison avec le ministère de l'Agriculture, création d'une revue trimestrielle, *La Bonne Fermière*, organisation d'une exposition annuelle de travaux domestiques et de travaux d'agriculture dite féminine (apiculture, aviculture, horticulture, floriculture, mise en conserve, culture du lin, production de la laine, jardins de plantes médicinales, etc.), affiliation à la Fédération nationale Saint-Jean-Baptiste et à la Womens' Institute Federation of Canada, et généralisation des cours d'éducation populaire subventionnés par le ministère de l'Agriculture. Selon la brochure de l'École sociale populaire, ces cercles permettent un progrès général dans la tenue des foyers, l'attachement des jeunes à la vie champêtre, la pratique modèle

---

Qu'est-ce qu'un Cercle de Fermières ?

C'est un organisme qui groupe les femmes et les jeunes filles de nos centres ruraux, leur permet de mieux se connaître, de se comprendre, d'échanger leurs connaissances, de s'entraider, de s'intéresser davantage à l'étude de leurs problèmes, de s'entraîner mutuellement à faire plus et mieux pour l'amélioration des conditions matérielles de vie sur la ferme.

C'est un lieu de rencontre où les membres discutent de leurs travaux ou obligations, mettent en commun leur expérience pour augmenter leur valeur individuelle et leur personnalité.

Dans une paroisse, un Cercle de Fermières est une véritable école publique d'enseignement ménager-agricole. C'est aussi un milieu favorable à la pratique de la charité ; le cercle fournit encore à ses membres l'occasion de développer un idéal et des convictions qui leur permettront de mieux remplir leur rôle.

Le Cercle de Fermières est une oeuvre éducative rurale qui embrasse toutes les autres oeuvres, telles que : charité, service social, mouvement d'action catholique, hygiène, arts domestiques, embellissement des demeures, organisation des loisirs, bibliothèque.

Source : Constitution des Cercles de Fermières, 1928.

du jardinage, de l'aviculture, de l'apiculture et de l'embellissement des demeures.

En 1937, Françoise Gaudet-Smet fonde la revue *Paysana* : « Une organisation comme les Cercles de fermières apparaissait comme vitale au maintien de notre «vocation agricole».» Nés, d'une certaine façon, d'une concordance d'intérêts entre les femmes, le clergé et le gouvernement, ces cercles fournissaient à l'État une façon de lier les femmes à l'univers domestique et rural, à une époque où il n'appartenait guère à la volonté des femmes de décider si la vocation du Québec serait rurale ou urbaine. Ils permirent, néanmoins, à bien des femmes d'apprendre à s'organiser, à fonctionner en groupe et à travailler avec d'autres femmes à la poursuite d'objectifs communs. Ils permirent aussi à des rurales de préserver leur mode de vie et d'éviter une transformation rapide en ménagères dépendantes.

Plus que ménagères : Femmes collaboratrices

En plus de leurs tâches quotidiennes, les femmes rurales, durant la période 1900-1940, assument encore très souvent des tâches de pharmaciennes, d'infirmières, de sages-femmes, rôle qui va souvent de pair avec les soins à donner aux morts. Avec le développement de la poste, du téléphone, du travail de bureau et du commerce de détail, on les voit travailleuses de la poste, téléphonistes, épicières collaboratrices du mari dans une entreprise artisanale, « (...) sans jamais que leur nom ne paraisse nulle part sur aucun document », mentionne Jeanne d'Arc Levesque-Martin qui a recueilli les témoignages qui suivent.

Juliette Richard, téléphoniste rurale à La Pocatière, raconte qu'en 1921, les abonnés devenant plus nombreux et les appels plus pressants, elle est engagée par Lucienne Dion qui « (...) tenait le bureau de téléphone pour la Cie Kamouraska. Le « Central », comme on appelait alors le bureau de téléphone, était une résidence privée. Un espace était aménagé dans une pièce de la maison où on installait le tableau de distribution... Le bureau ouvrait à 7 heures et il fallait souvent travailler le soir. Lorsque j'ai commencé à travailler, je gagnais 5$ par mois. » Les augmentations portent plus tard le salaire à 10$ et à 15$ par mois (vers 1923). Avec ce modeste salaire, la jeune fille doit habiter chez ses parents et arrive

Téléphonistes en 1913.
Musée Beaulne, Coaticook

à peine à acheter ses vêtements. « Si ce sont les hommes qui ont inventé le mécanisme du téléphone, une fois les dispositifs installés, on faisait appel aux femmes pour faire fonctionner ces appareils... Je crois bien, de prime abord, qu'à cause des salaires offerts, les hommes n'étaient pas intéressés ; ce n'était souvent qu'un appoint au revenu familial que la femme apportait tout en s'occupant de sa famille. Un autre facteur déterminant de l'utilisation des femmes comme téléphonistes, c'est qu'elles sont plus patientes, plus intuitives, qu'elles ont la voix plus douce que les hommes. » La narratrice mentionne aussi qu'il faut beaucoup de discrétion, car on apprend les nouvelles comme celle des « filles enceintes ».

La poste rurale connaît aussi une expansion entre 1900 et 1940. Des maîtres de poste sont nommés dans les campagnes et leurs noms se retrouvent dans la petite histoire. Mais, ils n'accomplissent pas seuls leur travail. « C'était son épouse et ses filles qui remplissaient bien discrètement la tâche, tout en vaquant aux travaux du ménage et au soin des enfants », mentionne un témoin de l'époque. Ce travail, commencé à 5 heures du matin, se termine à 6 heures du soir avec le départ du train. Ces bureaux de poste dans les maisons sont un lieu de rendez-vous et de communication entre les paroissiens. Travail de collaboratrice pour la femme, comme celles qui distribuent, avec le mari, le courrier dans les boîtes rurales, un peu plus tard.

Ces nouveaux rôles assumés par les femmes rurales, en plus de mettre en relief l'importance de la femme dans la vie rurale, ont certaines caractéristiques communes annonciatrices d'un modèle de cycle de vie féminin qui se perpétuera jusqu'à nos jours. Elles exercent des tâches d'appoint, en plus du travail ménager, pour dépanner ou aider discrètement le père ou le mari, « en attendant », temporairement, souvent gratuitement ou pour un salaire dérisoire, avec bonne humeur et dévouement même en étant, la plupart du temps, étroitement surveillées par les hommes. À l'analyse, ces emplois se révèlent souvent épuisants par les longues heures, la patience et l'énergie qu'ils exigent.

À la ville comme à la campagne, la vie moderne exige de plus en plus de connaissances formelles, et l'accès au savoir sera réclamé par les femmes.

XI

S'instruire et s'organiser

L'accès au savoir ou la longue marche des femmes savantes

L'histoire de l'éducation des filles est le reflet des idéologies qui ordonnent le rôle de la femme. On a constaté d'ailleurs, en examinant par exemple la professionnalisation du métier d'infirmière, l'évolution du travail de bureau ou l'entrée des femmes dans les professions, que certains champs de savoir sont réservés aux hommes et qu'ils acceptent plus facilement d'améliorer la formation des filles si cela peut leur permettre d'être mieux servis.

L'évolution du système d'enseignement formel véhicule les mêmes préoccupations, mais elles sont souvent moins évidentes. Les contradictions et les tiraillements de la société face au rôle des femmes engendrent de multiples ambiguïtés dans la mise en oeuvre des modèles éducatifs qui leur sont destinés, ceci valant plus pour le système catholique que pour le système protestant. Ces systèmes sont cloisonnés et comprennent divers niveaux d'enseignement imprécis et mal articulés entre eux. Alors qu'en milieu anglophone les filles ont accès aux *high schools* publics (neuvième à onzième année) et, de ce fait, à l'université, en milieu francophone, c'est par le secteur privé qu'elles arrivent à avoir une éducation plus soutenue, résultat de la conjoncture créée au 19e siècle par le rôle et l'importance des communautés enseignantes.

Chacune — elles sont plus de 32 en 1917 — ayant développé son système et ouvert ses pensionnats qui sont au nombre de 586, en 1917.

Dans le secteur public francophone, la scolarité se modifie. En 1923, le cours primaire atteint 6 années auxquelles s'ajoutent le cours complémentaire (2 ans) puis, en 1929, le cours primaire supérieur (3 ans). La scolarité totale est donc portée à 12 ans, si on inclut le cours préparatoire. Cependant, les filles ont peu accès à ce système car, en pratique, des écoles supérieures de filles n'existent pas encore dans le secteur public. Elles n'ont accès à une éducation plus longue qu'en fréquentant les institutions privées où l'on peut, parfois, offrir le cours complémentaire, voire le cours primaire supérieur. Signe fort révélateur, l'enseignement postélémentaire des filles est absent des statistiques officielles durant la première moitié du 20e siècle. Il est fort difficile, dans l'état présent des recherches, de le quantifier avec certitude. La croyance populaire veut qu'au Québec, les filles aient été plus instruites que les garçons mais ce fait n'est pas encore démontré. Les recherches de la sociologue Thérèse Hamel démontrent que, si en milieu rural les filles fréquentent l'école un peu plus que les garçons, en milieu urbain, c'est l'inverse qui se produit. L'urbanisation du Québec semble donc avoir eu un effet négatif sur la scolarisation des filles. L'obligation pour les filles de fréquenter une école payante y a sans doute contribué également.

C'est donc dans le secteur privé que les filles doivent poursuivre leurs études au niveau secondaire et, fait remarquable, il se développe dans des programmes spécifiquement féminins. La période 1899-1920 voit l'apparition successive de voies parallèles structurées, concertées et contrôlées, soit par le département de l'Instruction publique (écoles normales), soit par le ministère de l'Agriculture (enseignement ménager), soit par les universités (enseignement primaire-supérieur, cours lettres-sciences, cours classique).

Ce réseau privé d'enseignement de niveau secondaire est le résultat des revendications des religieuses. Dès le début du 20e siècle, elles réclament pour les jeunes filles un enseignement secondaire sanctionné par un diplôme. Trois grandes avenues féminines sont ainsi constituées.

La première est celle des écoles normales. En 1898, il n'existe au Québec qu'une seule école normale de filles et ce nombre passe à 22 en 1940. Cette augmentation est due à l'action concertée des

Étudiante de l'université McGill.
Musée McCord, université McGill, Montréal

évêques et des communautés religieuses. Mais le nombre de diplômées est restreint (il passe de 112 en 1901 à 907 en 1939), car les
jeunes filles peuvent obtenir un brevet d'enseignement du Bureau
des examinateurs catholiques sans avoir fréquenté une école
normale. À Montréal, il n'existera jusqu'en 1952, qu'une seule école
normale dirigée par la congrégation Notre-Dame. Ceci permet de
maintenir les institutrices laïques à la campagne et d'attirer les
vocations religieuses, statut qui ouvre la voie à l'enseignement en
milieu urbain. Les programmes de ces écoles normales sont fort cri-
tiqués et on déplore surtout le fait que la majorité des normaliennes
ne recherchent que le diplôme élémentaire le moins long à obtenir.

En 1910, les diverses communautés envisagent un premier
cycle de cours classique qu'elles offrent déjà en termes de scolarité.
Au fond, elles réclament un *high school* francophone. Ces démarches aboutissent, à Montréal, à la création du cours « lettres-
sciences » et à Québec au cours dit « primaire supérieur ». Ces
programmes de quatre ans fort prestigieux sont surnommés
« cours universitaires », mais n'offrent en réalité qu'une scolarité
de 11 ans. Cette seconde avenue féminine n'est fréquentée que par
une minorité de filles des classes privilégiées. Cette minorité est

cependant six fois plus élevée que celle qui fréquente les écoles ménagères régionales.

L'enseignement ménager qui, pendant plus d'un siècle, sera au Québec le véhicule de l'idéologie de la femme épouse et mère, débute, en 1882, par la fondation de l'École ménagère de Roberval. Elle sert, alors, de support au mouvement de colonisation, comme le dit Nicole Thivierge qui a fait l'historique de ces écoles. Elle ajoute qu'avec le 20e siècle, le mouvement servira à lutter contre l'exode rural. On veut alors former des femmes qui pourront retenir leurs maris à la ferme. En 1905, une autre école ménagère ouvre ses portes à Saint-Pascal de Kamouraska et offre un cours renommé.

Ces deux grandes écoles ménagères incitent le département de l'Instruction publique à reconnaître le cours ménager-agricole. Dès lors, la majorité des couvents de la province se transforment en écoles ménagères primaires qui offrent une scolarité de huit ans. Le nombre de telles écoles ménagères est considérable (plus de 160 en 1930). Toutefois, le recrutement pour les écoles ménagères supérieures est difficile : les parents sont fort réticents à payer pour une formation de maîtresse de maison. En 1937, il n'y a que 230 filles qui poursuivent des études domestiques de niveau secondaire.

Le mouvement rejoint aussi la ville, et son idéologie comme sa pratique sont servies à toutes les sauces. Comme la médecine ou la bienfaisance, la tenue de maison se doit d'être rationnelle et scientifique. Il faut viser à professionnaliser le travail domestique, à avoir des ménagères urbaines efficaces dans la tenue de maison et à inculquer aux filles, dès l'enfance, les principes ménagers que le travail à l'extérieur du foyer ne leur permet plus d'acquérir.

Les bourgeoises songent alors à créer pour les autres femmes une école dans laquelle tous les aspects de la science ménagère seront enseignés. C'est la fondation de l'École ménagère provinciale, en 1904, sous les auspices de la section féminine de la société Saint-Jean-Baptiste, aidée par un comité de citoyens. Elle est une des rares initiatives laïques chez les francophones. L'école offre des cours publics, le jour et le soir, pour les jeunes filles de Montréal, en techniques culinaires, techniques de coupe, de couture et de confection de chapeaux. Les cours se donnent en français et en anglais. On veut ainsi non seulement former des maîtresses de maison, mais aussi, et ceci est spécifique à cette école en milieu francophone, assurer aux employées de fabrique une formation professionnelle qui leur permettra d'avoir de meilleurs emplois. La féministe Marie Lacoste-Gérin-Lajoie s'intéresse grandement à cette école ; elle y donne des cours de droit et des conférences diverses sur des sujets tels que les régimes matrimoniaux.

À la suggestion d'Adelaide Hoodless et grâce à l'initiative de James Robertson et de Sir William McDonald, l'enseignement de l'économie domestique se développe en milieu anglophone. En 1902, ils expriment le désir d'offrir des cours pour entraîner les filles dans la *domestic economy* ou la *household science*. En 1907, leur voeu se réalise alors que le collège McDonald fonde la School of Household Science. L'école se donne pour mission de rencontrer les besoins de la société en développant l'intelligence, l'énergie, l'habileté et le talent de la jeunesse féminine. Trois genres de cours sont offerts : un cours abrégé de trois mois, un cours de formation ménagère d'une année et, enfin, un cours d'enseignement ménager de deux ans, qui conduit à un diplôme.

Les cours qui y sont donnés préparent surtout les diplômées à la vie de femme mariée. Cependant, pendant la Première Guerre mondiale, on demande des expertes en diététique pour prendre la direction des services d'approvisionnement de l'armée. L'étude des sciences domestiques devient donc de plus en plus scientifique et de moins en moins domestique.

Plusieurs diplômées de cette faculté travaillent comme diététiciennes dans les hôpitaux, les entreprises publiques, les grands magasins ou, lors de la Deuxième Guerre mondiale, dans les forces armées. Leurs connaissances en tant qu'expertes en chimie alimentaire sont pleinement reconnues. Même si cette faculté restera un ghetto féminin jusque dans les années 1970, elle donne néanmoins à ses diplômées une préparation professionnelle beaucoup plus poussée que celle que reçoivent les diplômées des écoles ménagères du réseau catholique. En 1919, on ajoute un cours de quatre ans qui conduit au baccalauréat en sciences ménagères. Les deux premiers cours offrent une formation de maîtresse de maison, pendant que les cours de deux et quatre ans préparent les jeunes filles à devenir des professeurs spécialisés, des diététiciennes dans les hôpitaux ou les restaurants, des conférencières ou des apôtres de l'engagement social.

Le système continue de se développer et, à la fin de la période, la science ménagère, tant en milieu francophone qu'anglophone, a une grande place dans l'éducation des filles, du primaire à l'université.

L'enseignement ménager fournit un lieu de prédilection pour discuter de l'éducation des filles, qui est d'ailleurs un sujet à la mode au moment où des femmes commencent à remettre en question les modèles traditionnels.

Il est donc assez aisé de convaincre une large partie de la société de l'utilité des études en « sciences domestiques », car ce savoir semble le canal parfait de formation pour préparer ménagères et domestiques à aller au ciel « en balayant la place ».

Cependant, il n'en est pas de même pour l'accession à l'enseignement supérieur et, de là, à l'université. Même si les anglophones sont admises à la faculté des arts de McGill depuis 1884, elles doivent s'y asseoir à l'arrière des classes avec leur chaperonne. Il n'est cependant pas question de les intégrer à toutes les facultés universitaires encore majoritairement réservées aux hommes, car on désire que les deux sexes demeurent rigoureusement séparés.

Que doivent apprendre les filles à l'école ?

(...) L'éducation, pour être complète, doit comprendre tout ce qui intéresse la bonne tenue d'une maison. (...) Ce qui fait la femme forte (sic) utile aux siens, c'est l'art de leur procurer la félicité complète, qui provient de la bonne conscience et de la bonne humeur ; celle-ci étant habituellement le fruit du dévouement maternel, qui sait fournir à tous le vêtement et l'aliment, dans une demeure de tenue irréprochable. Le monde lui-même, qui pourra pardonner à la femme son ignorance en bien des choses, se montrera toujours reconnaissant et plein de confiance à l'égard des couvents qui lui prépareront d'excellentes maîtresses de maison. » L'histoire, le calcul, le français et les arts d'agrément sont ensuite abordés comme autant de compléments qui pourront rendre service à ceux qui vivront dans la maison de femmes bien préparées à non pas devenir « des femmes savantes que leur ridicule vanité ne tendrait qu'à écarter de la vocation et des devoirs ordinaires à leur sexe (...) Il n'y a aucune comparaison à faire, aucun rapprochement à établir avec l'éducation des jeunes gens...

Source : Lettre pastorale de l'évêque de Valleyfield (1915) aux religieuses enseignantes de son diocèse.

Grâce à la générosité d'un des grands barons du chemin de fer du Canadian Pacific, Donald Smith (Lord Strathcona), qui donne presque un million de dollars, le Royal Victoria College est fondé. L'édifice, complété en 1889, est sis en face du campus de McGill, au coin des rues Sherbrooke et Université.

Le collège Royal Victoria, du nom de la reine d'Angleterre, est un centre académique administratif et social pour les étudiantes résidentes et non résidentes. On y trouve des salles de conférence, une bibliothèque, de vastes salles publiques, aussi bien que des suites privées pour les étudiantes. Au sous-sol, on trouve un gymnase bien équipé et, en arrière, des courts de tennis.

Les étudiantes, qu'on appelle « Donaldas », suivent le cours de première et deuxième année universitaire au collège. La plupart des cours plus avancés et les travaux de laboratoire spécialisés se donnent sur le campus de McGill avec les hommes. D'ailleurs, une des conditions de l'octroi de Lord Strathcona au collège avait été le maintien de l'éducation séparée à l'intérieur de McGill.

Ethel Hurlbatt, qui sera directrice jusqu'en 1929, est un défenseur ardent du suffrage féminin. Autour de la première guerre, McGill devient un véritable centre de ralliement pour celles qui cherchent à modifier la situation des femmes. Le doyen de la faculté de droit soutient l'admission des femmes au barreau. Quelques-unes des féministes les plus radicales y enseignent : Carrie Derrick au département de biologie et, plus tard, Idola Saint-Jean au département d'études françaises.

En 1917, il y a plus de femmes que d'hommes à la faculté des arts de McGill. Sous la pression du nombre, il faut tenir de plus en plus les cours sur le campus et le principe de l'éducation séparée tombe. Petit à petit, les écoles professionnelles de McGill s'ouvrent aux femmes : en 1911, le droit où la première graduée est Annie Macdonald Lagstaff qui ne peut toutefois pas pratiquer sa profession, le barreau refusant d'admettre les femmes jusqu'en 1942 ; en 1918, la médecine et, en 1922, l'art dentaire, pour ne nommer que ces professions dont la plupart resteront toutefois et pour longtemps encore des châteaux forts masculins.

De plus, à McGill dès les années 1880, les femmes sont encouragées à suivre les cours d'éducation physique. Bien sûr, les fonds disponibles pour les activités athlétiques féminines sont dérisoires en comparaison de celles des hommes et l'équipement qui leur est disponible est d'une qualité bien inférieure à celui des étudiants. Cependant, les activités sportives deviennent une partie intégrante de leurs études. À une époque où, en Amérique du Nord, on débat toujours la possibilité pour une jeune fille de garder sa féminité et ses aptitudes maternelles et de faire des exercices physiques rigoureux, quelques professeures de McGill se sont faites des championnes de la nécessité de l'entraînement physique pour les étudiantes. Elles jouent au hockey, font de la gymnastique, du tennis, du basket-ball, et bientôt les équipes de McGill entrent dans le circuit sportif interuniversitaire.

Du côté francophone, les femmes ne peuvent accéder aux diplômes universitaires qu'en obtenant l'autorisation d'avoir accès aux quatre dernières années du cours classique, ce qui n'est fait qu'en 1908. De tous les programmes offerts, c'est le seul qui soit identique à celui des garçons.

Lucienne Plante qui a examiné les étapes de la fondation de l'enseignement secondaire féminin nous dit qu'au Québec, comme partout ailleurs, on craint de sortir la femme du foyer, croyant que « (...) toute tentative que fait la femme pour accéder à la culture humaniste est interprétée comme une démission, comme un désir d'imiter l'homme ».

Soeur Sainte-Anne-Marie, religieuse de la Congrégation et professeure au Mont-Sainte-Marie depuis 1883, constate les carences et les besoins des jeunes filles à qui elle enseigne. Elle rencontre, en 1897, l'abbé Georges Gauthier, aumônier et professeur au couvent, qui partage son idée de permettre aux filles de faire des études classiques. Comme il faut d'abord des maîtres, l'abbé Gauthier prépare un programme d'études classiques que suivent soeur Sainte-Anne-Marie et quelques autres religieuses du Mont-Sainte-Marie. À peu près au même moment, l'Université de Montréal crée des cours publics de littérature. Il n'est cependant pas question que les religieuses aillent les suivre, puisqu'il n'est pas convenable qu'elles fréquentent l'université. Devenue supérieure en 1903, soeur Sainte-Anne-Marie décide que ce sont les professeurs qui viendront à son couvent : ce qui est fait.

En avril 1904, les autorités de la communauté entament des négociations auprès du recteur de l'université Laval. Elles envoient à Québec la directrice générale des études et son assistante munies d'une lettre de Mgr Bruchési. Le recteur les reçoit très bien et les engage « (...) à présenter le programme d'études de la Congrégation Notre-Dame au Conseil de l'Instruction publique et à adresser ensuite une demande officielle d'affiliation à l'Université ». Au mois de septembre, le Comité catholique de l'Instruction publique refuse la demande des religieuses de la congrégation, déclarant que « (...) la requête paraissant prématurée, qu'il n'était pas opportun de lancer les jeunes filles dans les études supérieures ». À l'intérieur même de la communauté, toutes les supérieures de couvents ne sont pas d'accord. Plusieurs préfèrent que les jeunes filles s'inscrivent à la section féminine de l'école normale Jacques-Cartier, dirigée d'ailleurs par la congrégation depuis 1889.

Des féministes cherchent à faire instruire leurs filles. Marie Lacoste-Gérin-Lajoie, membre de la Fédération nationale Saint-Jean-Baptiste, écrit à la supérieure, mère Sainte-Anne-Marie, que les Canadiennes françaises sont obligées d'aller à McGill, aux États-Unis ou en Europe pour parfaire leurs études. Il est donc, selon elle, absolument nécessaire que les soeurs de la Congrégation ouvrent une maison d'études supérieures si elles ne veulent pas être devancées par les laïques.

De fait, le 25 avril 1908, *La Patrie* annonce l'ouverture d'un « lycée de jeunes filles », avec le grec et le latin comme matières obligatoires. Cette institution sera neutre au point de vue religieux, de quoi émouvoir les catholiques. Mère Sainte-Anne-Marie saisit l'occasion au vol et presse ses supérieures d'agir. Ces dernières la délèguent sans enthousiasme auprès de Mgr Bruchési à qui elle expose le projet de fondation d'une « École supérieure » à la maison mère de la rue Sherbrooke. Mgr Bruchési est conquis et s'engage à parler au vice-recteur de l'université Laval à Montréal. Les mères générales de la communauté se décident à faire les démarches officielles auprès de l'archevêque, qui acquiesce immédiatement.

Mais, encore à ce moment, des religieuses craignent que le ridicule ne couvre la communauté, cependant que certaines voient cette école près du noviciat comme « (...) la subtile menace d'un affaiblissement redoutable de l'esprit surnaturel et de la discipline monacale ». Les membres du clergé sont, pour leur part, divisés : les uns approuvent le projet, les autres, beaucoup plus nombreux, déclarent que c'est du modernisme outré. Des prêtres se demandent s'il n'y a pas un danger de sortir la femme du foyer pour en faire une savante. Ses études universitaires terminées, on craint qu'elle n'accepte plus le mariage et la famille. Les Sulpiciens refusent de donner leur approbation par écrit. L'opinion publique semble considérer l'enseignement classique pour les filles comme une affaire extravagante et pédante.

Devant ces réactions diverses, Mgr Bruchési se demande s'il ne vaudrait pas mieux attendre quelques années, d'autant plus que les autres évêques n'ont pas été consultés et qu'on peut craindre leur mécontentement. Mère Sainte-Anne-Marie consulte son ami de la première heure, l'abbé Georges Gauthier, devenu chanoine et curé de la cathédrale tout en demeurant aumônier du Mont-Saint-Marie, qui lui répond d'aller de l'avant, sinon d'autres fonderont l'école. Mère Sainte-Anne-Marie retourne auprès de Mgr Bruchési qui accepte et conseille aux religieuses d'annoncer leur projet dans *La Semaine religieuse* de Montréal, avec sa lettre de réponse à la maîtresse générale des études : ce qui est fait dans le numéro du 20 juin 1908. L'article annonce la fondation du collège sous le nom d'« École d'enseignement supérieur », « collège féminin » étant jugé une appellation trop audacieuse.

L'École supérieure ouvre ses portes le 8 octobre et ne comprend que les quatre dernières années du cours classique, avec une section anglaise et une section française.

La première graduée est, en 1916, Marie Gérin-Lajoie qui obtient la première place lors des examens de baccalauréat, devançant ainsi tous les candidats inscrits à l'Université de Montréal. On refuse cependant de reconnaître publiquement son succès, car il ne semble pas convenable qu'une jeune fille se soit classée devant les garçons.

En 1938, il existe 11 collèges classiques pour filles et, cependant, très peu d'élèves les fréquentent. Ces institutions font peu parler d'elles, avant les années 50, car le climat social n'est guère favorable aux études supérieures pour les filles. Le gouvernement ne subventionnera ces collèges qu'en 1961, alors que les collèges de garçons le sont depuis 1922.

En milieux anglophone et francophone, l'éducation académique est complétée par la participation à des associations. D'abord minoritaires partout sur le campus et exclues d'office des clubs masculins, les étudiantes de McGill fondent leurs propres associations. Dès 1885, elles créent la société Delta Sigma qui marraine des débats et des discussions d'intérêt public, aussi bien sur le suffrage féminin que sur le capital et le travail, le salaire égal pour un travail égal ou la tenue de maison selon une formule coopérative. Ce groupe fut probablement un des foyers d'origine du féminisme québécois. Très souvent, ces débats portent sur la situation des femmes. D'autres sociétés à caractère philanthropique se forment : le travail de missionnariat, la culture française, la musique, la science, etc. Le mélange de protestantes, juives et catholiques font que, tantôt les femmes forment leur propre club, tel, en 1915, la société Menorah pour les juives, tantôt elles se font admettre aux sociétés masculines, telles le Newman Society pour catholiques, en 1925. Cependant, les femmes sont loin d'obtenir un statut d'égalité à McGill. Elles ne peuvent accéder aux postes exécutifs de l'Association des étudiants avant 1931.

À l'École d'enseignement supérieur, ce sont les cercles d'étude, les conférences et les oeuvres philantropiques qui complètent la formation des filles.

Les cercles se forment à partir de 1910, autant dans les écoles que dans les associations. Ce sont des groupements homogènes travaillant à faire acquérir une formation intellectuelle ou sociale permettant d'influencer le milieu.

La formation continue

Ouvrières, femmes au foyer et institutrices ont accès, de différentes façons à la formation continue. Des centaines d'associations et de regroupements offrent des cours et des conférences accessibles aux femmes de tous les milieux. Des milliers de femmes s'initient ou se perfectionnent en couture, en alimentation, en hygiène, en diction et en arts domestiques.

En 1930, l'École des arts domestiques est fondée. Elle voit à faire sortir du grenier métiers et rouets qui passent respectivement de 5000 à 80 000 et de 2000 à 52 000 en 5 ans. En 1935, 20 000 fermières suivent ces cours. Les arts et métiers inciteront bien des femmes à se lancer en affaires.

Certaines paroisses de Montréal, par le biais des activités de la Fédération nationale Saint-Jean-Baptiste, dispensent des cours d'art culinaire et de couture, de coupe et de chapellerie. Selon les statistiques, une dizaine de milliers de femmes sont ainsi touchées chaque année dans 7 à 12 paroisses.

Bien que le prêt-à-porter soit largement accessible, les cours de couture permettent d'importantes économies aux femmes. Elles peuvent aussi, en acquérant plus d'habileté, exécuter elles-mêmes des robes sophistiquées que leur revenu ne leur permettrait pas d'acquérir. Plusieurs couturières gagnent aussi leur vie en travaillant dans les familles bourgeoises à fabriquer du neuf dans du vieux et à confectionner de nouveaux vêtements.

Les institutrices, de leur côté, ont accès au perfectionnement par les congrès, les conférences et les cercles d'étude, rapporte l'historienne Maryse Thivierge. La première conférence pédagogique eut lieu en 1886 et le premier congrès pédagogique, à Montréal, en 1901. Ces activités sont cependant difficiles d'accès pour les institutrices pauvres et éloignées des endroits où elles ont lieu.

Les cercles d'étude sont un moyen plus facile d'accès. À Montréal, ils existent depuis 1924 et en 1934-1935, les inspecteurs régionaux organisent des cercles d'étude paroissiaux dans leurs districts. Ces cercles ont beaucoup de succès dans les grandes villes et là où des associations d'institutrices rurales sont fondées.

Les groupes de gauche sont aussi très actifs dans la formation de leurs membres, et des femmes comme Bella Hall Gould, Léa Roback, Bernadette Lebrun et Annie Buller contribuent à développer de nouveaux modèles d'intervention.

Bella Hall Gould, directrice du University Settlement of Montreal, constate rapidement que la solution à la pauvreté ne peut venir d'une approche individuelle. Elle se lance donc dans l'étude du marxisme à New York et revient à Montréal où elle fonde avec Annie Buller, militante très active dans l'organisation des travailleuses du vêtement, le Labor College. On y donne des cours sur l'économie marxiste, l'histoire du mouvement ouvrier et l'actualité, cours suivis majoritairement par des syndicalistes. À la suite de divisions internes, le Labor College ferme ses portes en 1924 et ses membres se divisent et adhèrent aux idées du Parti travailliste anglais et du Parti communiste canadien, fondé en 1922.

En milieu francophone, Albert Saint-Martin organise, en 1925, une université ouvrière afin d'y faire de l'éducation populaire. Située sur la rue Craig, elle offre, rapporte l'historien Marcel Fournier, le dimanche, des conférences sur le communisme, la Russie, l'histoire de France, la littérature canadienne, la religion, la géographie, l'astronomie. Les militants y acquièrent une formation de base : apprentissage de la lecture, travail en équipe, élocution, éléments de philosophie et de science politique. Plusieurs femmes suivent, non sans éprouver certaines angoisses, les activités de l'université, telle cette militante qui relate son expérience : « Je voyais le mouvement comme tellement juste et nécessaire... d'autre part, j'avais encore des croyances. (...) Ça m'a pris trois ans avant que partent mes croyances. »

Qu'elles soient de gauche ou de droite, les femmes militantes doivent, et pour longtemps encore, faire face à de multiples résistances. Ce qui n'empêche pas les premières féministes de s'organiser en vue d'obtenir leurs droits et d'élargir leur action.

Le mouvement des femmes : féminisme social et féminisme chrétien

Depuis la fin du 19e siècle, les femmes bourgeoises participent au mouvement de réforme urbaine par le travail qu'elles accomplissent dans de multiples associations de bienfaisance.

Cette expansion de l'action laïque féminine contribue à donner aux femmes une pratique de l'organisation et de l'action collective. Ce qui va aider quelques-unes d'entre elles à s'organiser pour revendiquer les droits fondamentaux que sont le droit de vote, le droit à l'éducation supérieure et le droit à un statut légal adapté à la vie moderne. Elles endossent alors l'idéologie féministe, au grand dam des autorités civiles et religieuses qui voient là, avec raison d'ailleurs, s'amorcer une profonde modification du rapport hommes-femmes. On pourrait même avancer que ce sont les hommes, peut-être parce qu'ils sont susceptibles d'être les grands perdants, qui voient avec le plus de lucidité à quoi les mènerait le fait de laisser les femmes travailler, s'instruire et voter. Les femmes, de leur côté, ne s'interrogent pas sur les sources de l'oppression des femmes, mais cherchent des remèdes à ses manifestations les plus criantes.

Au Québec, dans la foulée de la progression du mouvement des femmes dans le monde occidental et au Canada, le mouvement commence à Montréal et articule ses buts autour de la réorganisation du travail philanthropique, de la défense de l'égalité des femmes au travail et de la promotion de leurs droits. Ces actions, les Québécoises les poursuivront d'abord au sein du Montreal Local Council of Women, filiale montréalaise du National Council of Women, fondé en 1893 par Lady Aberdeen, épouse du gouverneur général de l'époque. Ce conseil national souhaite unifier les associations de femmes et séculariser le mouvement des femmes. Il veut aussi demeurer en dehors de toute politique partisane. Il est l'aboutissement d'un large mouvement visant à l'unification des regroupements de femmes. En effet, au cours des années précédant sa formation, on avait vu surgir au Canada une kyrielle d'associations féminines comme la Women's Christian Temperance Union, le

Carrie Derrick, féministe et première présidente du Montreal Suffrage Association.
Musée McCord, université McGill, Montréal

YWCA, la Girl's Friendly Society, etc., regroupant en majorité des femmes de la bourgeoisie et de la petite bourgeoisie.

Yolande Pinard, qui a examiné les débuts du Mouvement des femmes, nous dit que le Conseil national veut, à une époque où l'industrialisation menace de saper les fondements de la famille, sauvegarder cette institution des périls qui l'environnent et protéger la vocation traditionnelle de mère et d'épouse. La « nature » maternelle des femmes, trait unique de leur personnalité qui, dit-on, les différencierait de l'autre sexe, sert de critère pour légitimer leur intervention dans le domaine public. Cette croyance dans la théorie des deux sphères marque au sceau du conservatisme l'action du Conseil.

C'est donc un féminisme de l'engagement social qui incite des femmes à revendiquer principalement le droit à l'éducation supérieure, le droit à l'égalité juridique et le droit de vote. Mais ces revendications, très peu de femmes les font au nom de l'égalité entre les hommes et les femmes. La plupart, et notamment les Québécoises francophones, le font au nom de la différence entre les hommes et les femmes et la complémentarité de leur rôle.

Les Américaines donnent le ton en fondant, en 1888, le Washington International Council of Women. Des Canadiennes comme Bessie Starr et Emily Howard Stowe assistent à ce congrès de fondation, tandis que Lady Aberdeen, de son côté, participe aux travaux de plusieurs groupes de femmes en Grande-Bretagne. L'organisation des forces féminines leur apparaîtra donc de plus en plus comme une réponse adéquate aux problèmes engendrés par l'industrialisation et l'urbanisation, l'immigration et le développement de la classe ouvrière.

Au Québec aussi, les femmes bourgeoises veulent élargir leur rôle et réorganiser le travail philanthropique. Nous avons déjà parlé des efforts accomplis en ce domaine, aussi bien par les francophones que les anglophones. On décèle cependant chez ces dernières, nous dit Pinard, une laïcisation plus grande des institutions de charité, orientation que vient institutionnaliser la fondation, en 1893, du Montreal Local Council of Women (MLCW). Les francophones, de leur côté, se voient désapproprier de plusieurs associations catholiques passées aux mains des religieuses et du clergé, comme de plusieurs autres oeuvres contrôlées par les médecins ou les travailleurs sociaux. Elles sont reléguées au rôle de soutien et elles ont peine à rattraper le regard causé par cette marginalisation, d'autant plus qu'elles doivent faire face à un antiféminisme féroce.

Définies essentiellement comme épouses, mères et ménagères, et présentées comme les gardiennes de la langue et de la foi, les francophones catholiques ne jouissent pas de la même liberté d'action que les anglophones qui n'ont pas à faire face à un clergé hostile. Néanmoins, certaines Canadiennes françaises épousent les idées du libéralisme réformiste, ce qui permet l'entente des deux groupes et le canal idéologique nécessaire à l'adhésion au féminisme social et au féminisme de revendication des droits égaux, condition nécessaire à l'organisation de l'action féministe à Montréal.

L'action des féministes sociales devraient, selon elles, permettre une organisation plus saine de la société et un niveau de moralité plus élevé. Ce sont les objectifs qu'elles poursuivront au sein du Conseil local des femmes de Montréal, organisation à majorité protestante dont la première présidente sera Lady Julia Drummond, épouse du président de la Banque de Montréal, où l'on retrouvera au fil des ans des féministes comme Carrie Derrick, Grace Ritchie England, Elisabeth Monk, mais aussi des francophones comme Marie Gérin-Lajoie, Joséphine Marchand-

Marie Gérin-Lajoie (1867-1945), cofondatrice de la Fédération nationale Saint-Jean-Baptiste.
Archives des Soeurs de Notre-Dame-du-Bon-Conseil

Dandurand, Caroline Béique, Marie Thibaudeau. Médecins, journalistes, professeures et femmes engagées dans les oeuvres sociales se cotoieront au sein de ce conseil où Marie Gérin-Lajoie commence à prendre la place prépondérante qu'elle occupera dans le mouvement féministe.

Même s'il sera d'une extrême prudence dans ses engagements, le Conseil local suscite beaucoup de réticences, particulièrement en milieu francophone. Le Conseil s'engage dans de multiples actions visant à diminuer les problèmes sociaux de la métropole et, dans toutes les oeuvres que nous avons décrites, on retrouve plusieurs de ses membres. Il milite aussi, on le verra, pour la cause du suffrage, l'accès des femmes à l'enseignement supérieur et l'amélioration de la condition juridique de la femme.

Mais le catholicisme et la question nationale vont bientôt faire dériver les réformistes libérales francophones vers le féminisme chrétien. Elles ne se sentent pas tout à fait à l'aise au Conseil local, car elles sont partagées entre leurs croyances religieuses et nationales et leur réformisme. Le mouvement naissant du féminisme chrétien qui démarre en France leur ouvre une nouvelle voie et une façon de vaincre les résistances du clergé. Le féminisme chrétien devient une voie de réconciliation de la recherche des droits des femmes et de la religion. C'est cette idéologie qu'épouse, sans renoncer au féminisme social et au féminisme de revendication des droits égaux, la Fédération nationale Saint-Jean-Baptiste, fondée en 1907 par Marie Gérin-Lajoie et Caroline Béique.

Réunissant des associations féminines de tous ordres, elle polarise son action autour des oeuvres de charité, des oeuvres économiques et des oeuvres d'éducation. Mais en tout, son ambivalence idéologique la fait hésiter entre un réformisme qui appelle des modifications profondes au statut de la femme et un catholicisme associé à un moralisme qui veut maintenir la femme dans son rôle traditionnel. La séparation d'avec le mouvement anglophone peut aussi contribuer à l'enfermement idéologique de la Fédération dont les membres ne sont plus en contact quotidien avec des éléments plus progressistes de la société.

La Fédération ouvre malgré tout la voie à la libération des femmes au plan politique et juridique en menant des luttes importantes dans ces deux champs d'action. Elle contribue à introduire cette nouvelle conception plus scientifique de la charité, dont nous avons parlé. Très préoccupée de tout ce qui touche l'action féminine traditionnelle, elle établit des liens étroits avec l'hôpital Sainte-Justine pour enfants et l'oeuvre de la Goutte de lait. Elle mène des luttes antialcooliques, demande que soit versé aux épouses le salaire des maris prisonniers ; l'assistance aux chômeurs, le logement ouvrier, la création de tribunaux pour enfants, sont aussi des questions dont elle s'occupe.

Plusieurs causes sont à l'origine du déclin de la Fédération durant les années 20 : la diminution des activités des associations professionnelles supplantées par les syndicats, le conflit entre le réformisme et l'idéologie traditionnelle conservatrice et la difficulté pour les femmes de la bourgeoisie de s'entendre sur les types d'action à entreprendre pour rejoindre les femmes des autres classes sociales. Mais ces achoppements étaient inévitables et le rôle joué par cette première génération de féministes marque une étape importante dans le processus de libération des femmes.

LA FEDERATION NATIONALE SAINT-JEAN-BAPTISTE

(Voir A bâtons rompus et Coups de ciseaux)

Faire évoluer les lois

Au début du siècle, les femmes célibataires ou veuves jouissent d'une pleine capacité de droit privé. Il n'en va pas de même pour la femme qui convole en justes noces et Marie Gérin-Lajoie ne se gênera pas pour qualifier le mariage de mort légale de la femme.

L'incapacité juridique de la femme mariée est le principe sur lequel repose toute l'organisation familiale. Le mari étant le chef incontesté de la communauté, c'est lui qui voit à l'entière administration des biens communs. Pour exercer des droits civils, les femmes doivent obtenir l'autorisation maritale. Au début du siècle, un juriste affirme l'exigence de cette autorisation maritale dérivant « (...) de la raison naturelle qui veut que, dans toute association, le moins apte aux affaires soit dirigé par le plus clairvoyant. Enfin, il est fondé sur l'intérêt commun de la femme et du mari, lequel serait blessé si le sort de leur association était livré à l'imprévoyance et à la légèreté de l'associé le moins propre à gouverner et que, par caractère, la nature appelle à la subordination ». Cette incapacité de la femme mariée ne découle pas de sa faiblesse et de son infériorité, dit-on, mais repose sur le principe de l'obéissance et du respect qu'elle doit à l'autorité de son mari. Comme la plupart d'entre elles se marient très jeunes, elles ont donc rarement l'occasion d'exercer cette indépendance. Naturellement, aucune femme, quelle que soit sa condition civile, ne peut accéder à des charges publiques.

Étant donné la condition faite à la femme mariée, il est plus que logique que la réforme du Code civil devienne le premier cheval de bataille des féministes du début du 20e siècle. Aussi, dès sa fondation en 1907, la Fédération nationale Saint-Jean-Baptiste inscrit à son programme la réforme du Code civil et attire, de la sorte, l'attention des législateurs sur les lacunes des lois. D'ailleurs, dès 1902, Marie Gérin-Lajoie publie un *Traité de droit usuel*, vulgarisation et simplification du droit civil et constitutionnel. Ce livre est destiné à un large public et, en fait, selon les souhaits intimes de son auteur, spécialement aux femmes. Ses connaissances juridiques la font reconnaître comme la personne-ressource des féministes pour cette question et elle participera à toutes les luttes menées sur ce front durant la période, telles la loi du Homestead et la loi Pérodeau.

Depuis 1897, la loi du Homestead donne un minimum de protection aux épouses dans certaines régions de colonisation. Cette loi empêche le mari colon d'aliéner sans le consentement de sa femme une certaine portion de ses biens qui est désignée patrimoine familial, généralement constitué de la maison et d'une partie de la terre. Ainsi, les créanciers peuvent difficilement chasser la mère et les enfants de leur foyer. Mais, en 1909, on présente à l'Assemblée législative une modification à cette loi, le « bill Charbonneau », qui enlèverait cette protection. Pour justifier ce changement, on prétexte que les créanciers sont lésés et que ces dispositions rendent difficile l'obtention de crédit pour le colon. La Fédération nationale Saint-Jean-Baptiste et le Conseil local des femmes de Montréal s'opposent vivement au bill Charbonneau. La docteure Grace Ritchie England, Marie Gérin-Lajoie et Caroline Béique se rendent à Québec pour présenter une pétition. Malgré leurs revendications, les modifications deviennent loi et les épouses de colons n'ont plus de protection contre les créanciers ou les maris de mauvaise foi.

En 1913, Marie Gérin-Lajoie publie dans *La Bonne Parole* une série d'articles sur la condition de la femme afin de préparer l'opinion publique aux réformes que la Fédération entend prôner sur les conventions matrimoniales et, l'année suivante, la Fédération se rend en délégation devant Sir Lomer Gouin pour lui demander de réformer le Code civil et lui propose, dans ce but, la formation d'une commission gouvernementale. La Fédération réclame qu'on réforme le Code civil afin que la femme mariée puisse contrôler son salaire, que les femmes puissent être admises à la tutelle et au conseil de famille et que le mari ne puisse plus disposer à son gré des biens de la famille. Les problèmes amenés par la guerre relèguent cette suggestion aux oubliettes et ce n'est que 15 ans plus tard que le projet sera repris.

La loi Pérodeau, adoptée en 1915, sera la seule amélioration apportée avant 1931. Avant cette loi, la femme mariée dont le mari décédait sans testament ne succédait à son mari qu'au treizième degré. Avec l'adoption de la loi, la femme mariée en séparation de biens — ce qui est le cas d'un nombre croissant de femmes — peut hériter de son mari mort sans testament en l'absence d'héritiers au troisième degré, c'est-à-dire père, mère, frère, soeur, neveu, nièce, ou avec eux, s'il en existe.

La Loi des banques, de juridiction fédérale, permet aux femmes mariées en communauté de biens de déposer en leur nom la somme de 500$, et de 2000$ pour les femmes séparées de biens. La Fédération et la Catholic Women's League demandent au gouvernement fédéral d'élever le dépôt de 500$ à 2000$ en ce qui concerne les femmes communes en biens ; elle demande aussi à la législature provinciale de protéger ces dépôts afin que seules les femmes puissent retirer cet argent. Seul le gouvernement fédéral se rend à ces demandes, Gérin-Lajoie estime que ce n'est pas vraiment une amélioration, puisqu'aucune loi ne permet ou n'interdit au mari de retirer cet argent et que la jurisprudence leur reconnaît ce droit.

Une première commission d'enquête sur la situation de la femme

À la fin des années 20, la situation juridique des femmes au Québec semble de plus en plus anachronique aux yeux des féministes, des intellectuelles laïques et de la minorité anglophone. Pour les femmes vivant en milieu urbain, gagnant leur vie à l'extérieur du foyer, les restrictions d'une tradition légale qui n'avait que peu changé depuis le 16e siècle semblent de moins en moins justifiées. Pour les femmes des classes bourgeoises, leur infériorisation légale à l'intérieur du mariage devient une source d'humiliation.

Bien que la Fédération nationale Saint-Jean-Baptiste ait demandé au gouvernement provincial une commission d'enquête sur les droits des femmes dès 1914, on trouve toujours des excuses pour ne pas la mettre sur pied. Pour les élites nationalistes fortement influencées par le clergé, l'identité même des Canadiens français se retrouve dans le Code civil et dans la conception traditionnelle de la vie familiale. Remettre en question les règles de pratique de la vie familiale risque d'ébranler les fondements même de la société, disent certains.

Néanmoins, à la fin des années 20, le Premier ministre Taschereau se rend compte qu'il doit faire quelque chose pour apaiser les féministes à qui il refuse, année après année, d'octroyer le droit de vote. Quelle meilleure façon de canaliser ces énergies féministes que de créer une commission d'enquête sur les droits civils des femmes ? Après tout, il n'est aucunement obligé de suivre ses recommandations. En même temps, on peut faire taire les critiques progressistes et surtout les anglophones, pour qui les provisions du Code civil ayant trait à la vie familiale sont devenues un objet de ridicule.

La commission Dorion, ainsi nommée d'après le juge très catholique qui la préside, se compose de quatre juristes masculins et francophones, en dépit des demandes d'y inclure une femme. Elle tient deux audiences publiques, une à Montréal et une à Québec, et reçoit de nombreuses soumissions écrites.

Les associations féminines qui présentent des mémoires : la Fédération nationale Saint-Jean-Baptiste (Marie Gérin-Lajoie), l'Association des femmes propriétaires, l'Alliance canadienne pour le vote des femmes (Idola Saint-Jean), la Ligue des droits de la femme (Thérèse Casgrain) et le Conseil local des femmes de Montréal. Leurs demandes sont, somme toute, assez modestes. Leur principale revendication est de donner aux femmes mariées le droit à leurs propres salaires. Bien que moins de 10 p. 100 des épouses travaillent en dehors du foyer, celles qui le font sont souvent celles qui ont un besoin urgent de revenus. Selon le Code civil, le salaire de l'épouse mariée sans contrat tombe dans la communauté et le mari est libre d'en disposer comme il le veut. Il peut même demander au gérant de banque de lui remettre les économies de son épouse. La commission Dorion a estimé que, vers 1930, 80 p. 100 des mariages se font sans contrat.

Une autre demande qui fait l'unanimité entre les groupes est celle qui veut faire limiter le pouvoir du mari de dissiper les biens de la communauté et même de les donner sans le consentement de sa femme. On veut que, dorénavant, toutes les femmes puissent devenir des tutrices aux enfants mineurs et curatrices aux personnes interdites. Traditionnellement, ce n'est que la mère et la grand-mère, si et aussi longtemps qu'elles sont veuves, qui peuvent, suite au décès du père, assumer cette responsabilité. Et, si elles se remarient, elles ne sont plus aptes à cet office, à moins que leurs nouveaux maris veuillent bien assumer cette charge.

Ces dispositions, qui contredisent de façon flagrante la glorification du rôle de la mère et son aptitude soi-disant innée à s'occuper des enfants en bas âge, sont depuis longtemps la cible des féministes. De plus, celles-ci proposent que certains biens meubles de l'épouse soient exclus de la communauté. Puisque la plupart des femmes n'apportent que quelques meubles, un trousseau et des petites épargnes au mariage, tous ces apports tombent immédiatement sous le contrôle du mari qui ne doit même pas rendre compte de sa gestion à son épouse.

Parmi les autres suggestions pour rendre le Code civil plus équitable aux femmes, mentionnons des procédures de séparation simplifiées et moins coûteuses, une part fixe garantie aux épouses lors du décès du mari et la liberté totale sur leurs propres biens pour les femmes ayant obtenu une séparation de corps. On veut éga-

Caricatures parues dans le Montreal Herald *sur le Code civil de la province de Québec.*
Montreal Herald, *novembre 1929*

lement majorer l'âge du mariage pour les filles et rendre obligatoire le consentement de la mère.

L'Association des femmes propriétaires, secondée par Thaïs Lacoste-Frémont, soeur de Marie Gérin-Lajoie, ose même suggérer l'abolition de la nécessité de l'autorisation maritale. Également, le Conseil local de Montréal et l'Alliance canadienne sont d'opinion qu'une femme doit pouvoir se séparer plus facilement de son mari adultère, car le Code civil de cette époque stipule que seul un époux peut demander la séparation pour l'adultère de son épouse. Mais l'épouse ne peut le faire que si le mari établit sa concubine sous le toit conjugal.

Personne ne suggère l'abolition du régime matrimonial de la communauté de biens ni du principe de l'obéissance de l'épouse. Quelques voix seulement remettent en question la position vénérée du chef de famille, mais personne ne suggère que les époux devraient gérer la famille ensemble.

Les commissaires écoutent avec respect les représentations plutôt conservatrices de la juriste Gérin-Lajoie. Mais il semble que certaines de ces femmes qui s'adressent à eux leur inspirent la plus grande répugnance, pour ne pas dire mépris : celles qu'ils qualifient dans le rapport de « bourgeoises intellectuelles » et dont les convictions féministes sont les plus radicales.

La commission Dorion écrit son rapport en trois volumes. Dans le premier, celui qui donne le ton, les commissaires justifient le *statu quo* des femmes au Québec et la nécessité, si l'on veut préserver l'ordre social, de laisser intact le Code civil. « La théorie des « droits égaux » est absurde, disent-ils, parce que la fonction de la femme est spéciale et différente de celle de l'homme. Les femmes doivent se sacrifier au bien général de la famille. » Même si les commissaires reconnaissent que le Code civil pose parfois quelques inconvénients aux femmes, ce ne saurait être, selon eux, que des cas exceptionnels. Plutôt que d'admettre la justesse des arguments féminins, ils les minimisent en les attribuant aux femmes qui ont mal choisi leur conjoint.

> *Sans doute, il y a des femmes malheureuses dans leur ménage (des hommes aussi), elles sont malheureuses parce qu'elles sont mal mariées, non pas parce que la loi protège le mari plus que la femme*[1].

Et, si la loi n'a guère changé depuis des siècles, c'est parce que les femmes, elles, sont toujours les mêmes, selon les commissaires.

Une telle philosophie n'admet pas de changement radical. On retient seulement les réformes qui laissent intacts la hiérarchie familiale et les rôles spécifiques de la femme et de l'homme. Une modification trop radicale peut déclencher la pire des catastrophes : le divorce. Dès le premier rapport, la véritable raison pour la formation de cette commission transparaît à chaque page : faire taire, en s'appuyant sur le prestige des hommes de loi, les féministes et les critiques du Code civil.

Si les commissaires finissent par retenir quelques-unes des réformes proposées, on peut se demander si ce n'est pas parce que le Code civil français avait déjà assoupli quelques-unes de ses règles concernant le statut des femmes mariées. Par exemple, le changement le plus important qui résulte de la commission Dorion, la création d'une catégorie de biens réservés aux femmes mariées, fait déjà partie du droit civil français.

Les recommandations de la commission Dorion sont très peu innovatrices. Ainsi, la plupart de ces recommandations sont retenues par le législateur. Dorénavant, une épouse mariée sous le régime de la communauté de biens est la seule à pouvoir toucher l'argent qu'elle gagne et administrer ou disposer des biens qu'elle achète avec cet argent. Voilà une dérogation de taille aux principes de base de la communauté. C'est la reconnaissance officielle qu'au 20e siècle, l'épouse qui gagne sa vie à l'extérieur de chez elle n'a peut-être pas de raisons pour se confondre complètement avec son mari sur le plan financier. Mais pour celle qui continue à demeurer à la maison, la loi continue à ne lui reconnaître aucun rôle dans la gestion de biens qui lui appartiennent à moitié. Et, pour celles qui trouvent le régime de communauté de biens avantageux, elles peuvent maintenant choisir d'en exclure tout ce qu'elles possèdent — même les biens immeubles, si elles en ont — avant le mariage.

D'autres améliorations dans le statut légal de l'épouse : elle peut opposer son veto si son mari fait un don de certains biens appartenant à la communauté ; si elle s'est mariée en séparation de biens, elle dispose librement de ses biens meubles ; celle qui a obtenu une séparation de corps a le même statut légal qu'une veuve : plus besoin d'autorisation du mari ou du juge ; toutes les célibataires et veuves sont aptes à devenir tutrices et curatrices ; les femmes mariées le sont également, pourvu qu'elles soient nommées conjointement avec leur mari et, finalement, les femmes aussi peuvent être témoins pour les testaments faits devant notaire.

Mais la Commission ne croit pas bon de remettre en question le principe qui exige l'autorité maritale pour nombre d'actes légaux qu'une épouse peut poser. On rejette toute possibilité de donner à la mère les mêmes pouvoirs que le père au sein de la famille et on maintient l'inégalité des époux devant les conséquences de l'adultère.

Lorsque la commission Dorion affirme qu'il n'y a pas besoin de changer les lois puisque la plupart des femmes ne ressentent aucune injustice, elle n'est peut-être pas loin de la vérité : les célibataires jouissent des mêmes droits que les hommes et la plupart des épouses se consacrent aux travaux ménagers et à l'éducation des enfants, contentes de laisser la gestion des ressources financières, si peu soient-elles, au mari ; d'ailleurs elles savent que la moitié des biens accumulés depuis le mariage leur appartient.

Quelques femmes francophones, encouragées sans doute par le clergé, se déclarent franchement hostiles aux travaux de la commission Dorion. Par exemple, Rolande S.-Desilets, écrivant au nom du Cercle de Fermières qui regroupe à ce moment-là 8000 femmes rurales, prend la position suivante :

(...) nous affirmons que l'immense majorité des mères de famille et des épouses canadiennes-françaises désapprouveront ce mouvement féministe. Bien plus, elles demanderont aux autorités compétentes de mettre fin à cette agitation qui trouble la paix habituelle de certains foyers. Car, des scènes cocasses de ménage ont résulté des dernières conférences féministes prononcées à Québec et à Montréal, où de jeunes épouses, jusque là parfaitement heureuses, ont imaginé, au grand ébahissement de leurs maris, qu'elles étaient persécutées sans le savoir[2].

TABLEAU 9

Situation juridique de la femme mariée dans le Code civil de la province de Québec de 1866 à 1915

	No du Code civil
A — *Sur le plan individuel*	
1) Incapacité générale (comme les mineurs et les interdits) *	
a) ne peut contracter	986
b) ne peut se défendre en justice ou intenter une action	986
2) Ne peut être tutrice	282
3) Ne peut être curatrice	337 a)
B — *Relations personnelles avec le mari*	
1) Soumission au mari. En échange, le mari lui doit protection	174
2) Nationalité imposée par le mari	23
3) Choix du domicile par le mari	83
4) Choix des résidences par le mari	175
5) Exercice des droits civils sous le nom du mari	Coutume
6) *Loi du double standard :* Le mari peut toujours exiger la séparation pour cause d'adultère ; la femme ne peut l'exiger que si le mari entretient sa concubine dans la maison commune.	
C — *Relations financières avec le mari*	
1) Ne peut exercer une profession différente de celle de son mari	181
2) Ne peut être marchande publique sans l'autorisation du mari	179

3) En régime de communauté légale
  a) le mari est seul administrateur des biens de la communauté   1292
  b) responsabilité face aux dettes du mari;non réciproque   1294
4) En régime de séparation de biens
  a) ne peut disposer de ses biens**   1422
  b) le mari ne peut autoriser sa femme d'une façon générale : une autorisation particulière est exigée à chaque acte   1424
  c) ne peut disposer de son salaire professionnel   1425
5) Ne peut accepter seule une succession   643
6) Ne peut faire ni accepter une donation entre vifs***   763
7) Ne peut accepter seule une exécution testamentaire   906
8) Ne peut hériter de son mari mort sans testament qu'après les douze degrés successoraux   637

D — *Situation dans la famille*
1) Ne peut consentir seule au mariage d'un enfant mineur   119
2) Ne peut permettre à un mineur non émancipé de quitter la maison   244
3) Ne peut corriger ses enfants****   245
4) Ne peut être seule tutrice de ses enfants mineurs   282
  * Toutefois, elle a le droit de faire un testament.   184 et 382
  ** Toutefois, elle peut administrer ses biens avec l'autorisation de son mari ou, à son défaut, avec celle d'un juge.   1422
  *** Toutefois, le mari peut assurer sa vie en faveur de sa femme.   1265 (1888)
  **** Toutefois, la femme possède le droit de surveillance sur ses enfants.   Coutume

Source :   Gérin-Lajoie, Marie, « Étude sur la condition légale des femmes de la province de Québec » dans *Femmes du Canada*, Ottawa, 1900, p. 44-53.

Pour Marie Gérin-Lajoie, les modifications au Code civil sont la récompense de toutes ces années de lutte pour améliorer le statut légal des femmes. Elle est cependant déçue que le Code ne punisse pas l'adultère du mari sauf dans des conditions de véritable ménage à trois. Mais, Thérèse Casgrain, qui garde un silence diplomatique à l'époque, porte le jugement suivant dans son autobiographie écrite 40 ans plus tard :

« *En conclusion, on peut dire que le rapport Dorion, tout en apportant quelques modifications au Code civil, n'allait pas très loin.* »

*Entre (ses) lignes, il est facile de constater l'attitude mépri-
sante et orgueilleuse de notre élite masculine vis-à-vis les
femmes qu'on traitait volontiers en inférieures, même dans la
famille. Quelques années plus tard, je rencontrai le juge Ferdi-
nand Roy (un des commissaires) à qui, naturellement, je fis
part de notre désappointement au sujet du rapport de la Commission des droits civils de la femme. Le savant magistrat
m'avoua alors que les jursites qui la composaient n'était pas
allés assez loin dans les réformes qu'ils devaient apporter au
Code civil*[3].

Les femmes selon les juristes de la commission Dorion

L'effet du mariage

*En quittant sa famille pour en créer une nouvelle, la femme qui
se marie prend le nom de son mari ; sa personnalité, sans disparaître, s'identifie avec celle du père de ses enfants ; con-
formes en cela à l'inéluctable nature et à nos moeurs chrétiennes, nos lois tiennent compte de ce fait qui modifie la
condition de la femme, naturellement dépendante, et ne font
pas autre chose que de sanctionner civilement les engagements
de droit naturel, de droit divin, librement consentis par les
deux époux. Et c'est ainsi que la femme qui, en se mariant,
sacrifie sa liberté — tout court — son nom et sa personne
sacrifie en même temps, et pas conséquence, une part, non pas,
comme on le dit, de ses droits civils mais de l'exercice de ces
droits.*

Source : « Premier rapport de la Commission des droits civils
         de la femme » dans *Revue du Notariat*, vol. 32,
         1929-1930, p. 234-235.

Le principe de l'incapacité juridique de l'épouse

*À vrai dire, ce qu'il protège, ce ne sont pas les droits de
l'homme au détriment de la femme, mais bien la société conjugale et familiale, en affermissant du poids de l'autorité civile
une hiérarchie préétablie, en reconnaissant au mari le titre de
chef qu'il tenait déjà du droit naturel et en ne lui donnant que
les pouvoirs nécessaires à l'exercice de sa charge.*

Source : *Ibidem*, p. 241.

L'éternel féminin

Son activité a pu prendre des formes nouvelles, sa culture explorer de nouveaux domaines d'instruction ; ses attitudes qui paraissent nouvelles révèlent seulement que, dans les milieux où elle évolue, il y a quelque chose de changé, mais la femme n'a pas elle-même évolué essentiellement. Créée pour être la compagne de l'homme, elle est toujours, et par dessus tout, épouse et mère.

Source : Ibidem, p. 243.

Le privé et le public

L'émancipation de la femme est un mot qui s'associe à la fois à la question des droits civils et à celle des droits politiques de la femme. Mais la condition privée et la condition publique de la femme sont deux domaines différents : et il arrive trop souvent que nous en avons été témoins — qu'on les confonde, qu'on fasse chevaucher l'une sur l'autre...

Source : Ibidem, p. 273-274.

Les féministes qui critiquent trop les lois existantes

Il ne nous a pas échappé non plus que, dans l'âme de certaines femmes, le zèle qu'elles mettent à signaler l'impuissance de la loi devant certains cas aussi exceptionnels qu'odieux, s'alimente d'une sorte de rancoeur : on commence dont à se faire ici l'écho de ces voix d'outre-mer qui, par delà les lois dites masculines, crient haro sur les hommes...

Source : Ibidem, p. 273.

Le danger de la vie publique

La grosse question est seulement ici de savoir si ce sera un bien ou un mal social d'introduire dans la vie publique celles qui, par leur nature même, sont, sauf exceptions, appelées à remplir, dans la vie familiale et sociale, des fonctions, délicates et déjà absorbantes, qui paraissent à beaucoup d'esprits, masculins et féminins, incompatibles avec l'exercice et les rudes exigences de la souveraineté populaire. Ici encore, donc, il y en a de ces esprits qui se demandent si ce n'est pas aux dépens de

*la famille que la collectivité nationale profitera de la collabo-
ration directe de la femme se faisant homme public...*

Source : *Ibidem*, p. 274

L'adultère

*Quoi qu'on en dise, on sait bien qu'en fait la blessure faite au
coeur de l'épouse n'est pas généralement aussi vive que celle
dont souffre le mari trompé par sa femme.*

*(...) au coeur de la femme, le pardon est, naturellement, plus
facile ; parce que, aussi, pour son esprit, la blessure d'amour-
propre est moins cruelle. L'opinion autour d'elle lui est indul-
gente et pitoyable ; le mari trompé, lui, peut souffrir dans son
âme tout autant, et ne reçoit du dehors, pour le déshonneur
dont la famille est accablée, nulle sympathie ; l'infidélité de sa
femme l'expose, par surcroît, lui, aux morsures du ridicule.*

*(...) pratiquement, le mari ne peut pas désavouer l'enfant né de
sa femme pendant le mariage.*

*Les enfants qu'il élève sont-ils à lui ? Il est le seul des deux
que cette question puisse angoisser. Et l'enfant, de conception
incertaine, quand le mari connaît la faute, est un rappel cons-
tant du coup reçu et qui empêche la plaie de se fermer avec le
temps.*

*Sans doute le mari peut avoir au dehors des enfants ; la femme
ne les élève pas.*

Source : « Deuxième rapport de la Commission des droits
          civils de la femme » dans *Revue du Notariat*, vol. 32,
          1929-1930, p. 365-366.

La solidarité féminine

Afin de faire face à la situation durant la Crise, le gouvernement a recours aux secours directs et à quelques programmes de
travaux publics. Les montants fournis doivent permettre de couvrir
les dépenses de nourriture, d'habillement, de combustible et de logement. Ces sommes sont, pour la plupart, remises aux chômeurs par
l'intermédiaire de la Saint-Vincent-de-Paul et du Montreal
Council of Social Agencies. Ces fonds s'ajoutent à diverses autres
mesures issues des sociétés de bienfaisance, comme les refuges et les

« soupes » populaires, mais cette aide est insuffisante et souvent mal distribuée.

Afin de défendre le niveau de vie des chômeurs, des militantes communistes, Blanche Gélinas, Bernadette Lebrun, Angéline Dubé entre autres, s'organisent et mettent sur pied, en 1932, la Solidarité féminine qui vient appuyer l'Association humanitaire et divers groupes organisés pour la défense des intérêts des chômeurs. Organisation uniquement composée de femmes, elle entend, dit une étude « (...) se préoccuper tout particulièrement de la situation des femmes qui sont habituellement négligées (situation des filles-mères, des mères nécessiteuses) et les amener à s'impliquer directement dans les luttes ». En 1937, la Solidarité féminine organise, à Montréal, d'importantes manifestations : en mai, quelques centaines de femmes manifestent devant l'usine de MacDonald Tobacco et, le 25 juin, au Champ-de-Mars, près de 400 femmes se rendent à la Commission du chômage pour ensuite aller protester, en utilisant gratuitement le tramway, devant l'hôtel de ville. La délégation n'est pas reçue par le comité exécutif et, de plus, il y a intervention brutale des forces policières et arrestation de cinq femmes. Enfin, en mars 1937, une délégation demande au comité exécutif de la ville une augmentation de 25 p. 100 des secours et proteste contre l'augmentation des loyers.

Fournier, qui note la faible représentation des femmes dans le Parti communiste, ajoute que ce mouvement s'organise pour agir concrètement auprès des chômeurs et pour élargir la participation des femmes au sein du parti. En plus de recueillir vêtements, argent et nourriture, les femmes protestent contre les évictions et la vente de meubles de locataires incapables de payer. La tactique utilisée, raconte Bernadette Lebrun, est la suivante : « Quand nous savions qu'un huissier allait venir, nous formions un groupe d'une quinzaine de personnes et, à cinq heures du matin, on remplissait la maison. Or, d'après la Loi, l'huissier était obligé de faire la vente sur place. Nous achetions le ménage aux enchères : une table, cinq cents, une chaise de cuisine, une cent. L'huissier se révoltait et tentait de raisonner les gens. Il amassait souvent deux ou trois piastres qu'il remettait au propriétaire. Et le groupe remettait les meubles au locataire. » La Solidarité féminine diffuse aussi des conseils sur l'utilisation de l'électricité et du gaz sans frais. Ce mouvement résiste jusqu'en 1939.

Quelques suffragettes à la conquête de l'égalité

Le Conseil local et certaines féministes de la Fédération vont faire de la conquête des droits civils et politiques de la femme leur principal cheval de bataille.

En 1893, à la fondation du Conseil local des femmes de Montréal, aucune femme ne possède le droit de vote, ni au fédéral, ni au provincial. Au niveau municipal québécois, seules les veuves et les célibataires contribuables peuvent voter. En 1902, le conseil municipal tente de retirer ce droit aux femmes locataires qui en jouissent. Marie Gérin-Lajoie mène, au nom du Conseil, une lutte pour conserver ce droit particulièrement important aux yeux des femmes impliquées dans les mouvements de réforme urbaine. Le Conseil remporte là une importante victoire au nom de 4804 femmes qui peuvent continuer à voter aux élections municipales. Cependant, il échoue dans son projet de faire nommer une femme au poste de commissaire d'école au Protestant Board of School Commissioners même si, légalement, la chose est possible.

Si, depuis déjà quelques décennies, le vote des femmes est le sujet de nombreux débats dans les cercles littéraires, les sociétés de tempérance et les groupements ruraux, les choses progressent lentement. Vers 1880, les campagnes en faveur du vote sont nombreuses au Canada. Les femmes se réunissent et échangent dans leurs cuisines et leurs salons, car elles ne peuvent aller seules dans les endroits publics. Les femmes croient que le fait de voter leur permettrait de menacer et de convaincre, donc de susciter les réformes sociales qu'elles souhaitent.

Les femmes de l'Ouest, au nombre desquelles on retrouve Nellie McClung, sont les premières en 1916, à obtenir le droit de vote. Le même processus se répète dans la plupart des provinces et, en 1919, les femmes peuvent voter aux élections provinciales et être députés, sauf au Québec et à l'Île du Prince-Édouard.

Pourtant, le Québec est dans la lutte. La Montreal Suffrage Association est fondée en 1912 avec, à sa tête, Carrie Derrick qui s'implique dans les revendications pour obtenir le vote au fédéral, ce qui est fait en 1917 pour les femmes qui ont un lien de parenté avec une personne ayant servi ou en service dans les forces armées et étendu, l'année suivante, à toutes les Canadiennes.

Thérèse Casgrain (1896-1981), présidente de la Ligue des droits de la femme et Idola Saint-Jean (1880-1945), présidente de l'Alliance canadienne pour le vote des femmes du Québec.
Almanach de la langue française, *1936*

Pour continuer la bataille et prendre la relève de la Montreal Suffrage Association, Marie Gérin-Lajoie fonde avec madame Walter Lyman le Comité provincial du suffrage féminin où travaillent ensemble francophones et anglophones. Les suffragettes se heurtent constamment à l'opposition des autorités civiles et religieuses qui, pour des raisons différentes, tentent de garder les femmes en dehors de la politique le plus longtemps possible.

Le pouvoir religieux craint le suffrage féminin qui amènerait, selon lui, l'émancipation trop rapide de la femme et l'attiédissement de la foi dans les familles ; le pouvoir civil redoute d'accorder le droit de vote aux femmes, car il présume que ces nouvelles voix iraient à l'adversaire, le Parti conservateur, qui recrute de nombreux alliés parmi les membres du clergé, et la femme canadienne-française est, selon lui, facilement perméable à l'influence religieuse.

Ces forces antiféministes retarderont la victoire jusqu'en 1940 et la virulence de leurs attaques tient bien des femmes à l'écart du mouvement. Lorsqu'un homme politique et un journaliste aussi respecté qu'Henri Bourassa trempe « sa plume dans le vitriol » pour dénoncer les féministes, comme le dit l'historienne Susan Mann Trofimenkoff, il devient presque indécent de se rallier à un mouvement qui veut faire des femmes des cabaleurs, souteneurs d'élections, députés, sénateurs, avocats, bref, de véritables « femmes-hommes », des hybrides qui détruiraient la femme-mère et la femme-femme. Qu'est-ce qui justifie, chez un homme d'autre part intelligent, une telle violence ? Trofimenkoff explique que la vision particulière de la femme, chez Bourassa, suggère une vision particulière de l'homme. L'homme est un être de raison et de logique à qui il appartient, à ses yeux, d'être le leader de la société. Il peut aussi être brutal et a besoin de la fonction compensatoire que doit exercer la femme par l'apaisement, la modération et la réconciliation des contraires. Il s'avère donc très important de ne pas mêler les fonctions des deux sphères. La pensée de Bourassa ressemble à celle de bien des hommes de sa génération et il ne faut pas chercher beaucoup plus loin les sources de leur opposition au droit de vote.

En 1922, les féministes décident de rencontrer le Premier ministre d'alors, Louis-Alexandre Taschereau, et de lui demander le droit de vote. Ce premier pèlerinage des femmes à Québec est révélateur à plus d'un point de vue et donnera le ton à toutes les autres marches à Québec, car les réactions qu'il suscite de la part du clergé, des hommes politiques, des journalistes et des femmes seront, à peu de choses près, identiques tout au long des années qui suivront.

La première page du *Devoir* du vendredi 10 février 1922 rapporte cet événement : « L'annonce des délégations féminines ne créa pas, au Parlement de Québec, un mince émoi. S'il en est ainsi quand ces dames viennent demander des droits politiques, qu'en sera-t-il quand elles les exerceront ? »

Taschereau se prononce contre le droit de vote et déclare : « C'est précisément parce qu'il veut que la femme remplisse pleinement sa mission qu'il veut l'écarter de la politique ; elle a un ministère d'amour et de charité à remplir, auquel l'homme est absolument impropre. » Idola Saint-Jean affirme, de son côté, que le mouvement féministe est un courant mondial que personne, qu'aucune force ne pourra arrêter. Elle croit que la femme ne pourra donner la pleine valeur de sa responsabilité que lorsqu'elle aura obtenu tous les droits de citoyenne.

Les articles racontant cette démarche des féministes québécoises sont teintées de craintes, de descriptions physiques ridicules

Caricatures antiféministes du début du siècle.
La Presse, *le 11 décembre 1909*

et d'un chauvinisme qui transforment la démarche des femmes en un cirque de mauvais goût.

Quelques jours plus tard, le 17 février, *Le Devoir* publie un article intitulé « Contre le suffrage féminin » : « Les organisatrices de la campagne en faveur du suffrage féminin rencontreraient beaucoup d'opposition dans leur mouvement, malgré que le Premier ministre, lors de la délégation, leur ait souhaité beaucoup de succès. » Ce sont des femmes qui lancent dans la province la campagne du suffrage féminin et ce sont des femmes qui entreprennent une contre-campagne. Effectivement, beaucoup de Québécoises sont contre le vote des femmes, car on leur dit partout que la femme, en votant, perdrait tout : son autorité et le pouvoir que lui confère sa noble mission.

Françoise Gaudet-Smet, dont l'influence n'est pas négligeable chez la femme rurale, est opposée au suffrage féminin. Pourquoi ? Elle explique, dans un article paru à l'occasion du 25e anniversaire du droit de vote en 1965 : « Je n'étais pas contre, en principe. Mais la Québécoise, surtout dans les campagnes, n'y était pas prête. Elle ne s'en faisait pas sur son influence. Elle menait son foyer, oui, mais la société la tenait en dehors de la chose publique. La politique, alors, c'était un trafic de votes, une occasion de « soûlades », d'assemblées contradictoires et de batailles où la femme n'avait pas sa place. (...) La femme savait que sa force, son influence, ça n'était pas le jour des élections qu'elle se révélait, mais 364 jours par année. » Françoise Gaudet-Smet exprime ici cette idée qu'on retrouvera dans l'argumentation concernant cette question et qui veut que la femme ait tellement de pouvoir à la maison qu'elle n'a besoin de rien de plus.

Les campagnes contre le suffrage font en sorte que la lutte s'atténue entre 1922 et 1927 et reprend, en 1927, alors qu'Idola Saint-Jean, à la demande d'ouvrières, fonde l'Alliance canadienne pour le vote des femmes du Québec. En 1930, elle se présente aux élections fédérales et obtient 3000 voix dans le comté de Dorion-Saint-Denis. Thérèse Casgrain, de son côté, devient présidente du Comité provincial, en 1928, et l'année suivante, lui donne le nom de Ligue des droits de la femme. Année après année, les féministes regroupées dans ces deux associations, la Ligue pour les droits de la femme, présidée par Thérèse Casgrain, et l'Alliance canadienne pour le vote des femmes du Québec, présidée par Idola Saint-Jean, iront à Québec demander le droit de vote.

En juin 1938, les femmes sont invitées à la convention du Parti libéral. Ce fut leur planche de salut ! Thérèse Casgrain, épouse du président des Communes, Pierre Casgrain, est alors vice-présidente des Femmes libérales du Canada. Elle fait inscrire 40 déléguées au congrès, lesquelles font ajouter le suffrage féminin au programme. L'assemblée approuve avec enthousiasme cet article. Adélard Godbout devient le chef du parti et des élections sont déclenchées en 1939. Durant la campagne, Godbout promet d'accorder le droit de vote aux femmes et, après sa victoire, les associations féministes lui rappellent sa promesse. Le discours du trône de 1940 annonce que la promesse sera réalisée.

L'opposition du clergé se fait alors virulente et, le 1er mars 1940, le cardinal Villeneuve émet un communiqué : « Nous ne sommes pas favorables au suffrage politique féminin :

1. Parce qu'il va à l'encontre de l'unité et de la hiérarchie familiale ;

2. Parce que son exercice expose la femme à toutes les passions et à toutes les *aventures* de l'électoralisme ;

3. Parce que, en fait, il nous apparaît que la très grande majorité des femmes de la province ne le désire pas ;

4. Parce que les réformes sociales, économiques, hygiéniques, etc., que l'on avance pour préconiser le droit de suffrage chez les femmes, peuvent être aussi bien obtenues grâce à l'influence des organisations féminines, en marge de la politique.

Nous croyons exprimer ici le sentiment commun des évêques de la province. »

Adélard Godbout est alors embarrassé et surmonte l'obstacle en menaçant de démissionner et d'être remplacé par l'anticlérical T.D. Bouchard. L'opposition du clergé s'éteint et la loi est sanctionnée le 25 avril 1940.

Mais le fait de voter ne va nullement accorder le pouvoir aux femmes, car il faudra attendre plusieurs décennies et l'avènement d'une nouvelle vague de féminisme à la fin des années 60 pour voir l'analyse s'élargir et démasquer le sexisme et la misogynie des lieux de pouvoir essentiellement contrôlés par les hommes.

L'histoire de la lutte pour le droit de vote marque un moment important de l'histoire du mouvement des femmes et de ses luttes pour sortir les femmes de leur domination. C'est une étape par laquelle il fallait passer et, sans lui accorder trop d'importance, il faut lui reconnaître sa juste place à l'intérieur de l'histoire des femmes.

Presque égales, mais marginales

Les hommes, surtout depuis le 19e siècle, avaient défini les femmes en fonction de la sphère domestique et leur avaient construit un statut spécial. Cette définition était un carcan, et les analyses des premières féministes en avaient démontré l'odieux. Le militantisme des féministes et les pratiques quotidiennes de milliers de femmes font qu'en 1940, une bonne partie des injustices formelles sont disparues : les femmes ont désormais le droit de vote ainsi que l'accès à l'éducation et à certaines professions.

Néanmoins, ceci ne signifie pas que les hommes renoncent à contrôler la définition du féminin et à contrôler la place des femmes dans la société. Les femmes ont le droit de vote, non parce qu'elles sont les égales des hommes, mais parce que leur rôle de mère doit s'étendre dans la sphère publique. Les femmes des milieux bourgeois ont accès au cours classique, forçant les unes après les autres les portes des facultés universitaires ; mais l'immense majorité des Québécoises bénéficie autrement du droit

à l'éducation qui prend principalement la voie des avenues féminines. Les femmes prennent donc des cours de femmes et sont désormais éduquées non pas pour compétitionner avec les hommes,
mais pour être de meilleures mères.

La systématisation de l'éducation donne aux hommes un
moyen privilégié pour investir la sphère domestique et saper les
bases du savoir historique des femmes. Jadis, elles soignaient,
éduquaient et nourrissaient leurs enfants sans l'aide des hommes tel
qu'appris de leur mère. Désormais, des médecins, des éducateurs
et des prêtres leur expliquent qu'elles n'ont pas la bonne manière
de le faire. Des programmes d'enseignement ou des cliniques, telle
la Goutte de lait, sont fondés. Au nom de la science, les hommes
définissent et imposent leurs normes dans les champs réservés aux
femmes : santé, éducation des enfants, puériculture. Les femmes
doivent continuer à être mères et éducatrices, mais pour bien le
faire, elles doivent se conformer aux prescriptions masculines. Les
femmes deviennent dès lors, dans la sphère domestique, les
simples exécutantes du savoir des hommes.

Des idéologues bavards continuent de dénoncer le travail salarié des femmes, alors que tous les jours, et de plus en plus, des
femmes doivent gagner un salaire. Le discours sur le travail féminin
est en contradiction évidente avec le quotidien des femmes. On peut
dénoncer cette absence d'ajustement des élites, on peut dénoncer
leur chauvinisme, mais on peut se demander à quoi et à qui sert ce
discours. Les femmes, à force de se faire répéter que leur place est
au foyer et non au travail, se sentent probablement des usurpatrices.
Un des effets du discours contre le travail féminin amène vraisemblablement les Québécoises à ne pas contester leur marginalité sur
le marché du travail.

La Deuxième Guerre mondiale vient bouleverser le jeu fragile
d'équilibre entre les forces du passé et les forces du changement. De
nouveau, les femmes doivent sauver la nation. On leur demande de
quitter leur rôle de mère et elles entrent dans les usines de guerre.
Quand la guerre cesse, on veut qu'elles retournent à la maison.
Mais leur retrait du marché du travail ne sera que temporaire car
l'ordre économique qui s'instaure après la Seconde Guerre mondiale requiert une participation encore plus massive et continue des
femmes au travail salarié. On entre dans une impasse : les femmes
sont requises à la maison pour assurer la reproduction et on a
besoin d'elles dans la plupart des sphères de la vie économique.

Notes du chapitre XI

1. « Premier rapport de la commission Dorion » dans *Revue du notariat*, vol. 32, 1929-1930, p. 249.

2. « Nos droits et nos devoirs » dans *La Bonne Fermière*, janvier 1930.

3. Thérèse Casgrain, *Une femme chez les hommes*, Montréal, Éditions du Jour, 1971, p. 94-95.

Orientations bibliographiques

Beaudet, Céline, « *Radio-Monde* ou la vie rêvée » dans Michèle Jean, *Québécoises du 20e siècle*, Montréal, Quinze, 1977, p. 287-294.

Brandt, Gail Cuthbert, « Weaving it Together » : Life Cycle and the Industrial Experience of Female Cotton Workers in Quebec, 1910-1950 » dans *Labour/Le travailleur, Spring* 1981 printemps, p. 113-126.

Casgrain, Thérèse, *Une femme chez les hommes*, Montréal, Éditions du Jour, 1971, 296 pages.

Cleverdon, Catherine L., *The Woman Suffrage Movement in Canada*, 2e éd., Toronto, University of Toronto Press, 1974, 324 pages.

Coburn, Judi, « I See and am Silent » : A Short History of Nursing in Ontario » dans *Women at Work, Ontario, 1850-1930*, Toronto, Women's Press, 1974, p. 127-163.

Copp, Terry, *Classe ouvrière et pauvreté*, Montréal, Boréal Express, 1978, 213 pages.

Pierre-Deschênes, Claudine, « Santé publique et organisation de la profession médicale au Québec, 1870-1918 » dans *Revue d'Histoire d'Amérique française*, vol. 35, no 3 (décembre 1981), p. 355-375.

Dodd, Diane, « Women Functionalism and Reproduction : The Birth Control Movement in Canada », Ottawa, 1981, 39 pages, (non publié).

Dumas Évelyn, *Dans le sommeil de nos os*, Montréal, Leméac, 1971, 170 pages.

Dumont-Johnson, Micheline, « Histoire de la condition de la femme dans la province de Québec » dans *Tradition culturelle et histoire politique de la femme au Canada*, Étude no 8 préparée pour la Commission royale d'enquête sur la situation de la femme au Canada, Ottawa, Information Canada, 1971, 57 pages.

Fournier, Louis, *Communisme et anticommunisme au Québec (1920-1950)*, Montréal, Éditions coopératives Albert Saint-Martin, 1979, 165 pages.

Hamel, Thérèse, *L'Obligation scolaire au Québec : objet de la lutte des classes*, thèse de doctorat 3e cycle, U.E.R. des sciences de l'éducation, université René-Descartes, Paris, 1981.

Hamel, Réginald, *Bibliographie sommaire sur l'histoire de l'écriture féminine au Canada 1769-1961*, Université de Montréal, 1974, 134 pages, (non publiée).

Jean, Michèle, *Québécoises du 20e siècle*, Montréal, Éditions du Jour, 1974, 303 pages.

Jean, Michèle, « Histoire des luttes féministes au Québec » dans *Possibles*, vol 4, no 1, automne 1979, p. 17-32.

Lapointe, Michelle, « Le syndicat catholique des allumettières de Hull, 1919-1924 » dans *R.H.A.F.*, vol. 32, no 4, mars 1979, p. 603-627.

Laforce, Hélène, « La sage-femme québécoise » dans *Bulletin de la Fédération des femmes du Québec*, no 2, mai 1982, p. 12.

Lavigne, Marie et Yolande Pinard, dir., *Les Femmes dans la société québécoise*, Montréal, Boréal Express, 1977, 214 pages.

Lavigne, Marie, Yolande Pinard et Jennifer Stoddart, « La Fédération Nationale Saint-Jean-Baptiste et les revendications féministes au début du 20e siècle » dans Marie Lavigne et Yolande Pinard, *op. cit.*, p. 90-108.

Lavigne, Marie et Jennifer Stoddart, *Analyse du travail féminin à Montréal entre les deux guerres*, thèse de M.A. (Histoire), Université du Québec à Montréal, 1974, 268 pages.

Linteau, Paul-André, René Durocher et Jean-Claude Robert, *Histoire du Québec contemporain*, Montréal, Boréal Express, 1979, 660 pages.

Miner, Horace, *St. Denis, a French-Canadian Parish*, Chicago, Phoenix Books, 1963, 299 pages.

Monet-Chartrand, Simone, *Ma vie comme une rivière*, Montréal, Éditions du Remue-Ménage, 1981.

Pinard, Yolande, « Les débuts du mouvement des femmes » dans Marie Lavigne et Yolande Pinard, *op. cit.*, p. 61-87.

Plante, Lucienne, *La Fondation de l'enseignement classique féminin au Québec, 1908-1916*, thèse de D.E.S. (Histoire), université Laval, 1968, 187 pages.

Stoddart, Jennifer, « The Dorion Commission , 1926 - 1931 : Quebec's Legal Elites Look at Women's Rights » dans David Flaherty, *Essays in Canadian Legal History*, vol. 1, Toronto, University of Toronto Press, 1981, p. 323-337.

Strong-Boag, Veronica, « Wages for Housework » : Mothers' Allowances and the Beginnings of Social Security in Canada » dans *Journal of Canadian Studies — Revue d'Études canadiennes*, vol. 14, no 1, printemps 1979, p. 24-34.

Strong-Boag, Veronica, *The Parliament of Women : The National Council of Women of Canada 1893-1929*, Musées nationaux du Canada, division « histoire », document no. 18, Ottawa, 491 pages.

Thivierge, Maryse, *Les Institutrices laïques à l'école primaire catholique au Québec, de 1900 à 1964*, thèse de Ph.D. (Histoire), université Laval, 1981, 437 pages.

Thivierge, Nicole, *L'Enseignement ménager-familial au Québec 1880-1970*, thèse de Ph.D. (Histoire), université Laval, 1981, 562 pages.

Trofimenkoff, Susan Mann et Alison Prentice, *The Neglected Majority*, Toronto, McClelland and Stewart, 1977, 192 pages.

Trofimenkoff, Susan Mann, « Henri Bourassa et la question des femmes » dans Marie Lavigne et Yolande Pinard, *op. cit.*, p. 109-124.

————, *Women at Work*, Ontario 1850-1930, Toronto, Women's Press, 1974, 405 pages.

L'IMPASSE
1940-1969

Les femmes du Québec reçoivent le droit de vote au niveau provincial dans un monde en guerre. Dans ce contexte, il n'est pas surprenant que cette grande victoire, qui semble pourtant symboliser leur entrée définitive dans la vie publique, ne change guère leur statut. Elles sont cependant trop préoccupées par les effets d'un conflit mondial pour s'en apercevoir.

La dépression des années 30 avait accentué les frictions latentes entre les grandes puissances. Après l'invasion de la Pologne par Hitler, en septembre 1939, la France et l'Angleterre lui déclarent la guerre ; quelques jours plus tard, le Parlement canadien les suit. Puis, deux ans après, les États-Unis se joignent aux Alliés contre le Japon, l'Allemagne et l'Italie. Pendant près de six ans, toute la vie de la collectivité est entièrement polarisée par la guerre.

Tout comme en 1914, le déclenchement de la Deuxième Guerre mondiale provoque une crise nationale au Canada, car si les Canadiens anglophones, plus près de leurs racines britanniques, ne veulent épargner aucun effort pour secourir leur mère patrie, l'Angleterre, les Canadiens de langue française sont en général moins enthousiastes, ne s'identifiant ni à la France ni à l'Angleterre. La controverse qui règne autour de la conscription et la participation à la guerre donne l'occasion aux nationalistes de dénoncer le pouvoir grandissant d'Ottawa et à la fin du conflit, le gouvernement du Québec se retrouve affaibli face au pouvoir fédéral.

Par ailleurs, la situation de l'économie n'est pas favorable aux travailleurs. Après la pénurie et le rationnement, arrivent l'inflation et une répression sévère des conflits de travail. La conjoncture économique, ébranlée par la guerre, met du temps à engendrer de nouveaux modèles de prospérité et de développement.

Au Québec, l'après-guerre est complètement dominé par l'ombre envahissante de son Premier ministre Maurice Duplessis, célibataire. Son parti, l'Union nationale, est de nouveau au pouvoir depuis 1944 et l'emprise du chef sur la province est totale. « Les évêques, soutient-il, viennent manger dans ma main », et il leur distribue octrois et subventions pour leurs grands séminaires, leurs hôpitaux, leurs couvents et leurs collèges. « La meilleure assurance-maladie, déclare-t-il parfois, c'est la santé », et il rejette du revers de la main de nombreuses tentatives de modifier la législation sociale de la province. Son cheval de bataille, l'autonomie provinciale, lui sert à la fois de bouclier et d'estoc, de javelot et d'armure.

Toutefois, les adversaires de Duplessis sont légion. On les retrouve à la direction de quelques revues et journaux, dans les mouvements d'action catholique, dans les syndicats, dans les universités et les collèges, dans les milieux littéraires et artistiques. Un groupe d'artistes signe un manifeste, *Le Refus global*, symbole de l'expression de l'opposition. Duplessis les méprise ouvertement et il les traite négligemment de poètes (*prononcez pouettes*) et répond à leurs attaques par d'épais calembours. De nombreuses commissions d'enquête produisent des mémoires résolument novateurs, mais dans le climat conservateur qui règne, ils sont prudemment déposés sur les tablettes.

En même temps, on coule dans le béton des écoles, des hôpitaux, des autoroutes et des barrages hydro-électriques. Dans un Québec inédit, en pleine expansion économique, l'électricité, la radio et la télévision transportent jusqu'au plus lointain village les commodités de la vie quotidienne, les images de *La Famille Plouffe* et, plus tard, de la traduction d'une populaire émission américaine, *Papa a raison*. Symbole de cette effervescence, la côte Nord s'ouvre à l'exploitation de ses ressources avec l'injection d'énormes capitaux américains. Les premières banlieues-dortoirs font leur apparition et sont suivis par les premiers centres commerciaux. Le Québec entre progressivement dans la société de consommation.

À l'automne de 1959, la mort de Duplessis, le bref passage de Paul Sauvé à la tête de l'État québécois et le remous causé par *Les Insolences du Frère Untel* signalent que l'ère des réformes est arrivée. Le 18 juin 1960, l' « Équipe du tonnerre », les libéraux de Jean Lesage, prend le pouvoir à Québec. L'heure est favorable à une nouvelle orientation économique et aux législations nouvelles. Tous les secteurs sont touchés et une nouvelle classe de fonctionnaires-gestionnaires-technocrates s'empare des postes de commande. En effet, le gouvernement Lesage consacre tous ses efforts à transformer l'État québécois : on récupère des compétences naguère confiées à l'Église ou à l'entreprise privée et on adopte une série de mesures pour redistribuer les biens et les services. C'est que la reprise économique qui s'amorce, après 1962, permet toutes les audaces. La période qu'on a baptisée de « Révolution tranquille » coïncide en effet avec une phase d'expansion de l'économie capitaliste. Après 1964, l'entreprise de modernisation atteint une vitesse impensable quelques années plus tôt. L'État québécois doit mieux jouer son rôle de soutien au service d'une économie dont les grands patrons demeurent les monopoles et les grandes entreprises qui, constitués de plus en plus par des multinationales, imposent la loi du plus fort. Ces bouleversements économiques entraînent de profonds changements dans la composition de la main-d'oeuvre et, conséquemment, dans l'organisation syndicale. Le secteur manufacturier décroît et le Québec cesse d'être un réservoir privilégié de main-d'oeuvre à bon marché. Cette époque est également celle du développement fulgurant de la consommation de masse, du crédit à la consommation et, naturellement, de l'endettement croissant de la population. Ce n'est pas pour rien que le ministère de l'Éducation popularise le slogan : *Qui s'instruit s'enrichit.* Les grandes compagnies veillent au grain.

Sur le plan politique, la période se caractérise principalement par la révélation d'un fort courant nationaliste. Le nationalisme offensif de l'équipe Lesage fait contraste avec le nationalisme défensif de l'époque duplessiste. Ce courant d'idée assure cependant la transition avec le gouvernement Johnson qui reporte l'Union nationale au pouvoir en 1966. Le nationalisme lui-même se diversifie en un large éventail d'options distinctes : des bombes du F.L.Q. aux partis séparatistes, en passant par les revendications marxistes de *Parti-Pris.*

Par ailleurs, l'arrivée à Ottawa en 1965 du *French Power* — Trudeau, Pelletier, Marchand — contribue à exacerber les positions nationalistes, pendant que le rapport Laurendeau-Dunton conclut à la tragédie des deux solitudes au Canada. Conjuguée à l'expansion fulgurante de l'État québécois, cette conjoncture aboutit à l'éclatement des idéologies traditionnelles. « Égalité ou Indépendance ! » réclame Daniel Johnson. Pendant ce temps, René Lévesque, l'une des vedettes du Parti libéral, déserte son parti pour fonder le Parti québécois.

C'est que les changements de toutes sortes sont profonds durant les années 60. La démocratisation des services éducatifs et des services de santé bouleverse la structure sociale. Les sociologues contemporains n'en finissent plus d'étudier les conséquences de ces transformations. Elles se sont produites en même temps que la société québécoise exprime un processus rapide de déconfessionnalisation et de laïcisation ; elles interviennent après l'adoption d'un nouveau code du travail et la syndicalisation de la fonction publique qui transforment littéralement les relations patrons/employés ;

elles s'imposent au moment où l'idéologie de la social-démocratie propose un nouveau modèle de société et elles coïncident avec une véritable explosion du fait culturel québécois.

La culture québécoise éclate sur tous les fronts. D'abord, l'adjectif même « québécois » supplante le vétuste « canadien-français ». Et, très curieusement, la fierté canadienne, créée par le succès d'Expo 67, rejaillit sur la fierté québécoise. La chanson, l'architecture, la poésie, l'artisanat, la cuisine, la peinture, la télévision, le cinéma, toute l'activité culturelle s'accomplit dans l'affirmation québécoise. Les Québécois écoutent les chansons de Vigneault, Charlebois, Julien et se disent : « On est bons ! » Une réalisation économique symbolise cette fierté : le barrage hydro-électrique de la Manic.

Enfin, la décennie des années 60 est fertile en événements contestataires sur toutes les scènes de l'actualité internationale. Le Québec bat au rythme du monde. Les événements chauds se multiplient : bombes du F.L.Q., manifestations monstres, défilés de la Saint-Jean-Baptiste, grève des policiers, emprisonnements de militants, agitation dans les collèges et les universités. Même la presse écrite et la télévision semblent donner un traitement différent à cette agitation : les manchettes dramatisent l'actualité au lieu de la neutraliser.

La Révolution tranquille, toutefois, n'est pas une génération spontanée et 1960 n'est pas, pour les femmes, une date vraiment importante car comme bien d'autres groupes, la révolution « tranquille », elles l'avaient commencée, bien avant qu'on en parle. De plus, elles découvriront plus tard que, malgré son idéologie égalitariste, la dite Révolution tranquille aura mis en place des institutions créant un nouveau double standard, une nouvelle place, différente mais inférieure, pour les femmes.

Dans la sphère féminine des changements fondamentaux et inéluctables se produisent entre 1940 et 1969. Dans un premier temps, ces changements semblent être imposés par les circonstances exceptionnelles de la guerre. Par la suite, ils sont plutôt la conséquence des aspirations des femmes elles-mêmes, sollicitées de toutes parts à être simultanément des reines du foyer et des femmes engagées dans de nombreuses sphères de la vie publique. En définitive, ces changements mettent en lumière l'impasse ou se retrouvent toutes les femmes. Prenant conscience des multiples facettes de cette impasse, quelques femmes réanalysent la situation des femmes et relancent le féminisme organisé.

XII

Le pays a besoin de vous : des bombes aux bébés

La guerre, expérience décisive

Paradoxes de l'histoire des femmes au Canada, les guerres ont souvent été, pour beaucoup d'entre elles, des moments extraordinaires et, particulièrement, la Deuxième Guerre mondiale.

Bien sûr, des mères y perdent leurs fils, des épouses, leurs maris, des soeurs, leurs frères, et quelques jeunes filles ne se souviennent pas de leurs pères. Bien des familles réintègrent un soldat blessé, incapable de reprendre sa vie d'antan. Pour les mères et les amies de soldats envoyés au front, la guerre est une longue période d'attente. Lorsque les lettres du bien-aimé n'arrivent plus, on craint le pire. Parfois, ces anxiétés sont confirmées par un télégramme officiel annonçant sèchement la mort ou la disparition de l'homme aimé. Mais, somme toute, c'est une minorité de familles canadiennes qui perdent un des leurs à la guerre. Beaucoup d'hommes, en service au Canada, ne sont pas directement en danger et beaucoup d'autres reviennent sains et saufs à la fin des hostilités.

C'est une des raisons qui explique pourquoi, pour bien des jeunes femmes, la guerre est vécue comme une sorte d'aventure. Pour la première fois, le Canada fait appel à toutes les femmes aussi bien qu'à tous les hommes et chacune sent qu'elle doit y apporter sa contribution. Pour la première fois dans leurs vies, les jeunes célibataires ont le choix d'emplois laissés vacants par l'exode des jeunes hommes dans les armées. Et la production pour la guerre crée des milliers de nouveaux emplois que peuvent remplir même les travailleuses inexpérimentées. Si, par hasard, leurs amis ou leurs fiancés sont partis, elles retrouvent d'autres hommes en uniforme pour les accompagner. Chaque ville canadienne a ses casernes militaires où les jeunes soldats s'ennuient en attendant d'être envoyés au front et, pour soutenir leur moral, on encourage les femmes célibataires à fréquenter les bals et autres activités sociales organisées par l'armée ou des groupes bénévoles.

Le Canada fait aussi appel aux femmes mariées. Au Québec, très peu consentent à travailler en dehors du foyer, même pour aider l'effort de guerre. Mais chaque ménagère fait sa part car le rationnement des denrées alimentaires les oblige à planifier soigneusement les menus et à surveiller les budgets. Aucun matériel utile pour l'effort de guerre n'est gaspillé, et c'est grâce aux ménagères qu'on peut conserver et recycler le métal, le gras et la laine, pour faire des armes, des explosifs et des uniformes. On incite les femmes, dans leurs quelques moments de loisir, à faire du bénévolat : les associations féminines se mettent au service des autorités.

Ces expériences donnent à bien des femmes une nouvelle conscience de leur importance en dehors de la vie domestique. Sans elles, l'économie de guerre n'aurait pas pu se maintenir. Cette expérience les marque profondément, mais les séquelles n'apparaîtront que 15 ou 20 ans plus tard. Leurs enfants élevés, elles se retrouvent seules et, petit à petit, elles commencent à se chercher une vie en dehors du foyer. Quelques-unes reprennent des métiers abandonnés. Elles encouragent leurs filles à parfaire leur éducation et à se donner une formation professionnelle en vue du marché du travail. L'expérience de la guerre ne sera pas absente de la remise en cause des valeurs féminines au Québec, après 1965 ; les femmes auront acquis la connaissance de leur potentiel de réalisations dans un ordre des choses différent de celui qui fut le leur jusqu'à ce jour.

La guerre, affaire d'hommes

Même si des populations civiles entières sont impliquées dans la deuxième guerre, comme elles ne l'ont pas été depuis longtemps, la guerre demeure foncièrement une affaire d'hommes. Pendant six ans, le pays entier surveille avec anxiété les moindres agisse-

Mariés de guerre.
Collection privée — Françoise G. Stanton

ments des hommes des forces canadiennes. Plus que jamais, le sort individuel et collectif des femmes doit dépendre des hommes.

Dès le déclenchement de la guerre, en 1939, les femmes s'inquiètent. Est-ce que leurs amis ou leurs fils devront aller se battre ? Pour beaucoup de jeunes hommes, la guerre offre une occasion d'aventure et un emploi stable et valorisant, après le chômage des années 30. Mais d'autres, qui n'ont pas envie de risquer leur peau pour une affaire qui ne semble pas toucher directement le Canada, passent la guerre à tenter d'éviter le service militaire.

Des milliers de femmes passent six ans à attendre que leurs hommes reviennent : quelques-uns ne reviennent jamais ; d'autres, gravement blessés. Partout au Canada, mais surtout au Québec, les hommes qui refusent d'aller à la guerre doivent se cacher, lorsque les pressions pour s'inscrire deviennent trop fortes. Ainsi, à la fin de 1944, quand on se prépare à envoyer pour la première fois des conscrits en Europe, plusieurs soldats ne reviennent pas de leur congé de départ. Ceux-ci sont cachés par leurs familles jusqu'à l'amnistie générale à la fin de la guerre.

Puisque les époux sont les derniers à être appelés pour le service militaire, le mariage devient donc un moyen d'éviter l'armée. Lorsqu'on annonce, le 12 juillet 1940, que les hommes célibataires seront mobilisés le 15 juillet, une véritable course au mariage se déclenche partout au Canada : on fait la queue devant les portes des églises pour se faire marier. Les mariages en groupes permettent d'accélérer le rythme des bénédictions nuptiales. Entre 1938 et 1940, le nombre de mariages célébrés au Canada triple. Mobilisés soit par l'armée soit par le mariage, beaucoup de Canadiens mettent fin abruptement à leur jeunesse.

Les femmes qui, fiancées pendant la Dépression, attendaient une meilleure situation économique, se sont peut-être réjouies de ce prétexte pour se marier plus tôt et ce, malgré l'austérité. Les tissus et les aliments étant strictement rationnés, la mariée met simplement sa meilleure robe et les invités apportent souvent leurs propres rations à la réception. Les épouses qui ont marié trop rapidement un homme pour le sauver de la guerre ont dû, parfois, regretter leur geste. D'autant plus qu'au Québec, dans les années 40, le divorce n'existe que pour celles qui possèdent à la fois les moyens financiers et le courage de braver la censure ecclésiastique, si elles sont catholiques. On ne peut obtenir le divorce que par une loi du Parlement.

Les autorités militaires découvrent que la meilleure façon de garder le moral des troupes au front ou dans les camps d'entraînement d'outre-mer est de leur faire parvenir des paquets et des lettres du Canada. On assigne donc, aux femmes bénévoles, des jeunes soldats qui reçoivent peu de courrier ; pendant toute la guerre, elles doivent leur écrire pour les réconforter, leur donnant l'assurance d'être soutenus et appréciés chez eux.

Les femmes, en Europe continentale et en Grande-Bretagne, accueillent avec joie l'arrivée des soldats canadiens qui se portent au secours de leurs pays. Les soldats en poste fréquentent les jeunes célibataires de la région et sont généralement vus comme de bons partis, et en plus, le choix de maris, en Europe, est considérablement réduit par la guerre. Vivre au Canada, pays intouché par les invasions et les bombardements où presque tout le monde mange à sa faim, est une perspective alléchante. Au Québec, l'Église et les milieux les plus nationalistes s'inquiètent des mariages entre francophones catholiques et anglophones protestantes mais, pour la plupart, ces *War Brides* sont des Anglaises qui épousent des anglophones.

Le service militaire

La machine de guerre consomme tellement d'hommes que, dès le début des hostilités, on songe à recourir à la main-d'oeuvre féminine, non pas pour se battre au front, bien sûr, mais pour faire des tâches auxiliaires, surtout au Canada, libérant ainsi les hommes pour le combat actif.

En 1941 et 1942, on met sur pied la section féminine du Corps royal de l'Aviation canadienne, le Corps féminin de l'Armée canadienne et le Corps féminin de la Marine royale canadienne. Ils sont appelés couramment, même par les francophones, les « WD's », les « CWACS » et les « WRENS », abréviations anglaises de leurs sections. Dès le début de la guerre, des milliers de femmes font déjà partie des corps de réserve et la campagne de recrutement des femmes s'intensifie. Madeleine Saint-Laurent, fille de celui qui succèdera à Mackenzie King comme Premier ministre du Canada, est capitaine, puis major, dans le Corps féminin de l'armée et elle parcourt le Québec incitant les jeunes francophones à se joindre à l'armée.

Pour être officier dans une des divisions féminines, il faut posséder un diplôme universitaire ou une qualification équivalente. Mais les simples recrues n'ont besoin que de 7 à 10 ans de scolarité, être âgées de 18 à 45 ans, être célibataires ou sans enfants, avoir une bonne réputation et être en bonne santé.

En 1942, plus de 17 000 femmes de partout au Canada font partie des forces armées. À la fin de la guerre, elles seront 45 000. Pour quelques-unes, c'est une façon de se rapprocher d'un mari ou d'un fiancé soldat et de l'appuyer pendant la guerre. Pour d'autres, c'est tout simplement une façon acceptable de quitter le foyer familial, d'apprendre un métier et, peut-être, de voyager un peu.

Les recrues doivent porter l'uniforme et leurs cheveux ne doivent pas dépasser une longueur réglementaire. Mais, puisqu'un des buts à atteindre en admettant les femmes dans l'armée est d'encourager les soldats par une présence féminine, on leur permet le port d'un minimum de bijoux et de maquillage. Elles suivent un entraînement de base : conditionnement physique, règlements militaires, premiers soins, cartographie, etc. Ensuite, elles sont mises à la tâche et même si elles mènent la vie militaire et dorment dans les casernes sur les bases militaires, elles accomplissent des tâches traditionnellement féminines : cuisinières, standardistes, blanchisseuses, serveuses et femmes de ménage. Quelques-unes sont chauffeures, mais aucune ne porte les armes. Vers la fin de la guerre, lorsque de plus en plus d'hommes sont envoyés au front, on forme des femmes pour les remplacer ; ainsi, plusieurs deviennent mécaniciennes, télégraphistes ou techniciennes. Selon les historiennes Geneviève Auger et Raymonde Lamothe, beaucoup de femmes, parties à l'aventure et se retrouvant serveuses au mess des officiers, sont profondément déçues, d'autant plus que leur salaire est plus maigre que celui des hommes.

Mais la campagne de propagande intense et la promesse de l'aventure permettent au gouvernement d'attirer les femmes et de prolonger la discrimination salariale jusque dans l'armée ; ce qui se justifie facilement puisque, après tout, les emplois féminins, dans la vie civile, sont presque identiques et les femmes doivent être prêtes à se sacrifier pour gagner la guerre.

Ce n'est pas seulement dans les emplois et dans les salaires que le double standard — un pour les hommes, un autre pour les femmes — se fait sentir. Les femmes, dans l'armée, n'ont presque pas de pouvoir : les femmes officiers ne commandent que les femmes, jamais les hommes, alors que les divisions féminines sont toujours sous l'autorité ultime d'un homme. Une controverse éclate quant à savoir si les hommes de grade inférieur sont obligés de saluer des femmes de grade supérieur ; de toute façon, elles sont peu nombreuses, les chances de promotion pour les femmes étant minimes.

Selon les historiennes Auger et Lamothe, les femmes qui jouissent le plus d'autonomie professionnelle dans les forces armées sont les infirmières. Elles sont essentielles au travail des corps médicaux pour seconder les médecins et, bien sûr, leur douceur et leur patience féminines sont indispensables, pense-t-on, pour veiller sur les soldats blessés et les convalescents.

Les infirmières forment un véritable corps d'élite. Elles deviennent automatiquement des officiers à leur entrée dans l'armée et reçoivent le même salaire qu'un homme du même grade : pour les Québécoises, c'est plus de trois fois ce qu'elles reçoivent dans les hôpitaux civils et, ajouté au goût de l'aventure, c'est un puissant attrait. Plus de 4000 Canadiennes deviennent des infirmières militaires alors que plus du double désirent être admises. D'autres professionnelles de la santé, telles les physiothérapeutes et les diététiciennes, sont aussi importantes et jouissent du même statut que les infirmières.

Un tiers des infirmières reste au Canada, travaillant dans les hôpitaux militaires, les foyers de convalescence et les bases navales

Pendant la Deuxième Guerre mondiale, les femmes constituent une bonne réserve de main-d'oeuvre.
Archives publiques du Canada

et aériennes ; la majorité est envoyée en Grande-Bretagne où sont basées les forces canadiennes qui préparent la reconquête de l'Europe et de l'Afrique du Nord. Elles travaillent dans des conditions inconfortables et dangereuses, dans les grands hôpitaux militaires où sont évacuées les blessés du front, mais elles se sentent récompensées par l'appréciation des soldats et par leur popularité en général. Ce sont souvent les seules femmes qui, à proximité de milliers d'hommes vivant une existence dangereuse et monotone, sont l'objet d'une continuelle attention masculine.

Les fréquentations entre femmes et hommes inscrits dans les forces armées préoccupent énormément les autorités militaires. Au début de la guerre, la mauvaise réputation des femmes dans l'armée nuit au recrutement des effectifs féminins. L'éloignement des jeunes femmes de leurs familles, la proximité des soldats dont les lendemains incertains et la vie de caserne incitent parfois à l'imprudence, la dureté de la vie militaire, voilà autant de facteurs qui peuvent suggérer à une certaine partie de la population canadienne une image de femme de petite vertu. L'historienne Ruth Pierson explique cette représentation désobligeante des femmes militaires. D'abord, la population francophone du Québec voit mal qu'une jeune célibataire vive loin de la surveillance parentale et même une partie de la population est vivement opposée à l'effort de guerre. Ensuite, les jeunes militaires eux-mêmes n'acceptent pas, au début, la présence des femmes dans un univers masculin et ripostent en faisant des blagues obscènes au sujet des « filles à soldats ». Le ministre de la Défense fait appel à l'aide du Conseil national des femmes, dont la présidente assure les mères canadiennes que leurs filles seront encadrées tout comme si elles étaient restées à la maison.

En réalité, la vie militaire est sévère et les fréquentations des femmes sont contrôlées le mieux possible, non seulement pour protéger leur réputation ; celles-ci, mariées ou non, sont congédiées si elles deviennent enceintes. Le problème le plus urgent, pour les autorités militaires, est la recrudescence des maladies vénériennes qui peut réduire de façon significative le nombre d'hommes aptes au combat.

C'est un problème sérieux, d'autant plus que, avant 1943 et 1944, une guérison efficace n'est pas assurée.

Les autorités mettent sur pied une campagne d'éducation des soldats : on leur distribue des brochures expliquant les dangers de la syphilis et de la gonorrhée ; on leur projette des films où on y voit des scènes horrifiantes des effets des maladies vénériennes et puisque, après tout, on ne peut s'attendre à la continence de la part des hommes, on leur donne des condoms et des trousses prophylactiques pour se désinfecter. Selon Ruth Pierson, qui a analysé cette campagne, on présente aux soldats la femme de mauvaise vie comme étant la représentation vivante de la maladie qui les guette. Les femmes porteuses potentielles de maladies ne sont pas uniquement des prostituées mais toutes les femmes trop « faciles » qui se permettent des rapports sexuels en dehors du mariage.

Pour les CWACS, les WRENS et les WD's, les autorités comptent seulement sur leur chasteté et ne leur donne ni contraceptif, ni trousse prophylactique. On espère que les femmes bien informées par les brochures des forces armées et d'une moralité stricte s'abstiendront de rapports sexuels. Nulle part, dans le matériel éducatif préparé pour les femmes, on représente les hommes comme source d'infection. Si elles sont infectées, elles ne doivent blâmer qu'elles-mêmes et elles ne peuvent faire de reproches qu'à elles-mêmes. Encore une fois, le double standard fait des femmes les seules gardiennes de la moralité et, par le fait même, les grandes responsables des maladies transmises sexuellement.

Chaque travailleuse compte

Une des plus grandes contributions du Canada à l'effort de guerre des Alliés sera la construction d'équipement militaire d'une part et l'approvisionnement en denrées alimentaires de l'autre. Pour réussir à maintenir les niveaux de production, on doit réorganiser toute l'économie du pays : toutes les industries et tous les services ne peuvent fonctionner que selon un plan d'ensemble. La guerre fait rapidement oublier le chômage de la Dépression. Une grande partie de la production militaire se fait au Québec : explosifs, avions, chars d'assaut, aluminium, uniformes. Ces industries absorbent la main-d'oeuvre masculine non inscrite dans les forces armées et déjà, en 1941, on manque de bras dans les industries de guerre. La solution : faire appel aux femmes.

Dès 1942, on admet les femmes aux stages de formation en technologie industrielle et, ainsi, elles peuvent travailler comme mécaniciennes, électriciennes ou soudeuses dans les usines de guerre. Mais ce n'est que la minorité car la plupart font des tâches monotones et routinières, même parfois très dangereuses. La production de munitions, par exemple, est un travail ennuyeux, mais la moindre inattention peut faire sauter l'usine !

En dépit des problèmes de santé et de sécurité au travail, les usines de guerre attirent les femmes en grand nombre. On sort de la Crise, on a besoin d'argent et les salaires dans les industries de guerre sont plus élevés. Mais, à travail égal, les salaires des femmes ne sont jamais aussi élevés que ceux des hommes. Les syndicats reconnaissent cette injustice ; pourtant, ils ne font rien pour la combattre.

Les heures de travail sont extrêmement longues et une équipe travaille souvent jusqu'à 12 heures de suite. Pendant la guerre, on fait lever l'interdiction pour les femmes de travailler la nuit. Parfois, on travaille sept jours par semaine et ce, pendant des mois. Ce régime, ajouté à la nature difficile et malsaine de certains travaux — émanations toxiques, matériel dangereux, machinerie lourde et bruyante — finit par attaquer la santé des travailleuses. Mais elles ne lâchent pas car les salaires sont trop bons et la propagande incessante du gouvernement les incite à faire leur part pour hâter la victoire. Par contre, celui-ci tait tous les accidents graves qui se produisent, de peur de manquer de main-d'oeuvre.

La production de guerre draine la main-d'oeuvre féminine des autres secteurs qui ne peuvent offrir d'aussi bons salaires. En 1942, les institutrices commencent à manquer et on leur défend pendant l'année scolaire du moins, de prendre un autre emploi. En été, on les encourage à entrer aux usines de guerre ou à travailler à la campagne pour aider les fermiers. Tout le secteur des services — hôpitaux, écoles, institutions, hôtellerie, transport, communications — où les travailleuses étaient nombreuses, commence à subir les effets de la pénurie de main-d'oeuvre à bon marché. Ainsi, le gouvernement passe à la prochaine phase de sa campagne : à partir de 1943, on encourage les ménagères à accepter des emplois à temps partiel.

Avec de telles opportunités, il n'est guère surprenant que de plus en plus de femmes refusent de faire du service domestique. Maintenant, en travaillant ailleurs, elles peuvent gagner beaucoup plus d'argent et avoir plus de temps libre. Les maîtresses de maison, surtout celles qui ont toujours eu des domestiques, sont prises de panique, mais elles ne peuvent guère empêcher leurs bonnes, attirées par les campagnes de recrutement, de les quitter pour un meilleur emploi.

La production agricole également a énormément besoin de main-d'oeuvre, car des milliers d'hommes ont quitté les fermes pour le service militaire ou le travail en usine. Pour aider aux récoltes, on encourage les femmes, particulièrement les jeunes étudiantes, à passer leurs étés à la ferme et, inversement, on tente de convaincre les fermières, en hiver, de venir en ville prêter main-forte aux usines de guerre.

La vague de nouveaux effectifs sur le marché du travail renforce la position des syndicats car ceux-ci s'empressent d'inscrire des nouveaux membres : au Québec, entre 1939 et 1943, le nombre d'hommes et de femmes qui font partie d'un syndicat augmente de façon considérable. Pour bien des femmes, c'est une première expérience de vie syndicale, mais la plupart d'entre elles n'ont pas beaucoup de temps pour les activités syndicales et, même en temps de guerre, elles continuent d'être seules responsables de l'inévitable travail ménager.

Cependant, quelques femmes remarquables se distinguent comme véritables leaders des syndicats : Léa Roback, chez *RCA*

Victor ; Madeleine Parent, secteur des textiles et Yvette Charpentier s'occupe des travailleuses de la confection.

Même avec le gel des salaires et aussi, en théorie, des prix, le coût de la vie continue d'augmenter plus vite que n'en apportent les chèques de paie. Ajouté au stress causé par l'accélération de la production, les nombreuses grèves qui éclatent s'expliquent. L'organisation syndicale s'est renforcée depuis la guerre et on demande aussi la reconnaissance du syndicat par l'employeur.

En dépit d'une législation extrêmement sévère qui vise à minimiser les arrêts de travail coûteux, de nombreuses grèves éclatent. Au Québec, les industries du textile, de la chaussure, du vêtement et du tabac sont particulièrement touchées par ces conflits de travail. En général, pendant la guerre, les travailleuses marquent des points importants, car les employeurs font de trop gros profits pour risquer la fermeture de l'usine trop longtemps. La pression du mouvement ouvrier, oblige les gouvernements de Québec et d'Ottawa à promulguer de nouvelles lois-cadres qui deviendront, par la suite, les codes du travail actuels.

Les femmes otages dans une guérilla politique

La question de la participation du Québec à la guerre occupe la scène provinciale pendant plus de six ans. Les anglophones et une partie de la population francophone sont prêts à tous les sacrifices. Mais l'autre partie de francophones fait des réserves quant à sa participation pour des raisons variées : sentiment anti-britannique, aliénation dans un appareil militaire anglophone, philosophie d'isolationnisme, sympathie pour la France catholique et ultra-conservatrice que symbolise le maréchal Pétain, collaborateur des Nazis, ou méfiance quant aux politiques de plus en plus centralisatrices que la guerre permet à Ottawa de mener. Parmi les groupes critiques du leadership fédéral et de l'effort de guerre se trouvent une partie du clergé, les intellectuels et les politiciens les plus nationalistes dont, Maurice Duplessis, chef de l'opposition, Jean Drapeau, futur maire de Montréal, et André Laurendeau qui deviendra éventuellement rédacteur en chef du journal *Le Devoir*.

Ensemble, ces gens mènent une véritable croisade contre Ottawa et l'effort de guerre. Une des cibles les plus faciles de cette campagne est le travail féminin et la présence des femmes dans l'armée : on accuse les femmes qui travaillent à l'extérieur de déserter leurs familles, de promouvoir la délinquance juvénile et de sacrifier les intérêts de la nation canadienne-française tout entière. Car, selon le nationalisme traditionnel, une des composantes de l'identité collective est la vie familiale selon le modèle habituel : mère au foyer, chef de famille masculin et de nombreux enfants. Les épouses travaillant à l'extérieur risquent de bouleverser cet ordre et la Confédération des travailleurs catholiques du Canada (C.T.C.C.) regroupant les syndicats catholiques et dénonçant le travail féminin depuis longtemps, se joint à la croisade, comme le font la Ligue ouvrière catholique et la Jeunesse ouvrière catholique.

Les attaques se font de plus en plus virulentes. Les femmes qui travaillent dans les industries de guerre se font dire qu'elles mettent en péril les générations futures. Alors qu'on se souciait relativement peu de la santé et de la sécurité des travailleuses avant la guerre (et même après d'ailleurs), on découvre soudainement que le travail en usine présente des dangers inacceptables. Le harcèlement sexuel (sujet d'autre part tabou) devient une raison de plus pour garder les jeunes filles à la maison et on propose plutôt à celles-ci le service domestique dans un bon foyer catholique. Les associations féminines les plus conservatrices, telle la Fédération nationale Saint-Jean-Baptiste, adoptent aussi cette vision du travail féminin.

La campagne contre le travail des femmes mariées semble avoir réussi en partie. Si on n'a pas réussi à convaincre les jeunes travailleuses que le service domestique est préférable à l'usine, on a néanmoins culpabilisé les mères de familles.

Le gouvernement fédéral, prévoyant avoir besoin de mères de famille, met sur pied des garderies où celles-ci peuvent laisser leurs enfants pendant qu'elles travaillent dans les industries de guerre. Dès 1942, le Québec signe une entente avec le gouvernement fédéral pour le partage des coûts. En Ontario, à la fin de la guerre, on compte 28 garderies, sans dénombrer les haltes-garderies et camps d'été pour libérer les mères travailleuses. Au Québec, on n'en compte que six, toutes à Montréal dont quatre sont destinées aux anglophones protestants, aux Irlandais catholiques et aux Juifs. Une des deux garderies destinées aux enfants francophones catholiques doit fermer ses portes, faute de clientèle, car les mères de ces enfants se sont fait répéter que les garderies représentaient l'intrusion de l'État dans la vie familiale et qu'elles s'inspiraient des théories communistes. Plutôt que d'affronter le curé, on laisse ses enfants à la voisine ou à une parente et, souvent, on retire sa fille aînée de l'école afin de s'occuper des plus petits. Sinon, on place les enfants dans une garderie privée, moins critiquée que celles du gouvernement, et aussi, sans doute, beaucoup de mères, n'osant pas braver les foudres du curé, préfèrent se contenter d'un niveau de vie plus modeste.

Les allocations familiales

Après la Première Guerre mondiale, le gouvernement fédéral accorda aux femmes le droit de vote ; après la Deuxième Guerre mondiale, il leur donne les allocations familiales. Peut-on conclure qu'il faille des catastrophes pour reconnaître aux femmes des droits civils fondamentaux et une aide financière minimale, payée de leurs impôts, pour l'éducation de leurs enfants ?

Il y a longtemps que certaines féministes au Canada se battent pour les allocations familiales et la plupart des organisations féminines les réclament depuis des années. Au Québec, Thérèse Casgrain, Florence Martel et la journaliste Laure Hurteau répandent l'idée d'une pension de base, payable à toutes les mères, quels que soient leur fortune ou leur état matrimonial.

Thérèse Casgrain 1896-1981

De 1928, lorsqu'elle devient présidente de la Ligue des droits de la femme, à 1967, lorsqu'elle fonde la Fédération des femmes du Québec, Thérèse Casgrain semble dominer le mouvement féministe au Québec.

Née dans une des très grandes familles bourgeoises de Montréal, Thérèse Forget ne reçoit qu'une éducation couventine et se marie très jeune à un avocat libéral, pour ensuite élever quatre enfants. Mais elle vit dans un milieu où les riches industriels côtoient les hommes politiques notables et elle commence, dès les années 1920, à s'occuper des questions sociales et politiques de l'heure. Charmante, intelligente et spirituelle, dotée d'une énergie infatigable, sûre d'elle-même et possédant un vaste réseau de connaissances dans presque tous les domaines, la jeune Thérèse Casgrain devient, dès 1921, lors de la fondation du Comité provincial pour le suffrage féminin, un des piliers du mouvement féministe, prenant la relève de Marie Gérin-Lajoie, de la professeure Carrie Derrick et de la docteure Grace Ritchie-England.

Pendant les années 20 et 30, elle se bat sans cesse pour améliorer le statut légal des Québécoises et pour leur obtenir le droit de vote aux élections provinciales. Son émission à Radio-Canada, *Femina*, la fait connaître partout au Canada français. Elle fonde, en 1926, la Ligue de la jeunesse féminine, organisation où des bénévoles s'occupent de travail social, démontrant son esprit indépendant lorsqu'elle refuse d'y adjoindre un aumônier.

Pendant la guerre, Thérèse Casgrain s'occupe, autant dans la société anglophone que francophone, de la moitié du territoire canadien pour le Service aux consommateurs. En 1945, le gouvernement canadien s'apprête à donner les premières allocations familiales aux pères de famille. Au Québec, des juristes, des prêtres et des nationalistes insistent pour que l'allocation soit versée au père, chef de famille. Casgrain mène une campagne de presse contre cette position. Son amitié avec le Premier ministre Mackenzie King aidant, elle obtient un changement de dernière minute. Les chèques vont aux femmes du Québec.

Plus que féministe, Thérèse Casgrain est une grande humaniste, toujours prête à se lancer dans des luttes pour les libertés civiles et les droits de la personne. Ses convictions politiques l'amènent, en 1946, à se joindre à la Co-operative Commonwealth Federation (parti socialiste d'où est issu le Nouveau Parti démocratique). Plusieurs fois elle se présente comme candidate de la C.C.F. au Québec, sans jamais se faire élire. Dans les années 50, ses activités se concentrent sur l'organisation du C.C.F. au Canada, sur la participation aux rencontres internationales des partis socialistes et, avec des intellectuels et des syndicalistes, sur la lutte contre Duplessis.

La menace de guerre nucléaire la pousse à organiser, en 1961, la filiale québécoise de la Voix des femmes, vaste organisation qui regroupe des femmes d'un peu partout en Occident qui sont opposées à l'armement nucléaire. En 1963 et 1964, elle se présente comme candidate de la paix lors des élections fédérales. En 1967, elle fonde la Fédération des femmes du Québec afin de regrouper les organisations féminines existantes, puisque la Fédération nationale Saint-Jean-Baptiste refuse de se moderniser et veut demeurer un organisme catholique.

Les causes pour lesquelles Thérèse Casgrain s'est dévouée sont innombrables : l'éducation des adultes, la Société des concerts symphoniques de Montréal, les victimes de la guerre du Vietnam et le statut des femmes indiennes. Elle fonde la

Fédération des oeuvres de charité canadienne-française et, bien des années plus tard, devient une fondatrice de la Ligue des droits de l'Homme.

En 1970, elle est nommée au Sénat mais ne peut y rester qu'un an avant de prendre sa retraite obligatoire à 75 ans. Elle demeure active jusqu'à la fin de sa vie et reçoit beaucoup d'honneurs à travers le Canada. Dans son autobiographie, elle définit comme suit sa vision de l'avenir :

La véritable libération de la femme ne pourra pas se faire sans celle de l'homme. Au fond, le mouvement de la libération des femmes n'est pas uniquement féministe d'inspiration, il est aussi humaniste. Que les hommes et les femmes se regardent honnêtement et qu'ils essayent ensemble de revaloriser la société. Le défi auquel nous, femmes et hommes, avons à faire face, est celui de vivre pour une révolution pacifique et non pas de mourir pour une révolution cruelle et, en définitive, illusoire.

Source : Thérèse Casgrain, *Une femme chez les hommes*, Montréal, Éditions du Jour, 1971, p. 296.

Des centaines de personnes assistent à ses funérailles. Jeanne Sauvé, oratrice de la Chambre des communes, prononce l'oraison funèbre devant les caméras de la télévision. Thérèse Casgrain, féministe et humaniste, termine sa carrière — comme elle l'a menée pendant plus de 60 ans — au centre de l'actualité.

Lorsque, vers la fin de la guerre, le Premier ministre Mackenzie King annonce la distribution prochaine d'allocations aux mères ou *baby bonus*, certains milieux s'effraient. Le gouvernement de Maurice Duplessis, revenu au pouvoir à la fin de 1944, y voit une ingérence du fédéral dans les champs de juridiction provinciale. Duplessis fait faire des études par d'éminents juristes qui déclarent que cette nouvelle loi serait inconstitutionnelle parce qu'elle enfreint les droits du père, chef de famille et seul administrateur des biens de la communauté pour les couples mariés sous le régime de la communauté de biens. Le gouvernement fédéral avait eu la témérité de faire préparer les chèques aux noms de la mère !

Le clergé, qui avait combattu le projet des garderies publiques, n'hésite pas à attaquer cette nouvelle mesure qui menace l'autorité masculine au sein de la famille et quelques jeunes intellectuels et nationalistes l'appuient. Dans son autobiographie, Thérèse Cas-

grain décrit l'étendue de cette hostilité. Mgr Charbonneau, archevêque de Montréal, ainsi que plusieurs autres évêques, Gérard
Filion, militant de l'Action catholique et futur directeur du *Devoir*,
Daniel Johnson, Premier ministre du Québec de 1966 à 1968, et
François Albert Angers, économiste reconnu, déclarent tous s'opposer aux allocations aux mères. Encore une fois, quelques associations féminines à la remorque de l'idéologie clérico-nationaliste
se joignent à eux. L'Union des Fermières catholiques se prononce
contre le projet, alors que la Confédération des travailleurs catholiques du Canada, l'Union catholique des cultivateurs et la Fédération des travailleurs du Québec prônent le paiement aux mères.

Face aux critiques, le fédéral cède et, exceptionnellement au
Québec, fait adresser les chèques aux pères. Thérèse Casgrain
se sert de son influence considérable auprès de MacKenzie King
pour le faire changer d'idée. Entre-temps, elle mène au Québec une
campagne de presse incessante pour expliquer le point de vue des
femmes. Enfin, on trouve une astuce juridique qui permet de faire
taire les critiques : d'après le Code civil, la femme mariée a un
mandat tacite, appellé mandat domestique, pour acheter ce qui est
nécessaire aux besoins courants du ménage et donc sous ce principe,
elle peut encaisser l'allocation familiale. On modifie les plaques
d'imprimerie, déjà moulées au nom du père et, un mois plus tard
que les autres Canadiennes, les femmes du Québec enfin reçoivent
leurs allocations familiales.

La querelle des Fermières

La guerre démontre au clergé et à ses alliés, les milieux nationalistes et conservateurs, à quel point leur contrôle sur les femmes
du Québec est menacé, car malgré leur opposition, le gouvernement
Godbout a accordé aux femmes le droit de vote et, en 1944, il a
obligé le Barreau à accepter des avocates au sein de la profession
légale. À la campagne également, les Cercles de Fermières, organisation de femmes rurales dont le contrôle échappe au clergé, prennent une expansion considérable.

Les Cercles de Fermières canalisent la participation des femmes rurales à l'effort de guerre. Ils sont bien vus par le gouvernement Godbout qui, aux yeux du clergé, risque, par ses réformes
scolaires, de mener le Québec à la laïcisation. En 1940, les Cercles
de Fermières, qui regroupent quelque 30 000 membres, se dotent

d'une organisation à l'échelle provinciale. Leur popularité est telle qu'en 1944 on compte 49 000 membres.

L'historien Robert Rumilly raconte que, dès 1941, Mgr Charbonneau encourage l'Union des cultivateurs catholiques, dominée par les aumôniers, à songer à une organisation féminine. On rêve de briser l'alliance entre le gouvernement provincial de l'époque et les femmes rurales.

En 1944, les aumôniers créent, avec l'appui du haut clergé, l'Union catholique des fermières et, dans chaque paroisse, on donne le mot d'ordre : l'évêque veut que les femmes adhèrent à cette nouvelle association.

Chez les Fermières, c'est le désarroi. Que leur reproche-t-on ? N'ont-elles pas des aumôniers ? Ne sont-elles pas de bonnes chrétiennes ? Les réactions sont variées. Dans le diocèse des Trois-Rivières, la totalité des membres décide d'obéir aux évêques et à Valleyfield, la directive est si tiède que le mouvement passe inaperçu. À Sherbrooke, à Nicolet, à Saint-Jean, à Québec, à Joliette, les paroisses se divisent en clans. Des curés ferment leurs salles paroissiales, d'autres ignorent les directives épiscopales. On exerce sur certaines présidentes des pressions subtiles : « Votre fils ne pourra pas être ordonné », ou on refuse de leur donner la communion. Des pamphlets circulent, associant les Cercles de Fermières, oeuvre de l'État, à une menace pour la religion catholique. Résultat : près de 10 000 Fermières décident d'obéir aux évêques et de se joindre à l'association rivale.

Durant les 20 années suivantes, la rupture entre les deux associations deviendra de plus en plus nette. Comme le mouvement catholique introduit dans sa constitution l'obligation d'être rurale, les Cercles de Fermières reprennent, dans les villes, les membres qu'elles ont perdus dans les campagnes. Mais qu'à cela ne tienne, l'épiscopat veille au grain. Dès 1946, il tente d'instaurer dans les villes des « Syndicats d'économie domestique ». On soumet la question à Mgr Desranleau, spécialiste des questions syndicales. Mais l'évêque est bien embarrassé : « Les données du syndicalisme professionnel proprement dit, estime-t-il, ne s'appliquent pas tellement aux femmes mariées ; sur ce plan, elles épousent plutôt la profession de leur mari. »

Ce n'est qu'en 1952 qu'une nouvelle association pour les femmes des villes, créée de toutes pièces par les évêques et une habile propagandiste, madame Savard, de Kénogami, est mise sur pied : les Cercles d'économie domestique. Les Cercles de Fermières connaissent une nouvelle baisse de leur *membership*. Ils se voient même associés, sous le verbe coloré de certains prêtres, au spectre du communisme ! Une petite brochure de l'U.C.C., *l'État et les Associations professionnelles*, ne déclare-t-elle pas, en 1945 : « Depuis que les femmes ont été gratifiées du droit de vote, le fait qu'elles soient organisées en cercles dépendant de l'État comporte la possibilité qu'un gouvernement aux abois ou que des politiciens peu scrupuleux soient rentés (*sic*) de profiter de la situation pour influencer indûment leurs votes. » Ainsi, dans sa tentative de domination intégrale de tout le corps social, l'Église n'hésite pas, entre 1944 et 1952, à exercer une influence plus que contestable sur les femmes de la campagne et à accuser l'État des « crimes » qu'elle commet elle-même sans vergogne. L'affaire, on le verra, aura de curieux rebondissements dans les années suivantes.

Contrôler sa consommation

La guerre fait découvrir subitement aux gouvernements l'importance des ménagères. On se rend compte que ce sont elles qui font la plupart des achats à la consommation et, par conséquent, qui décident, dans la mesure de leurs moyens, à quels produits utiliser l'épargne familiale. Leurs habitudes ménagères déterminent ce que la famille mange, ce qui est conservé et ce qui est jeté à la poubelle.

Aussi le gouvernement commence à embrigader les ménagères dans l'effort de guerre : une publicité constante cherche à les impressionner par la nouvelle importance de leurs tâches quotidiennes dans l'économie nationale.

Pendant six ans, toutes les ressources du pays sont consacrées, en priorité, à la guerre. Il faut d'abord fabriquer des armements, nourrir les soldats et les populations alliées, et loger convenablement les troupes avant de permettre à la population civile plus que le strict minimum.

La spéculation et la nouvelle demande pour les denrées alimentaires amènent le gouvernement à instaurer un système de contrôle des produits alimentaires de base. Afin de s'assurer que tout le monde ait accès aux aliments nécessaires et que les plus riches n'emmagasinent pas de produits au détriment des plus pauvres, on distribue des coupons à chacun et ce à travers le pays.

Pour obtenir du beurre, du lait, du sucre, de la viande, du thé ou du café, on doit remettre ses coupons à l'épicier. Ces coupons, sans aucune valeur monétaire, ne servent qu'à assurer à chacun sa part. Les malades et les gens soumis à un régime particulier ont des coupons supplémentaires. Pour les ménagères, ce système impose une planification fastidieuse des repas familiaux et les historiennes Auger et Lamothe racontent comment les gens doivent s'adapter à bien de nouvelles habitudes alimentaires. Par exemple, le sucre est un des premiers aliments à être rationné : la consommation hebdomadaire est fixée en dessous du niveau auquel les gens étaient habitués et faire des confitures ou des marinades devient presque impossible. Il est difficile de recourir aux substituts, puisque le miel, le sirop et la mélasse sont également rationnés. Par contre, les rations de viande sont sensiblement les mêmes qu'avant la guerre. La consommation de produits laitiers est réduite afin d'envoyer plus de beurre et de fromage à l'Angleterre dévastée. Le beurre est rare et la crème, éliminée.

Les ménagères doivent faire preuve de patience et d'ingéniosité : elles s'échangent des recettes adaptées au temps de guerre, font des gâteaux qui ne prennent presque pas de beurre ou de sucre, renouvellent régulièrement les carnets de coupons de sa famille, troquent des coupons avec ses voisines et essayent de s'alimenter par leurs propres moyens. Cultiver son jardin devient donc une nécessité si on veut varier quelque peu son régime alimentaire.

Malgré la menace de fortes amendes, le marché noir connaît son heure de gloire. Il est impossible aux autorités de surveiller tout le monde et bien des marchands font fortune pendant la guerre. Pour contourner le système, tous les moyens sont bons : falsifier des carnets, voler des coupons, s'approprier les carnets des morts et faire envoyer les produits de la ferme par les cousines campagnardes. Dépendant de ses besoins et de ses convictions, tout le monde est plus ou moins complice.

L'inflation, autant que le rationnement, pose un défi aux ménagères. En principe, les prix et les salaires sont soumis à un contrôle strict mais, en réalité, les prix continuent à grimper, particulièrement ceux de la consommation. Les salaires ont augmenté depuis la Crise, mais il n'y a pas tellement plus de produits de consommation à acheter. Les logements manquent, en particulier près des nouvelles usines de guerre. On ne sait où loger les gens qui y oeuvrent. Encore une fois, le gouvernement se fie aux ménagères et on leur demande d'accepter des pensionnaires chez elles. On va même jusqu'à modifier la Loi de l'impôt pour que ce revenu taxable soit largement exempt de la taxation, car ce revenu étant attribuable aux femmes plutôt qu'à leurs maris, souvent, elles n'ont pas assez de revenus pour qu'une taxe soit imposée. Dès 1943, la Commission des prix et du commerce en temps de guerre prend charge directement des logements et des chambres à louer. Elle fixe le montant des loyers et essaie de loger toutes les personnes qui demandent un gîte ; mais, selon les recherches d'Auger et de Lamothe, la demande dépasse l'offre.

Les pensions familiales ne répondent qu'en partie aux besoins de logement. Ainsi, on finit par mettre sur pied l'organisme qui deviendra par la suite la Société canadienne d'hypothèque et de logement. Celui-ci fait mettre en chantier des milliers de petites maisons de construction légère qui ne doivent servir, en principe, que le temps de la guerre. Plusieurs familles se voient obligées de loger ensemble et on remet le mariage au lendemain, faute d'espace disponible, ou l'on consent à vivre chez sa belle-famille.

Les ménagères doivent économiser sur tout. On les encourage à réduire leur consommation d'électricité pour faire fonctionner les usines de guerre et à baisser la température des maisons pour épargner le combustible. Mais c'est dans le recyclage des déchets domestiques qu'elles font l'effort le plus remarquable.

Les historiennes Auger et Lamothe racontent comment l'Office national de récupération des déchets domestiques orchestre la campagne d'éducation destinée surtout aux ménagères. On doit séparer ses déchets et les empiler pour la cueillette. Le métal étant une des substances essentielles pour la manufacture des armes, on demande aux ménagères de garder leurs vieilles casseroles, les boîtes de conserve et autres contenants métalliques pour ensuite les porter dans les récipients aménagés dans les places publiques. Tous les vieux chiffons et les vêtements usés sont ramassés et transformés en uniformes ou en équipement militaire. La graisse, soigneusement purifiée à la maison, est récupérée afin de faire des explosifs, des médicaments et du savon. Même les os sont ramassés car on peut en produire de la glycérine, produit essentiel à la fabrication d'explosifs. Finalement, le papier est recyclé en contenants pour le transport de matériel militaire, mais les vieilles revues et les livres sont empaquetés et envoyés dans les casernes militaires où les soldats s'ennuient.

La guerre va jusqu'à dicter les modes. En 1942, presque tout le tissu étant approprié pour la fabrication d'uniformes, la Commission des prix et du commerce réglemente la longueur des robes.

On interdit les modes qui exigent trop de tissus : franges, revers et même poches inutiles disparaissent. Des bénévoles donnent des cours de couture où l'on apprend à recycler les vêtements. Par exemple, des complets d'hommes deviennent des costumes d'enfants. Heureusement que les femmes en ont déjà l'habitude et savent depuis fort longtemps tailler des robes dans des sacs de moulée ! Le service aux consommateurs de la Commission des prix organise des parades de mode dans les villes, à travers le Canada, où l'on fait la démonstration du mariage possible du recyclage et de l'élégance.

Les organisations féminines en temps de guerre

C'est pendant la guerre que le bénévolat féminin connaît son apogée. Toutes les associations féminines, des plus conservatrices aux plus militantes, se réajustent au rythme de la guerre. Le gouvernement trouve, chez les femmes, des ressources de main-d'oeuvre gratuite inespérées. Habituées à se dévouer pour les autres, les femmes du pays se laissent facilement convaincre que leur temps de loisir doit dorénavant être supprimé au profit du travail.

Dès le début de la guerre, le gouvernement commence à profiter des ressources des organisations bénévoles. En 1940, on crée le nouveau ministère des Services matériaux de guerre et, l'année suivante, la division des Services volontaires féminins est organisée spécialement pour diriger le travail des femmes. Ce service, qui oeuvre dans plus de 30 centres à travers le pays, garde en fichier les noms de toutes les volontaires qui viennent offrir leurs services pour ensuite les diriger là où l'on peut le mieux utiliser leurs talents.

La défense civile compte énormément sur les femmes car on ne sait jamais si les bombes ennemies n'atteindront le Canada et on doit se préparer au pire. L'association ambulancière Saint-Jean forme des auxiliaires qui suivent des cours de premiers soins en cas d'attaque et, puisqu'il faut être célibataire, ce sont surtout les religieuses et les étudiantes qui y participent. À Montréal, on crée une section féminine des pompiers volontaires et, aussi, chaque ménagère doit savoir faire l'obscurité de sa maison et éteindre les bombes incendiaires.

La Croix-Rouge compte principalement sur les femmes pour ramasser les vêtements, articles de toilette et nourriture qu'elle fait expédier en Angleterre ou aux troupes sur le front. On coud et on tricote des vêtements pour être envoyés outre-mer, surtout le soir ou le dimanche, assises autour de la radio ou sur la galerie ; les femmes travaillent sans relâche. Au Québec, où les familles sont nombreuses, le clergé réfractaire au travail des épouses en dehors de chez elles bénit le travail à domicile. En 1942, 35 000 femmes au Québec cousent et tricotent pour la Croix-Rouge, et 80 p. 100 d'entre elles sont des francophones. À la Fédération nationale Saint-Jean-Baptiste, celles qui, en 1910, brodaient les nappes d'autel, tricotent maintenant les chaussettes pour les soldats. D'autres femmes, plus mobiles, travaillent pour la Croix-Rouge à conduire les ambulances ou à administrer les cliniques de sang nécessaires pour les hôpitaux militaires.

À travers le Canada, le Conseil national des femmes du Canada, la Ligue catholique féminine, la Young Women's Christian Association (YWCA), L'Ordre des Filles de l'Empire et le Conseil national des femmes juives se jettent dans l'effort de guerre. Au Québec, la F.N.S.J.B. et le Cercle de Fermières en font autant, et les communautés religieuses mettent leur personnel et leurs locaux à la disposition de l'effort de guerre.

Les mères, épouses et soeurs des officiers de chaque division des forces armées forment un comité d'auxiliaires qui veillent aux besoins des familles des soldats partis à la guerre. Elles distribuent des paniers de provisions, du combustible et des vêtements, en se finançant par des parties de cartes, des galas et des tirages.

En temps de guerre, l'administration de l'économie nationale s'appuie particulièrement sur les femmes. On canalise l'épargne populaire dans l'effort de guerre par les « bons de la victoire », obligations d'épargne émises par le gouvernement du Canada et qui servent à financer les dépenses militaires. Elles donnent 3 p. 100 d'intérêt, le meilleur rendement disponible à cette époque. Les ménagères qui, comme d'autres, craignent que la fin de la guerre ne soit suivie d'une autre dépression, se mettent de l'argent de côté. On facilite la vente des bons par la mise sur le marché de toutes petites unités d'épargne, comme les timbres de 25¢. Le Comité consultatif féminin des finances de guerre, dirigé par Madeleine Perreault et Germaine Parizeau, fait campagne auprès des organisations féminines et la F.N.S.J.B. est particulièrement généreuse dans sa réponse à ces appels.

La collaboration des femmes est indispensable dans le contrôle des prix et le rationnement. À partir de 1941, la Commission des prix et du commerce en temps de guerre devient une lourde machine administrative qui surveille tout le marché de la consommation. Elle s'appuie fortement sur les femmes bénévoles, membres des différentes associations féminines à travers le pays, qui sont enrôlées dans le Service aux consommateurs. Charlotte Whitton, future maire d'Ottawa, et Thérèse Casgrain dirigent le travail des bénévoles qui, divisées en comités locaux, surveillent les prix dans leur quartier, veillent au maintien de la qualité des produits vendus et dénoncent les marchands qui ne respectent pas la loi. Elles font également des suggestions pour continuer le combat contre l'inflation. En 1944, au Québec, 3000 femmes font partie des bénévoles du Service aux consommateurs et les Cercles de Fermières y sont particulièrement actifs dans les régions rurales. D'autres bénévoles, dirigées par le Service aux consommateurs, s'occupent de la distribution hebdomadaire des carnets d'alimentation : puisque ceux-ci ne sont pas envoyés par la poste, les femmes doivent se rendre aux centres de distribution où des milliers de bénévoles assurent le fonctionnement efficace du système de rationnement. En reconnaissance pour l'effort féminin, Mariana Jodoin, présidente du Comité consultatif féminin de Montréal, ainsi que Madeleine Perreault et Germaine Parizeau, seront nommées membres de l'Ordre de l'Empire britannique, une des plus hautes distinctions civiles de l'époque. Thérèse Casgrain deviendra officier du même ordre.

La fin de la guerre soulage toute la population canadienne : les hommes reviennent du front, on relâche les restrictions du temps de guerre et les industries de guerre se reconvertissent aux besoins civils. Les impératifs du pays s'estompent ; les impératifs de la famille priment maintenant pour les femmes.

Mais même après la guerre, la vie n'est pas facile, car on manque de tout parce que les besoins de la population civile avaient été relégués au deuxième plan durant la guerre. La pénurie de logements est particulièrement difficile pour les jeunes familles ; l'inflation persiste presque aussi durement que pendant la guerre et, en 1948, elle atteint un sommet de 12 p. 100. Les épouses, rentrées au foyer ou nouvellement mariées, ne peuvent plus compter sur les bons salaires du temps de la guerre.

Le retour au foyer

La guerre finie, on craint la recrudescence du chômage des années 30. Autant le gouvernement avait déployé tous ses efforts à recruter la main-d'oeuvre féminine, autant il s'efforce maintenant de faire rentrer les femmes au foyer. Il modifie brusquement les lois fiscales pour pénaliser les maris dont l'épouse travaille et démantèle les garderies. Une nouvelle propagande fait miroiter les bienfaits du foyer. Au Québec, dans l'espoir d'y attirer les travailleuses, la Jeunesse ouvrière catholique lance une campagne pour mieux réglementer le travail des domestiques.

Pour les autorités, il semble tellement évident que les femmes doivent maintenant reprendre ce qu'ils appellent leur « vraie place » au foyer, que les forces armées canadiennes vont jusqu'à donner à certaines de leurs membres des cours de préparation à la vie domestique avant de les démobiliser. Celles qui désirent occuper un travail salarié jouissent de la préférence que les employeurs doivent accorder aux anciens combattants ; mais elles ne doivent surtout pas postuler les emplois dits d'hommes. Par exemple, celles qui, pendant la guerre, conduisaient les véhicules militaires, ne deviennent pas chauffeures de camion ; elles sont plutôt refoulées vers leurs secteurs traditionnels d'emploi. Le gouvernement entreprend de payer les études des anciens combattants ; ainsi, bon nombre de jeunes gens ont accès à l'éducation supérieure, bien que peu de femmes se prévalent de ce programme : moins de 150 d'entre elles étudieront dans les universités du Québec. On prête de l'argent aux vétérans pour s'acheter une terre, lancer une entreprise agricole ou construire une maison ; ce programme est axé sur les besoins des hommes et peu de femmes en profitent.

C'est le mariage et les enfants qui occupent la plupart des femmes après la guerre. Partout en Amérique du Nord, on assiste au *baby boom*, cette hausse rapide du taux des naissances. Pendant la Dépression, les gens qui pouvaient pratiquer la contraception limitaient le nombre des enfants ou encore, moyen plus efficace, on remettait le mariage. La guerre avait réduit le chômage et les gens pouvaient de nouveau se marier. Dans la population catholique, les enfants suivent tôt après et la hausse du taux des naissances se fait sentir dès le début des années 40. Partout, les revues féminines glorifient cette redécouverte de la vie domestique. Les mécaniciennes du temps de la guerre doivent être dorénavant des mères de famille hors pair.

La crise du logement est accentuée par le retour à la vie civile et l'explosion démographique. Certaines familles restent dans les « maisons de guerre », lesquelles, construites pour une utilisation temporaire, sont exiguës et souvent peu attrayantes ; d'autres demeurent dans des logements trop petits où les enfants s'entassent les uns sur les autres.

Malgré ces inconvénients, la transformation de la femme guerrière en femme d'intérieur se poursuit. Partout, les femmes se font rappeler les joies de la vie domestique et de la féminité dans tous ses attraits les plus traditionnels. Quand Dior, la maison de couture parisienne, lance, en 1948, son *New Look*, les femmes de l'Occident entier essaient, tant bien que mal, de la suivre. C'est une mode qui se caractérise par les talons hauts, les tailles de guêpe et les jupes longues et volumineuses : tous des éléments qui soulignent la sexualité féminine et qui rendent à nouveau l'habillement très peu fonctionnel. Mais les femmes ne se livrent guère à ce genre de réflexion car, après des années de privation, elles ne sont que trop heureuses de se vêtir de robes volumineuses.

Les travailleuses protestent

En dépit de cette revalorisation de la femme au foyer, toutes les travailleuses ne peuvent se permettre de rentrer chez elles, car la participation féminine à la main-d'oeuvre salariée ne cesse d'augmenter, même après la guerre. Dans la décennie 1941-1951, elle augmente, au Québec, de presque un tiers — plus vite même que la population féminine en âge de travailler.

L'hostilité des milieux cléricaux, nationaux et intellectuels face au travail féminin ne réussit pas à garder toutes les épouses chez elles. L'historienne Francine Barry constate qu'en 1941, 8 p. 100 des travailleuses sont mariées ; en 1951, elles sont plus de 17 p. 100. Cet accroissement du travail des femmes mariées semble être plus perceptible chez les ouvrières du secteur de la production, car c'est effectivement la classe ouvrière qui est la plus vulnérable à la hausse des prix. C'est dans les familles ouvrières qu'on doit absolument s'assurer l'apport de plus d'un gagne-pain. Gail Cuthbert-Brandt, qui a étudié le cycle de vie des travailleuses à la Dominion Textile de Valleyfield, constate qu'à partir de 1940, un nouveau phénomène s'amorce : elles ont tendance à se marier plus jeunes que leurs prédécesseures et beaucoup d'entre elles retournent au travail après la naissance des enfants. Un tiers de celles qui se marient après 1940 tentent de limiter leurs familles en se servant de la méthode de contraception Ogino-Knauss, seule permise pour les catholiques.

Les travailleuses d'après-guerre font face à une conjoncture difficile. En 1944, le gouvernement Godbout promulgue le premier Code du travail, code qui a pour effet de restreindre sévèrement les conditions d'exercice du droit de grève à tous les travailleurs et travailleuses du secteur public. L'arrivée au pouvoir de Duplessis, à la fin de cette même année, est le signal de départ d'une véritable campagne de répression contre les syndicats. Duplessis n'hésite pas à se servir de son inique Loi du cadenas contre les militants syndicaux. Il aménage les lois de sorte que l'on puisse retirer les certificats de reconnaissance aux syndicats jugés trop contestataires, ce qui les empêche de faire la grève dans la légalité. On déclenche une chasse aux communistes et à leurs sympathisants dans le mouvement ouvrier.

Au Québec, l'industrie du textile est, à cette époque, un des plus gros employeurs de femmes. Cependant, par rapport au total de la main-d'oeuvre dans cette industrie leur pourcentage n'est plus que de 32 p. 100 en 1951, alors que les femmes formaient la moitié des effectifs en 1911. La mécanisation a modifié beaucoup de postes et les patrons préfèrent les donner aux hommes. Les femmes sont de plus en plus reléguées au travail non spécialisé et mal rémunéré.

En 1946, les 6000 femmes et hommes qui travaillent à la Dominion Textile à Montréal et à Valleyfield se mettent en grève pendant 100 jours. Leurs leaders : Madeleine Parent et son mari, Kent Rowley, dirigeants du Syndicat des ouvriers unis du textile d'Amérique. Duplessis envoie la police provinciale pour intimider les grévistes et on arrête les dirigeants syndicaux à plusieurs reprises. Kent Rowley purge six mois de prison pour « conspiration séditieuse ». Toutefois, les grévistes en sortent victorieux, obtenant la reconnaissance du syndicat, une première convention collective et la journée de huit heures. L'année suivante, le même scénario se déroule lorsque débrayent les 700 employées des usines de textile Ayers à Lachute. Cette fois, la grève dure plus de cinq mois et se solde par un échec. Madeleine Parent et le président du syndicat sont trouvés coupables de conspiration séditieuse par un jury et condamnés à deux ans de prison. Ils ne purgeront jamais cette sentence car leur procès dut être annulé à cause de problèmes de transcription et il n'y aura pas de nouveau procès. Cinq ans plus tard, Madeleine Parent et son mari seront expulsés du syndicat.

Mais la persécution de Parent n'effraie pas les ouvrières. En 1947, elles se joignent aux autres travailleurs de la Dominion Textile — 6000 personnes en tout — et déclenchent la grève aux usines de Montmorency, Sherbrooke, Drummondville et Magog. Cette fois-ci, les grévistes l'emportent. L'industrie du tabac emploie, elle aussi, beaucoup de personnel féminin. En 1951, les 3000 employées de l'Imperial Tobacco se mettent en grève et gagnent leurs revendications. Mais, l'année suivante, les forces syndicales ont moins de chance lorsque les employées d'une usine de textile à Louiseville débraient : Duplessis envoie la police pour aider à briser la grève et après onze mois, on rentre au travail, toujours sans syndicat et sans convention collective.

En 1932, la grève du grand magasin à rayons de Montréal, *Dupuis Frères*, fait sortir quelque huit cents femmes. Leur victoire, quelques mois après, est particulièrement significative, car elle démontre qu'on peut faire mobiliser les travailleuses mal payées du secteur du commerce contre leurs patrons, même si ceux-ci sont aussi des catholiques francophones. Après la signature de la convention collective, les autres grands magasins de Montréal doivent emboîter le pas et verser à leur personnel de meilleurs salaires et améliorer les conditions de travail.

Dans le secteur de l'enseignement public, les années 40 sont le théâtre de deux phénomènes conjoints : la laïcisation du personnel et sa syndicalisation. Il est difficile, toutefois, de connaître avec précision à quel rythme se produit la laïcisation, car l'existence du réseau privé brouille le panorama d'ensemble. Cet enseignement privé est complètement dominé par les communautés religieuses féminines. De plus, l'enseignement public dans les villes est dominé également par les religieuses. Les fonctions les plus ingrates et les moins bien rétribuées restent toujours les écoles de rang où on n'y trouve que des institutrices laïques.

Entre 1940 et 1950, le nombre d'institutrices dans les écoles publiques passe de 9846 à 11 957, tandis que celui des religieuses baisse de 7184 à 6064. Le bas salaire des institutrices, à peine 600$ par année en moyenne, explique la rapide progression de la syndicalisation des enseignants au cours de la décennie. Le premier syndicat d'enseignants, celui des institutrices rurales, aboutit, en 1946, après de nombreuses étapes, à la Corporation des instituteurs et institutrices catholiques de la province de Québec, la C.I.C. Ses membres sont évalués à plus de 10 000 (les religieux en sont exclus), dont 85 p. 100 sont des femmes. Le plus important syndicat de cette « centrale », l'Alliance des professeurs de Mont-réal, est dirigé par Léo Guindon. À l'exécutif, trois femmes, dont Marianna Marsan et Fabiola Gauthier. En 1949, ce syndicat réclame de modestes augmentations de salaire, et, devant le refus de la C.E.C.M., les enseignants de Montréal décident d'opter pour une grève illégale ; illégale, parce que cette mesure est interdite dans le secteur public.

Les enseignantes de Montréal payent cher cette désobéissance. Après six jours de grève, l'évêque de Montréal y va de son auto-rité morale pour leur « conseiller » (*!*) de rentrer au travail. Le syndicat perd son accréditation (il ne la retrouvera qu'en 1959). Le mouvement syndical des enseignants se divise en de nombreuses factions qui mettront du temps à refaire l'unanimité. Quand le syndicalisme enseignant relèvera la tête, après ces années de crise, il sera entièrement dominé par les instituteurs.

Madeleine Parent

Madeleine Parent n'était pas une femme comme les autres, et c'est peut-être ce que la bonne société bourgeoise de l'après-guerre ne lui pardonnait pas. Malgré une éducation au couvent du Sacré-Coeur à Montréal, elle rencontre, pendant ses études à McGill, des socialistes de l'époque et forme le désir de travailler pour modifier le sort de la classe ouvrière. À la fin de ses études en 1940, elle fait de l'action syndicale béné-vole et occupe un poste de secrétaire au Comité national d'or-ganisation à l'effort de guerre. Ensuite, elle participe à l'organisation des travailleurs et travailleuses des industries de guerre et, finalement, elle passe à l'organisation syndicale de l'industrie du textile, secteur qui emploie beaucoup de femmes et où les salaires sont particulièrement bas.

C'est une organisatrice hors pair qui sait faire inscrire des milliers de travailleurs et de travailleuses dans le Syndicat des ouvriers unis des textiles d'Amérique. Son sens de la stratégie syndicale et ses dons de leader la classent parmi les grands chefs syndicaux de cette époque.

Duplessis veut faire discréditer Madeleine Parent et son mari Kent Rowley à tout prix, d'où les accusations d'agissements illégaux qu'il fait porter contre elle. Lors de son procès pour conspiration séditieuse en 1948, le juge qui instruit l'affaire dit au jury :

(...) vous êtes douze hommes chevaleresques, généreux, peut-être y a-t-il des pères de famille, des époux parmi vous. Il est dur parfois de donner une leçon à un de ses semblables, surtout quand l'accusée est une jeune femme, d'une belle éducation, appartenant à une excellente famille, mais qui s'est fourvoyée dans un milieu qui n'était pas le sien et où nécessairement elle devait être broyée par son entourage.

Source : Allocution de l'honorable juge Philémon Cousineau au jury, *La Reine C. Madeleine Parent et Azélus Beaucage*, Cour du banc de la Reine, district de Terrebonne, no 522, 6 février 1948. Fonds Bernard Mergler, Archives de l'Université du Québec à Montréal.

C'est l'époque de la chasse aux communistes. En 1952, Kent Rowley, affilié au Parti communiste canadien, et Madeleine Parent sont limogés par la haute direction américaine du syndicat. Ils s'établissent en Ontario et continuent d'organiser les ouvriers et ouvrières du textile de cette province, fondant éventuellement la nouvelle centrale pan-canadienne, le Conseil des syndicats canadien.

L'éducation des femmes : le torchon ou la toge ?

C'est durant la décennie 1940-1950 que la mainmise cléricale sur l'éducation se fait sérieusement contester. En 1943, le gouvernement libéral d'Adélard Godbout vote la Loi de l'instruction obligatoire jusqu'à l'âge de 14 ans. Le clergé se résigne à cette ingérence de l'État dans l'éducation, mais obtient un contrôle omniprésent sur le contenu des nouveaux programmes suscités par cette réforme scolaire. La décennie 1940-1950 est aussi l'époque où le contrôle clérical de l'éducation féminine atteint son apogée et commence à susciter des remises en question profondes et même amères.

Les jeunes filles du Québec, à cette époque, ont toujours été victimes de l'idéologie qui refuse de voir que les femmes peuvent s'épanouir ailleurs qu'au sein du foyer. En effet, en 1941, on retrouve 46 p. 100 des Montréalaises âgées de 15 à 24 ans intégrées à la main-d'oeuvre ; un autre 16 p. 100 se retrouve à l'école et 16 p. 100 sont déjà mariées. Le restant, soit 22 p. 100, ne rentrent dans aucune des catégories. Que font-elles ? Force est de conclure qu'elles demeurent à la maison assistant leurs mères dans les travaux ménagers, s'occupant des bambins dans les grandes familles ou soignant de vieux parents. Le sort de cette génération de femmes, vouées par les circonstances au bien-être de leurs familles, est particulièrement remarquable lorsqu'on sait qu'en Ontario, la province voisine, il n'y a que 3 p. 100 des femmes qui se trouvent dans des circonstances similaires. Même en déduisant celles qui se trouvent dans des communautés religieuses, il faut conclure que beaucoup de jeunes Québécoises ont pour seule perspective d'avenir les travaux ménagers.

L'abbé Tessier croit dompter Thérèse Casgrain

Thérèse Casgrain avait critiqué publiquement le choix d'un homme, l'abbé Albert Tessier, à la tête du réseau des écoles ménagères. L'extrait suivant de l'autobiographie de Tessier démontre pourquoi Casgrain exerçait une force redoutable contre les élites masculines traditionnelles : son esprit et son charme, sans parler de ses amis influents, désarmaient les adversaires.

Un ami commun, Jean-Marie Gauvreau, conseilla à madame Casgrain de rencontrer le nouveau visiteur, l'assurant qu'elle changerait d'avis. Elle m'invita aimablement à dîner. Je lui répondis que j'acceptais, à condition de limiter le couvert à un couteau, une cuiller et une fourchette, afin de ne pas m'embarrasser et je la priai de ne pas me servir de gâteau, car je n'aime pas ce dessert, même quand il est réussi.

Le dîner fut très agréable. Au dessert, elle servit des « madeleines » pour m'exprimer sa contrition.

Source : Albert Tessier, *Souvenirs en vrac*, Montréal, Boréal Express, 1974, p. 199.

Cette orientation unique en fonction d'une famille éventuelle est renforcée au cours des années 40 avec l'expansion des écoles ménagères. Le cardinal Villeneuve, ennemi du suffrage féminin, fait nommer, en 1937, le dynamique abbé Albert Tessier à la direction des écoles d'enseignement ménager. Ami personnel de Maurice Duplessis, l'abbé Tessier réorganise complètement l'enseignement ménager : dans un monde de plus en plus urbain, cet enseignement naguère domestique et agricole se transforme en enseignement féminin et familial car un véritable culte de la féminité et de la vie familiale y est développé. Les matières techniques et académiques cèdent le pas à des matières exclusivement « éducatives » ou plutôt endoctrinantes. Le cours s'est allongé de deux ans (jusqu'à la treizième année), mais il s'est allégé sur le plan strictement scolaire. Des finissantes ont de la difficulté à réussir l'examen régulier de onzième année. On compte, en 1940, 20 écoles ménagères et une quarantaine d'écoles moyennes familiales qui ne donnent qu'un enseignement allégé équivalent à une neuvième année. En 1950, on trouve 38 écoles ménagères (elles ont presque doublé) et 70 écoles moyennes (augmentation de 75 p. 100). Dès 1942 les finissantes peuvent atteindre le niveau universitaire en fréquentant l'École supérieure de pédagogie familiale d'Outremont, affiliée à l'Université de Montréal, qui décerne un baccalauréat en pédagogie familiale. À Québec, les religieuses de la congrégation Notre-Dame fondent une école supérieure ménagère, intégrée à l'université Laval, qui octroie un baccalauréat en sciences domestiques.

On se pique donc d'offrir, au Québec, un réseau complet d'enseignement spécifiquement féminin. L'abbé Tessier s'en fait l'habile propagandiste. Homme d'action et bon pédagogue, il introduit des réformes qui scandalisent les religieuses chargées de l'enseignement ménager et sous son influence, elles finissent par céder : les uniformes noirs des étudiantes disparaissent ; les écoles austères seront dorénavant décorées de couleurs vives ; on renonce à ouvrir le courrier personnel des jeunes filles ; les bourses sont faciles à obtenir et nombreuses et ainsi, la clientèle est assurée. Tessier voudrait bien que le diplôme décerné ne soit pas orienté vers le marché du travail, mais les religieuses lui font comprendre que les parents l'exigent. C'est pourquoi il accepte, en 1941, qu'on décerne à « ses » finissantes le diplôme dit « supérieur » donnant le droit d'enseigner les arts ménagers au niveau primaire. C'est dans ce climat qu'en 1951, le nom d'« école ménagère » cède le pas à celui d'« institut familial ». On vient de plusieurs pays étudier ce système original qui consacre la spécificité de la femme, vouée naturellement « à relever, perfectionner et défendre la vie au foyer » ! On surnomme ces couvents « écoles de bonheur », c'est tout dire ! On y vit en vase clos, maintenant les étudiantes dans une vision idyllique de la réalité quotidienne. L'institut familial représente parfaitement l'image que l'élite francophone se fait alors de la place des femmes dans la société : elles sont des « maîtresses de maison dépareillées ».

Toutefois, l'essor de l'enseignement ménager, dans les années 1940-1950, est contemporain d'un phénomène tout aussi impressionnant : l'expansion du réseau des écoles normales. À l'époque de la guerre, plus de 75 p. 100 des enseignantes catholiques n'étaient jamais passées par une école normale : elles ne possédaient qu'un brevet du Bureau des examinateurs catholiques, obtenu à la sortie du couvent. Conjuguée aux conséquences créées par la Loi de l'instruction obligatoire, la suppression du Bureau des examinateurs, en 1939, entraîne donc l'expansion du réseau des écoles normales. Pas moins de 23 écoles normales de filles, catholiques et francophones, sont ouvertes au Québec entre 1940 et 1950, et le nombre annuel moyen de diplômées passe de 712 à 1636. Évidemment, les candidates se contentent en majorité du diplôme le moins exigeant, le diplôme élémentaire. Mais, malgré tout, un mouvement est en marche pour améliorer la formation des institutrices. Pendant ce temps, les anglophones, catholiques et protestantes, continuent à fréquenter la School for Teachers au collège Macdonald de l'université McGill.

Les stages de puériculture à l'Institut de pédagogie familiale

Durant dix jours, les stagiaires avaient charge d'un bébé de quelques semaines et d'un enfant de 2 à 3 ans. Elles prodiguaient à leurs deux protégés les soins d'hygiène et de propreté ; elles préparaient et distribuaient les rations alimentaires ; elles apprenaient aussi à traiter les malaises bénins. Des infirmières et des médecins guidaient leur travail. Les élèves revenaient de cette plongée dans la vie plus mûries, plus ouvertes aux réalités. Émues et touchées aussi.

Le stage de maîtresse de maison contribuait aussi, à sa façon, au mûrissement des élèves. Les étudiantes de 3e et de 4e années y participaient obligatoirement. Durant une semaine, la maîtresse de maison avait la responsabilité entière du petit foyer. Au début des expériences de vie domestique, le petit foyer consistait dans une salle plus ou moins aménagée, mais dans la suite il devint une vraie maison comportant une cuisine, une salle à manger, deux chambres, et tout l'équipement d'un foyer moderne.

Chaque stagiaire disposait d'un montant fixé selon les cotes du coût de la vie ; cette somme devait suffire pour nourrir quatre ou cinq personnes pendant une semaine. En plus des repas quotidiens, un repas de cérémonie était prévu pour la réception des parents, du curé ou d'invités spéciaux.

La religieuse responsable du « Petit Foyer » devait laisser toute autorité à la maman de la semaine. Après avoir établi son programme, fixé des menus économiques et bien équilibrés, elle pouvait soumettre son plan d'ensemble, mais la religieuse ne devait intervenir que pour prévenir des erreurs trop graves de calcul ou de répartition des aliments. La maman devait faire elle-même son marché, assistée d'une compagne, non d'une religieuse. La « surveillante » se contentait, en fin de stage, de produire une analyse critique et de donner à chacune une appréciation motivée.

En plus des repas, la maman de la semaine devait s'acquitter des besognes normales d'un foyer bien tenu : ménage, lessive, entretien du linge, repassage, etc... Toutes étaient d'accord pour dire que cette semaine expérimentale valait des douzaines de cours théoriques.

Quand nous arrivions à l'improviste, la maîtresse de maison devait nous recevoir à table. Je me souviens d'un souper de fin de stage, où il fallait consommer les restes... La petite maman était à court de beurre, mais elle avait un surplus de pain. Elle se rendit chez l'épicier et réussit à négocier un troc. Elle raconta ce petit incident avec humour et conclut : « En tout cas, si je me marie, je vais essayer de trouver un parti qui gagne plus que $30.00 par semaine. »

Source : Albert Tessier, *Souvenirs en vrac, op. cit.,* p. 255-256.

La société francophone, surtout, réalise que, même pour les filles, il faut un diplôme pour travailler. Cette idée va faire son chemin, régulièrement entretenue par les quelques féministes de l'époque qui, s'apercevant d'abord que l'essor de l'enseignement ménager siphonne les femmes vers une formation résolument traditionnelle sans même leur donner les avantages d'une culture générale, le dénoncent publiquement. De plus, la bourgeoisie francophone se rend compte que, pour que ses filles épousent un professionnel, il est très utile d'avoir abordé au moins les études classiques. Enfin, on fait tomber les dernières barrières à l'entrée des femmes dans certaines professions libérales : le droit, notamment, en 1941 et le notariat, en 1956. En 1946, l'université McGill remet un diplôme d'ingénieur à la première femme admise à la faculté de génie.

Des combats d'arrière-garde éclatent. Un collège classique féminin lance un débat public : « Vadrouille vs Baccalauréat. » En 1946, le collège Marie-Anne rafle presque tous les prix au concours de l'Association de la jeunesse catholique et distance de loin son plus grand rival, le prestigieux collège Jean-de-Brébeuf, ouvert, à cette époque, aux garçons seulement. Les journaux étudiants des universités francophones se remplissent de propos aigres-doux sur la présence des filles dans les collèges classiques. Manifestement, à l'heure où on crée les « instituts familiaux », l'éducation des filles est à l'ordre du jour.

XIII

Femmes d'aujourd'hui

La mystique féminine

Aux États-Unis, depuis les années 20, une minorité de femmes instruites et exerçant une profession avait imposé une nouvelle image de femme : la femme de carrière. Les années folles du charleston avaient popularisé l'image de la jeune femme émancipée, sexuellement avertie, la *flapper*. Le *birth control* était devenu une réalité statistiquement visible dans presque tous les milieux. Comme partout, la guerre de 1939-1945, en mobilisant les femmes, avait créé une situation spéciale, justifiée par l'urgence de la conjoncture internationale. Ce modèle était également celui des Québécoises anglophones.

Après la guerre, aux États-Unis, tout le monde, hommes et femmes, a considéré le mariage et la famille comme le lieu le plus sûr pour se protéger de tous les problèmes. L'inflation était grande et la mémoire de la Crise était fraîche encore. Les experts ont avancé que le marché du travail ne pouvait absorber les anciens combattants tout en maintenant en activité la main-d'oeuvre féminine. Le désir de retourner à la vie normale contribua à entretenir un climat social particulièrement conservateur. Les revendications féministes se sont estompées ; la proportion de filles aux études se mit à décroître ; l'âge moyen des filles à leur mariage s'abaissa jusqu'à 19 ans ; le nombre d'enfants par famille se mit à croître, le fameux *baby boom ;* les familles, par millions, se déplacèrent dans les banlieues. Une véritable concertation des autorités politiques, économiques et sociales persuada les femmes américaines

La mystique féminine est inaccessible sans l'électricité.
Photo Ronny Jaques

que la carrière de bonne ménagère, *Good Housekeeping*, était le salut et le secret du bonheur pour toutes les femmes. *The Feminine Mystique*, déferlait sur toute l'Amérique.

Cette idéologie est véhiculée au Québec par tous les médias. À vrai dire, le discours sur la mystique féminine n'avait rien de nouveau pour les francophones, mais cette ambiance s'est trouvé à rapprocher les anglophones des francophones. Les deux groupes manifestent soudain beaucoup moins d'écarts dans leurs comportements respectifs. La guerre avait pu signifier une transformation dans les rôles pour les unes et les autres. L'après-guerre et la mystique féminine marquent, pour toutes, un retour à des valeurs plus traditionnelles. Mais il se produit alors un phénomène curieux. L'idéal de la femme-mère-de-famille, heureuse de s'épanouir au milieu de ses enfants et à travers les mille gadgets de la vie moderne (qui souvent ne diminuent pas le temps consacré aux tâches domestiques), se retrouve partout : dans les magazines, la publicité, la télévision, les supermarchés, le cinéma, etc. Les curés ont donc mis la sourdine peu à peu au discours traditionnel qui invitait les femmes à rester à la maison. Aussi étrange que cela paraisse, c'est à la faveur de la mystique féminine que les Québécoises modifient leur image d'elles-mêmes. Car le « beau métier de femme » est devenu une occupation très sophistiquée.

Faire la cuisine ne suffit plus. Il faut varier les menus, suivre les principes d'une saine alimentation, utiliser au maximum les ressources du congélateur, du *blender*, du *presto*, du *Corning ware*, etc. Il faut courir les endroits les plus économiques pour faire son marché. Savoir coudre est devenu un impératif. Les machines à coudre font maintenant les plissés, les boutonnières, les piqûres et mille autres points. On passe des patrons *Simplicity* aux patrons *Butterick* en attendant d'accéder aux prestigieuses coupes de *Vogue*. Le nettoyage se raffine et le savon devient un produit qui se présente déguisé en canettes et en bouteilles. Faire le ménage représente une véritable entreprise. L'éducation des enfants se transforme en redoutable occupation. *L'École des parents* n'en finit plus de prodiguer ses conseils. Les dilemmes se multiplient : Faut-il permettre ou interdire ? Quel jouet éducatif faut-il acheter ? Comment devenir l'amie de ses enfants ? Faut-il éduquer à la propreté à un an ou à deux ans ? À quel âge peut-on autoriser les sorties mixtes ? La maison doit être bien décorée et, de préférence, il faut tout faire soi-même : les tentures, les couvre-lits, le papier-peint, la décoration florale. Il faut être jolie, bien coiffée et bien maquillée, surtout à six heures quand monsieur revient du travail. Il faut savoir recevoir, préparer les buffets, organiser les *parties* en laissant à monsieur le soin de mélanger les cocktails. Et dans ses moments de loisir, il faut aller aux réunions d'écoles, s'occuper de la bibliothèque municipale, de la campagne de souscription des scouts, fréquenter les associations d'action catholique et aider son mari à tenir la comptabilité.

Par ailleurs, il est devenu de plus en plus difficile de trouver des domestiques. Si des bourgeoises ont espéré que la fin de la guerre leur ramènerait des servantes, elles doivent déchanter. De plus en plus de femmes doivent se tourner vers une nouvelle forme d'aide domestique : la femme de ménage. Mais surtout, la majorité des femmes devient progressivement les domestiques de leur famille, même les plus privilégiées. Dans une maison où on a accès à toutes les commodités, ce travail devenue facile peut être très créateur et valorisant affirment les chantres de la mystique féminine.

La mystique féminine a affecté bien différemment les femmes de la classe ouvrière. Elles n'ont évidemment ni le temps ni l'argent de se conformer aux images des magazines. Par ailleurs, ces images sont omniprésentes à travers les médias, surtout la télévision, ouverte en permanence dans la cuisine. Il en résulte une attitude défensive et inconfortable, car les anciens modèles sont devenus insatisfaisants.

Des études sur la presse féminine ont démontré que les propriétaires de magazines féminins proposent, pour ces femmes, un produit différent, moins axé sur la consommation de luxe mais polarisé sur le rêve. Romans-photos, journaux illustrés consacrés aux vedettes, *Confidences*, et autres magazines à la même farine constituent la version populaire de la mystique féminine. Tout, dans ces messages, est orienté pour diluer le constat des inégalités sociales et de l'injustice dans un univers idéaliste où les sentiments peuvent avoir raison de toutes les difficultés.

La réalité, on s'en doute, est tout autre. La dépendance économique de ces femmes est grande et elles savent qu'elles devront aller travailler si leur mari se trouve temporairement sans emploi. Pour elles, le travail salarié est une corvée à laquelle elles espèrent échapper car seuls les emplois les moins gratifiants et les moins rémunérés leur sont possibles. Dans ces ménages l'autorité du chef de famille est peu discutée. La communication est réduite au minimum entre les conjoints, et les femmes en souffrent car elles sont plus que les hommes perméables aux messages venus des classes moyennes. Elles entretiennent entre elles des réseaux d'amitié pendant que leurs hommes pratiquent ensemble des loisirs dits « masculins ».

Ne pouvant s'adonner à tous les raffinements dits « féminins » des femmes de la classe moyenne, elles se valorisent principalement à travers leurs enfants. Mais, comme elles ne peuvent leur offrir tous les avantages éducatifs ou économiques des « autres », elles en éprouvent une nouvelle frustration qu'elles réussissent difficilement à formuler.

En réalité, on connaît très peu de choses sur le vécu des femmes de la classe ouvrière des années 50. Les premières études qui se sont penchées sur ces questions ont été faites au début des années 70. En fait, c'est toute la mémoire collective de la classe ouvrière qui est absente de notre connaissance du passé, même récent. Et les études sur la classe ouvrière ont évidemment laissé dans l'ombre les femmes d'ouvriers qui n'étaient pas elles-mêmes des ouvrières. Il est certain que d'autres valeurs et d'autres problèmes ont marqué ces femmes, mais les transformations qui occupèrent le devant de la scène ont retenu toute l'attention. Il faut donc garder en mémoire que ce qui se passe dans les classes moyennes ne caractérise pas le vécu de toutes les Québécoises, loin de là. Mais ce qui s'y passe sera déterminant pour l'avenir collectif des femmes.

Un *éditorial de* Châtelaine
en 1960

Il importe que la femme cultive avec une perfection toujours plus grande l'élégance et la beauté, ainsi que les divers arts ménagers qui perpétuent dans notre vie quotidienne les plus belles traditions françaises. D'autre part, les beaux-arts et la politique, l'éducation, la science ou les problèmes sociaux ne sont plus aujourd'hui une chasse gardée du sexe fort ; il est bon aussi que l'« honnête femme » ait des « lumières sur tout », puisque son sort et celui de ses enfants sont liés au destin du monde.

Fernande Saint-Martin

Source : Châtelaine, vol. I, no 1, octobre 1960, p. 3.

En effet, après 1950, des femmes accèdent, sans bruit, à ce qu'il leur semble être l'égalité. Elles se voient ouvrir plusieurs portes, naguère fermement closes, à la condition qu'elles demeurent de « vraies femmes » qui respectent leur vocation maternelle et familiale. Elles peuvent se préoccuper de questions socio-politiques, de culture et d'art à la condition de demeurer des anges du foyer. Elles peuvent militer dans des associations multiples, en faisant la preuve que ni les enfants ni le mari n'en souffrent.

La période 1950-1964 est donc la période type où de profonds changements structurels sont jumelés à d'irréversibles transformations de mentalités. Curieusement, cette époque est celle où le militantisme féminin et féministe est, pour ainsi dire, muet. Les Québécoises, à ce qu'il semble, sont trop occupées à changer leur vie personnelle pour militer collectivement en tant que femmes. Voyons plutôt.

Empêcher la famille

Au début des années 50, le taux de natalité de la province de Québec est à la hausse. Il a rejoint, à la faveur de la guerre, le taux précédant la grande crise économique des années 30. La revanche des berceaux, on le dirait bien, est repartie de plus belle. Mais ce *baby boom* n'est qu'une illusion statistique. On ne doit pas perdre de vue que, depuis plus d'un siècle, le taux de natalité décroît régulièrement au Québec. Le phénomène est statistiquement évident au 19e siècle et il se généralise de plus en plus durant la première moitié du 20e siècle. En réalité, la remontée du taux de natalité dissimule un phénomène bien différent. C'est le nombre de femmes qui ont effectivement des enfants qui augmente. En effet, un nombre beaucoup plus grand de femmes se marient et ont des enfants. D'autre part, la guerre a constitué un intervalle qui a obligé bien des couples à différer les naissances. Les grosses familles, elles, deviennent de plus en plus rares. Jacques Henripin, commentant les statistiques vitales du recensement de 1961, affirme : « Ce sont les familles sans enfants et les familles de six enfants et plus qui tendent à disparaître, tandis que se produit une concentration des familles de deux à quatre enfants. » Toutefois, ce qui se produit au Québec est spectaculaire. À partir de 1955, le taux de natalité effectue une diminution rapide, baissant de 10 points en 10 ans, soit entre 1956 et 1966. Des phénomènes qui, dans d'autres sociétés, ont mis un siècle à se produire, se sont effectués ici avec une rapidité remarquable. Le mouvement s'amorce d'abord chez les femmes qui ont atteint le niveau d'études supérieures pour rejoindre progressivement les classes moins scolarisées. De même, la tendance démarre dans les villes pour rejoindre, un peu plus tard, les régions plus éloignées. Que s'est-il produit ?

La baisse de la natalité, au Québec, est un événement majeur et mérite qu'on s'y arrête plus longuement. Un ensemble de faits, d'origine variée, décrit le contexte extérieur du phénomène. Tout d'abord, l'information concernant la contraception s'est enfin mise à circuler. Longtemps interdite, on l'a vu, elle circule maintenant plus largement. Depuis 1944, l'Église offre aux futurs mariés un *Cours de préparation au mariage* qui comporte, entre autres, trois chapitres qui sont présentés avec un avertissement solennel, encadré de noir : « Vous ne devez, en conscience, communiquer ce cours à d'autres. Serrez-en (*sic*) le texte soigneusement. » Ces chapitres sont :

10 — Anatomie masculine et féminine
11 — Relations entre les époux, grossesse, naissance et allaitement
13 — Ce qui est permis, ce qui est défendu dans le mariage[1].

Ce dernier chapitre présente, dans un discours entièrement contaminé par la notion de péché, une section sur le contrôle des naissances. L'expression *planned parenthood* y est qualifié de satanique. Toutefois, on informe les futurs époux de la méthode Ogino-Knauss et on dresse la liste des situations où on peut l'utiliser sans péché.

La conduite à tenir, on s'en doute, est d'une sévérité extrême. Mais le seul fait que l'information soit diffusée est un énorme progrès sur la génération précédente.

Par le biais des cours de préparation au mariage, des associations catholiques telles que le Service d'orientation des foyers, les foyers Notre-Dame, la Ligue ouvrière catholique, des couples de plus en plus nombreux en viennent à discuter ouvertement de contraception. Autre innovation : dans un diocèse, celui de Mont-Laurier, on autorise les retraites fermées conjugales, où mari et femme partagent la même chambre, véritables vacances annuelles sans enfants, dans le décor des Laurentides ! À partir de 1955, une nouvelle méthode contraceptive est connue, via des revues médicales françaises, et diffusée dans les associations catholiques par un couple de Lachine, Rita Henry et Gilles Brault. La méthode symp-

Cours de préparation au mariage

L'épouse désireuse d'avoir des enfants et opposée aux pratiques d'un mari onaniste peut se trouver dans des inquiétudes de conscience angoissantes. Que doit-elle faire ? Le recours à un confesseur sera souvent d'un grand secours pour calmer sa conscience.

1° CAS OÙ LE MARIE EMPLOIE DES INSTRUMENTS :

L'épouse ne peut demander les relations. Elle ne pourrait non plus les accepter que par crainte de conséquences très graves de son refus, et à condition de refuser intérieurement tout consentement à la jouissance complète.

2° CAS OÙ L'ÉPOUSE SAIT QUE LE MARI va interrompre les relations pour répandre la semence en dehors du vagin :

a) Acceptation des relations par l'épouse :

1. L'épouse doit d'abord signifier à son époux qu'elle s'oppose à cette façon d'agir ;

2. Après quoi si elle craint des conséquences graves de son refus, elle pourrait accepter les relations et les jouissances même complètes qui se produiraient durant tout le temps que l'action se fait bien. Mais elle ne pourrait se procurer (ou se faire procurer) ensuite des jouissances au cas où elle ne les aurait pas eues.

b) Demande des relations par l'épouse :

1. L'épouse qui prévoit que son mari n'accomplira pas comme il le faut l'acte du mariage ne péchera pas en demandant les relations.

2. Pour ce qui est de la jouissance : elle pourra accepter les jouissances même complètes qui se produiraient durant tout le temps que l'action se fait bien. Mais elle ne pourrait se procurer (ou se faire procurer) des jouissances au cas où elle ne les aurait pas eues alors.

Source : Cours de Préparation au Mariage, *Ch. 13, p. 10, Action catholique canadienne, Service de préparation au mariage du diocèse de Montréal, Ottawa,* Le Droit, *1944.*

to-thermique, mieux connue sous le nom de « méthode du thermo-
mètre », vient de faire son apparition et, après bien des étapes, la
première association officielle de contraception francophone voit
donc le jour. C'est l'origine de Serena, association qui préconise
l'emploi de méthodes naturelles. De 1955 à 1960, elle est la seule
association à s'occuper officiellement de contraception et elle contribue à diffuser des idées nouvelles. Comme beaucoup d'idées
nouvelles à l'époque, elle est issue des milieux de l'action catholique.

Les réticences du monde médical sont aussi grandes, sinon
plus, que celles du monde religieux. C'est l'époque où les femmes
se passent le nom des « bons docteurs » et celui des « bons confesseurs ».

À partir de 1960, la question de la contraception devient un
pôle d'intérêt généralisé. Des articles-chocs qui paraissent dans
Time, La Patrie, Actualité, Marie Claire, contribuent à propager
l'impression qu'avant 1960, les Québécoises ne pratiquent pas la
contraception. En réalité, c'est l'accès généralisé à la consultation
qui est organisé. Serge Mongeau lance les premières cliniques de
planification familiale au mépris du Code criminel qui les interdit.
Les Éditions du Jour publient *Pouvez-vous empêcher la famille ?*.
La pilule fait son entrée foudroyante et les « bons docteurs » se
multiplient de même que les « bons confesseurs ». Les femmes ont
encore besoin d'une permission masculine pour contrôler leur
fécondité. Le mouvement, toutefois, ne dépasse guère les régions
urbaines. En 1963, Renée Rowan publie, dans *La Revue populaire* :
« La régulation des naissances : la joie d'avoir un enfant quand
nous l'avons voulu. » L'article a un retentissement considérable. Le
courrier arrive à *la Revue*, de toutes les régions éloignées, par
énormes sacs postaux, demandant de la documentation supplémentaire. De toute évidence, bien des Québécoises avaient pris la décision d'avoir moins d'enfants.

Cet ensemble de données ne fournit toutefois que des explications bien superficielles à la baisse du taux de natalité. Est-il possible de proposer des explications plus globales ? Autrement dit,
quelles ont été les motivations profondes des femmes pour « empêcher la famille » ? La question est présentement débattue et les
spécialistes ne s'entendent pas sur les théories les plus pertinentes.
La première explication est d'ordre économique : au Québec, entre
1950 et 1965, les goûts et les besoins ont évolué plus rapidement que
les ressources avec des conséquences négatives sur la fécondité. Le
principal responsable serait donc la société de consommation. La

seconde explication est d'ordre social : les modifications structurelles — éducation, technologie, travail — ont amené les Québécoises à avoir moins le goût d'avoir des enfants et leur ont donné le
pouvoir social et les moyens techniques pour faire respecter leurs
désirs. La troisième explication est d'ordre culturel : la rapidité
étonnante avec laquelle les Québécoises ont délaissé les valeurs et
les préceptes traditionnels et religieux pour en adopter de nouveaux
concernant la famille et la fécondité. Ces valeurs auraient été si peu
intériorisées que les femmes ont pu les rejeter aisément. Le niveau
de conscience morale aurait été si précaire et si peu autonome qu'il
a suscité un besoin et un désir de se conformer rapidement à des
valeurs nouvelles.

C'est vraisemblablement la conjoncture de ces trois courants
qui explique la baisse spectaculaire de la fécondité des Québécoises.
Mais n'est-il pas évident que ces trois explications ont un dénominateur commun, les femmes catholiques elles-mêmes, enfin libres
de contrôler leur fécondité, en dépit de tous les discours officiels ?
Avant d'être un discours féministe, la contraception a été une réalité vécue dans tous les couples. C'est ce qui s'est produit après
1950 au Québec.

Le mouvement concernant les accouchements amorcé un
siècle plus tôt arrive à son terme. Accoucher à la maison
devient une dangereuse anomalie. Jadis affaire de femmes, l'accouchement est dorénavant la chasse gardée exclusive des médecins,
même à la campagne. L'anesthésie générale est utilisée systématiquement dans tous les cas, sauf pour les « filles-mères » (*sic*),
qu'on veut punir ainsi de leur péché. En 1956, l'accouchement sans
douleur fait une timide apparition sous les quolibets des médecins
goguenards qui découragent les futures mères. Après 1960, des
techniques d'anesthésie locale commencent à être utilisées : l'épi-
durale, le « bloc honteux » (*sic*), le bloc para-cervical. Mais le
climat qui entoure ces techniques reste très expérimental et,
comme c'est souvent le cas en médecine, les effets secondaires sont
mal connus. Au milieu des années 60, la confusion la plus grande
s'est instaurée dans le domaine de l'accouchement. Or, la variable
qui explique les différences dans les « interventions », c'est l'âge ou
les idées du médecin, et non pas les désirs de la future mère.
Après avoir obtenu la possibilité de contrôler le nombre de grossesses, les femmes perdent leur autonomie face à l'accouchement.

Les écoles s'ouvrent

Les adolescentes québécoises se posaient, depuis un siècle, la même question concernant leur avenir : entrer chez les soeurs, se marier ou rester vieille fille ? De toute façon, les trois solutions signifiaient en pratique une vie de travail. Travailler dans un couvent ou un hôpital, sans salaire mais avec des possibilités de promotion sociale et personnelle pour quelques-unes. Travailler dans sa famille à tenir maison et à élever ses enfants, sans salaire mais, depuis 1945, avec une allocation familiale. Travailler, si l'on était célibataire, dans l'entreprise familiale ou dans un bureau, un magasin ou une usine, à petit salaire. Mais, curieusement, le concept de travail n'était pas associé au statut des femmes. Le discours masculin a presque toujours tenté de donner une certaine illégitimité au travail des femmes et, on l'a vu, ce discours atteignit une grande véhémence durant la Crise et après la guerre.

À la faveur de la modernisation du Québec, plusieurs données de base vont soudain se transformer. D'abord, les études secondaires deviennent de plus en plus accessibles aux femmes. Pour chaque école publique, donc gratuite, qui augmente son programme jusqu'à la onzième année, c'est un pensionnat payant qui ferme ses portes. La réforme scolaire entreprise dans les années 40 à la suite de la Loi de l'instruction obligatoire finit par renouveler les structures et les programmes de l'école secondaire. On a pris l'habitude de considérer la réforme scolaire de 1964, celle du *Rapport Parent*, comme l'origine du renouveau pour l'éducation des filles. En réalité, la révolution scolaire de 1964 ne fera que renforcir des tendances déjà bien en place. De 1954 à 1959, l'institution d'un véritable cours secondaire public marque le début de l'accession des filles à une éducation prolongée.

Depuis 1954, le cours d'école normale est transformé. Il comprend de nouveaux diplômes — mieux structurés, exigeant des études plus longues — dont le dernier permet d'obtenir un baccalauréat : les brevets C, B, et A.

À partir de 1959, dans la région de Montréal, les écoles normales féminines et masculines forment un « marché commun » où est aménagé un réseau complet d'options. Normaliens et normaliennes se retrouvent ensemble, dans les diverses institutions montréalaises, pour suivre les mêmes cours. En 1961, le nombre de normaliennes diplômées atteint 5600 pour l'ensemble du Québec.

Après 1956, tout le réseau des écoles ménagères moyennes (qui vont jusqu'à la neuvième année) commence à se disloquer devant la pénurie de clientèle. Il faut dire que les parents sont de plus en plus réticents à payer deux années d'études inutiles à leurs adolescentes, car le secondaire commercial est beaucoup plus alléchant et le lien entre la poursuite des études et le marché du travail devient ainsi prépondérant. Le nombre de filles fréquentant les instituts familiaux augmente, mais il constitue une proportion de plus en plus mince de l'ensemble des filles qui poursuivent des études secondaires.

Après 1956 également, le cours « Lettres-Sciences », surnommé prestigieusement cours « universitaire », est aboli. On crée dans les écoles publiques des sections de latin-sciences et de latin spécial pour les jeunes filles, de plus en plus nombreuses, qui souhaitent entreprendre leur cours classique. L'école publique offre désormais quatre options : classique, scientifique, commerciale et générale. Pour conserver leur clientèle, les pensionnats se transforment petit à petit en externats. Dès 1955, l'université accueille, dans ses classes d' « immatriculation senior », les finissantes de douzième année ou de Lettres-Sciences désireuses d'entrer en technologie médicale, en réhabilitation et en diététique. Il se crée 15 collèges classiques féminins entre 1954 et 1962 dont 2 dirigés par des laïques.

En 1964, le *Rapport Parent*, en plus de ses réformes structurelles pour uniformiser les réseaux, recommande le droit pour les filles à une éducation identique à celle des garçons, les classes mixtes dans les écoles et la gratuité scolaire. Signe des temps, on sollicite deux femmes dont une religieuse, toute cornette déployée, à siéger sur la commission Parent. À première vue, on sent un souffle d'air frais qui transformera l'école québécoise. Mais, comme le démontre Francine Descarries-Bélanger, «(...) une lecture plus approfondie de certains passages du *Rapport Parent* permet cependant de vérifier qu'en aucun moment les pères de la réforme scolaire n'ont véritablement remis en question la division traditionnelle des tâches et des rôles, sur laquelle se fondent la spécificité et l'arbitraire de l'action pédagogique. En réalité, ils persistent à concevoir l'éducation des femmes en marge de leur « vocation » première... »

L'idée d'une éducation féminine persiste. On vise essentiellement à développer chez la femme des prédispositions-qualifications qui la prépareront à son rôle de maîtresse de maison, d'épouse et de mère. Complément ou substitut, le travail féminin conserve sa connotation apologétique de « contrepoids à l'ennui » ou de salaire d'appoint. L'idée d'une dépendance première et entière envers la famille y est maintenue. À l'encontre de l'élite traditionnelle, ces nouveaux penseurs de la condition féminine concèdent bien à la femme le droit éventuel de s'intégrer à la population active, mais seulement une fois sa maison nette, ses enfants bien casés dans les écoles et le bonheur de son ménage assuré par son dévouement et ses soins diligents, ou encore, dans le cas où ses espérances maritales seraient déçues.

Tandis qu'à la femme on demande toujours de veiller prioritairement au bonheur de sa famille, on recommande aux garçons « d'être utiles dans la société » (article 1023), « de comprendre mieux la somme de travail que comporte la tenue de maison » (article 1022)[2]. Au fond, les réformateurs du système scolaire ne se sont pas dégagés des archétypes traditionnels de la femme et de la mère.

Le Rapport Parent
et l'éducation des filles

1019. *La préparation de la jeune fille à la vie ne doit pas se limiter à la formation ménagère, qu'on entende celle-ci dans un sens étroit : cuisine, entretien ménager, etc., ou dans un sens plus large : équilibre du budget, formation de la consommatrice-acheteuse, etc. D'une part, on doit intéresser toutes les jeunes filles à ces occupations et au rôle de maîtresse de maison, aussi bien celles qui seront médecins, professeurs et techniciennes que celles qui se marieront au sortir de l'école ; d'autre part, on doit les préparer toutes, dans une certaine mesure, à être des femmes conscientes des grands problèmes de la vie conjugale, et des mères capables de prendre soin de leurs enfants et de les élever convenablement. Enfin on doit fournir à toute jeune fille une certaine préparation à une occupation qui lui permettra de gagner sa vie avant ou durant sa vie en ménage ou quand ses enfants seront élevés. Cette formation, et cette activité de la femme qui a un emploi ou est capable d'en remplir un, peut faire d'elle un être plus éveillé et plus intéressant, souvent plus satisfait et plus équilibré, et possédant une certaine sécurité du fait qu'elle pourrait au besoin aider financièrement son mari, ou assurer la subsistance de la* *famille si ce dernier venait à faire défaut. Le nombre de femmes dans la trentaine ou la quarantaine qui retournent aux études et au travail augmente sans cesse ; il y a là, pour un certain nombre de femmes, un besoin profond de faire contre-poids à l'ennui, de se sentir vivre dans un univers moins restreint, après quelques années consacrées aux occupations de la maternité et à l'éducation des enfants.*

1020. *(...) L'éducation familiale et ménagère doit faire partie de la formation des jeunes filles et les habituer à trouver un certain agrément esthétique et humain aux travaux de la maison.*

(...)

1024. *(...) Sans vouloir, bien entendu, transformer les hommes en bonnes à tout faire ou les soumettre à une tyrannie domestique, on peut songer à leur simplifier la participation à la vie domestique par une certaine préparation. On devra en particulier les initier à la psychologie des enfants, les habituer à discuter du budget familial, à voir les problèmes que la femme doit se poser à cet égard...*

Source : Rapport Parent, Rapport de la Commission royale d'enquête sur l'enseignement dans la province de Québec, Tome 3, p. 239, 241.

L'amour ou le travail

Les transformations du secteur de l'éducation ne sont pas les seules à modifier l'entrée sur le marché du travail. La laïcisation de la société québécoise joue ici un rôle considérable, particulièrement visible dans les emplois féminins. Deux secteurs d'emplois sont touchés : celui des infirmières et celui des institutrices.

À partir de 1950, il devient de plus en plus possible aux jeunes filles d'exercer ces deux professions sans être incitées, pour cela, à entrer en religion. De 1950 à 1960, le nombre d'entrées au noviciat s'est maintenu autour de 1990 postulantes par année et le taux de persévérance des novices se situe autour de 63 p. 100. Après 1960, ces deux moyennes accusent une nette diminution, car de 1960 à 1964, le chiffre des entrées au noviciat baisse de 31,5 p. 100. Cette baisse se produit au moment même où le nombre de femmes susceptibles d'entrer au couvent est en grande augmentation. Les démographes ont calculé que la diminution réelle est de 50 p. 100.

Par ailleurs, il n'est certes pas indifférent de rappeler que le taux d'entrée en religion baisse en même temps et au même rythme que le taux de natalité. La baisse s'est également produite au moment même où l'accès à l'instruction secondaire gratuite s'est généralisée au Québec. Au fond, la vocation religieuse n'est plus choisie par les jeunes filles depuis que la société laïque est en mesure d'offrir aux femmes autre chose que le mariage et la perspective de maternités nombreuses. Quand il est devenu possible pour une infirmière ou une institutrice d'accéder à des postes de responsabilités sans être religieuse, la vocation semble socialement moins intéressante. Cette évolution a permis de plus à ces deux fonctions de se libérer d'une éthique professionnelle basée exclusivement sur le renoncement, le dévouement et l'idéal de charité. L'amélioration des conditions de travail s'en est suivie. Tout le monde du travail féminin s'en trouve bouleversé.

Après 1956, le dilemme des adolescentes québécoises est changé. On n'effeuille plus la marguerite en chantant : « J'me marie, j'rentre chez les soeurs, j'reste vieille fille », mais en disant : « J'me marie, j'me marie pas. » Car, si une jeune fille a poursuivi des études, elle doit hésiter entre une carrière et le mariage. Certes, les femmes sont toujours nombreuses à se marier, et le plus grand nombre interrompt sa « carrière » quelques années, le temps d'avoir et d'élever quelques enfants. Mais, même en 1960, il y a des choses qui ne se discutent absolument pas, contrairement à aujourd'hui. L'amour signifie toujours le mariage. Et le mariage signifie toujours au moins deux ou trois enfants. Pour plusieurs, le mariage met fin à un travail routinier et sans perspective d'avenir. Dans ces conditions, c'est avec enthousiasme qu'elles entreprennent leur « carrière » d'épouse et de mère de famille. Mais un nombre de plus en plus grand de femmes font face à un nouveau dilemme, car leur travail est intéressant. Quel déchirement pour celles qui décident de se marier : Devront-elles abandonner leur travail ? Et combien de temps ? N'y aurait-il pas moyen de concilier les deux ? Elles sentent bien que la société leur demande de choisir. Mais, au fond d'elles-mêmes, elles ne veulent pas choisir.

La participation des femmes au marché du travail est donc généralisée durant la période 1950-1970. Elle confirme la tendance déjà bien inscrite depuis le début de la révolution industrielle. Quelques phénomènes particuliers se dégagent. Énumérons-les brièvement en suivant les conclusions de l'historienne Francine Barry.

Le taux de croissance de la main-d'oeuvre féminine est toujours nettement supérieur à celui de la main-d'oeuvre masculine.
De plus, l'écart entre ces deux taux s'accroît d'un recensement à
l'autre : cet écart se chiffre à 10 en 1951 ; il passe à 26 en 1961 et
grimpe à 42 en 1971. Le graphique suivant illustre très bien ce
phénomène.

GRAPHIQUE 10

Augmentation de la population active
au Québec 1941-1971

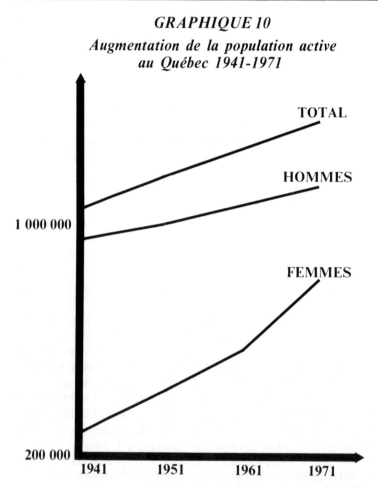

Source : Francine Barry, *Le Travail de la femme au Québec*,
         Montréal, Presses de l'Université du Québec, 1977,
         p. 6 (d'après le Recensement du Canada, 1971, vol.
         III, part. I, cat. 94-702 Tableau I).

Deuxième phénomène : l'entrée sur le marché du travail des femmes mariées. Alors que celles-ci ne constituaient que 17 p. 100 des femmes au travail en 1951, elles forment un groupe de 48 p. 100 en 1971. En ajoutant les veuves et les divorcées, on constate que les célibataires ne constituent plus de 45 p. 100 de la main-d'oeuvre féminine. Et encore, ces chiffres ne comptabilisent pas les milliers de femmes qui travaillent sans salaire dans une entreprise familiale !

En troisième lieu, la scolarité des femmes au travail atteste plusieurs transformations. Le nombre de femmes ayant peu d'instruction (3 années de scolarité ou moins) reste inchangé, environ 3,5 p. 100 entre 1951 et 1971. Le nombre de femmes en possession d'un diplôme d'études secondaires est stable également, à 42 p. 100 environ. Mais le nombre de femmes ayant terminé seulement leurs études primaires accuse une baisse considérable, passant de 42 à 24 p. 100, tandis que celles qui ont fait des études collégiales ou universitaires passent de 8 à 31 p. 100. On constate donc que l'accession généralisée des filles à l'éducation secondaire a une conséquence directe sur la présence des femmes sur le marché du travail. De toute évidence, l'accès aux études est une garantie d'avoir un emploi mieux rémunéré et l'intérêt de l'emploi est un facteur qui influence le choix de demeurer ou non au travail, même après le mariage.

Toutes ces modifications s'expliquent principalement par le développement colossal des services de toutes sortes et, surtout, par la bureaucratisation qui s'implante progressivement dans de nombreuses entreprises privées et publiques. Cela se traduit d'ailleurs par des transformations notables au niveau des secteurs d'emplois. La proportion des ouvrières diminue. Elles sont chassées des usines par la technologie et la mécanisation de l'outillage selon le mouvement initié dès le début du 20e siècle. Le travail de bureau devient le secteur en pleine expansion : le quart de toutes les femmes au travail s'y retrouvent. Mais au fond, le travail féminin, en se développant, ne modifie rien de fondamental dans l'univers des « cols roses ». Car, si les portes s'ouvrent, c'est pour orienter les femmes vers des avenues spécifiquement féminines. Les exemples pourraient être nombreux. Contentons-nous d'un seul, celui des infirmières.

Entre 1941 et 1971, au Québec, le nombre de femmes de 15 ans et plus a été multiplié par 1,9 donc, presque doublé. Durant la même période, le nombre de femmes au travail a été multiplié par 2,9 : il a presque triplé. Durant le même laps de temps, le nombre

d'infirmières a été multiplié par 9,42, presque décuplé. S'il y a
parmi les emplois féminins un ghetto type, c'est bien celui des infirmières. Or, ce ghetto-là, contrairement aux autres, vient tout
juste de se constituer. C'est un phénomène récent, contrairement
à une opinion impressionniste qui le croit ancien. C'est un phénomène récent parce qu'avant 1950, et surtout avant 1940, il y a trop
peu d'infirmières pour qu'elles comptent vraiment dans la main-
d'oeuvre globale. Le ghetto des institutrices s'est constitué entre
1850 et 1880 ; celui des ouvrières du textile, entre 1880 et 1920 ;
celui des secrétaires et des téléphonistes, entre 1920 et 1940. C'est
pourquoi il serait si intéressant d'étudier à fond les composantes
du ghetto des infirmières. En effet, il s'est formé en pleine période
postindustrielle, à l'heure de la révolution technologique et
bureaucratique, à l'heure aussi de la laïcisation de la société québécoise, au moment où des expériences nouvelles dans les temps de
travail sont en train de s'opérer. Le travail des infirmières, c'est le
microcosme par excellence du monde des « cols roses ». C'est une
image clé dans l'univers des femmes. Mais cette étude-là, comme
celle des secrétaires et, comme tant d'autres, est encore en friche.

TABLEAU 11
Les infirmières au Québec
de 1941 à 1971

	1941	1971	Augmentation
Nombre de femmes de 15 ans et plus*	1 132 172	2 157 785	90%
Nombre de femmes au travail*	260 191	754 745	190%
Nombre d'infirmières**	4 167	39 252	842%

Source :   * *Recensement du Canada*, 1971, vol. III, part. 1.
         ** *Nursing Québec*, nov.-déc. 1980.

Toutefois, durant la période 1950-1970, ce concept même de « ghetto féminin » est très peu utilisé. Ce qui est mis en relief plutôt, ce sont les « premières » : la première femme comptable, la première femme pompiste, la première femme ingénieur, la première femme notaire. On met l'accent sur les conquêtes des femmes professionnelles sans se rendre compte qu'elles forment la première série de ces femmes alibis dénoncées aujourd'hui. On constate d'ailleurs que l'opinion publique n'est alertée ni par la question des congés de maternité, ni par celle des garderies (sinon pour les condamner comme une inacceptable solution extrême), ni par celle de la double journée de travail. Il y a une explication bien simple. L'opposition, entre le privé et le public, domine encore les mentalités, car une femme ne peut à la fois travailler et élever de jeunes enfants. Faire l'un et l'autre constitue une prouesse que bien peu d'entre elles sont capables de réussir. La maternité n'est pas encore reconnue comme un acte social.

La période 1950-1964 constitue plutôt une transition vers l'acceptation sociale du travail rémunéré des femmes. Mais on en parle peu publiquement. Ce qui est caractéristique, au contraire, c'est le peu de mentions sur le sujet dans la presse écrite et le peu d'études qui lui sont consacrées. Un courant conservateur, représenté par la revue *Relations*, continue de se manifester, mais on constate aussi qu'il se développe une attitude plus réaliste de résignation et d'acceptation conditionnelle du travail féminin. Cette condition, on s'en doute, est celle qui condamne le travail des « femmes-mères-de-jeunes-enfants ».

Les centrales syndicales, naguère si hostiles au travail des femmes, changent de cap. « Nous ne sommes pas opposés au travail féminin et nous croyons d'ailleurs que notre opposition serait vaine devant la puissance des forces qui incitent les femmes à travailler », déclare, en 1964, le président de la C.S.N. Mais entre cette belle position théorique et la pratique, il y a souvent des abîmes.

Certes, des femmes réussissent à accéder à l'exécutif des syndicats. À la C.T.C.C. (future C.S.N.), le vice-président est toujours une vice-présidente : Jeanne Duval, de 1953 à 1964. À la F.T.Q., c'est Huguette Plamondon. Dans les syndicats enseignants, c'est Laure Gaudreault, la pionnière des années 30. Mais l'attitude de base des syndicats est encore largement protectionniste. « Nous voulons, écrit Jean Marchand en 1964, que la « nature » des femmes soit respectée. Les femmes qui travaillent ont droit à un statut qui les protège non seulement comme des individus salariés, mais qui tienne compte aussi des besoins particuliers de leur condition de femmes ayant des responsabilités familiales[3]. »

En 1963, une grève éclate à l'hôpital Sainte-Justine-pour-les-enfants. Le public scandalisé regarde les infirmières piqueter pour réclamer des améliorations de leurs conditions de travail. Cette première grève dans le secteur des affaires sociales a valeur de symbole. Les femmes syndiquées seraient-elles des travailleurs comme les autres ? Dans les différents syndicats, cette opinion est de plus en plus répandue.

Les centrales syndicales ont mis sur pied des comités féminins qui, grâce au dynamisme de Duval et Plamondon, ont maintenu de façon positive des discussions sur la condition féminine. En 1966, ces comités se sabordent car on prétend que les membres féminins ne sont pas fondamentalement différents des membres masculins et qu'elles doivent s'intégrer aux structures mixtes des syndicats. Ne réclame-t-on pas la parité salariale entre les hommes et les femmes ? La « sexisation » des métiers et des tâches, il est vrai, permet à tous, employeurs et syndicats, de détourner les conséquences du principe. Mais avant 1965, il est rare que ces questions soient débattues publiquement. Ce qui est frappant plutôt, c'est la connivence tacite entre employeurs et syndicats pour bloquer l'embauche des femmes dans certains secteurs.

De toutes manières, la syndicalisation des femmes est beaucoup plus basse que celle des hommes et il est bien connu que les secteurs féminins de l'emploi sont les moins syndiqués et les plus difficiles à syndiquer. L'absence de données complètes pour la période 1950-1970 ne permet pas de rendre compte des proportions de femmes syndiquées ou non-syndiquées. Mais les études sur l'histoire du travail démontrent que, partout où les conditions de travail l'ont permis (nombre suffisant d'employés, objectifs précis, rôle des militantes), les femmes ont eu un comportement similaire à celui des hommes face au syndicalisme. Si, entre 1950 et 1965, les femmes sont encore moins syndiquées que les hommes, il faut donc en chercher les raisons dans le type d'emploi qu'elles ont exercé et dans l'organisation des entreprises qui les embauchent.

On doit noter toutefois que les militantes des années 40, Laure Gaudreault, Yvette Charpentier, Léa Roback, toutes célibataires, n'ont pas eu d'héritières durant la période 1950-1965. La répression qui s'est abattue sur les premières militantes syndicales explique peut-être le silence du syndicalisme militant des femmes durant ces mêmes années.

Femmes engagées

De 1950 à 1965, les femmes n'ont pas, non plus, l'occasion de militer dans des associations féministes puisqu'il n'y en a plus. On se rappelle qu'après l'obtention du droit de vote les associations féministes se sont tues, faute d'objectifs précis à poursuivre. La mort d'Idola Saint-Jean en 1945 et celle de Marie Gérin-Lajoie en 1946 ont contribué à mettre une sourdine aux aspirations féministes. Thérèse Casgrain elle-même modifie son action publique, choisissant de militer dans des associations politiques : la Voix des femmes, mouvement international ayant pour objectif la paix dans le monde et le Nouveau Parti démocratique, principale avenue de la gauche au Québec.

À la fin des années 50, la Voix des femmes est une tribune privilégiée, pour mobiliser les énergies féminines. Le mouvement est *canadian* et la présidente nationale, Laura Sabia, exerce un dynamisme peu commun. Comme tous les mouvements qui préconisent le désarmement, cette association est reliée aux mouvements de gauche et mobilise ses membres sur plusieurs fronts. Cet organisme a représenté une véritable école d'action politique pour les femmes. Les anglophones et les francophones y ont appris à travailler ensemble. Ses leaders, Laura Sabia et Thérèse Casgrain sont à l'origine des revendications qui vont donner naissance, après 1965, au néo-féminisme.

D'autres mouvements mobilisent les femmes, entre autres le Mouvement laïc de langue française et les différents mouvements de l'Action catholique. Dans les milieux plus restreints de la contestation politique et sociale on retrouve également des femmes engagées. Des femmes signent le *Refus global* avec Borduas. D'autres signent des articles dans *Cité libre*. C'est une femme, Louise Lorrain, qui préside l'Action de la jeunesse canadienne, la seule association nationaliste des années 50. Les groupes d'action catholique ont autant de femmes que d'hommes dans leurs dirigeants. À côté de Gérard Pelletier, on trouve sa future épouse, Alec Leduc ; Fernand Cadieux travaille à côté de Rita Racette ; Claude Ryan partage les objectifs de Madeleine Guay. Dans ces associations où des femmes prennent la parole, participent aux décisions, de nouveaux rapports hommes-femmes commencent à s'établir. Les valeurs du couple sont mises de l'avant face aux valeurs traditionnelles de la famille. Quelques femmes sortent de leur passivité. Elles rejettent l'image de la femme douce, tolérante, aimante, qui encaisse tous les coups... et craque après quelques années. Dans ces milieux privilégiés, c'est la collaboration entre époux qui s'instaure. Et, même si le nombre d'épouses qui dactylographient les thèses de leurs maris est plus grand que le nombre de maris qui s'occupent du grand ménage, les images bourgeoises de la famille commencent à se modifier.

Certes, il n'est pas question de condition féminine dans ces milieux. L'opinion latente est que la question féminine est résolue. Les femmes n'ont qu'à prendre les places qu'elles désirent et, tout en élevant leur famille, elles peuvent participer à toutes les causes de leur choix. La publication du *Deuxième Sexe*, de Simone de Beauvoir, passe à peu près inaperçue. Des commentaires désapprobateurs paraissent un peu partout et même *Cité libre*, dans son seul numéro consacré à la question féminine, publie un article antiféministe avec, il est vrai, un avertissement de la rédaction qui se dissocie de son auteur, un psychiatre comme il se doit.

On retrouve les féministes d'hier, si peu nombreuses, dans l'Association des femmes universitaires. Ce groupe participe, au début des années 50, a une discussion publique sur l'enseignement des filles. Une circonstance fortuite, la visite du cardinal Tisserant, prélat romain, à l'institut familial de Saint-Jacques en 1950, donne naissance à une controverse publique. Le cardinal met en doute le bien-fondé d'une telle éducation. Albert Tessier, le grand défenseur de l'enseignement ménager, riposte en affirmant que plus on formera de vraies bachelières, moins on formera de vraies femmes. Il s'ensuit un débat animé où une universitaire, Monique Béchard, psychologue, prend la défense de l'éducation supérieure des filles, laquelle, loin de les dénaturer, contribue à magnifier leurs possibilités. Les partisans de la formation ménagère s'emploient à défendre les « écoles du bonheur », mais leurs arguments ne convainquent qu'eux-mêmes. Cette querelle, au fond, reste très académique et influence très peu les milliers d'adolescentes qui atteignent désormais le secondaire. C'est d'ailleurs vers cette clientèle que les femmes universitaires proposent, par la suite, des journées d'information pour inciter les étudiantes à poursuivre des études et à choisir une profession. Toutefois, en dehors de ce militantisme particulier, cette association n'exerce pas d'action très notable. Son influence est réduite et son fonctionnement la fait ressembler davantage à un club social, du moins durant les années 50.

Un seul mouvement féministe existe au Québec à cette époque : la Ligue des femmes du Québec, fondée en 1958 par Laurette Sloane. À vrai dire, cette association n'est qu'un petit groupe montréalais qui réunit principalement des femmes syndicalistes et, militantes qui agissent dans un cercle limité. L'allégeance communiste qui les regroupe est un argument important pour décourager les adhésions. Aucune action collective n'a été reliée à cette association durant ses premières années de fonctionnement et elle est virtuellement inconnue du grand public. Toutefois, la Ligue des femmes du Québec illustre très bien les fissures qui désagrègent progressivement le monolithisme québécois. Et, fait non négligeable, la Ligue maintient allumé le flambeau de la cause féministe à la fin des années 50.

Toutefois, cela ne signifie pas qu'il n'existe aucune association de femmes. Au contraire, le milieu rural est le théâtre de beaucoup d'agitation. Le conflit, apparu après la guerre dans les milieux des Cercles de Fermières, reprend de plus belle. On se souvient que l'Église a suscité une scission artificielle dans cette association. D'un côté, les Cercles de Fermières, organisme issu du ministère de l'Agriculture ; de l'autre, l'Union catholique des fermières, imposée par les évêques. En 1957, malgré les tentatives d'assimilation de 1945 et de 1952, les Fermières sont toujours là. Une nouvelle offensive est alors lancée. On change le nom : l'U.C.F. devient l'U.C.F.R., l'Union catholique des femmes rurales pour éviter toute confusion avec les Cercles de Fermières. On envoie de nouvelles directives épiscopales pour dénoncer le risque des associations dirigées par l'État. Des brochures circulent pour expliquer aux curés comment transformer les Cercles de Fermières en cercles U.C.F.R. Mais les Fermières tiennent le coup.

De guerre lasse, les évêques proposent, en 1963, d'associer les trois organismes féminins, Cercles de Fermières, Cercles d'économie domestique, cercles U.C.F.R. en un seul mouvement, par souci d'efficacité. Poliment et diplomatiquement, les Fermières se sont vite dissociées du comité de fusion. Raison officielle : mieux célébrer leur cinquantième anniversaire. On peut croire toutefois ce témoignage anonyme : « Parce qu'il serait injuste pour nous « Fermières » qui avons été les pionnières et avons fait un travail de défrichement de passer les « plats tout cuits » aux dames de l'U.C.F.R. qui, en somme, sont le produit d'une petite revanche du clergé à une époque où celui-ci avait le droit de vie et de mort sur les femmes — qu'il a cherché à terroriser pour les tirer de son côté. Et je puis vous prouver ce que j'avance. Si vous saviez toutes les intrigues, les abus pour arriver à nous avaler[4]. »

La dernière manoeuvre de l'épiscopat aboutit à la fusion des Cercles d'économie domestique et des cercles U.C.F.R., en 1966. Le nouvel organisme prend un nom bizarre, compliqué : l'Association féminine pour l'éducation et l'action sociale. Il est mieux connu aujourd'hui sous le sigle de l'A.F.E.A.S.

Cette lutte, et ce fut une réelle bataille dans certaines paroisses, a duré 20 ans et elle s'est déroulée loin du feu des projecteurs. Montréal, évidemment, n'y participait pas, ce qui explique le silence des médias. Les femmes de plus de 60 ans, elles, s'en rappellent. Mais cette lutte produit des résultats imprévus et, notamment, une polarisation idéologique assez subtile.

Certes, entre les deux groupes, les ressemblances sont grandes. Même devise : *Pour la terre et le foyer* (Fermières), *Pour la terre et la famille* (Fermières catholiques) ; mêmes objectifs ; mêmes thèmes de réflexion : l'esprit rural, le bonheur familial, l'éducation économique de la famille, le travail, la présence de la femme dans la société, etc.

Mais, dans cette affaire, les Cercles de Fermières se sont trouvés inexplicablement dans l'opposition, privés de l'appui officiel de l'Église. Dans leur désir d'obtenir la caution épiscopale, les Cercles de Fermières ont donc endossé avec véhémence les propositions du discours clérical sur la mission sacrée de la femme. De là cette insistance dans leur revue, *La Terre et le Foyer*, à publier des variations sur la maternité, le ménage, la famille et les valeurs chrétiennes. Mais, cette publication accorde plus de 50 p. 100 de ses chroniques à l'artisanat, lequel, avec tous ses aspects positifs, représente au fond la véritable attraction de l'association. Mais un discours idéologique, traditionnel, dicté en quelque sorte par l'Église, est maintenu en place pour la réputation et la caution morale de l'organisme. De la même manière et à la même période, les enseignants doivent maintenir officiellement un discours soumis aux prescriptions de l'Église pour se faire pardonner, entre autres, la grève des enseignants montréalais de 1949 et la syndicalisation progressive de leur profession. De même, la réforme laïque de l'enseignement doit soumettre son contenu idéologique à l'Église.

Dans l'Union catholique des femmes rurales, on tente d'abord d'explorer les avenues du syndicalisme féminin, mais cette option est abandonnée. L'association ne peut non plus se distinguer par l'artisanat puisque l'un des arguments de l'Église est que les associations professionnelles doivent être indépendantes de l'État ; elle se prive donc, par principe, des subventions et des services gouvernementaux essentiels à la promotion et à la pratique de l'artisanat. L'U.C.F.R. trouve alors sa spécificité dans le Cercle d'étude. Ses revues, ses congrès et ses directives se sont vite polarisés autour des thèmes à étudier. L'influence cléricale sur ces thèmes d'études est prépondérante, mais dès la fin des années 50, le discours féminin y prend une tonalité différente. Les thèmes étudiés surtout deviennent de plus en plus concrets, de plus en plus reliés aux transformations sociales qui s'opèrent au Québec, notamment après 1957 et de plus en plus proches du quotidien vécu par les femmes. On y discute même de contraception. C'est tout dire !

C'est par le biais de cette association qu'une conscience féminine collective peut continuer à se développer au Québec durant la période 1950-1965. Sa tonalité traditionnelle peut leurrer mais, en réalité, cette implication sociale progressive des femmes, par le moyen de cercles d'études, a dû jouer un rôle décisif dans la mutation de la société québécoise. Et, fait remarquable, le nombre de femmes touchées par cette évolution ne se restreint pas à un cercle fermé : plus de 30 000 membres sont touchés par cette association. Les discussions concrètes suscitées par les sujets d'études proposées par l'U.C.F.R. ont modifié un grand nombre d'habitudes sociales et ce, parmi les membres d'un milieu traditionnellement conservateur. Les femmes, soudainement, ont des opinions et les affirment publiquement. Cela ne doit pas être négligé.

Dans les villes, et à Montréal en particulier, les femmes sont sollicitées, de plus en plus nombreuses, par une nouvelle forme d'engagement public, celui des médias. Car la vraie tribune des femmes, à ce moment-là, c'est la télévision, la radio et la presse. À côté des comédiennes et des chanteuses apparaissent soudain des commentatrices, des journalistes et des animatrices qui se mêlent de parler de sujets naguère réservés aux hommes : la politique, la psychologie, la philosophie, la littérature. Certes, on continue de présenter des recettes de cuisine, du maquillage et de la décoration intérieure. Après tout, on est en pleine « mystique féminine » ! Mais quand la journaliste Judith Jasmin vient expliquer la conjoncture internationale ou interviewer Pierre Mendès-France, des milliers de jeunes Québécoises commencent à penser : « Pourquoi pas moi ? » Régulièrement, on présente des émissions sur les femmes. Avec l'arrivée de la télévision, les radioromans disparaissent. Pendant plus de 15 ans, ils ont représenté presque la seule « marchandise » offerte aux femmes à la maison. Ils sont remplacés par des émissions d'information qui plongent les femmes au coeur de l'actualité littéraire et politique.

Dans les journaux, mêmes transformations. Les pages féminines se modifient, abandonnent les rubriques traditionnelles de bals, de prochains mariages, pour aborder une variété de sujets. L'aventure du *Nouveau Journal*, en 1961, apporte toute une série d'idées nouvelles et d'images inédites. On y trouve des chroniques politiques signées par des femmes, des pages féminines inédites, des bandes dessinées romantiques et passionnées rompant avec la pudeur hypocrite des produits américains.

Les journaux n'ont plus *une* journaliste comme auparavant, mais des équipes entières de journalistes féminins qui sont affectées à des rubriques de plus en plus variées, sauf dans le château fort inviolé des pages sportives. Renaude Lapointe accède au poste d'éditorialiste à *La Presse*. Même les courriers du coeur changent de visage. Le plus célèbre des années 50 est celui de Janette Bertrand dans *Le Petit Journal*. La rédactrice exige et obtient que les lettres reçues et leurs réponses soient publiées intégralement. Chaque dimanche, le courrier apporte aux milliers de lectrices ses propos chocs sur le mariage, la domination, les femmes battues, la sexualité, les fréquentations, l'ivrognerie, la contraception. Finis les conseils de résignation et les allusions voilées. Un langage clair, direct, provoquant à l'époque, invite les femmes à réagir, à répondre, à exiger.

Dans les universités, où les étudiantes commencent à être au moins « visibles », on retrouve des femmes dans tous les comités. Certes, on élit des « Miss Ceci » et « Miss Cela » à chaque année, et les femmes sont concentrées dans les facultés dites féminines. Mais on retrouve des femmes même à l'exécutif des puissantes associations étudiantes.

En 1958, les universités québécoises crient famine et Duplessis refuse de les autoriser à toucher aux subventions fédérales. Trois étudiants prennent la décision d'aller faire le pied de grue à la porte de son bureau pour le faire changer d'avis. Personne ne s'étonne à ce moment-là que, parmi le trio, figure une étudiante : Francine Laurendeau.

La création féminine fait les manchettes. Depuis le Prix Fémina de Gabrielle Roy en 1947, les écrivaines se sont multipliées : romancières, poètes, dramaturges. Marie-Claire Blais, Suzanne Paradis, Anne Hébert, Charlotte Savary, Françoise Loranger, Rina Lasnier, la liste est impossible à dresser tant elle est longue. Même foisonnement dans le domaine des arts. Les troupes de théâtre sont dirigées par des femmes. Ludmilla Cheriaeff fonde les Grands Ballets canadiens. Les galeries d'art les plus célèbres sont dirigées par des femmes.

Bref, l'engagement des femmes, après 1950, est un engagement à titre individuel. Toutes les causes sont bonnes : patriotiques et religieuses au début des années 50, pour devenir bientôt culturelles, sociales et politiques, à mesure qu'on approche des années 60 et des bouleversements de la Révolution tranquille. La dernière génération de femmes arrive à l'âge adulte sans même remettre en question son droit aux études avancées, au salaire égal, à la contraception, à la participation à la vie politique et sociale. Dans une société désormais transformée, elle songe davantage à agir qu'à revendiquer. Pourquoi serait-elle féministe ? Chaque jour, des dizaines de femmes alibis témoignent de leur réussite personnelle : « Ce que j'ai fait, chacune peut le faire. » Quoi de mieux pour démobiliser les femmes !

La femme inventée

La léthargie du féminisme n'est pas un phénomène spécifiquement québécois, mais cette léthargie prend au Québec des allures presque paradoxales. Examinons brièvement les données de ce paradoxe.

Après la guerre, et surtout après 1950, une concertation de tous les pouvoirs incite les femmes à demeurer à la maison et à se consacrer à leurs enfants et à leur mari. Betty Friedan appela avec raison cette idéologie : la mystique féminine. C'est pourtant le moment où les Québécoises décident et réussissent à pratiquer efficacement la contraception. C'est également le moment où leur présence sur le marché du travail se fait d'une manière plus accélérée et définitive. C'est le moment où elles cessent d'entrer chez les soeurs. C'est enfin le moment où les femmes s'engagent publiquement et de plus en plus nombreuses dans une cause. Que ce soit dans la Voix des femmes, dans les Fermières, dans les associations qui ont donné naissance à l'A.F.E.A.S., à la radio, à la télévision, dans les journaux et les revues, dans les lettres et les arts, elles sont des milliers à concilier l'engagement public à la vie familiale. Super-femmes en vérité. Nicole Germain tricote. Janette Bertrand fait la cuisine. Simone Chartrand élève six enfants, etc. Versons une larme et admirons !

Or, pendant que s'accomplissent tant de changements de structures et de mentalités, le discours féminin, lui, demeure presque
inchangé. La presse féminine est nettement considérée comme un
produit de consommation qui doit éviter à tout prix toute forme de
contestation. Les grandes revues de l'époque, *La Revue moderne,
La Revue populaire, Le Samedi, Le Film,* entretiennent les femmes
dans une douce euphorie qui les coupe de la réalité. Les romans
complets publiés dans ces revues sont une invitation à la rêverie et
au romantisme.

L'exotisme est cultivé avec soin. *La Revue populaire* publie
114 reportages sur Paris entre 1946 et 1956. Les chroniques dites
féminines ne sortent évidemment pas du maquillage, de la couture
et de la cuisine. *La Revue populaire* ne publie même pas un repor-
tage par année sur la condition féminine. Les revues des associations rurales, *La Terre et le Foyer* et *Femmes rurales,* répètent le
discours clérical sur le rôle de la femme et sont recherchées surtout
pour leurs conseils pratiques d'artisanat. Plus de la moitié des pages
de *La Terre et le Foyer* sont d'ailleurs consacrées à l'artisanat. On
y dénonce le travail des femmes sans s'apercevoir que les lectrices
travaillent en moyenne 12 heures par jour sur la ferme et dans la
maison. Les revues religieuses tentent de se moderniser. On publie
même une « revue de culture et de mode », *Idéal féminin,* qui tente
en vain de rivaliser avec les pages de mode de *Marie-Claire* et de
Elle.

À vrai dire, la femme dont il est question dans toutes ces revues
est une femme inventée. Elle est une image, charmante et réconfor-
tante sans doute, mais une image. Ce n'est plus une mère aux
hanches généreuses, mais une jeune femme svelte et intelligente.
L'O.N.F. d'ailleurs produit des films typiques de cette vision : *La
Beauté même, La Femme-image.* La dissociation du discours avec
la réalité vécue par les femmes est flagrante.

Cette dissociation est renforcée encore par la diffusion des
théories nouvelles sur la sexualité et la psychologie féminines. Une
génération après les anglophones, les Québécoises sont confrontées aux théories issues des travaux de Sigmund Freud. Le jansé-
nisme des décennies précédentes avait nié aux femmes un droit à
l'expression sexuelle. La popularité des théories freudiennes rend la
sexualité à la mode. Dorénavant, on parle ouvertement de sexualité, ce qui est toute une innovation dans la société québécoise. Mais
en lieu et place des écrits de Freud, ce sont des sous-produits discu-
tables de ses « disciples » qui circulent et qui enferment les femmes
dans un nouveau corset : celui de la passivité. *Sélection du Reader's*

TABLEAU 12

Exemples de romans publiés par
les revues féminines

La Revue moderne (1951)		% de pages
Toi que j'aimais	Suzanne Mercey	26%
La Duchesse aux jasmins	Magali	37%
Le Droit au bonheur	Marguerite Rivoire	27%
À la conquête du bonheur	C. et L. Droze	45%
En cherchant l'oubli	A. P. Hot	30%
L'Amoureuse cantilène	Maurice Danyl	30%
L'Amour en exil	Claude Langel	51%
Le Val aux fées	Claude Virmonne	50%
Tendre imposture	Mireille Brocey	47%
Son sourire	Léo Dartey	42%
La Gardienne	Suzanne Mercey	30%
	Moyenne	38%

La Revue populaire (1954)		% de pages
Son trop jeune papa	Nancy Assy	40%
L'Ennemie	Alix André	51%
Saison sèche	Daniel Gray	50%
Un seul amour	Ruby M. Ayres	55%
Le Maître de Floreya	Claude Virmonne	50%
L'Amour sans fard	Louis Derthral	50%
La Haine aux yeux tendres	Magda Contiro	51%
Chérie	Magali	55%
Les loups hurlent	Alix André	55%
Le Sacrifice de Sylvetti	Guy de Novel	57%
La nuit qui chante	Magda Contiro	53%
	Moyenne	32%

Digest publie chaque mois des articles qui nourrissent la culpabilité ou le désarroi des femmes.

Elles sont responsables des problèmes émotifs de leurs enfants. Et leur sexualité est essentiellement passive. Et la frigidité est leur lot. Et les « menstruations sont les pleurs d'un utérus déçu ». Et la crise de la ménopause est le regret de ne plus pouvoir enfanter. Qui ne se souvient d'avoir lu de ces bobards dans la petite littérature d'alors, dans les *Almanachs*, dans les pages féminines des journaux ? La majorité des femmes ne se reconnaissent pas dans ces théories, mais le piège est inévitable : remettre la théorie en question est une preuve qu'on refoule le désir inconscient d'être un homme !

Après 1960, deux revues viennent transformer l'unanimité du discours féminin. *Châtelaine* prend la relève de *La Revue moderne* en janvier 1961 et inaugure une nouvelle presse féminine. Ses éditoriaux et ses reportages se situent au coeur même de la vie que mènent un nombre de plus en plus grand de femmes. Il s'en dégage une certaine idée de la condition féminine, du moins l'idée que s'en font celles qui ont étudié plus longtemps, ont décidé d'avoir moins d'enfants et ont entrepris de conjuguer carrière et famille.

L'ambiguïté toutefois est loin d'être entièrement levée. Chaque année, *Châtelaine* élit une « Châtelaine de l'année » qui est toujours une mère de famille qui s'est engagée dans une cause. Et on chercherait en vain, dans toutes ces pages, le mot « féminisme ».

Le même éclairage en demi-teintes se retrouve dans la nouvelle venue, *Maintenant*. Contraception, rôle des femmes dans l'Église, transformation des religieuses, avortement, aucune question n'est tabou pour les rédacteurs de *Maintenant*. Mais les prises de positions sont malaisées. L'esprit de libération cherche timidement sa place dans une orthodoxie chancelante.

Ce qui se dégage en définitive de tous ces écrits, aux débuts de la supposée révolution tranquille, c'est une dichotomie entre les paroles et les gestes. D'une part, une volonté très nette de changements par et pour les femmes. Trop d'exemples concrets le démontrent. D'autre part, une confortable sécurité dans le modèle moderne de la femme au foyer. Libérées des familles nombreuses et de l'obligation de gagner leur vie, beaucoup de femmes endossent l'image de la mystique féminine. La conscience collective des femmes est en pleine gestation, mais elle est muette. Et ce n'est certes pas la politique qui semble donner une voix à cette conscience collective.

Claire Kirkland-Casgrain, première députée québécoise.
Photo La Presse

Et la politique

Bien sûr, depuis 1940, les Québécoises ont droit de vote, mais à chaque élection elles se sont contentées de voter. Les quelques audacieuses qui se présentent comme candidates le font pour des partis marginaux et n'ont aucune chance d'être élues. Thérèse Casgrain elle-même, militante du parti C.C.F., puis du Nouveau Parti démocratique ne réussit pas à obtenir une investiture parlementaire.

Après la mort de Duplessis en 1959, l'élection provinciale de 1960 se présente comme l'élection du renouveau. Cette élection marque, comme tout le monde le sait, le début officiel de la révolution tranquille. Or, on ne trouve *aucune* candidate à cette élection historique. C'est même la seule élection, depuis 1940, où on ne compte aucune candidate.

En 1961, le député de Jacques-Cartier, le Dr Kirkland, meurt, ce qui entraîne une élection partielle dans ce comté. C'est sa fille, Claire Kirkland-Casgrain, qui se présente sous la bannière du Parti libéral. Élue facilement, elle devient la première députée québécoise. Mieux, on la nomme immédiatement ministre, ministre sans portefeuille toutefois.

TABLEAU 13

Des femmes chez les hommes

Nombre de candidats aux élections
fédérales et provinciales depuis 1945
(Québec uniquement)

Élection	Candidates	Élues	Candidats	Élus
Ottawa 1945	2	—	282	65
Québec 1948	—	—	311	92
Ottawa 1949	3	—	250	73
Québec 1952	3	—	233	92
Ottawa 1953	11	—	217	75
Québec 1956	7	—	265	92
Ottawa 1957	3	—	210	75
Ottawa 1958	2	—	217	75
Québec 1960	—	—	253	95
Ottawa 1962	4	—	279	75
Québec 1962	3	1	221	94
Ottawa 1963	7	—	288	75
Ottawa 1965	6	—	321	75
Québec 1966	11	1	407	107
Ottawa 1968	9	—	314	74
Québec 1970	9	1	457	107
Ottawa 1972	29	3	314	71
Québec 1973	25	1	454	109
Ottawa 1974	43	3	327	71
Québec 1976	47	5	509	105
Ottawa 1979	78	4	440	71
Ottawa 1980	90	6	428	69
Québec 1981	82	9	444	115

Élections partielles fédérales 1945-1980	10	—	196	52
Élections partielles provinciales 1945-1979	6	2	160	51
Total	490	36	7797	2139
	5,9%	1,6%	94,1%	98,4%

Source : Pierre Drouilly, « Les femmes et les élections », dans *Le Devoir*, 17 décembre 1980, p. 9.

Note : Les résultats des élections de 1981 ont été incorporés au tableau et les pourcentages réajustés. La modification est inférieure à 1%.

La jeune femme concilie admirablement son rôle de mère et ses responsabilités de ministre. C'est ce que répètent avec insistance tous les articles qui soulignent cette belle victoire féminine. Elle devient titulaire d'une chronique dans *Châtelaine* : « Ce que j'en pense ». Inconnue hier, elle figure soudain parmi les vedettes. Claire Kirkland-Casgrain est toutefois davantage que la première députée québécoise : elle est la première femme objet de la politique québécoise. Le Parti libéral se devait de présenter une image complètement rénovée. Quoi de mieux que de faire élire une femme ! Fille du candidat défunt et dans un château fort libéral, elle a donc été élue facilement. Ce n'est pas le talent de Claire Kirkland-Casgrain qui est ici en cause, car elle a l'étoffe d'une personnalité politique efficace. Ce qui est en cause, c'est le principe de la députée alibi qui laisse croire aux femmes qu'elles ont voix au chapitre des décisions politiques.

D'ailleurs, Claire Kirkland-Casgrain souligne magistralement son entrée en politique : elle met sur pied un projet de loi pour modifier en profondeur le statut légal de la femme mariée. Le premier juillet 1964, le parlement de Québec adopte la célèbre loi 16 dont les principales clauses mettent fin à l'incapacité juridique de la femme mariée.

Avec près d'un siècle de retard sur leurs consoeurs canadiennes, les Québécoises mariées accèdent à l'égalité juridique avec leur conjoint. Une femme n'est plus tenue de présenter la signature de son mari pour effectuer des transactions courantes et peut exercer diverses responsabilités légales qui lui étaient interdites comme, par exemple, intenter un procès ou être exécuteur testamentaire. On lui reconnaît enfin le droit formel d'être une personne autonome à l'intérieur de la société conjugale. Toutefois, les gérants de banque, les notaires, les grands magasins, mettent du temps à s'y faire et continuent de réclamer la signature du mari.

Par ailleurs, depuis 1954 le double standard est formellement aboli en matière de séparation légale entre les époux. Dorénavant, une femme peut exiger la séparation de corps si son mari est reconnu coupable d'adultère. On se souvient que ce motif, auparavant, était le privilège du mari seulement. Ce n'est certes pas par hasard qu'à partir de cette date les demandes de séparation se sont mises à affluer. Cependant, le divorce reste le privilège d'une minorité car il exige des démarches coûteuses et une décision du Parlement fédéral.

La loi 16 qui transforme le statut juridique des femmes mariées doit être considérée comme une date importante dans l'histoire des femmes. Et pourtant, à l'époque, elle ne suscite aucun enthousiasme. Elle provoque même de nombreuses critiques de la part des milieux spécialisés qui la jugent ou trop conservatrice ou trop partielle. C'est que de nombreuses femmes étaient déjà « en avant de la loi ». Par exemple, elles n'avaient pas attendu 1964 pour « exercer une profession différente de celle de leurs maris », ce qu'interdisait l'article 181 du Code civil.

TABLEAU 14
Transformations de la loi 16

1. Égalité des conjoints dans la société matrimoniale.

2. La femme peut choisir un autre *domicile* que celui du mari si ce domicile présente des dangers.

3. La femme mariée a *pleine capacité juridique* sous réserves des restrictions découlant du régime matrimonial :

    a) La femme mariée peut *représenter* son mari ;

    b) La femme mariée peut *exercer une profession différente* de celle de son mari ;

    c) *Un juge peut suppléer à l'autorisation maritale* quand elle fait défaut et est exigée.

4. *La femme mariée sous le régime de la séparation*

    a) peut être tutrice ;

    b) peut être curatrice ;

    c) peut faire ou accepter une donation entre vifs ;

    d) peut contracter ;

    e) peut ester en justice et intenter une action ;

    f) peut accepter une succession ;

    g) peut accepter une exécution testamentaire ;

    h) peut administrer ses propres biens et en disposer.

5. *La femme mariée sous le régime de la communauté de biens*

    a) peut exercer les mêmes droits que la femme mariée en séparation avec l'autorisation de son mari ; 282-336-763-986-a) — 643-906

    b) est responsable des dettes de son mari et réciproquement ;

    c) peut administrer ses propres biens sous certaines réserves ;

    d) peut exercer un commerce sans l'autorisation de son mari sous certaines réserves.

6. *Élargissement des biens réservés.*

Source : Micheline D. Johnson, *Histoire de la situation de la femme dans la province de Québec*, Ottawa, 1971, p. 47.

Au fond, cette loi nous renseigne sur deux phénomènes qui n'ont rien à voir avec les clauses mêmes de la loi qui vient d'être votée. D'une part, on constate que les femmes, comme groupe, sont assez peu préoccupées par les lois qui les concernent. Et, de toutes manières, les femmes n'ont aucun pouvoir direct pour intervenir au niveau des législateurs. Cela est particulièrement vrai, en ce début des années 60, alors qu'aucune association féminine n'assure la défense des intérêts des femmes.

D'autre part, on s'aperçoit aussi que toutes les législations véhiculent plus ou moins explicitement le concept de la « loi naturelle ». Or, les femmes sont très mal servies par cette « loi naturelle ». En effet, les modèles *culturels* qui définissent la vie, le rôle, les droits et les devoirs des femmes sont si anciens que la société les considère comme *naturels*. On est étonné aujourd'hui de voir la longue liste des attributs que les femmes devaient « naturellement » posséder : le dévouement, le pardon, la fidélité, la délicatesse, etc., et des activités qu'elles devaient « naturellement » exercer : la broderie, le raccommodage, le soin des enfants et des nourrissons, le ménage, la lessive, etc. On conçoit que des systèmes de lois bâtis sur de telles présomptions enferment les femmes dans un statut très étroit et que les femmes, marquées elles aussi par les modèles culturels, se sentent impuissantes à les contester.

En 1964, le silence collectif des femmes est assez impressionnant. Mais les bouleversements des cinq années qui suivent vont permettre l'émergence de la conscience collective féminine. C'est l'époque du féminisme tranquille.

Notes du chapitre XIII

1. *Cours de Préparation au mariage*, Action catholique canadienne, Service de préparation au mariage du diocèse de Montréal, Ottawa, 1944.

2. *Rapport Parent*, Rapport de la Commission royale d'enquête
   sur l'enseignement dans la province de Québec, Tome 3, Québec,
   1964, p. 239-241.

3. Archives de la C.S.N., *Procès-verbal du Congrès de 1964*,
   Rapport du Président, p. 8.

4. Témoignage anonyme cité dans Soeur Marie-Thérèse-du-
   Carmel, SNJM, *Les Cercles de Fermières et l'action sociale*,
   mémoire présenté à l'Institut de pédagogie familiale, Outremont, 1967, p. 37.

XIV

Le féminisme tranquille

Les compétences féminines sont neutralisées

Depuis plus d'un siècle, la société québécoise s'était appuyée sur le travail et la compétence des femmes pour faire fonctionner plusieurs de ses institutions fondamentales. Les communautés religieuses en maintenaient une grande variété : crèches, hôpitaux, asiles, hospices.

En 1965, on compte au Québec, 43 265 religieuses en service actif dans les diverses institutions. Elles assurent presque exclusivement l'enseignement secondaire et collégial destiné aux filles. Les infirmières laïques sont à peu près les seules à offrir des services médicaux dans les régions éloignées. Le service social est vu comme une occupation essentiellement féminine et de nombreux services apparaissent dans les villes, le plus souvent sous l'impulsion d'une femme, laïque ou religieuse. Les structures de toutes ces institutions sont simples, peu hiérarchisées, le sommet de la pyramide étant le plus souvent occupé par un médecin ou un prêtre, caution masculine d'une organisation essentiellement féminine. Dans les postes de gestion et d'intendance se trouvent cette armée de religieuses diplômées qui, dès les années 30 et surtout après 1950, ont conquis les « parchemins » requis pour exercer leurs fonctions. En 1962, les religieuses du Québec détiennent 71 doctorats, 1165 licences et 285 maîtrises. De 1964 à 1968 on voit apparaître sur les campus universitaires et collégiaux des milliers d'étudiantes aux coiffes variées qui, soit à temps plein (1435) soit à temps partiel (5645), complètent une formation supérieure. Il y a certes des laïques diplômées, mais elles sont en minorité.

C'est alors que s'amorcent, surtout après la création du ministère de l'Éducation et du ministère des Affaires sociales, les grands bouleversements attribués à la Révolution tranquille : laïcisation, écoles mixtes, puis hospices et hôpitaux, bureaucratisation, apparition d'une multitude de professions nouvelles, syndicalisation, notamment dans la fonction publique, qui prend rapidement des dimensions colossales. Cette conjoncture remet en question les compétences féminines.

Rappelons ici le phénomène qui s'était produit au 19e siècle dans l'enseignement, profession jusqu'alors dominée par les hommes. En se hiérarchisant, la profession d'instituteur avait créé un système où les femmes étaient admises parce qu'elles y occupaient des fonctions subalternes alors que les hommes exerçaient les postes de commande. On assiste cette fois à une nouvelle version de ce phénomène, car ce sont des professions dites « féminines » qui se hiérarchisent : la bibliothéconomie, le service social, les professions para-médicales, l'enseignement secondaire mixte et l'éducation permanente (où les religieuses avaient créé des réseaux considérables). Aussitôt, des hommes choisissent cette profession.

En se constituant, les organigrammes présentent tous des modèles uniformes. La bureaucratisation propulse des hommes aux échelons supérieurs pendant que des femmes remplissent les tâches subalternes. Le concept de directeur général semble bien une fonction essentiellement masculine. Des femmes avaient fait fonctionner pendant des décennies des bibliothèques, des écoles, des hôpitaux, mais ne réussissent pas à se maintenir dans les postes de cadres. À partir d'institutions féminines ou masculines déjà existantes, des cégeps sont créés tels Rosemont, Saint-Laurent, Saint-Hyacinthe, Sherbrooke, etc. Quelques femmes, religieuses ou laïques, se retrouvent, dans un premier temps, à l'exécutif. Mais elles disparaissent rapidement, pour des raisons qui ne sont pas prêtes d'être éclaircies. De jeunes fonctionnaires frais émoulus des universités viennent faire la leçon à des pédagogues reconnues, riches d'une longue expérience, ou à des hospitalières versées dans l'administration des services de santé.

Ce n'est probablement pas par hasard que cette période est aussi celle des désertions religieuses. La laïcisation de la société québécoise est contemporaine des bouleversements de l'Église catholique après Vatican II. On assiste alors au phénomène des départs dans les rangs du clergé et dans les diverses communautés religieuses. Toutefois, dans les communautés de femmes, le mouvement est plus impressionnant et on estime que, de 1968 à 1978, dix religieuses quittent leur couvent à chaque semaine. La démarche prend aussi une signification particulière. Entrées en communauté parce que la société ne leur permettait d'exercer leur profession que sous le couvert de la vocation religieuse, les soeurs quittent le couvent quand cette exigence n'est plus indispensable. Le seul projet de carrière institutionalisé pour les femmes se révèle soudain un cul-de-sac.

La psychologue Jacqueline Bouchard a étudié, en 1970, les motifs de ces départs si nombreux et les conclusions sont intéressantes. Les femmes quittent leurs couvents surtout à cause du manque de considération des valeurs humaines dans les communautés religieuses, du désir insatisfait de liberté et d'autonomie, et de la diminution du statut social des religieuses d'aujourd'hui. Le message est assez clair. On ne doit pas penser toutefois que ces décisions se sont prises sans déchirement. On ne rompt pas un engagement tel que la vocation religieuse de gaieté de coeur. D'autre part, les maladresses des différents ordres religieux, face au renouveau ecclésial, ont sûrement joué. « Quand je suis rentrée de mission, rapporte une ex-religieuse, où pendant cinq ans j'avais été plongée dans des problèmes de développement, d'injustices et de pauvreté, et que je me suis retrouvée dans les débats vides et mesquins sur nos costumes et nos statuts, j'ai étouffé. Comment pouvions-nous en être encore là, alors qu'il y a tant de choses importantes à faire et sur lesquelles réfléchir ?[1] »

On peut penser aussi que l'apparition de nombreux instituts de relations humaines, où les religieuses sont très nombreuses à s'inscrire, a pu accélérer la prise d'une décision difficile.

Les soeurs ne sont toutefois pas les seules à «se défroquer» puisque le mouvement touche également les prêtres et les religieux. Mais les hommes qui entreprennent une telle démarche ont, pour les accueillir « dans le monde », tout un réseau de confrères déjà en place qui leur ont préparé un poste « sur commande », habituellement un poste « de commande ». Rien de tel pour les ex-religieuses qui se retrouvent isolées dans les nouvelles structures. Car, en se laïcisant, en se « désexisant » et en se hiérarchisant, les professions sont devenues des canaux de promotion pour carrières masculines. Tant qu'elle était invisible, anonyme et surtout gratuite, la compétence féminine était très bien tolérée. On accepte mal, semble-t-il, qu'elle soit assortie à un salaire de cadre. Il y a bien ça et là quelques femmes en poste, consacrées vedettes par la presse, femmes alibis qui persuadent la société que tout est possible pour les femmes. Leur compétence n'est certes pas mise en cause, car, habituellement, elles ont dû présenter des dossiers impeccables pour obtenir ces postes. C'est le symbole qu'elles représentent qui est remis en question. La femme alibi permet, à bon compte, de démontrer la bonne volonté égalitaire de la société et de faire retomber sur chacune d'entre nous la responsabilité des inégalités qui subsistent. La complicité tacite des femmes est en cause. Mais la rigidité des structures sociales l'est bien davantage.

Et ne nous imaginons pas que la situation ait changé avec l'arrivée sur le marché du travail des nouvelles diplômées de la révolution tranquille. En 1979, les femmes constituent le tiers de l'énorme fonction publique québécoise. De ce nombre, les femmes détiennent 2 p. 100 des emplois supérieurs et, on y compte principalement des « ...adjointes aux cadres supérieurs ». Dans les postes de gérance intermédiaire, 15 p. 100 sont des femmes dont près de la moitié occupent des fonctions de « ... soutien administratif ». Dans la catégorie des professionnels, les femmes occupent également 16 p. 100 des postes : agents d'information, agents de recherche, attachés d'administration. Toutefois, dans la catégorie dite des fonctionnaires, elles forment 56 p. 100 du personnel : agents de bureau, secrétaires, téléphonistes, agents vérificateurs, techniciennes en administration. Dans la catégorie des ouvriers elles ne sont que 2 p. 100 : elles sont... femmes de ménage. Ce qui se passe dans la fonction publique est à l'image de ce qui se passe dans l'ensemble de la société québécoise.

Un bref coup d'oeil sur le monde de l'éducation et sur celui du travail salarié tels qu'ils se sont développés après 1964 va nous permettre de comprendre que, dans un certain sens, la révolution tranquille a reproduit différemment l'ancien double standard. Francine Descarries-Bélanger, sociologue, a trouvé une formule percutante pour décrire ce double phénomène, « l'école rose et les cols roses ». Nous trouverons dans son étude plus d'illustrations qu'il n'est nécessaire pour nous en convaincre.

De la maternelle à l'université

Après la création du ministère de l'Éducation en 1964, les structures scolaires que nous connaissons présentement sont progressivement mises en place. Écoles mixtes, gratuité, accessibilité. Au nom de ces trois objectifs, les bouleversements sont nombreux : diminution des réseaux privés, apparition des polyvalentes, abolition des écoles d'enseignement ménager, création des cégeps, fondation du réseau de l'Université du Québec, intégration de la formation des maîtres au niveau universitaire, modification de la terminologie elle-même, etc. Le secteur général, naguère refuge des cancres, devient du jour au lendemain l'avenue prestigieuse qui mène aux études supérieures. Les sciences cessent d'être inaccessibles depuis que le cégep en présente un large choix : sciences pures, sciences de la santé, sciences de l'administration, sciences humaines, etc.

On peut dire que les filles sont entrées avec enthousiasme dans les différentes étapes de la restructuration scolaire. Enfin, l'État sanctionnait, pour toutes, les possibilités dont seules quelques privilégiées avaient pu bénéficier durant les générations précédentes grâce à l'entêtement de religieuses éclairées. Finies les écoles ménagères qui, en définitive, préparaient si mal à la vie. Démodés, les uniformes de jeunes filles sages. Terminée la surveillance anachronique des bonnes soeurs. Même les études pour devenir infirmière se font au cégep !

Et, quel bel éventail d'options. Les annuaires des polyvalentes, des cégeps et des universités sont si invitants. Enfin, toutes les avenues sont ouvertes et les filles peuvent penser à entreprendre une carrière. Les 17 ingénieures, les 150 avocates, les 7 architectes, les 2 psychanalistes, les 6 urbanistes , ces quelques femmes professionnelles que l'on dénombre au Québec en 1968 peuvent se réjouir : la relève féminine s'en vient. Du moins, c'est ce qu'on peut espérer à l'heure où la démocratisation de l'enseignement est à l'ordre du jour.

Une génération plus tard, c'est le scepticisme qui est à l'ordre du jour. Les polyvalentes lancent sur le marché du travail... des coiffeuses, des dactylos, des esthéticiennes, des aides-infirmières. Pour les autres, le secteur général, permet l'accès au cégep.

Certes, le niveau collégial est maintenant accessible autant aux filles qu'aux garçons (51,3 p. 100 garçons, 48,7 p. 100 filles en 1976-77), mais la proportion de filles au secteur professionnel y est beaucoup plus grande (54 p. 100 pour 44 p. 100 au secteur général). Les garçons sont donc plus nombreux à pouvoir accéder aux études universitaires. De plus, au secteur professionnel, les cégeps offrent une bonne centaine de techniques de métier, mais les statistiques démontrent que garçons et filles ne se retrouvent pas dans les mêmes secteurs. Un tableau présentant le panorama des techniques les plus fréquentées est plutôt révélateur.

TABLEAU 15
Techniques choisies par les étudiantes
au cégep en 1976-77
(pour les programmes de
900 étudiants et plus)

Technique	Nombre d'étudiants	% des étudiantes dans le programme
Électronique	20	1,4
Électrotechnique	41	1,6
Génie civil	11	3,6
Techniques policières	149	12,8
Technologie de l'architecture	157	17,3
Marketing	286	31,6
Administration	2761	48,2
Finances	1248	48,6
Informatique	1093	49,3
Loisirs	563	55,1
Éducation spécialisée	1492	83,4
Assistance sociale	958	86,2
Laboratoire	920	88,8
Infirmières	8007	94,6
Secrétariat	2826	99,9

Source : Francine Descarries-Bélanger, *L'École rose... et les Cols roses*, Montréal, Éditions coopératives Albert Saint-Martin — Centrale de l'enseignement du Québec (C.E.Q.), 1980, p. 82 à 84.

On constate tout de suite que les spécialités choisies par les étudiantes rejoignent les secteurs d'emplois que les femmes occupent déjà traditionnellement sur le marché du travail. Les filles sont donc bien peu nombreuses à surmonter les effets des déterminismes sociaux et culturels et à s'orienter vers des carrières nouvelles. Et il est presque certain que, dans les structures bureaucratiques où elles trouvent de l'emploi, elles se trouvent dans les échelons inférieurs, selon le processus évoqué plus haut.

En est-il de même pour les étudiantes qui accèdent aux études universitaires ? Il semble que même à ce niveau les filles soient soumises aux contraintes socio-culturelles. Tout d'abord, le nombre de filles décroît à mesure que les études s'allongent : en 1976, 44 p. 100 des baccalauréats, 33 p. 100 des maîtrises et 19 p. 100 des doctorats sont décernés à des femmes.

Les filles se concentrent également dans les programmes de formation des maîtres offerts naguère dans... les écoles normales. Elles se retrouvent surtout à l'Université du Québec où plus de 50 p. 100 des diplômes sont décernés... en éducation. En diététique, elles sont en majorité à 96 p. 100, mais seulement 3 p. 100 en génie.

Certes, des modifications s'amorcent. Les étudiantes envahissent (50 p. 100) le champ de l'optométrie et de la médecine vétérinaire où on ne trouvait que 10 originales en 1968, doublent leurs effectifs en droit, en médecine et en commerce, et dépassent le nombre de diplômés masculins en pharmacie. Il est encore tôt pour analyser les conséquences de ces changements mineurs.

Mais on peut d'ores et déjà expliquer pourquoi les filles continuent de s'orienter dans les secteurs dits « féminins » même si aucun obstacle structurel ne les empêche de s'inscrire dans des professions nouvelles. Tout d'abord, les images véhiculées par les manuels scolaires, la littérature et les médias transmettent les préjugés sexistes proposés par la société. Les images transmises aux jeunes générations demeurent semblables à celles des générations précédentes : les mères ont la taille plus fine, les hommes ont de nouveaux instruments de travail mais rien n'est fondamentalement changé. On peut penser aussi qu'en instaurant les écoles mixtes la réforme scolaire a fait mettre au rancart tous ces volumes féminins que l'on trouvait dans les communautés religieuses. En 1975, dans son analyse des manuels scolaires Lise Dunnigan a démontré qu'on trouvait des personnages masculins à 71 p. 100. Au moins, dans les manuels féminins, on trouvait surtout des personnages féminins. Modèles traditionnels bien sûr, mais... des modèles de femmes.

Autre phénomène qui retarde les changements : le personnel même qui dispense l'enseignement. Le tableau suivant en dit long.

TABLEAU 16
À quel niveau enseignent les femmes oeuvrant dans le système scolaire en 77-78

Niveau d'enseignement	Nombre de femmes	Pourcentage
Maternelle	2 169	99,7%
Primaire	23 251	89,1%
Secondaire	13 868	40,6%
Collégial	3 500	37,2%
Universitaire	1 029	14,4%

Source : Francine Descarries-Bélanger, *L'École rose et... les Cols roses, op. cit.*, p. 79.

Le seul fait d'aller à l'école apprend aux jeunes que ce sont les femmes qui enseignent à la maternelle (quel nom symbolique !) et au primaire, que ce sont les hommes qui occupent les postes de direction et que les femmes sont rares et confinées à des options « féminines » au cégep et à l'université. Une étudiante en commerce ou en chimie doit faire toutes ses études sans jamais pouvoir s'identifier à un professeur féminin. Par contre, une étudiante en lettres ou en éducation va rencontrer de nombreux modèles de professeures. Ses chances de devenir elle-même professeure dans ces secteurs sont beaucoup plus grandes. Et la roue va tourner inexorablement dans la même direction.

Et, comme pour s'assurer qu'elle ne tournera pas autrement, les conseillers en orientation dirigent souvent les filles dans les secteurs « féminins » et les découragent à entrer dans des avenues nouvelles. De nombreuses études ont établi que les adolescentes ne pensent pas à leur avenir de la même manière que les garçons. Elles sont moins informées des possibilités offertes et sont portées à envisager leur avenir, en terme de statut social, comme relié au statut de leur mari éventuel et non pas à celui qu'elle pourrait effectivement avoir par leur profession. Les adolescentes et les jeunes filles croient que pour être acceptées, même par leurs pairs masculins, il leur faut se conformer à l'image stéréotypée du rôle féminin traditionnel. Elles apprennent très tôt à rester à la place qui leur est assignée et tout concourt à ce qu'elles ne l'oublient pas : parents, éducateurs, livres et même la documentation destinée à leur information professionnelle. Les adolescentes prévoient un choix de carrière compatible avec l'exercice de leurs futures responsabilités familiales. Certes, les conseillers en orientation ne portent pas seuls la responsabilité de tous ces phénomènes, mais ils n'y sont pas non plus tout à fait étrangers. Le souci de ne pas perdre de temps (« Peut-on parler de sténo et d'esthétique à des garçons ? de soudure et de *machine-shop* à des filles ? ») les entraîne à informer différemment les garçons et les filles.

Qu'à cela ne tienne. Après 1965, des centaines de femmes entreprennent de retourner aux études pour obtenir la formation académique et professionnelle qu'elles n'avaient pas reçue durant leur adolescence. L'éducation permanente, en effet, implante ses réseaux. Écoutons l'une de ces femmes : « Les jours où je quittais la maison en fin d'après-midi, pour assister à mes cours, personne ne pouvait m'accuser de négliger les miens. J'avais aplani toutes les difficultés pour eux : les divers mets au menu pour le repas du soir avaient été précuits, et il suffirait de les réchauffer quelques minutes au fourneau avant de les servir ; les ordures ménagères avaient été transportées sur le trottoir s'il s'agissait d'un soir où l'on en faisait la cueillette ; sur l'horaire de la télévision, les émissions intéressantes étaient cochées, au cas où ma famille voudrait le consulter ; quand les enfants étaient jeunes, les bains étaient donnés et ils avaient endossé leur pyjama avant mon départ. En toute tranquillité, les miens pouvaient passer des heures agréables durant mon absence, il me semblait que j'avais tout prévu pour assurer leur confort. Puis exténuée, je courais vers le métro, brûlais les feux rouges en piéton irresponsable et parvenais enfin à l'université. Je m'installais à mon bureau, essayant de refaire le plein d'énergie pendant que le professeur me perdait dans les méandres du structuralisme. Ce n'était qu'après la pause-café que je reprenais mon souffle, redevenais moi-même et que les lumières vertes de mon cerveau s'allumaient pour laisser passer l'information. Je venais de changer de peau[2]. »

Il n'est pas indifférent de rappeler qu'à la même période les étudiants décident de se marier avant la fin de leurs études, mais le sort de ces étudiants adultes est bien différent. La jeune épouse subvient aux besoins du couple pendant que le mari étudiant termine son baccalauréat, voire sa maîtrise ; l'entente tacite est qu'après ses études ce sera son tour, à elle. On aimerait connaître le nombre d'infirmières qui ont ainsi subventionné les études de leur mari tout en leur procurant le service domestique. Il n'y a pas encore d'étude sérieuse sur cette question, mais combien de jeunes femmes se sont vues leurrées : leur tour n'est jamais venu et plusieurs se sont retrouvées seules, divorcées après les études de monsieur.

Au fond, le vrai bilan de la réforme scolaire a été d'égaliser les inégalités : tout le monde à l'école secondaire mais pour choisir les mêmes orientations qu'avant ; autant de filles que de garçons au cégep mais dans les techniques traditionnelles ; presque autant de filles que de garçons à l'université mais pour des études moins longues et bien « féminines » ; augmentation des étudiants adultes mais un sort bien différent selon que l'on est homme ou femme. Dans le domaine de l'éducation la révolution tranquille s'est vraiment faite sur le dos des femmes.

Les cols roses

Bien sûr, ce n'est pas par hasard que la réforme de l'éducation ait si peu modifié, dans les faits, les possibilités pour les filles d'obtenir une formation professionnelle différente. Nous sommes ici au centre d'un problème en apparence insoluble : la nature même du marché du travail oriente la formation des filles et, de par leur formation, les filles ne peuvent pénétrer que dans les secteurs où elles sont déjà majoritaires. Certes, le choix des femmes elles-mêmes est à l'origine de ces ghettos féminins au travail et dans l'éducation. Mais cette roue tourne toujours dans le même sens et, comme le dit Francine Descarries-Bélanger, « (...) l'existence d'un double marché du travail fondé sur la division sociale des sexes a un effet considérable sur la répartition de la main-d'oeuvre féminine. Elle entraîne une concentration toujours plus massive des femmes à l'intérieur de quelques professions spécifiques à prédominance féminine, et leur confinement à des tâches qui ne sont souvent que le prolongement de leurs activités de ménagères et de mères ». Croira-t-on que près de 66 p. 100 de toutes les femmes au travail sont réparties dans 20 occupations ? Les femmes sont sténodactylos, vendeuses, institutrices à l'école primaire, serveuses, caissières, travailleuses agricoles, infirmières et aides-infirmières, employées de bureau, opératrices de machine à coudre, coiffeuses,

nettoyeuses, réceptionnistes. D'ailleurs, dans plusieurs de ces occupations, elles constituent plus de 90 p. 100 des employés. Croira-t-on que ces professions, au lieu de se modifier, ont tendance à
se féminiser toujours davantage ?

TABLEAU 17
Les professions féminines

Professions	Proportion en 1961	Proportion en 1971
Secrétaires, sténos	96,8%	97,4%
Commis-vendeuses	53,6%	66%
Caissières	62,6%	79,4%
Institutrices au primaire	70,7%	82,3%
Serveuses	70,5%	82,9%
Infirmières	96,2%	95,8%

Source : Francine Descarries-Bélanger, *L'École rose et... les Cols
roses, op. cit.*, p. 49.

Croira-t-on que l'écart entre les salaires masculins et féminins,
au lieu de s'atténuer continue de s'allonger et que les femmes
gagnent en moyenne beaucoup moins que les hommes ? Croira-t-on que, même si le travail est identique, hommes et femmes
bénéficient d'un salaire horaire différent ? Croira-t-on que le *travail au noir* et le *sweeting system* associés au début de la révolution
industrielle existent toujours et de plus en plus, et que des milliers de
femmes, à la ville et à la campagne, en sont toujours victimes ?
Les femmes immigrantes — notamment, italiennes, portugaises,
antillaises, grecques, vietnamiennes — se retrouvent au premier
rang de ces travailleuses surexploitées qui subissent des conditions
de travail inhumaines.
Au fond, le travail masculin et le travail féminin n'ont jamais
été considérés sur le même plan. Le travail féminin est utilisé en
complément, là où la main-d'oeuvre masculine est trop rare, également pour abaisser le niveau des salaires et enfin pour compenser
l'absence des hommes dans des circonstances exceptionnelles, comme on l'a vu durant la Seconde Guerre mondiale.

TABLEAU 18
Inégalité des salaires masculins et féminins

	Hommes en $	Femmes en $
Aide-boulanger	5,09	2,91
Tricoteur à la machine	3,98	3,07
Emballeur à la main	3,50	2,85
Réceptionniste	5,78	4,53
Régleur-conducteur de presse mécanique	5,19	3,60
Commis d'atelier de reliure	6,44	4,05

Source : Conseil du statut de la femme, pour les *Québécoises égalité et indépendance*, Québec, 1978, p. 239.

Ce chômage institutionnel des femmes est d'une grande utilité dans les sociétés d'économie libérale comme il en existe au Québec. Instrument de pression et de régulation, selon la conjoncture, cette main-d'oeuvre potentielle fait partie intégrante des forces productives de la société capitaliste, dans la mesure précisément où elle reste absente des lieux de la production. Il importe donc que le travail féminin soit toujours considéré comme facultatif. L'imagerie publicitaire et journalistique ignore habituellement l'aspect éventuellement laborieux et productif des activités féminines, ou bien il en donne un reflet déformé, idéalisé et le plus souvent érotisé. Le monde du travail est peut-être le lieu où les relations entre les sexes sont les plus stéréotypées. La complicité des femmes y concourt certainement, mais combien de serveuses, de secrétaires, de caissières se sentent tenues de présenter une image « sexy » ? Des offres d'emplois présentent formellement des exigences : « Jeune et se présentant bien... » D'ailleurs, les usines, les magasins, les bureaux sont témoins quotidiennement de centaines d'exemples de harcèlement sexuel qui disent indirectement aux femmes : « Vous n'êtes pas à votre place. »

Grève des téléphonistes de Bell Canada, été 1977.
Photo Josée Coulombe

En réalité, la situation créée par l'expansion économique de l'après-guerre n'a pas permis l'avènement du travail féminin. Il a rendu le travail des femmes encore plus cloisonné et créé une ségrégation de plus en plus stricte entre les activités considérées comme « naturellement » féminines et les activités « naturellement » masculines. Ce qui a augmenté, ce n'est pas la proportion de femmes au travail, mais le nombre et l'importance des carrières « féminines. » Et ces emplois, on le sait, reproduisent presque toutes les fonctions dites « naturelles » de la femme : couturière, cuisinière, garde-malade, éducatrice, laveuse, nourrice, servante, au service de l'homme et des enfants.

La généralisation du travail à temps partiel dans presque tous les secteurs d'emplois crée de nouveaux problèmes et, encore une fois, les femmes constituent la grande majorité de cette main-d'oeuvre. En 1971, elles étaient trois fois plus nombreuses que les hommes à exercer ce genre de travail et cette proportion ne cesse de s'accroître surtout dans le secteur tertiaire où, justement, se retrouvent la grande majorité des travailleuses. L'organisation du travail exclut le plus souvent les « temps-partiel » des bénéfices

marginaux : pensions, congés de maladies, congés fériés, ancienneté, assurances, etc. De plus, les syndicats sont souvent réfractaires
au développement du travail à temps partiel ce qui a pour effet de
diviser les travailleurs entre eux. Mais, par ailleurs, de nombreuses
femmes recherchent cette forme d'emploi parce qu'elle leur permet
de concilier travail rémunéré et responsabilités familiales dans une
société qui n'offre que peu de services collectifs.

On se trouve ici au coeur d'une organisation sociale qui est
basée sur une illusion qui veut que les « vraies » femmes soient
celles qui élèvent une famille, entretiennent une maison et préparent les repas alors que les « vrais » hommes sont ceux qui
gagnent un salaire pour cette famille. Ce modèle idéal ne s'est
pourtant jamais véritablement retrouvé dans notre société. Mais on
continue de faire semblant d'y croire.

Et, si on semble s'intéresser davantage aujourd'hui au travail
des femmes, ce n'est sûrement pas parce que c'est un phénomène
nouveau. Les femmes, on l'a vu, ont toujours travaillé, que ce soit
au sein de leur propre famille ou en dehors. Si le sujet est devenu
une discussion permanente, cela est dû à deux raisons principales.

Tout d'abord, la société en général et les hommes en particulier
se sont alarmés de voir les femmes pénétrer bien timidement dans
certains secteurs traditionnellement réservés à ceux-ci. La première chauffeure de taxi a causé tout un émoi. Il serait fascinant
d'étudier les réactions des hommes dans de telles circonstances :
« Elle va se faire violer ! », « Les gens n'auront plus confiance ! »,
etc. Mais il faut se rappeler qu'on avait dit la même chose, au début
du siècle, lorsque les premières secrétaires ont pénétré dans les
bureaux ! Chose certaine, la peur semble le dénominateur commun
de toutes ces réactions : peur des pulsions dites masculines, peur de
voir les femmes se libérer de la protection des hommes, peur de
perdre ses privilèges et peur de voir sa profession dévalorisée. En
effet, on a observé que l'entrée des femmes dans un secteur d'emploi
avait pour conséquence d'en dévaloriser le statut et d'en diminuer
les salaires.

Mais la principale raison se situe du côté des aspects sociaux
qui sont reliés au travail des femmes et plus particulièrement des
femmes mariées. Les tâches domestiques continuent d'être leur lot
même si elles ont tapé 100 mots à la minute pendant 7 heures sur
une machine à écrire, même si elles ont perforé 4000 cartes d'ordi-
nateur, même si elles ont servi 700 repas dans une cafétéria et même
si elles ont désinfecté 6000 débarbouillettes dans une buanderie

d'hôpital. Double journée de travail donc pour la grande majorité des femmes qui travaillent, car le service domestique est maintenant devenu un luxe que seules quelques privilégiées peuvent se permettre. Par ailleurs, pour la majorité de ces femmes, pas question de cesser de travailler car leur salaire est devenu indispensable pour payer le loyer, la voiture, les études des enfants, de brèves vacances ou, plus simplement, la facture d'épicerie.

Et lorsque ces femmes ont des enfants, absence de solutions collectives pour leur permettre d'accomplir cet acte social essentiel. Avant qu'il ne soit question de congé de maternité dans les entreprises, les institutions et les conventions collectives, il a fallu que des milliers de femmes acceptent toutes sortes de compromis : perte de salaire, d'emploi, surcharge de travail avant et après la naissance de son enfant, horaires aberrants. Il y a des cas incroyables : une professeure téléphone à un collègue, de la salle d'accouchement, pour se faire remplacer pour un cours ; toutefois, précise-t-elle, elle sera au poste la semaine prochaine !

Avant qu'un réseau de garderies ne commence à s'installer, il a fallu que des milliers de femmes recourent à l'ingéniosité, acceptent le surmenage et multiplient les démarches pour trouver des gardiennes. Des milliers de grands-mères ont dû prendre en charge les enfants de leurs enfants : quand donc pourraient-elles prendre leur retraite légitime ? Jusqu'à tout récemment, a-t-on déjà vu un père de famille chercher une gardienne ?

Quant aux femmes chefs de famille — divorcées, séparées, mères célibataires, veuves —, elles sont les candidates privilégiées de l'aide sociale. Comme si la société où nous vivons était impuissante à imaginer un monde où l'on pourrait, simultanément, travailler pour un salaire et élever des enfants.

Enfin, un groupe de femmes semble particulièrement vulnérables : toutes ces femmes (près de 150 000 au recensement de 1966) engagées dans une entreprise à but lucratif à titre de collaboratrice du mari. Travaillant sans salaire, ces femmes n'ont accès à aucune des mesures de sécurité sociale garanties aux autres travailleuses, on ne leur reconnaît aucune expérience pertinente de travail et surtout, dans l'éventualité de la rupture de l'association conjugale, elles se retrouvent sans protection devant la loi. En Ontario, une affaire judiciaire célèbre au Canada, l'affaire Murdoch, fait éclater la question de la reconnaissance légale de la femme collaboratrice. Mariée dans un régime qui équivaut à la séparation de biens, madame Murdoch revendique, au moment de la rupture de son mariage, une part de la valeur totale de la ferme où elle a travaillé de nombreuses années. La Cour suprême décrète qu'elle ne peut recevoir aucune part de la valeur de la ferme « (...) puisqu'elle n'a accompli que son devoir de femme de fermier ». L'attitude des juges a de quoi laisser perplexe. Le travail des femmes irait donc de soi. Il ne leur donnerait droit à aucune contrepartie matérielle.

Psychologie de la vie quotidienne
Théo Chentrier

Ce que j'admire le plus chez la femme, c'est la possibilité qu'elle a de faire des corvées, c'est-à-dire de faire un travail fastidieux et désintéressé. Qu'il puisse exister en ce monde des êtres qu'on appelle épouses et mères de famille, capables de faire tous les jours de l'année la besogne du ménage, de la cuisine, de la vaisselle, du blanchissage (même avec l'aide de machines) reste toujours pour moi un sujet d'étonnement. Cependant j'ai compris d'où vient chez la femme cette possibilité d'accomplir de pareilles besognes rigoureusement quotidiennes : de son amour pour son mari et ses enfants ! Ce que j'admire le plus alors, c'est tout ce que l'amour peut faire d'ennuyeux. Ce que j'admire aussi, c'est cette note de beauté, de grandeur qu'il donne aux choses, même les plus insignifiantes. C'est aussi l'amour-propre, chez la femme, qui lui fait tenir sa maison comme si c'était un royaume. Ça l'est, en effet, même chez la plus pauvre.

Source : Théo Chentrier, *Vivre avec soi-même et avec les autres*, textes inédits choisis, présentés et annotés par Monique Chentrier-Hoffmann, Montréal, Éditions de Mortagne, 1981, p. 103.
Théo Chentrier a animé l'émission *Psychologie de la vie quotidienne* à la radio de Radio-Canada.

Que dire de toutes les autres femmes, celles qui, selon le mot d'Yvon Deschamps, « (...) ne travaillent pas parce qu'elles ont trop d'ouvrage ! » ? Elles sont prisonnières du service domestique que la société exige d'elles. Et la « maîtresse-de-maison-ménagèrefemme-au-foyer » souffre souvent de l'ennui, surtout quand les enfants vont à l'école. Quand l'« intérieur » féminin n'est plus animé par les jeunes enfants, il apparaît souvent comme une clôture absurde. Les femmes prennent alors conscience de leur enfermement, conscience qui reste le plus souvent non verbalisée, presque honteuse, car il n'est pas facile de s'insurger contre sa condition quand il est écrit et proclamé partout que cette condition est une vocation naturelle et universelle. D'ailleurs, les psychologues dans leurs articles, les prêtres dans leurs retraites fermées, Théo Chentrier dans son émission radiophonique, *Psychologie de la vie quotidienne*, se chargent d'expliquer aux femmes qu'elles doivent surmonter leur ennui et s'ajuster au rôle que la société attend d'elles. Car ce sont les hommes qui expliquent aux femmes ce qu'elles doivent éprouver (une émission destinée aux femmes s'intitule : *Un homme vous écoute*).

Aujourd'hui, les femmes ont des mots à elles pour analyser autrement quelques-unes des difficultés qui sont les leurs. Elles ont des lieux, des groupes, des associations pour se rencontrer, pour en parler. Elles ont des occasions pour discuter et chercher des solutions. Elles ont même des organismes gouvernementaux pour soutenir politiquement leurs revendications. Tout cela n'est pas apparu par inadvertance. En 1965, ces mots n'étaient pas connus. Ces discussions n'avaient pas lieu. Cette prise de conscience ne s'était pas encore produite. Des femmes clairvoyantes ont mis sur pied de nouvelles associations, ont réclamé des enquêtes, des tribunes, des moyens d'action. Tranquillement le mot *féminisme* qui semblait démodé et aussi désuet qu'une suffragette est revenu au centre de l'actualité. C'est ce qu'il importe de rappeler maintenant.

La relance du féminisme organisé

Au début de 1965, quelques femmes s'avisent que les Québécoises ont le droit de vote depuis 25 ans et que cet événement n'a jamais été souligné collectivement depuis la victoire de 1940. D'ailleurs, au lendemain de la loi 16, il convient peut-être d'établir un bilan de la condition féminine. On n'est pas étonné d'apprendre qu'à l'origine de cette initiative on retrouve Thérèse Casgrain, l'infatigable militante des années 20 au Comité de suffrage provincial, des années 30 et 40 à la Ligue des droits de la femme, des années 50 en politique active et des années 60 à la Voix des femmes. Thérèse Casgrain invite, pour organiser cet anniversaire, des représentantes des principales associations féminines d'alors.

On a vu, au chapitre précédent, que les femmes engagées publiquement dans des mouvements variés étaient alors très nombreuses. De l'Union catholique des femmes rurales à la Voix des femmes, des Unions de famille à l'Association des femmes diplômées, tous les groupements féminins sentent implicitement le besoin de reprendre l'analyse de la condition féminine là où les premières associations féministes l'avaient laissée à l'époque de la Fédération nationale Saint-Jean-Baptiste. La continuité entre les premières et les nouvelles féministes est assurée par la présence dynamique de Thérèse Casgrain.

Le comité organisateur des fêtes du 25e anniversaire du droit de vote pour les femmes

Thérèse Casgrain, ex-présidente de la Ligue des droits de la femme
Colette Beauchamp, Anne Postans et Raymonde Roy de la Voix des femmes
Maire-Ange Madore, de la Fédération nationale Saint-Jean-Baptiste
Lise Trudeau et Cécile Labelle, des Anciennes de Pédagogie familiale
Dorothée Lorrain, des Femmes diplômées des universités

Source : Brochure du colloque « *La femme du Québec. Hier et aujourd'hui* ».

La décision est prise de célébrer l'anniversaire du droit de vote par un colloque de deux jours à Montréal qui s'intitule « La femme du Québec. Hier et aujourd'hui ». Les participantes se divisent en trois commissions pour étudier le statut juridique de la femme, la participation de la femme à l'économie du Québec et la présence de la femme dans la société. Claire Kirkland-Casgrain, « la » députée, est la principale conférencière invitée et Mariana Jodoin, « la » sénateure, présidente d'honneur.

Lors de la séance de clôture, l'assemblée générale vote à l'unanimité la fondation d'une Fédération des femmes du Québec.

Cette association regrouperait des représentantes de toutes les associations féminines ainsi que des membres individuels. L'objectif premier serait de coordonner les actions de chacune pour la promotion des intérêts et des droits des femmes. On reprend ainsi le modèle choisi par le National Council of Women en 1893 et, en 1907, par la Fédération nationale Saint-Jean-Baptiste.

Les signataires de la charte de la Fédération des femmes du Québec, le 1er mars 1966

Colette Beauchamp, journaliste
Monique Bégin, sociologue
Fernande Cantero, travailleuse à la maison
Thérèse Casgrain, politicienne
Réjane Colas, avocate
Alice Desjardins, avocate
Jeanne Duval, syndicaliste
Madeleine Favreau, travailleuse à la maison
Cécile Labelle, femme d'affaires
Dorothée Lorrain, biologiste
Denise Payeur, travailleuse à la maison
Huguette Plamondon, syndicaliste
Louise Rousseau, secrétaire
Raymonde Roy, agent d'immeuble
Fernande Saint-Martin, journaliste
Lise Trudeau, travailleuse à la maison

Source : Archives de la Fédération des femmes du Québec.

Les journaux saluent avec enthousiasme ce projet de la Fédération. « Une nouvelle force de frappe ! » écrit Renaude Lapointe dans *La Presse*. De son côté, *Le Devoir* publie en première page la liste des revendications féminines : une enquête gouvernementale sur les conditions de travail des femmes, l'application de la loi du salaire égal pour un travail à valeur égale, la création immédiate de garderies de l'État, la reconnaissance de l'autorité parentale,

1966 — 1976

LE PREMIER CONSEIL D'ADMINISTRATION

1ère rangée: Mme Cécile Labelle et Mlle Luce Dumoulin; deuxième rangée: Mme Réjane Colas, Mme Marie Gingras, de Sherbrooke, Mlle Nicole Forget, Mme Lise Trudeau et Mme Raymonde Roy; troisième rangée: Mlle Colette Beauchamp, Mme Pauline Larochelle, de Sherbrooke, Mme Yvette Rousseau de Coaticook; Mme Simonne Chartrand, de Longueuil; Mme Fernande Cantero et Mme Rita Cadieux. N'apparaissent pas sur la photo: Mlle Monique Bégin, Mme Odette Dick de Québec et Mme Germaine Goudreault de Nicolet. (Photo La Presse, 25 avril 1966)

Premier conseil d'administration de la Fédération des femmes du Québec, 1966. Bulletin de la F.F.Q.

l'instauration d'un tribunal de divorce et l'abolition des termes
« ménagère » et « mère nécessiteuse ». Cela se passe, ne
l'oublions pas, en 1965. De toute évidence, ces femmes ont pris conscience que dans l'enthousiasme de la révolution tranquille on
risque, encore une fois, de laisser les femmes de côté. Le féminisme
qu'on avait cru mort est bel et bien vivant, même si le mot « féminisme » est rarement utilisé.

Un travail d'animation est alors entrepris, toujours sous le
leadership de Thérèse Casgrain. Son salon sert de quartier général
à plusieurs comités : préparation du congrès, projet de charte,
information auprès des groupes régionaux, sondage auprès des
multiples associations féminines, collaboration avec les syndicats et
les associations professionnelles. Le 1er mars 1966, un groupe de
femmes demande et obtient la charte officielle de la fondation.
Cette charte devra être ratifiée au moment du congrès de fondation.

Les 23 et 24 avril 1966, près de 400 femmes sont réunies : 36
associations ont envoyé des délégués, 38 associations ont dépêché
des observatrices et 130 femmes sont venues de tous les coins de la
province.

Pour la première fois, des femmes de toutes les régions, de
tous les milieux et de toutes les confessions sont réunies. On y
retrouve des anglophones et des francophones, des rurales et des
citadines. De toute évidence, une solidarité nouvelle doit être
construite. Les femmes ne sont pas toutes sur la même longueur
d'onde. Quelques-unes s'inquiètent de voir des mots comme
« divorce » ou « avortement » figurer dans les documents. Les con-
gressistes s'objectent à certaines procédures et veulent participer
à l'élaboration de la charte et des règlements, non pas endosser
tout de go les documents préparés par le comité organisateur. On
réussit toutefois à mettre en marche l'association. Les participantes font élire sur le premier conseil d'administration des
déléguées de la base et plusieurs membres des comités organisa-
teurs. Le premier geste du conseil est de nommer Thérèse Casgrain présidente honoraire de la Fédération, fruit de sa détermination. Grâce à elle, les femmes ont maintenant une plate-forme
politique pour appuyer leurs revendications.

Toutefois, devant les inévitables remous causés par ces deux
jours de délibérations, les journalistes demandent si l'unité sera possible dans une Fédération aussi pluraliste. Les discussions du congrès n'ont-elles pas mis en évidence « l'opposition entre les

femmes qui travaillent et celles qui ne « travaillent pas » (*sic*) ; entre les femmes de la ville et celles des centres ruraux ; les B.A. et celles qui n'ont pas de grands titres ; les femmes à bébés et les femmes à diplômes ». À ces objections la première présidente, Réjane Laberge-Colas, répond que l'unité sera possible, car « (...) les femmes s'occuperont de questions intéressant surtout toutes les femmes. Et quand elles s'intéresseront à une certaine classe, c'est que leurs problèmes auront une importance pour la population ».

Les présidentes de la Fédération des femmes du Québec

1966-67 Réjane Laberge-Colas, avocate
1967-69 Rita Cadieux, travailleuse sociale
1969-70 Marie-Paule Dandois, travailleuse sociale
1970-74 Yvette Rousseau, syndicaliste
1974-77 Ghislaine Patry-Buisson, animatrice
1977-80 Sheila Abby-Finestone, animatrice
1980-81 Gabrielle Hotte, syndicaliste
1981-   Huguette Lapointe-Roy, historienne

Source : Archives de la Fédération des femmes du Québec.

Cette Fédération se caractérise par son caractère non confessionnel et multiethnique. La charte précise de plus que la Fédération n'aura pas d'aumônier. Dans l'ambiance de pluralisme et de laïcisme qui souffle sur le Québec à cette époque, cela ne nous surprend guère. La signification de cette autonomie des femmes face au pouvoir religieux et au pouvoir national est cependant considérable, car c'est à cette condition qu'un discours féminin autonome pourra émerger. L'action de la Fédération des femmes du Québec, dans les années subséquentes, le démontrera.

Néanmoins, en cette année 1966, le nouvel organisme ne réussit pas à obtenir l'affiliation de toutes les associations féminines. La non-confessionnalité est un argument suffisant pour dissuader les puissants Cercles de Fermières. Ayant naguère été frappés d'interdit par l'épiscopat, les Cercles ne prennent pas le risque d'une nouvelle querelle. Ils viennent d'ailleurs, en 1965, de fêter leur cinquantième anniversaire avec éclat. Cette association représentera, à l'avenir, une tribune où les courants conservateurs qui influencent les femmes pourront s'exprimer. Ce n'est que justice dans une société désormais pluraliste.

Les présidentes des Cercles de Fermières

1960-1964 Mme Charles (*sic*) Gosselin
11964-1968 Mme Adélard (*sic*) Jolin
1968-1974 Mme Fredeline Caron
1974-1980 Mme Marielle Primeau
1980-   Mme Marie Tremblay

Source : Yvonne Rialland Morissette, *Le Passé conjugué au présent*, Cercles de Fermières, Historique 1915-1980, Laval, Éditions Pénélope, *passim*.

Il n'en va pas de même pour l'autre organisme rural, l'Union catholique des femmes rurales. La présidente provinciale, Germaine Gaudreau, siège au premier conseil d'administration de la F.F.Q. Cependant, l'U.C.F.R. est alors en pleine restructuration. Depuis trois ans, cet organisme est en discussion avec les Cercles d'économie domestique pour opérer une fusion. Cette fusion se produit effectivement en août 1966 par la création de l'A.F.E.A.S. Pour les membres du premier conseil d'administration de l'A.F.E.A.S., ce nouveau départ doit être fermement encadré et enraciné avant de songer à toute affiliation. La confusion, en effet, pourrait être grande et risquer de nuire au recrutement. L'A.F.E.A.S. se présente donc, en cette année 1966, comme une nouvelle association féminine. Son *membership* est majoritairement rural. Depuis plus de 15 ans, les membres sont initiés à l'animation sociale et à la participation directe à la vie publique. Sous l'impulsion de femmes dynamiques et astucieuses à faire subventionner de multiples projets destinés aux femmes « ordinaires », l'A.F.E.A.S. va se révéler une véritable tribune d'action sociale. À cette époque, les discussions sur le travail des femmes donnent encore lieu à des propos sévères sur l'illégitimité de ce travail face au rôle sacré et naturel de la femme dans la famille. Azilda Marchand, l'une des premières militantes de l'A.F.E.A.S, est l'une des premières à affirmer que cette discussion est sans fondement puisque toutes les femmes travaillent et qu'il est plus urgent d'examiner les problèmes liés au travail effectif qu'elles font, soit dans la famille soit dans l'entreprise familiale. Bien avant les féministes d'aujourd'hui, elle dénonce le caractère invisible du travail des femmes. De cette réflexion allait naître, en 1976, l'Association des femmes collaboratrices et, en 1978, la publication du volume *Pendant que les hommes travaillaient, les femmes elles...* Dans les années qui suivent, l'A.F.E.A.S. représente donc une force avec laquelle il faut compter.

Les présidentes de l'A.F.E.A.S.

1966-1970   Germaine Gaudreau, collaboratrice dans l'entreprise familiale
1970-1975   Azilda Marchand, animatrice sociale
1975-1980   Solange Gervais, collaboratrice dans l'entreprise familiale
1980-   Christiane Gagné, coordonnatrice de projets

Source : Entrevue avec Azilda Marchand.

La Fédération des femmes du Québec atteint cependant son objectif de constituer un centre d'opération pour la majorité des autres associations féminines. Dès le début, les affiliations sont nombreuses, pluralistes et significatives. Aujourd'hui, la Fédération représente plus de 100 000 membres par le truchement des associations membres, des conseils régionaux et des membres individuels. L'année 1966, qui a vu la fondation de la F.F.Q. et de l'A.F.E.A.S. représente sans contredit une année charnière dans l'histoire des femmes au Québec.

Associations membres
de la Fédération des femmes
du Québec — 1980

- Association d'économie familiale du Québec
- Association de familles monoparentales bas-Saguenay « La Ruche »
- Association de familles monoparentales de L'Estrie Inc.
- Association des cadres et professionnels de l'Université de Montréal
- Association des femmes autochtones du Québec
- Association des femmes diplômées des universités (Montréal)
- Association des femmes diplômées des universités (Québec)
- Association des puéricultrices de la province de Québec
- Association des veuves de Montréal
- Au bas de l'Échelle
- B'nai B'rith women council
- Centre bénévole de Mieux-être de Jonquière
- Centre d'information et de référence pour femmes
- Cercle des femmes journalistes
- Cercle des rencontres du mercredi inc.
- Club culturel humanitaire Châtelaine
- Club Wilfrid-Laurier des femmes libérales
- Communauté sépharade du Québec
- Conseil national des femmes juives
- Fédération québécoise des infirmières et infirmiers
- Junior league of Montreal Inc.
- Les auxiliaires bénévoles de l'hôpital de Jonquière
- Ligue des citoyennes de Jonquière
- Montreal Lakeshore university women's club
- Mouvement des femmes chrétiennes
- Mouvement : services à la communauté ; Cap Rouge
- Regroupement des garderies, région « six C »
- Réseau d'action et d'information pour femmes (Saguenay)
- Sherbrooke and district university women's club
- Société d'étude et de conférences (Montréal)
- Société d'étude et de conférences (Québec)
- Voix de femmes
- West Island Shelter
- West Island Woman's Centre
- YWCA

La commission Bird

Au Québec, la question de la condition féminine devient alors une affaire publique. Les journaux en parlent dans la page éditoriale et non plus dans les pages féminines. La revue *Châtelaine*, sous la direction de Fernande Saint-Martin, maintient une préoccupation constante d'informer les lectrices sur les revendications des femmes. À la radio, la série *Fémina*, dirigée par Louise Simard, entretient une discussion permanente sur la condition féminine et, à la télévision, *Femmes d'aujourd'hui* aborde directement les problèmes les plus controversés. Les participants aux congrès de planification familiale découvrent avec surprise que le Québec, naguère si conservateur, a rejoint et parfois devance les associations anglophones et protestantes en termes d'organisation publique. Par ailleurs, alors qu'en 1964 la délégation québécoise s'était abstenue de voter sur la question de l'avortement, à la Voix des femmes, en 1965, cette même délégation joue le rôle de leader face aux autres provinces et en 1966, la vice-présidente de la V.D.F., une Québécoise, explique les techniques fondamentales de contraception à un comité de la Chambre des communes débattant la décriminalisation de la contraception. La présidente de la Fédération canadienne des Associations des femmes diplômées, Laura Sabia, assiste aux préparatifs enthousiastes du congrès de fondation de la Fédération des femmes du Québec. À nouveau, la collaboration des anglophones et des francophones, à la Voix des femmes surtout, laisse présager qu'une solidarité de toutes les Canadiennes est enfin possible. Il est intéressant ici de rappeler qu'en 1964, une délégation canadienne de la Voix des femmes à l'O.T.A.N., à Paris, est emprisonnée au cours d'une manifestation contre les armes nucléaires. Alors que les Torontoises désapprouvent cette aventure, Thérèse Casgrain est reçue comme une héroïne au Québec et chaleureusement embrassée par le Premier ministre lui-même. L'idée d'une commission d'enquête sur les femmes fait son chemin : Jeanne Sauvé en réclame une dès mars 1966.

Au Canada anglais, on est stimulé par l'exemple du féminisme américain. Laura Sabia introduit alors l'idée d'une nouvelle plate-forme politique pour les femmes et, rapidement, un nouvel organisme est créé : le Committee for the Equality of Women in Canada. Les associations québécoises en font naturellement partie et l'une des premières réalisations de ce comité, en mai 1966, est un consensus pour réclamer une commission royale d'enquête sur la condition féminine. Trente-deux associations féminines endossent la démarche. Le 19 novembre de la même année une délégation se rend à Ottawa réclamer l'enquête fédérale.

La conjoncture se trouve alors absolument favorable. L'économie canadienne est en pleine expansion. Au Cabinet, Judy LaMarsh, la seule femme ministre, harcèle ses collègues pour qu'on se penche, une fois pour toutes, sur la condition des femmes. Dans les principaux pays occidentaux, on achève ou on entreprend des études et des enquêtes sur cette même condition. Le gouvernement libéral, minoritaire, doit accorder une importance plus grande aux droits fondamentaux des individus grâce à la présence de la députation du N.P.D. qui lui assure la majorité en chambre.

Enquêtes sur la condition féminine au début des années 60	
États-Unis	1961-1963
Allemagne de l'Ouest	1962-1966
Danemark	1965
France	1966
Royaume-Uni	1966
Finlande	1966
Pays-Bas	1966
Autriche	1966

Source : *Rapport de la Commission royale d'enquête sur la situation de la femme au Canada*, Ottawa 1970, page 1, note 1.

Les mouvements internationaux pour la paix, l'opposition à la guerre du Vietnam et les discussions sur la ségrégation raciale ont mis l'accent sur les Droits de l'homme (*sic*) fournissant un précieux cadre théorique pour situer la question de la condition féminine. La requête pour une commission d'enquête arrive juste à point.

Le gouvernement n'acquiesce pas immédiatement à la demande. Laura Sabia parle d'une marche éventuelle des femmes sur Ottawa lors d'un interview et, le lendemain, un quotidien torontois en fait sa manchette : *Three million women to march on Ottawa*. C'est sans doute ce *scoop* qui emporte la décision.

En février 1967, le gouvernement du Canada institue une Commission royale d'enquête sur la situation de la femme au Canada. Cet événement aura une importance considérable pour les femmes. Leur réponse allait bouleverser toutes les prévisions : la condition féminine, en moins de deux ans, est devenue un problème social de premier plan. La longue continuité féminine d'engagement social se révèle alors dans ses multiples dimensions : la jonction s'est faite entre les féministes du début du siècle et un nouveau féminisme, le féminisme réformiste dont l'objectif est l'égalité de tous dans la société.

Au Québec, cette annonce est reçue avec tiédeur. On appréhende les problèmes de conflit de juridiction entre le fédéral et le provincial. Thérèse Casgrain précise que l'enquête ne devrait pas empiéter sur les droits provinciaux. Elle estime aussi qu'il y a beaucoup d'éducation à faire du côté des femmes elles-mêmes pour que celles-ci prennent conscience de leurs problèmes.

---

*Les membres de la Commission royale
d'enquête sur la situation de
la femme au Canada
16 février 1967 — 28 septembre 1970*

Florence Bird, journaliste, Ontario
Jacques Henripin, démographe, Québec
John P. Humphrey, avocat, Québec
Lola M. Lange, fermière, Alberta
Jeanne Lapointe, professeure, Québec
Elsie Gregory McGill, ingénieure, Ontario
Doris Ogilvie, avocate, Nouveau-Brunswick

*Secrétaire générale de la Commission
et directrice de la recherche*
Monique Bégin, sociologue, Québec

Source : Rapport de la Commission royale d'enquête sur la situation de la femme au Canada, p. VII, VIII, 507.

La commission Bird, du nom de sa présidente, abat un travail gigantesque : elle reçoit 469 mémoires et plus de 1000 lettres, tient des audiences publiques durant 37 jours dans 14 villes où plus de 890 personnes viennent exposer leurs griefs, commande 34 études sur des points particuliers et, pour terminer, publie le 28 septembre 1970 un rapport de 540 pages assorti de 167 recommandations.

Le rapport Bird : une bombe

À 14 h 11 min, à la Chambre des communes, le Premier ministre s'est levé, a salué poliment l'Orateur et a déposé sur la table une bombe dont le mécanisme était déjà amorcé et tictaquant. Cette bombe se trouve être Le Rapport de la Commission royale d'enquête sur la situation de la femme au Canada. *Elle est bourrée de plus de matières explosives que tout engin préparé par des terroristes. En tant qu'appel à une révolution (espérons-la tranquille), il est plus persuasif qu'un manifeste du F.L.Q.*

En tant qu'arme politique, elle est plus puissante que le fameux rapport de la Commission si contreversée sur la biculturalisme et le bilinguisme.

Le livre de 488 pages (...) demande des changements radicaux non seulement au Québec mais dans chaque localité du Canada. Il porte sur les relations non pas entre les francophones et les anglophones, mais entre les hommes et les femmes.

Les racines du problème qu'il tente de décrire et résoudre ne remontent pas à 100 ans de Confédération mais à l'origine du genre humain.

Anthony Westell
dans le *Toronto Star*, 8 février 1970.

Source : Cité par Florence Bird dans *Anne Francis an Autobiography*, Toronto, Clarke, Irwin & Co., 1974, p. 302.

Note : Traduction libre des auteures.

La commission Bird recommande avant tout que soit établie dans les faits et dans les institutions l'égalité la plus complète entre les hommes et les femmes. Considérant que l'autonomie économique est la base de cette égalité, elle demande l'égalité des salaires, des emplois et des promotions, plus particulièrement dans la fonction publique et l'armée. Elle demande également que toutes les avenues éducatives — programmes, formation professionnelle, information, etc. — soient ouvertes également aux hommes et aux femmes. Sur le plan des responsabilités familiales, qui sont le lot des femmes et contribuent le plus souvent à les maintenir en état de dépendance, la Commission recommande l'égalité la plus stricte entre les conjoints et la modification des lois sur le divorce. Elle se montre particulièrement audacieuse pour l'époque en demandant que l'âge minimum pour se marier soit fixé à 18 ans, en exigeant la généralisation des garderies, en proclamant l'importance des cliniques de contraception et en prônant l'avortement libre pour toutes les femmes enceintes de moins de 12 semaines qui en font la demande. Sur ce point précis, toutefois, trois commissaires dont deux s'opposent à la mesure et une estime que la Commission n'est pas allée assez loin ont voulu signer des rapports minoritaires. Le désaccord des commissaires sur d'autres points — les garderies, les mesures compensatoires pour les femmes au travail — illustre à quel point les problèmes soulevés par la commission Bird représentent un défi pour la société canadienne. La journaliste Marianne Favreau commente : « C'est aux hommes de ce pays que les hommes de ce pays se comparent. »

Le rapport Bird met particulièrement en lumière les problèmes aigus d'un groupe de femmes singulièrement négligées : les Amérindiennes. On se rappelle qu'au 19e siècle, la loi sur les Indiens privait les Amérindiennes de leur statut si elles épousaient un non-Indien. Les législations successives ont eu comme conséquence de limiter toujours davantage les droits des Amérindiennes. En fait, il était devenu évident que le gouvernement visait à long terme l'élimination des Indiens et qu'il se servait, pour le faire, de l'exclusion progressive des femmes au statut d'Indien. Les gouvernements ont toujours envisagé l'émancipation, *i.e.* la perte du statut spécial d'Indien comme un avantage pour les Amérindiens. Toutefois, la plupart des autochtones ont plutôt considéré la perte de leur statut d'Indien comme une chose à éviter parce qu'ils préfèrent conserver leur culture et leurs valeurs indiennes. Dans cette perspective, il est capital de signaler que 95 p. 100 de tous les cas d'émancipation entre 1965 et 1975 ont été le cas de femmes qui n'avaient pas choisi d'être émancipées mais qui avaient été victimes des lois.

Les discussions sur les droits de la personne ont accéléré la prise de conscience de l'injustice flagrante faite aux femmes amérindiennes, et cela dans de nombreux milieux. Mais les discussions ont donné peu de résultats concrets parce que les représentants du mouvement autochtone sont presque exclusivement des hommes. Ces derniers s'opposent à toute modification des lois canadiennes parce qu'ils craignent qu'une modification à ces lois (*vg.* cesser de punir une femme qui épouse un homme d'une autre race) leur fasse perdre les avantages qu'ils ont acquis si difficilement.

La commission Bird représente donc pour de nombreux groupes d'Amérindiennes l'occasion de faire connaître leur sort à l'ensemble de la population. Depuis cette date, plusieurs événements ont maintenu le « cas des Amérindiennes » au centre de l'actualité. Le procès de Jeannette Lavel, en 1970, a finalement entraîné un juge de la Cour suprême à affirmer « (...) qu'en soi, à l'intérieur d'un groupe ou d'une classe, l'inégalité basée sur le sexe n'est pas nécessairement une offense à la déclaration des droits ». Le résultat est aujourd'hui désastreux : les Amérindiennes continuent d'être les victimes des lois des Blancs. Certes, leur nombre est peu considérable au Québec, mais leur cas est exemplaire. L'Association des femmes autochtones du Québec tente difficilement de modifier la situation.

Quelques associations québécoises féminines qui ont présenté des mémoires à la commission Bird

Les Cercles de Fermières
L'A.F.E.A.S.
La Fédération des femmes du Québec
L'Association des femmes diplômées des universités
La Fédération des unions de famille
La Ligue des femmes du Québec
La Société d'étude et des conférences
L'Association des religieuses enseignantes du Québec
The Montreal Council of Women
Women's Federation, Allied Jewish Community Services of Montreal
The Voice of Women (Montréal)

L'impact de la commission Bird au Québec est considérable, non pas tant à cause de ses recommandations — des femmes engagées les jugent conservatrices — et non pas davantage à cause de ses constats — ils n'apprennent rien de vraiment nouveau —, mais à cause de l'ébullition qu'elle suscite dans toutes les associations féminines. La plupart de celles-ci procèdent à de vastes consultations parmi leurs membres avant de présenter de copieux mémoires à la Commission.

À la suite de la publication du rapport Bird, la Fédération des femmes du Québec publie le *Guide de discussion* qui est utilisé dans presque tous les groupes féminins. L'unanimité n'est pas atteinte, loin de là, mais la question est chaudement débattue.

Ces discussions semblent s'enchaîner tout naturellement dans le prolongement des discussions passionnées qui ont suivi la publication d'*Humanae Vitae*, en 1968, la fameuse encyclique de Paul VI sur la contraception. Le lien entre la contraception et la condition féminine est fondamental, car c'est l'accès à la contraception qui a permis aux femmes d'envisager une scolarité plus longue, une présence active dans le monde du travail et la société, et une transformation certaine des mentalités. L'analyse féministe prend un tournant différent lorsque les femmes commencent à réclamer l'autonomie de leur fécondité. À la fin des années 60, les Québécoises discutent ouvertement de contraception. Le phénomène est si nouveau qu'on doit s'y arrêter.

La publication d'*Humanae Vitae* qui condamne spécifiquement l'usage de la « pilule » cristallise une rupture déjà amorcée entre l'Église et la morale conjugale. Bien des catholiques, bouleversés, refusent d'obéir aux prescriptions pontificales. Parmi les remous suscités par cet événement, l'un est particulièrement significatif. L'hebdomadaire *Photo-Journal* publie le 20 novembre 1968 un sondage sur la planification des naissances: 2394 personnes, des femmes à 85 p. 100, majoritairement catholiques francophones, y répondent. L'analyse des résultats, présentée en avril 1979 par Radio-Canada dans le cadre de l'émission *5D*, révèle que l'Église a perdu le contrôle qu'elle exerçait sur la fécondité des couples. Seulement 12 p. 100 des répondants « se considèrent obligés en conscience de se soumettre aux conclusions de l'encyclique *Humanae Vitae* ». À peine 1,5 p. 100 des personnes mariées ont abandonné toute pratique contraceptive et 3,6 p. 100 ont changé de méthode. L'enquête révèle également qu'à peine 15 p. 100 des gens mariés et 6 p. 100 des célibataires consultent un prêtre pour les questions de contraception.

Ces changements sont fondamentaux. Les catholiques apprennent tranquillement à se déculpabiliser face à la planification familiale. D'ailleurs, la loi elle-même entérine ce mouvement. Depuis 1969, les articles condamnant la publicité et la vente de produits contraceptifs ou la diffusion d'informations sont retirés du Code criminel. L'avortement thérapeutique est également autorisé. « L'État, déclare le Premier ministre Trudeau, n'a rien à voir dans la chambre à coucher de ses citoyens. »

Les femmes-orchestres font la grève

Même si, depuis des millénaires, la nature et la culture s'étaient unies pour assujettir les femmes au mariage et à la procréation, les sociétés ont constitué des avenues où il était possible aux femmes d'échapper à ce double destin. Valorisées ou dévalorisées, ces avenues avaient l'immense mérite d'exister. Désormais, on n'y échappe plus! Les couvents se vident et ne sont plus une alternative au mariage. Les taux de nuptialité montent, le mariage devient le lot commun de l'immense majorité des femmes : statistiquement, les « vieilles filles » deviennent rarissimes. Les couples mariés sans enfant sont une espèce en voie de disparition. À la fin des années 60, les crèches sont vides et les mères célibataires gardent désormais leurs enfants. Les listes d'attente des sociétés d'adoption sont interminables.

Si chaque femme a de moins en moins d'enfants, la maternité devient une expérience à laquelle il est socialement (voire biologiquement) de plus en plus difficile de se soustraire. La vie de ménagère devient le lot commun de toutes les femmes : celles qui ont déjà eu les moyens de se payer des domestiques vivent une « crise domestique » encore plus intense que celle du début du siècle. Elles deviennent, malgré elles, les domestiques de leur propre famille.

Être éduquée durant la révolution tranquille signifie que, désormais, on se retrouve dans les mêmes programmes que les garçons — les écoles ménagères ferment. De plus en plus d'hommes enseignent aux jeunes filles ! Les manuels féminins disparaissent ! La démocratisation de l'enseignement ouvre en principe toutes les avenues à chacune et chacun. Curieusement, les filles se retrouvent dans des options où leurs collègues seront majoritairement... des filles. La plupart du temps, quand elles sont embauchées pour leur premier emploi, elles se retrouvent entre femmes. Lorsqu'elles font le budget pour leur futur ménage avec leur fiancé, elles constatent infailliblement que leur chèque de paye est beaucoup plus maigre.

Être une vraie femme, c'est être à la fois bonne amante, bonne épouse, mère de famille disponible, travailleuse compétente, bonne cuisinière et bonne syndicaliste, tout ça à la fois ; être femme comme avant pour ne pas déranger l'ancien ordre des choses mais également être une femme nouvelle impliquée dans son travail. Toute femme qui a vécu quelques années à ce rythme se retrouve plus coincée que jamais. On lui fait payer bien cher le mirage de l'égalité !

Les femmes qui veulent se consacrer à l'éducation de leurs enfants doivent le faire dans un climat ambigu. D'une part, elles sont valorisées mais à la condition de se soumettre aux avis des experts de tout acabit et, d'autre part, elles sont soupçonnées de mener une vie facile et confortable, tellement moins difficile que celles de leurs aïeules ou que celle de leur mari se tuant à la tâche pour les rendre heureuses...

Le processus de « scientifisation » et de rationalisation qui, durant la première moitié du siècle, avait transformé les mères de famille ou les travailleuses en simples exécutantes du savoir des hommes, se poursuit dans la période de la Révolution tranquille. Ce processus atteindra aussi de nouvelles sphères. Avec la prospérité économique, l'infrastructure des services sociaux, hospitaliers, éducatifs, n'a plus besoin de fonctionner sur le bénévolat ou le *cheap labour* des religieuses. Ainsi, les femmes qui depuis 300 ans géraient hôpitaux, écoles, couvents et hospices deviennent la cible privilégiée de la nouvelle classe gestionnaire. On assiste alors à une entreprise de dénonciation, puis à une purge. Quelques années après la Révolution tranquille, les femmes seront totalement éliminées de la plupart des postes d'administration du nouveau « parapublic ». Elles seront remplacées par de jeunes administrateurs qu'on présume compétents qui réussiront à les déloger des seuls secteurs de la vie publique où elles avaient réussi à exercer des fonctions de pouvoir.

Pour l'immense majorité des femmes salariées, le travail signifie être surexploitée et manquer de services collectifs : garderie, congés de maternité, service domestique. Pour les femmes à la maison, la situation consiste à être une mère de famille dépendante dont le travail est dévalorisé en dépit de son titre de « reine du foyer ». D'ailleurs, ces femmes éprouvent les plus grandes difficultés à se réinsérer dans l'univers du travail. Ces impasses apparaissent de plus en plus injustes. Des travailleuses commencent à en discuter dans leur syndicat. On assiste à la réapparition des mouvements féministes vers 1965. La commission Bird donne l'occasion de scruter la vie des femmes et de diagnostiquer leurs maux.

Mais déjà, en 1969, un féminisme différent fait son apparition. Des femmes mettent en doute que l'important soit encore de savoir « comment une femme peut avoir une activité sociale intéressante tout en ayant un foyer ». C'est l'éclatement. De nouvelles idées, de nouvelles revendications, de nouvelles pratiques, de nouvelles revues, de nouvelles associations, apparaissent dans tous les milieux. Cette fois, c'est la société elle-même qui est remise en question, c'est également toute la relation entre les sexes.

Notes du chapitre XIV

1. Témoignage de Laurette Lepage cité par Laetilia Bélanger dans
   « Les femmes qui s'en sont sorties » dans *Madame au foyer*,
   octobre 1975, p. 18.

2. Ghislaine Meunier-Tardif, *Vies de femmes*, Montréal, Éditions
   Libre-Expression, 1981, p. 174.

Orientations bibliographiques

Auger, G. et R. Lamothe, *De la poêle à frire à la ligne de feu*, La vie quotidienne des Québécoises pendant la guerre de '39-'45, Montréal, Boréal-Express, 1981.

Barry, Francine, *Le Travail de la femme au Québec : l'évolution de 1940-1970*, Montréal, Presses de l'Université du Québec, 1977.

Bouchard, Jacqueline, *Facteurs de sortie des communautés religieuses du Québec*, thèse de doctorat, Institut de Psychologie, Université de Montréal, 1970.

Brault, Rita Henry, *Les Idées nouvelles viennent de la base, Historique de Serena*, Ottawa, Serena, 1974.

Caldwell, Garry, « La baisse de la fécondité au Québec à la lumière de la sociologie québécoise » dans *Recherches sociographiques*, 1976, p. 7-22.

Casgrain, Thérèse, *Une femme chez les hommes*, Montréal, Éditions du Jour, 1971.

Cuthbert-Brandt, Gail, « Weaving It Together: Life Cycle and the Industrial Experience of Female Cotton Workers in Quebec, 1910-1950 » dans *Labour/Le Travailleur*, no 7, printemps 1981, p. 113-125.

Dardigna, Anne-Marie, *La Presse féminine, fonction idéologique*, Paris, Maspero, 1979.

Descarries-Bélanger, Francine, *L'École rose... et les Cols roses*, Montréal, Éditions coopératives Albert Saint-Martin/Centrale de l'enseignement du Québec (C.E.Q.), 1980.

Dumont-Johnson, Micheline, « Les communautés religieuses et la condition féminine » dans *Recherches sociographiques*, 1978, no 1, p. 79-102.

Dumont-Johnson, Micheline, « Les infirmières, cols roses ? », dans *Nursing-Québec*, sept. 1981.

Dumont-Johnson, Micheline, « La parole des femmes. Les revues féminines au Québec 1938-1968 » dans *Idéologie au Canada français*, vol. IV, Tome II, p. 4-45.

Dunnigan, Lise, *Analyse des stéréotypes masculins et féminins dans les manuels scolaires au Québec*, Conseil du statut de la femme, 1976.

Dunnigan, Lise, « *L'orientation des filles en milieu scolaire* », Conseil du statut de la femme, 1977.

Friedan, Betty, *La Femme mystifiée*, Denoël-Gonthier, 1964.

Gagnon, Mona-Josée, *Les femmes vues par le Québec des hommes : 30 ans d'histoire des idéologies 1940-1970*, Montréal, Éditions du Jour, 1974.

Jean, Michèle, « L'anniversaire du droit de vote » dans *Bulletin de la Fédération des femmes du Québec*, vol. 6, no 4, p. 2-5.

Lapointe, Huguette, « Historique de la Fédération des femmes du Québec », dans *Bulletin de la Fédération des femmes du Québec*, vol. 6, no 4, p. 5-12.

Monet-Chartrand, Simone, « L'urgence de la communication » dans *Bulletin de la Fédération des femmes du Québec*, vol. 7, no 1, p. 8-11.

Morris, Cerise, « Determination and Throughness : The Movement for a Royal Commission on the Status of Women in Canada » dans *Atlantis*, vol. 5, no 2, printemps 1980, p. 1-21.

Patoine, Marcelle, C.S.C., *L'Église et l'éducation au Québec*, s. l., 1977.

Pierson, Ruth, « Ladies or Loose Women : The Canadian Women's Army Corps in World War Two » dans *Atlantis*, vol. IV, no 2.

Pierson, Ruth, « 'Jill Canuck' : CWAC of All Trades But No 'Pistol Packing Momma' » dans *Communications historiques*, 1978, p. 106-133.

Pierson, Ruth, « Women's Emancipation and the Recruitment of Women into the Labour Force in World War ll » dans Trofimenkoff, S.M., and Prentice, A., *The Neglected Majority*, Toronto, McClelland and Stewart, 1977, p. 125-145.

Rialland-Morissette, Yolande, *Le Passé conjugué au présent*, Cercles de Fermières du Québec historique, Laval, Pénelope, 1981.

Sullerot, Evelyn, *La Presse féminine*, Paris, Armand Colin, 1966.

Tessier, Albert, *Souvenirs en vrac*, Montréal, Boréal-Express, 1975.

Thivierge, Nicole, « L'enseignement ménager : Une entreprise de récupération des modèles et des valeurs traditionnels » dans *Maîtresses d'écoles, Maîtresses de maisons*, articles choisis et présentés par Micheline Dumont et Nadia Eid, Montréal, Boréal-Express, 1983.

L'ÉCLATEMENT
1969-1979

En 1970, le Parti libéral reprend le pouvoir à Québec en promettant 100 000 emplois. Il ne peut tenir sa promesse et toute la décennie est marquée par une lente dégringolade vers la crise économique de la fin des années 70. En 1970, le problème national occupe le devant de la scène avec la crise d'Octobre. La répression qui s'ensuit et l'incapacité des deux gouvernements à proposer une solution aux aspirations québécoises entraînent l'élection du Parti québécois en 1976.

La question sociale est aussi à l'ordre du jour. Le front commun des trois centrales syndicales en 1972 et l'emprisonnement des chefs syndicaux ainsi que l'éclatement de longs et pénibles conflits de travail dans tous les secteurs maintiennent la population dans un climat d'insatisfaction. L'expérience politique des militantes dans tous ces événements est déterminante pour le féminisme québécois, ainsi qu'on le verra.

Quant à la situation économique, elle prend de plus en plus l'aspect d'une hydre à sept têtes : crise du pétrole, chômage endémique, inflation galopante, récession, hausse des taux d'intérêts, désastre des finances publiques, scandales variés (dont le plus célèbre, celui du Stade olympique). Femmes et hommes se sentent de plus en plus le jouet de forces manichéennes sur lesquelles même leurs gouvernements n'ont aucune prise.

Et, pendant que la violence éclate au Liban, en Égypte, en Ouganda, en Rhodésie, au Cambodge, au Pakistan, au Chili, au Guatemala, en Grèce, en Pologne ; pendant que l'injustice s'étale dans les bidonvilles, les prisons, les camps de réfugiés, les *goulags* de toutes sortes ; pendant que s'empilent de part et d'autre du rideau de fer des armements susceptibles de tout faire sauter ; pendant que fleurissent les nouveaux cultes religieux, musicaux, sportifs et sexuels ; pendant que le terrorisme international remet en cause les mécanismes démocratiques, des féministes entreprennent de dire la vie autrement. On les accuse d'être violentes mais, jusqu'ici, elles n'ont déclaré aucune guerre, détourné aucun avion ni pris personne en otage, au nom de la cause des femmes. On les soupçonne de n'être qu'une mode passagère, comme les *Hippies*, mais les théoriciennes précisent au contraire une analyse féministe de plus en plus rigoureuse. On les considère parfois comme des folles, mais c'est peut-être pour s'empêcher de voir que de plus en plus de femmes, publiquement ou au fond d'elles-mêmes, sont d'accord avec les féministes et tentent de modifier la vie.

Ce dernier lever de rideau est différent des autres : la vie des femmes semble s'insérer maintenant plus aisément dans la trame de l'histoire des hommes. Les partis politiques, les gouvernements, les Églises, les syndicats et, les entreprises semblent désormais tenus de compter avec les femmes. C'est que, durant les années 70, les femmes ont taillé des brèches de plus en plus larges dans les murs qui séparaient les sphères privée et publique et la vie des femmes et des hommes. Elles acceptent de moins en moins de perpétuer l'impasse où les maintient l'opposition entre les attentes de la société et les nouveaux rôles qu'elles ont choisi de jouer.

Mais si les femmes se situent elles-mêmes plus facilement dans cette trame historique, les hommes, eux, continuent d'occulter les manifestations et les significations du mouvement des femmes. La conjoncture politique et économique suscite la publication de nombreuses chronologies ou synthèses explicatives, mais on y tait encore les événements concernant les femmes. Ces ouvrages sont presque tous muets sur le mouvement des femmes, ou ils en parlent comme d'un greffon venu d'ailleurs et mal enraciné dans le terreau québécois. Comme si les changements intervenus dans la situation des femmes s'étaient produits tout naturellement par le simple jeu de l'évolution... Comme si le féminisme actuel n'était pour rien dans les profondes remises en question de la dernière décennie. Comme si le féminisme actuel n'avait aucune racine dans le passé collectif des femmes.

Or, il n'en est rien. Et l'implication collective des femmes dans l'histoire récente est là pour la démontrer.

Dans les pages qui suivent, c'est davantage le développement du mouvement des femmes et des idées féministes que nous allons aborder. Les conditions de vie, de travail et de santé des femmes ont fait l'objet durant cette décennie de plusieurs études et publications. Nous verrons plutôt comment éclatent au cours des années 70 les tensions vécues par les femmes des générations précédentes.

XV

Les années chaudes du féminisme

La démystification

C'est l'heure de la contestation au Québec. À Montréal on tente d'étouffer l'opposition en interdisant les manifestations dans les rues de la ville. En novembre 1969, près de 200 femmes, soit des militantes des divers groupes nationalistes et socialistes, soit simplement des sympathisantes du changement social, décident de protester contre cette restriction de leur liberté d'expression. Enchaînées, elles défileront la nuit. Les policiers n'oseront pas matraquer les femmes. Mais la police ne fait pas d'exceptions pour les femmes. Elle les empile, non sans une certaine difficulté à cause des chaînes, dans ses fourgons et les amène passer la nuit au poste.

Issues de mouvements politiques définis et dominés surtout par des hommes, les femmes enchaînées ont ressenti le besoin de se regrouper en tant que femmes. Par leur geste, elles signalent l'arrivée d'une nouvelle vague de féminisme au Québec qui, cinq ou six ans plus tard, aura radicalement modifié la perception de la condition des femmes. C'est la découverte d'une nouvelle solidarité. Depuis des siècles, les femmes sont certes solidaires mais c'est surtout pour s'entraider dans leurs tâches traditionnelles : accoucher, soigner les malades, garder les enfants, consoler celles qui ont des problèmes de ménage. Au début du siècle, il s'était élaborée une solidarité féminine politique, orientée vers l'obtention de cer-

475

tains changements pour l'ensemble des femmes. La nouvelle solidarité des années 70 va bien plus loin : c'est ni plus ni moins que la découverte d'un nouveau monde, redéfini à partir du vécu des femmes.

Les femmes étaient habituées à se voir par les yeux des hommes, à se mesurer par des normes masculines, à concevoir leurs vies en termes de présence ou absence d'homme. Désormais, certaines femmes commencent à y substituer une nouvelle réalité, celle de l'expérience féminine que seules les autres femmes peuvent véritablement partager. L'exploration de cet univers féminin se fera lentement au cours de ces années et, pour y accéder, il faudra d'abord démolir cette vision presque exclusivement masculine dans laquelle les femmes sont habituées à se trouver.

La première phase de ce nouveau féminisme est donc celle de la contestation. Remise en question radicale, violente, déchirante même, de la vie des femmes. Tout devient sujet de questionnement : mariage, sexualité, famille, éducation, marché du travail, stéréotypes de beauté et de comportement. En dessous, une question fondamentale : quel est le rapport des femmes aux hommes ?

Les tabous éclatent. La libération des moeurs des années 60 encourage les femmes à parler publiquement, pour la première fois depuis très longtemps, de leur sexualité. À quoi bon, se disent-elles, les rapports sexuels avec les hommes s'ils ne nous apportent pas de plaisir ? Pourquoi les enfants portent-ils le seul nom du père alors qu'ils nécessitent des années de soins maternels et de sacrifices ? Pourquoi la part de la mère n'est-elle pas pleinement reconnue ? Le mariage n'est-il pas une forme d'asservissement économique déguisé sous le mythe de l'amour romantique et servant surtout à faire travailler les femmes sans rémunération ? Ces questions qui vont bien au-delà des revendications d'égalité juridique et politique du début du siècle vont bouleverser les rapports des femmes avec les hommes et des femmes entre elles.

Si la colère des femmes — sentiment d'être exploitées et utilisées pour les fins d'un monde masculin — explique la force des protestations féminines de ces années, le féminisme n'est pas qu'un mouvement de contestation. Il implique aussi le choix de vivre autrement que par le passé. Les dénonciations du *statu quo* s'accompagnent de nouveaux projets, de nouvelles façons de vivre. Peut-on attribuer ce réflexe aux responsabilités concrètes que les femmes assument dans leur vie quotidienne ? Le féminisme fait plus que s'attaquer à tout ce qui a été pensé, défini, contrôlé et utilisé

exclusivement par les hommes. Il va plus loin et propose une nouvelle égalité définie par les femmes. On commence à songer à ce
que les femmes veulent vraiment, au lieu de ce qu'elles devraient
faire pour les autres.

Les thèmes caractéristiques du féminisme de cette époque
sont l'autonomie, l'autodéfinition et l'égalité entre les sexes. Depuis
l'octroi du droit de vote au provincial en 1940 et l'abolition du principe de l'incapacité juridique de la femme mariée en 1964, la plupart
pensaient que l'égalité des sexes était chose acquise dans la société
québécoise. Le nouveau féminisme démystifie l'égalité formelle. Il
démontre qu'en dépit d'une quasi-égalité des droits, l'égalité dans
les faits n'existe pas. Economiquement, les femmes sont défavo-
risées, largement absentes de la vie publique, encore les premières
responsables du soin des enfants, sous-représentées dans les domaines de la création artistique, etc. Cette inégalité place les femmes
dans une situation de dépendance économique et sociale face aux
hommes.

Les critiques féministes révèlent l'étendue de la dépendance
des femmes. Pour la première fois dans l'histoire, elles aspirent
collectivement à l'autonomie. Cette nouvelle autonomie place
d'abord l'épanouissement individuel avant le don de soi, chose révolutionnaire dans une société où le sacrifice était quasiment synonyme de féminité. Elle signifie aussi penser sa vie de femme sans
attendre que les rapports avec les hommes, les enfants et la famille
lui donnent tout son contenu.

Pendant longtemps, les femmes étaient habituées à se dévaloriser, à se sous-estimer, souvent bien inconsciemment, parce
qu'elles ne répondaient pas aux normes établies par les hommes.
Des exemples ? Les hommes, glorifiant la force musculaire, fai-
saient de cet attribut une explication de leur domination sur les
femmes dont les muscles étaient moins développés. Les hommes
encore, prétendant avoir le monopole de la rationalité, expliquaient
aux femmes qu'elles étaient naturellement plus émotives, plus passives, tandis qu'eux, les hommes, étaient psychologiquement faits
pour imposer leur volonté aux autres.

Les féministes remettent tout cela en question. Les femmes,
disent-elles, devraient se définir elles-mêmes et cesser d'accepter
sans interrogation ce que les hommes disent d'elles. On se demande
sur quoi reposent les valeurs d'une société qui préfère le plus souvent les enfants mâles. On commence à explorer la vraie nature des
femmes, cachée sous les mythes masculins. On conteste l'image,

essentiellement négative, des femmes telles que dépeinte par les hommes. Est-elle véridique ? N'est-il pas possible de la réinterpréter dans un langage de femmes ? Et si les femmes reconnaissaient tout simplement ce qu'elles sont ?

On découvre subitement qu'il n'y a aucune raison pour que le masculin soit la norme et que toute la vie des femmes soit évaluée en fonction des standards masculins. Cette découverte de la valeur intrinsèque de tout ce qui est féminin sera un des aspects les plus révolutionnaires du mouvement féministe. Car, en proclamant que tous les attributs du corps féminin peuvent être beaux, on renverse l'ordre établi des valeurs. La réinterprétation du corps des femmes choque et fascine l'opinion publique : elle attaque directement l'image populaire des femmes, c'est-à-dire, corps de mère et corps de *sex symbol*. Lorsque les féministes parlent de leurs menstruations comme d'un phénomène naturel, lorsqu'elles refusent de porter gaines, talons hauts et maquillage, elles avancent des idées dont les implications sont vastes. Les femmes sont, tout naturellement, ce qu'elles sont. Elles peuvent être femmes et ne pas se conformer à la définition traditionnelle de la féminité.

Le nouveau féminisme,
un mouvement international

C'est aux États-Unis que se manifeste d'abord le féminisme radical, première force motrice de tous les féminismes de cette époque au Québec et d'ailleurs. Ce sont d'abord de jeunes Américaines, dont l'initiation politique s'est faite dans le mouvement pour les droits civils des Noirs et dans la contestation de la guerre au Vietnam, qui commencent à se demander pourquoi elles se battent pour la libération des autres pendant qu'elles vivent toujours une oppression particulière. Ces femmes, pour la plupart très instruites, militantes de groupes de gauche, s'aperçoivent qu'elles ne sont pas traitées comme les hommes qui travaillent à leurs côtés. On veut qu'elles préparent le café, dactylographient des textes et soient au service des hommes, mais on considère qu'elles n'ont pas à prendre des décisions stratégiques ni à occuper des postes de responsabilité. Ce traitement, qui va de pair avec le rôle quotidien des femmes — rôle de subordination et d'auxiliaire —, devient alors insupportable. La contradiction, d'une part entre l'éducation reçue dans les collèges et les universités et leurs aspirations, et, d'autre part, ce que la réalité de la condition féminine leur impose, devient de plus en plus flagrante. La domination des hommes leur semble si totale, si absolue que seulement des changements radicaux peuvent la renverser.

La féministe Kate Millett est une des premières à élaborer les fondements théoriques du féminisme radical. Analysant la culture occidentale à travers les grandes oeuvres de la littérature, Millett démontre que le rapport fondamental de pouvoir dans la société est celui de la domination des hommes sur les femmes. De cette oppression originelle naît toutes les autres. Les institutions de notre société sont organisées en vue de perpétuer cette domination du mâle et constituent un véritable patriarcat par lequel le pouvoir se passe de mâle en mâle. Lorsque le livre de Millett, *La Politique du mâle*, sort en 1969, il devient partout un succès de librairie. En 1971, il connaît le même succès en français. Des milliers de femmes qui ne sont pourtant ni militantes ni intellectuelles concèdent que l'analyse de Kate Millett est la description fidèle de ce qu'elles vivent et ressentent sans pouvoir le nommer.

Ainsi naît à la fin des années 1960 le mouvement féministe radical — radical parce qu'il vise l'abolition totale de la domination des hommes sur les femmes, que ce soit dans les rapports sexuels, au sein de la famille, dans le monde du travail ou dans l'image qu'on présente des deux sexes dans les médias.

En quelques années, le féminisme radical s'est étendu bien au-delà des États-Unis. D'abord parce que la situation décrite par les Américaines est aussi vécue partout en Occident : l'éducation et la participation croissante des femmes au marché du travail rendent insupportables, dans les pays industrialisés, les tensions créées par l'écart entre l'ancien et le nouveau rôle des femmes. Ensuite parce que les théories des féministes, dont les plus radicales déclarent la guerre tant aux hommes, ennemi numéro un des femmes, qu'à la famille traditionnelle, lieu d'asservissement des femmes, captent immédiatement l'attention des médias. Bien que la presse écrite et électronique, aux mains des hommes, se plaise à dépeindre les manifestations féministes comme l'oeuvre de folles, de femmes anormales emportées par une haine déplorable, elle ne réussit pas à les discréditer totalement. Partout où sont diffusées les nouvelles de la contestation féministe, il y a des femmes qui sympathisent et qui se demandent si, elles aussi, n'auraient pas les mêmes raisons de se révolter.

Les théoriciennes du nouveau féminisme

Kate Millett :   *La Politique du mâle* — 1969 (traduction française, 1971) :
*On appellera politique les rapports
de pouvoir et les arrangements par
lesquels un groupe de personnes
contrôle un autre.*

Shulamith Firestone :   *La Dialectique du sexe* — 1970 (traduction française, 1972) développe
l'idée que les hommes comme groupe ont dominé historiquement les
femmes à cause de la capacité re-
productrice de celles-ci. Les progrès scientifiques permettront la
libération des femmes en leur enle-
vant leurs fonctions maternelles
pour les confier aux laboratoires qui
veilleront sur les bébés éprouvettes.

Germaine Greer :   *La Femme eunuque* — 1970 (traduction française, 1971) dépeint les
femmes comme des êtres tronqués et
incomplets et fait une description
dévastatrice d'une société foncièrement orientée en termes du sexe
masculin. Le rôle féminin est réduit
à celui de fournisseuse d'enfants, de
travail et de gratifications pour les
hommes.

La revue française *Partisans* publie dans un numéro spécial en
1969-1970 une collection d'écrits des nouvelles féministes radicales et des féministes marxistes. Parmi ceux-ci, il y a la traduction d'un article de la Canadienne Margaret Benston dans
lequel l'auteure démontre que le système capitaliste repose en
bonne partie sur le travail des femmes au sein des familles.

Le nouveau vocabulaire des féministes radicales

Groupes de prise de conscience (*consciousness-raising groups*) :	Rencontres de sensibilisation dans lesquelles les femmes se rendent compte de l'étendue de leur oppression et des possibilités de changement. Les hommes sont habituellement exclus de ces groupes.
Chauvinisme mâle :	Attitude culturelle de supériorité chez les hommes ; équivalent sexuel de racisme.
Sexisme :	Infériorisation systématique d'un groupe par un autre, basée sur l'identité sexuelle.
Phallocrate :	Homme qui fait preuve de chauvinisme mâle et de sexisme.
Sexiste :	Qui présente des préjugés à cause du sexe de quelqu'un.

Ici comme ailleurs, ce sont des jeunes femmes qui deviennent des porte-parole du nouveau féminisme. Souvent, elles ont une formation universitaire ou militent déjà dans les mouvements de gauche. Étant donné l'origine américaine du féminisme radical, il n'est guère surprenant que les premiers groupes de libération des femmes au Canada se fondent, dès 1967, en milieu anglophone : Toronto et Vancouver. Le mouvement gagne l'Angleterre, puis la France après la contestation de mai 1968. Fin 1969, les écrits des féministes américaines et françaises circulent à Montréal. Les militantes du mouvement nationaliste commencent à remettre en question leur rôle dans l'action politique. La manifestation des femmes en novembre 1969 s'inscrit dans cette remise en cause.

Le mouvement s'implante au Québec

Ce sont les anglophones proches des milieux radicaux des universités Sir George Williams (qui deviendra plus tard Concordia) et McGill qui mettent sur pied le premier mouvement de libération des femmes en 1969. Inspirées par les féministes américaines dont une des porte-parole, la professeure Marlene Dixon, enseigne à McGill, elles fondent à l'automne 1969 le Montreal Women's Liberation Movement. En même temps, deux étudiants en médecine publient le *Birth Control Handbook*, brochure sur la contraception qui battra des records canadiens avec plus de deux millions d'exemplaires vendus. Pour répondre aux demandes des femmes, le Montreal Women's Liberation Movement ouvre un centre, rue Sainte-Famille, avec l'aide financière du docteur Henry Morgentaler. Le docteur Morgentaler est un des rares médecins acceptant de faire des avortements en dehors du milieu hospitalier, acte illégal, selon le Code criminel qui autorise depuis 1968 les avortements « thérapeutiques » faits dans un hôpital.

L'historienne Martine Lanctôt raconte comment les anglophones ont essayé de prendre contact avec les femmes francophones. Ces dernières sont hésitantes. Mobilisées dans la lutte pour la libération nationale, elles avaient « peur du ridicule » comme elles l'ont avoué plus tard et, aussi, peur d'être accusées de diviser le mouvement national. Mais certaines deviennent convaincues que le mouvement nationaliste et socialiste devrait reconnaître l'oppression spécifique des femmes. En janvier 1970, elles fondent le Front de libération des femmes du Québec.

L'histoire de ce premier groupe de libération des femmes dans le Québec francophone illustrera la difficulté et l'originalité de l'implantation du féminisme radical. Le Front de libération des femmes (F.L.F.) se compose de militantes des deux groupes linguistiques. Les anglophones accèdent facilement aux idées américaines et conçoivent l'oppression des femmes comme une réalité universelle. Les francophones, dont l'éducation politique s'est faite d'abord dans la lutte nationale, sont réticentes à collaborer avec les féministes des autres provinces et cherchent le moyen de concilier trois objectifs : libération des femmes, libération nationale des francophones et libération sociale amenant le renversement des classes sociales existantes. Bientôt, le F.L.F. expulse les anglophones et déménage dans ses propres locaux, rue Mentana à Montréal.

La crise d'Octobre de 1970, avec la répression policière des groupes nationalistes et socialistes, aiguise la conscience des féministes. Dans la foulée du fameux manifeste du F.L.Q., deux militantes publient, en 1971, le *Manifeste des femmes québécoises*. Tout comme les Américaines, elles dénoncent la discrimination

Slogan du féminisme radical.
Forces *numéro 27, 1974, Montréal*

qu'elles ont ressentie dans les groupes de gauche. Elles refusent des projets de libération nationale et sociale qui ne comportent pas la libération simultanée des femmes. Elles affirment que les femmes sont victimes à la fois du système capitaliste et du système patriarcal. Tout en voulant établir une lutte spécifique des femmes, elles cherchent à la relier aux luttes sociales. Ce féminisme, à la différence du mouvement ailleurs en Occident, est étroitement lié aux luttes de libération nationale comme en témoigne le slogan si populaire à l'époque : *Pas de Québec libre sans libération des femmes ! Pas de femmes libres sans libération du Québec !*

À l'instar du F.L.Q., le F.L.F. qui ne semble totaliser jamais plus de 60 membres s'organise en cellules indépendantes. Ces militantes contestent, lors du procès du felquiste Paul Rose, le fait que les femmes sont exclues des jurys. Elles dénoncent le Salon de la femme, espèce de foire commerciale annuelle tenue à Montréal, qui ne fait que prolonger, disent-elles, l'abrutissement des femmes par une société de consommation. Une des cellules s'occupe d'une garderie populaire. Mais il est difficile de maintenir un consensus parmi les différentes cellules. Certaines des militantes veulent poursuivre la libération des femmes à l'intérieur de mouvements marxistes révolutionnaires déjà existants. Après la publication du premier numéro du journal *Québécoises deboutte !*, le F.L.F. se dissout à la fin de 1971.

En dépit de sa courte existence, le F.L.F. marque un moment important dans le mouvement des femmes au Québec. Fait nouveau, des femmes osent se dissocier des mouvements de gauche dominés par les hommes. Elles lancent l'idée d'un féminisme révolutionnaire qui lie la libération des femmes à un changement global de la société entière. Mais leur orientation idéologique demeure floue et les membres se divisent entre celles de formation marxiste, qui relient l'oppression des femmes à la lutte des classes, et celles qui voient plutôt la source de leurs oppressions dans les rapports hommes-femmes de type patriarcal.

Pendant les trois années suivantes, soit de 1972 à 1975, le Centre des femmes continue de fonctionner grâce à quelques anciennes militantes du F.L.F. auxquelles se joignent une poignée de femmes ayant travaillé dans les mouvements de gauche. Le Centre est vite perçu comme la base du mouvement féministe révolutionnaire en milieu francophone, et sa publication, *Québécoises deboutte !*, lui confère un rôle de lieu d'échanges et de contacts. Au Centre des femmes, on tente d'élaborer un féminisme socialiste qui intègre la problématique des femmes dans la lutte des classes. Mais le Centre est en marge des courants de pensée dominants tels le nationalisme et le marxisme. Il est également en marge des grands regroupements féministes ou féminin tels la F.F.Q. et l'A.F.E.A.S. Les groupes socialistes sont toujours hostiles à l'idéologie féministe. Mais de plus en plus on entend parler du Centre des femmes qui est très actif au Comité de lutte pour l'avortement et la contraception libres et gratuits. Le Centre a pour objectifs l'analyse de la situation des femmes, la « conscientisation » et la formation de militantes. Il vise à implanter des noyaux féministes d'où naîtra éventuellement un mouvement de libération des femmes. Les activités se traduisent par la mise sur pied d'un service d'avortement qui permettra une politisation autour de cette question, l'ouverture d'un centre de documentation et la publication de huit numéros de *Québécoises deboutte !* qui compte plus de 2000 abonnées.

Le courant féministe d'inspiration marxiste et celui qui s'articule à la fois autour du socialisme et du nationalisme trouve son terrain le plus propice dans les centrales syndicales. À la C.E.Q. où la majorité des membres sont des femmes, on crée, en 1973, un

QUEBECOISES DEBOUTTE !

LES TÊTES DE PIOCHE
JOURNAL DES FEMMES

Titres des deux premières revues qui ont représenté le féminisme radical au Québec.

comité de la condition féminine. Ce comité qui prendra pendant un certain temps le nom de la fondatrice du syndicalisme enseignant, Laure Gaudreault, se penche sur le lien entre l'école, milieu de travail et d'apprentissage, et la condition féminine. L'influence de la C.E.Q. sera particulièrement importante dans la remise en cause de l'image populaire des femmes comme des êtres passifs et limités surtout aux travaux dits « féminins », image qui prend racine chez les très jeunes enfants qui la retrouvent dans leurs manuels scolaires.

Les femmes forment 20 p. 100 des effectifs de la F.T.Q. mais, comme ailleurs, elles ne constituent qu'un infime pourcentage des instances décisionnelles. En 1972, la F.T.Q. crée un comité d'étude sur cette faible participation des femmes. Le rapport de ce comité intitulé *Travailleuses & Syndiquées* souligne les multiples aspects de la vie des femmes : tâches familiales, pénurie de garderies, double journée de travail qui les empêche de participer aux activités syndicales après les heures de travail.

À la C.S.N., il y avait 30 p. 100 de femmes et cette centrale avait déjà eu un comité féminin qu'elle avait aboli en 1966 sous prétexte d'ainsi mieux intégrer les femmes. Mais, dans ce processus, les problèmes particuliers des syndiquées avaient été relégués à l'arrière-plan. L'éclosion du mouvement féministe dans les années 70 force la centrale à les regarder sous un nouvel oeil. En 1973, un nouveau comité est formé et il vise à placer les problèmes des femmes au premier rang des préoccupations des syndiquées.

Dans ce contexte, la participation des trois centrales au comité de lutte pour soutenir le Dr Morgentaler représente une étape critique dans leur compréhension du vécu des travailleuses. Dans les années qui suivent, la prise en charge de certaines revendications des féministes par les centrales syndicales et particulièrement les demandes pour les congés de maternité, les garderies et la législation sur salaire égal pour travail d'égale valeur ajoutera beaucoup de force à ces demandes. C'est, par exemple, grâce au cheminement des idées féministes et du travail des femmes dans leurs centrales que les travailleuses des secteurs public et parapublic obtiennent, en 1979, le congé de maternité de 17 semaines payés à 93 p. 100 du salaire.

L'arrestation, le procès et l'emprisonnement du Dr Henry Morgentaler donnera aux forces féministes et progressistes l'occasion de se regrouper. L'influence qu'exerce le mouvement féministe dans la campagne de soutien au Dr Morgentaler facilitera la diffusion des problématiques féministes concernant le corps des femmes. De plus en plus de personnes deviennent convaincues que les femmes devraient contrôler leurs propres corps. Le Comité de lutte pour l'avortement et la contraception libres et gratuits, formé de représentantes de la Corporation des enseignants du Québec (C.E.Q.), de l'Association pour la défense des droits sociaux (A.D.D.S.) et du Centre des femmes, voit la contestation des lois limitant la pratique de l'avortement et de la contraception comme une étape dans la lutte à long terme. Ce comité publie le manifeste *Nous aurons les enfants que nous voulons*, en annexe de la pièce de la troupe féministe Théâtre des cuisines en 1974 et un *Dossier spécial sur l'avortement et la contraception libres et gratuits* en 1975.

La plupart des groupes de femmes au Québec, sauf ceux affiliés à l'Église catholique, soutiennent l'action du Dr Morgentaler. Défilés, spectacles, vente de macarons se succèdent. La presse est largement sympathique à la cause du Dr Morgentaler. Son procès démontre la difficulté qu'ont les femmes du Québec à se procurer des avortements thérapeutiques. Un avortement légal doit

Marche pour la libéralisation de l'avortement, printemps 1979.
Photo Claudine Kurtzman

être approuvé par un comité de médecins. Dans les hôpitaux catholiques, les médecins refusent de mettre sur pied des comités thérapeutiques ou donnent rarement leur approbation. Leur action est appuyée par le mouvement Pro-Vie.

Un jury de citoyens trouve le Dr Morgentaler innocent, mais la Cour d'appel du Québec renverse ce verdict et sa décision est entérinée par la Cour suprême du Canada. L'opinion publique se lève devant l'arrogance des juges qui condamnent celui qui a été acquitté par jury. Devant ces protestations, on fait amender le Code criminel pour éliminer de tels jugements à l'avenir, mais le docteur Morgentaler purge une peine de prison avant d'être libéré pour continuer sa pratique à Montréal.

Le féminisme apprivoisé

Les femmes au Québec se familiarisent petit à petit avec le langage des féministes. Sans s'identifier à elles, dont l'image révolutionnaire en effraie certaines, des femmes de partout sont sensi-

Groupe musical « Arcanson », 24 juin 1978.
Photo Josée Coulombe

bles au message et l'adaptent à leur vécu. Lorsque les féministes radicales dénoncent la famille comme un lieu d'exploitation qu'il faut abolir, il n'y a pas beaucoup de femmes qui sont prêtes à les suivre. Mais les femmes au foyer commencent à interroger leur rôle au sein de leur famille. Ont-elles une vie à elles malgré leurs responsabilités familiales ? Ont-elles une sécurité financière ? Pourquoi le travail ménager n'est-il pas reconnu ou payé ? Que feront-elles une fois les enfants élevés ? Lorsque les féministes marxistes démontrent que la production de biens et de services, travail quotidien des ménagères, est une partie intégrante de notre économie, les femmes commencent à se demander pourquoi personne ne reconnaît la valeur de leur « travail invisible ». Lorsque les féministes soulignent le fait que les femmes travaillant à l'extérieur du foyer ont, en fait, deux emplois parce qu'elles continuent d'être seules responsables du travail ménager, les femmes hésitent moins à demander aux maris de préparer le souper ou faire la vaisselle. Quand la féministe australienne Germaine Greer vient à Montréal en 1971, elle fait passer le message du féminisme radical au coeur des foyers francophones. Belle femme, s'exprimant couramment en français, elle reçoit beaucoup d'attention des médias. Kate Millett vient à Montréal en 1973 et elle raconte, dans son autobiographie, comment l'enthousiasme des Montréalaises finit presque par l'étouffer, tellement sa présence était demandée. Mais le processus de conscientisation est long. Plusieurs des idées des féministes radicales prendront presque dix ans avant d'être adoptées, reformulées et véhiculées par les femmes d'ici.

Le rapport Bird qui paraît à ce moment-là joue un rôle important dans l'éveil des Québécoises au féminisme. Le guide de discussion du rapport Bird s'est rapidement vendu et a servi à orienter des groupes d'études de tous les milieux à travers la province.

Le courant du féminisme réformiste qui existe au Québec depuis plus de 70 ans reçoit une nouvelle infusion d'énergie et de détermination avec l'arrivée du message du féminisme radical. La Fédération des femmes du Québec, qui s'inspire du féminisme réformiste, se radicalise graduellement au cours de la décennie. L'évolution de ses prises de position peut se mesurer par l'adoption, en 1975, d'une résolution qui demande le retrait des articles du Code criminel portant sur l'avortement. Régulièrement subventionnée, dotée de leaders venant de milieux plus aisés et possédant des professions prestigieuses, la voix de la Fédération est écoutée. Sur les entrefaites, une kyrielle de petits groupes se fondent dont un des plus connus est le R.A.I.F. (Réseau d'action et d'information pour les femmes).

Par ailleurs, les gouvernements commencent à réagir par des gestes tangibles aux revendications des femmes et aux recommandations des commissions d'enquête. Depuis la publication du rapport Bird, on discute de la création possible d'un « office de la femme ». La Fédération des femmes du Québec en fait le thème de son congrès en 1971. Les pressions de la F.F.Q. et d'autres groupes aboutissent à la mise sur pied en 1973 du Conseil du statut de la femme du Québec (C.S.F.). Ce conseil a le double mandat de conseiller le gouvernement sur toutes questions relatives à la condition des femmes et d'en informer celles-ci. La création du C.S.F., si elle est considérée comme une victoire par certaines associations, est vue d'un oeil plutôt sceptique voire agressif par une partie importante du mouvement. Certains groupes trouvent le mandat du C.S.F. trop limité alors que d'autres voient dans cette fondation une tentative de contrôle des revendications des femmes par l'État.

La même année, on établit à Ottawa le Conseil consultatif canadien de la situation de la femme (C.C.C.S.F.) qui suscite les mêmes discussions sur le plan fédéral. Néanmoins, les deux organismes initient de nombreuses études qui viennent épauler les recherches qui se font dans les universités. Car le féminisme envahit les lieux de production du savoir.

Les organismes gouvernementaux créés en 1973

À Québec

Conseil du statut de la femme (C.S.F.)
Présidentes:
    1973 : Laurette Robillard, administratrice
    1976 : Claire Bonenfant, libraire

À Ottawa

Conseil consultatif canadien de la situation de la femme (C.C.C.S.F.)
Présidentes :
    1973 : Katie Cook, sociologue
    1976 : Yvette Rousseau, syndicaliste
    1979 : Doris Anderson, journaliste
    1981 : Lucie Pépin, infirmière

C'est d'abord sur le campus des collèges et des universités anglophones de Montréal qu'on a commencé à discuter des écrits des féministes américaines et anglaises. Suivant l'exemple des Américaines, des universitaires anglophones mettent sur pied des cours sur la condition féminine et encouragent leurs étudiantes à faire de la recherche sur ce sujet « méconnu ».

Dans les universités francophones l'idée de développer tout un champ de connaissance, celui de l'expérience féminine, prend plus de temps à démarrer à cause de son éloignement des milieux féministes américains, pour le moment les plus innovateurs. En 1972, se tient à l'Université du Québec à Montréal un cours universitaire sur la condition féminine. Un *teach-in* où se rassemblent plusieurs centaines de femmes a lieu en même temps. La publicité autour de cet événement, son déroulement à l'intérieur d'un cadre académique et la réussite de l'affaire aident à donner au mouvement féministe, chez les francophones du moins, une certaine respectabilité. Ce mode de rassemblement sera un moyen privilégié utilisé tout au long de la décennie. La même année, à la faculté d'éducation permanente de l'Université de Montréal, on donne un cours sur l'histoire des femmes. Ici et là, les femmes du milieu universitaire entreprennent des études à long terme sur la psychologie des femmes, leur comportement quotidien, leur profil économique, leur sexualité et leur histoire. On se rend compte que le savoir traditionnel dispensé dans les universités se base presque exclusivement sur l'expérience des hommes et qu'on ne parle presque jamais des femmes. Lorsqu'on daigne le faire, c'est toujours du point de vue masculin. Utilisant les outils d'analyse de leurs professions respectives, les intellectuelles se mettent à reconstruire leurs connaissances du point de vue féminin.

Les économistes font valoir que les barèmes traditionnels de la richesse collective ou individuelle ne peuvent pas mesurer la valeur du travail ménager. Les sociologues examinent l'oppression universelle des femmes en tant que sexe, réalité ignorée même parmi les gens qui dénonçaient avec véhémence la domination d'une classe sociale ou d'un groupe ethnique sur les autres. La discrimination contre les femmes, leur statut juridique particulier, leur encadrement dans des mariages dont les valeurs fondamentales n'avaient guère changé depuis l'ère victorienne, leur pauvreté chronique et la violence quotidienne qu'elles subissent sont autant de manifestations d'une oppression séculaire. Mais celle-ci est tellement bien acceptée que presque personne ne s'est soucié de le relever avant ces nouvelles intellectuelles.

Les psychologues féministes partent en guerre contre Freud, responsable de la profonde misogynie de la psychanalyse occidentale. Elles dénoncent les théories de l'orgasme vaginal, orgasme que la plupart des femmes sont physiologiquement incapables de ressentir. Par le fait même, elles minent les assises de l'école freudienne qui n'a pas su comprendre bien des aspects de la sexualité féminine. Cette école avait décrété que les femmes qui ne jouissaient pas par voie de pénétration étaient frigides, cette frigidité allant de pair avec d'autres caractéristiques supposément innées chez les femmes : passivité, infantilisme, dépendance, masochisme, etc. Cette remise en question de la définition traditionnelle de la sexualité féminine et, donc, des rapports hommes-femmes, a convaincu bien des femmes de ne plus se faire imposer de relations sexuelles insatisfaisantes et de ne plus s'incliner devant la libido masculine.

Les politicologues, quant à elles, vont demander pourquoi les femmes sont absentes des différents lieux de pouvoir tels que les législatures ou les conseils d'administration. L'égalité politique formelle des femmes ne serait-elle qu'une chimère qui masque la domination réelle des hommes dans le monde extérieur aussi bien qu'au foyer ?

Les linguistes et les écrivaines commencent à explorer le langage. Langage et littérature apparaissent surtout comme le reflet des expériences et des valeurs masculines. Elles se mettent aussi au travail pour inventer un langage de femme, pour récrire la vie selon elles. Les historiennes refusent une histoire collective où la moitié de la population n'a pas sa place. Elles apprennent aux femmes à refuser cette supercherie qui consiste à raconter le monde selon les hommes et à faire passer cette histoire de quelques hommes pour l'histoire de l'humanité.

Les cinéastes de l'Office national du film veulent également raconter le vécu des femmes. Elles sont plusieurs à produire la série de documentaires *En tant que femmes* en 1973. On y traite de la vie quotidienne des femmes mariées, des garderies, de la dépression nerveuse, des travaux ménagers, du mariage. Télévisés à travers le Québec, ces films font prendre conscience à plusieurs femmes isolées qu'elles sont loin d'être les seules à ressentir des difficultés.

Enfin, en mai 1979, un colloque interdisciplinaire est organisé par les professeures de l'U.Q.A.M. Militantes et chercheuses font le point sur les recherches faites par les femmes, sur les femmes et pour les femmes. « Nous comprenons mieux la nécessité de nous identifier comme femmes et comme féministes, et d'organiser nos solidarités », conclut l'une des organisatrices.

Le nouveau féminisme s'enracine

Le nouveau féminisme prend racine auprès d'une clientèle de plus en plus vaste. L'année 1975 est décrétée par l'O.N.U. l'Année internationale de la femme et c'était peut-être le coup de pouce qu'il fallait pour inciter des milliers de Québécoises à remettre en question les attaches du pouvoir masculin traditionnel.

Depuis plus de 5 ans, les idées du féminisme radical circulent au Québec. Elles ont germé d'abord dans les groupes de femmes de gauche et chez les intellectuelles. Mais telle est la force des mouvements socialistes et nationalistes que les femmes francophones n'osent pas articuler un féminisme radical sans le lier au sort de ces deux autres mouvements. Chez les anglophones, le marxisme et le nationalisme ne mobilisent pas autant la pensée des milieux de contestation féministe autonome. D'ailleurs, c'est chez elles que les femmes lesbiennes osent s'affirmer publiquement pour la première fois en tant que regroupement politique.

L'Année internationale de la femme est le moment où les femmes, collectivement, se rendent compte de leur désillusion face à la politique masculine. Celles qui sont dans les groupes de gauche et celles qui militent dans le mouvement nationaliste réalisent que les marxistes et les nationalistes semblent vouloir encadrer l'action des féministes dans leurs schémas préétablis, sans pour autant en faire une priorité. Plusieurs se rendent compte qu'il ne faut rien espérer des voies traditionnelles. Et elles se mettent à repenser et à exprimer les choses à leur façon. De plus, les colloques régionaux organisés par le secrétariat fédéral de l'Année de la femme mobilisent 2000 femmes qui y font leurs premières armes dans le militantisme. Ces colloques débouchent sur la tenue d'un important congrès, Carrefour 1975, à l'université Laval. Cinq cents femmes y discuteront éducation, garderie, sexualité et politique à l'aide d'une documentation soigneusement préparée.

À partir de 1975, on assiste à une véritable transformation du féminisme. Les féministes de toutes sortes se côtoient. Dégagées de la domination du marxisme et du nationalisme, des femmes francophones se penchent de plus en plus vers un féminisme autonome. Dorénavant, la libération des femmes au Québec ne passera plus en deuxième place sur l'agenda politique. Plutôt que de voir leurs revendications noyées dans un ensemble de demandes émanant des syndicats, des partis politiques ou des groupes de gauche, les féministes optent de plus en plus pour une stratégie de lutte autonome.

Ce virage rapproche l'ensemble du mouvement des femmes du féminisme radical. C'est le collectif qui publie le journal *Les Têtes de pioche*, à partir de 1976, qui est porteur du féminisme radical. Il exprime très clairement la position que l'oppression fondamentale, source de toutes les autres oppressions, provient de l'exploitation des femmes par les hommes. Cette domination, par le pouvoir mâle, est l'expérience commune qui relie toutes les femmes, avant et au-delà des autres formes d'oppression. Ce collectif, constitué à l'origine de six personnes, tente d'abord de se joindre aux féministes marxistes puis, devant l'incompatibilité des objectifs, se réduit à trois personnes pour enfin cesser de publier en juin 1979. Malgré un faible tirage, *Les Têtes de pioche* exerce une influence considérable sur le mouvement des femmes.

Les femmes qui militent dans le Parti québécois font inscrire dans le programme de leur parti des mesures visant à étendre l'accessibilité aux garderies, à faciliter l'obtention de l'avortement et à assurer des congés de maternité. L'orientation progressiste du Parti québécois fait que les espoirs des femmes sont grands lorsqu'il prend le pouvoir en 1976. D'autant plus qu'à cette époque les femmes forment plus de la moitié des membres. Mais, bientôt, les femmes constatent que, tout comme d'autres partis politiques, le Parti québécois reste largement dominé par les hommes. Déçues, quelques militantes féministes quittent le Parti québécois pour former, en 1978, le Regroupement des femmes québécoises, croyant mieux exercer les pressions sur le gouvernement à partir d'une base indépendante.

Que veulent les féministes ?

Après la prise de conscience de 1975, le mouvement des femmes trouve sa cohésion et sa force dans l'organisation de regroupements autour de projets concrets plutôt que par une analyse commune de l'origine de l'oppression des femmes. Des féministes de toutes les tendances se côtoient maintenant et travaillent avec d'autres femmes qui, sans se reconnaître comme féministes, revendiquent elles aussi des changements précis. L'action et la réflexion du mouvement des femmes se cristallise autour de quatre grands thèmes : le corps, le travail, la parole et le pouvoir.

Le corps

L'exploration du rôle du corps, dans la définition de la condition féminine, est une des caractéristiques du nouveau féminisme. Jamais auparavant, semble-t-il, les femmes n'ont voulu tant discuter de leurs corps — de leur propre rapport avec leurs corps et de leurs rapports aux hommes à travers les corps. Depuis des générations, les hommes justifient une oppression quotidienne par le mythe que le corps des femmes les prédestine à l'infériorité. De plus, ce mythe ramène constamment les femmes, en tant qu'êtres humains, à cette seule dimension qu'est le destin de la procréation. Ainsi elles se trouvent prisonnières de leurs corps. Et ce sont les hommes qui définissent la beauté, la santé et l'accès au corps des femmes.

La remise en question du *statu quo* commence, pour beaucoup de femmes, par ce qui leur est le plus concret : leurs corps. Déjà, au début des années 70, on discute de la sexualité au féminin. Les nouvelles méthodes contraceptives — pilule et stérilet — qui ont permis une liberté sexuelle inconnue aux générations précédentes, commencent à poser des problèmes. Des milliers de femmes, dans tous les milieux, éprouvent des effets secondaires, parfois très graves. Elles commencent à se demander pourquoi ce sont toujours elles qui doivent porter le fardeau de la contraception. Pourquoi ces méthodes sont-elles prescrites avec si peu de souci de leurs répercussions chez les femmes ?

Les interrogations sur le savoir médical continuent. Des femmes se rendent compte qu'elles sont à la merci d'une science qui, étant aux mains des hommes, reflète très souvent des préjugés masculins ou tout simplement de l'indifférence à l'égard des femmes. Ainsi, l'accouchement, autrefois acte naturel et affaire de femmes, est devenu un acte médical comme un autre et où la « patiente » n'a rien à dire dans un traitement qu'on lui impose. Les femmes commencent à refuser ces accouchements surmédicalisés et quelques hôpitaux à l'écoute de ces critiques tentent de rendre l'accouchement moins dépersonnalisant. Mais ces réformes n'arrivent pas assez vite et ne vont pas assez loin pour celles qui veulent reprendre en main leurs accouchements ou se faire assister par des sages-femmes à domicile. Mais la pratique des sages-femmes a été définie comme illégale. Le puissant lobby de la profession médicale est farouchement opposé à toute tentative d'enlever aux médecins le contrôle de l'accouchement. Le torchon brûle entre médecins et féministes.

D'autres spécialités du savoir médical masculin deviennent également l'objet de critiques. Les médecins de famille qui prescrivent des tranquillisants par douzaines et les psychiatres qui qualifient celles qui se posent trop de questions de « folles » se font publiquement interroger sur la validité de leurs pratiques. La dépendance des femmes à l'égard de certains médicaments, pourtant prescrits par leur médecin, est vue comme une conséquence de l'attitude médicale officielle. Celle-ci voit les femmes comme des êtres souvent hystériques, infantiles et manipulables. La psychiatrie qui s'est donnée le pouvoir de définir le comportement féminin dit « normal » depuis bien longtemps est contestée par celles qui voient là un moyen raffiné de contrôler les femmes.

Les questions de santé rallient énormément de femmes car

rares sont celles qui n'ont pas eu d'expérience négative avec un médecin. Les colloques sur ce thème se multiplient. Des centres de santé des femmes se créent un peu partout pour essayer de soustraire les femmes de l'emprise du savoir médical masculin. Des cliniques de planification familiale où se pratiqueront des avortements sont créées par le gouvernement à la fin des années 70 : ce sera là une des réponses officielles aux pressions des femmes à vouloir contrôler leurs corps.

Avoir un corps de femme veut souvent dire aujourd'hui être l'objet de violence. Violence directe et personnelle dans les scènes de ménage et dans cet acte si odieux qu'est le viol. Violence diffuse et impersonnelle dans certaines formes de pornographie et dans les images qui passent sur les écrans de télévision et de cinéma. Les féministes sensibilisent les autres femmes à ne plus accepter de vivre dans une société où le viol constitue une des métaphores les plus répandues du pouvoir. De sujet tabou — qui doit être caché si cela arrive — le viol devient le symbole du manque d'autonomie des femmes. Finie l'époque où les femmes acceptaient que celles qui sortaient seules la nuit ou dans certains quartiers étaient à blâmer de ce qui pouvait leur arriver. Chaque automne, des manifestations nocturnes proclament que la nuit aussi doit appartenir aux femmes. Maintenant, on se demande pourquoi le viol est le crime le moins puni par la justice ? Y a-t-il même une justice pour les femmes ?

Des groupes de femmes mettent sur pied des centres pour les victimes d'agressions sexuelles et pour les femmes battues. Elles ne sont pas les seules à refuser le viol et la violence domestique. Toutes les femmes se sont trouvées victimes d'agression sexuelle à un moment ou autre dans leur vie. Toutes les femmes connaissent des femmes battues par leur conjoint. Toutes les femmes ont peur de se faire attaquer dans des situations qui font partie de leur routine quotidienne : prendre l'ascenseur, traverser un stationnement désert, sortir tard du bureau ou se faire suivre dans la rue. Ainsi, les questions d'agression sexuelle et de violence familiale attirent une variété de regroupements féminins allant des féministes radicales aux associations d'avocates. Les cours d'autodéfense et d'arts martiaux deviennent de plus en plus populaires. Les femmes n'acceptent plus de se considérer comme d'éventuelles victimes.

La libéralisation de la sexualité dans les années 60 et 70 n'a guère changé l'équilibre du pouvoir entre les sexes. Au contraire, le sexisme fait interpréter les expressions de la sexualité dans un mode qui prendra des dimensions effarantes : la pornographie. Véritable industrie, la pornographie passe par des revues, des films et des spectacles créés à l'intention des consommateurs masculins. Souvent, ces représentations ne se limitent pas à l'érotisme et à la commercialisation de la sexualité féminine, mais dépeignent des actes de sadisme et de violence. Femmes enchaînées ou fouettées font partie des scènes offertes à la gratification masculine, ainsi perpétuant la croyance que les femmes acceptent ou aiment la violence masculine.

Le mépris et la dégradation des femmes dans certains genres de production pornographiques convainquent même celles qui, jusque là, avaient cru que les féministes exagéraient quelque peu les problèmes des femmes. Et celles qui ont cru aux valeurs de liberté d'expression et de parole commencent à se demander s'il ne faut pas les reformuler puisqu'elles permettent de rendre banale la violence faite aux femmes.

Quelques féministes, une très petite minorité, poussent l'analyse jusqu'à l'exaltation du lesbianisme comme seule expression possible de la sexualité des femmes. Leur option est souvent brandie comme un épouvantail pour discréditer le féminisme, ce qui contribue à entretenir un climat de malaise. En effet, peu de gens réalisent que le mot « féminisme » recouvre une grande variété de mouvements, tout comme autrefois le libéralisme et le socialisme.

Le travail : Toutes les femmes sont d'abord des ménagères

Ce slogan, peint sur un mur en face d'une station de métro à Montréal, témoigne de la conviction grandissante, chez la plupart des femmes, que leur « travail invisible » doit être reconnu. Parce que presque chaque femme est d'abord ménagère et souvent en plus de son travail salarié, les femmes se demandent pourquoi elles mènent des doubles journées dont la première, celle de ménagère, ne compte pas comme du « travail ».

Faire admettre que, ce que les femmes ont toujours fait par « amour », « devoir » ou « instinct » c'est du travail également, devient une des préoccupations principales du mouvement des femmes. Les revendications qui s'ensuivent vont de la reconnaissance du travail ménager comme apport à l'enrichissement du conjoint lors de la dissolution d'un mariage aux pensions versées pour les femmes au foyer. Plusieurs groupes réclament même un salaire pour les ménagères. L'A.F.E.A.S. fait de la reconnaissance du travail des femmes collaboratrices du mari une de ses principales revendications. Le système fiscal est changé quelque peu pour encourager le versement d'un salaire aux épouses. Le Régime des rentes du Québec prévoit que, lors de la dissolution du mariage, les crédits de pensions accumulés par les deux conjoints peuvent être partagés également. Mais ces mesures n'apportent presque aucun changement à celles qui sont, tout simplement, mères et ménagères.

Les femmes qui, depuis leur mariage ou la naissance d'un enfant, sont restées au foyer se rendent de plus en plus compte de la vulnérabilité de leur type de vie. L'inflation et le coût de la vie les encouragent à retourner sur le marché du travail. Le taux grandissant de divorces et de séparations leur rappelle aussi la nécessité d'avoir un gagne-pain adéquat. Les cours qui s'ouvrent dans les cégeps et dans les centres communautaires ne sont pas assez nombreux pour accueillir toutes celles qui veulent se recycler ou apprendre un métier.

À cause de la crise économique qui s'aggrave à la fin de la décennie, les femmes sont de plus en plus nombreuses à devoir combiner les tâches de ménagère, mère de famille et travailleuse salariée. Et elles apprennent que, sur le marché du travail, les femmes sont handicapées par une maternité et les enfants en bas âge. Beaucoup de femmes doivent abandonner un emploi à la naissance d'un enfant. Parfois même, on les congédie. Les garderies sont coûteuses et pas assez nombreuses. L'organisation du travail est telle que les maladies des jeunes enfants ou les « journées pédagogiques » des écoliers deviennent des cauchemars. Faire accepter le rôle de parent dans le monde du travail devient un des premiers objectifs du mouvement des femmes. À l'intérieur des syndicats, les militantes se battent pour faire inscrire les congés de maternité et les congés parentaux, disponibles à la mère et au père, lors des négociations. On essaie d'organiser des garderies sur les lieux de travail, mais rares sont les employeurs qui accueillent cette initiative. On obtient que les femmes enceintes et celles qui allaitent puissent changer de poste si leur travail s'avère nocif pour elles ou pour leur enfant. Mais beaucoup de femmes ne réconcilient leurs doubles journées qu'en prenant un emploi à temps partiel, mais ces emplois sont souvent très mal rémunérés et comportent rarement des avantages marginaux. Les femmes qui les occupent ont de la difficulté à faire comptabiliser leur expérience ou à accéder à d'autres postes.

Les immigrantes occupent souvent les emplois les moins rémunérés et les plus instables. L'industrie du vêtement à Montréal dépend toujours, comme au début du siècle, de la main-d'oeuvre des Néo-Québécoises. Celles-ci ont beaucoup de difficulté à lire ou écrire en français, ou même en anglais et ont peu de scolarité. Coudre à la maison ou faire des ménages de bureau ou de maison sont presque les seules autres options ouvertes. Des regroupements de femmes immigrantes aident les nouvelles venues à briser leur isolement et à s'adapter à une société où les rôles des sexes sont en pleine mutation. La Ligue des femmes du Québec y consacre l'essentiel de ses énergies.

Partout on ose se plaindre de ce que les générations précédentes ont dû subir en silence. Depuis longtemps, les employeurs augmentent leurs profits en versant aux employées une fraction de ce que leur coûteraient des travailleurs pour réaliser une tâche identique ou équivalente. Les syndicats contrôlés par des hommes ont longtemps été complices de cette exploitation. Lorsque la nouvelle charte des droits de la personne inscrit comme motif de discrimination le versement d'un salaire inférieur pour un travail d'égale valeur, des centaines de femmes portent plainte. Plusieurs compagnies, Imperial Tobacco par exemple, se voient condamnées à verser des montants aux salariées qui avaient été l'objet d'une telle discrimination. À Montréal, un groupe, Action-Travail des femmes, se forme et s'occupe presque exclusivement des problèmes des femmes sur le marché du travail : harcèlement sexuel, congédiements abusifs, discrimination à l'embauche, manque d'accès aux programmes de formation et salaires inférieurs. En choisissant des causes types et en leur donnant beaucoup de publicité, Action-Travail des femmes sensibilise beaucoup de femmes à ne plus accepter la discrimination ouverte et à chercher des recours aux injustices.

Aux États généraux des travailleuses, tenus en 1979, on constate que la situation des femmes sur le marché du travail n'a guère changé. Bien que sur dix personnes travaillant à l'extérieur du foyer quatre soient des femmes, elles doivent se contenter tout comme leurs mères, leurs grands-mères et leurs arrière-grands-mères de 60 p. 100 du salaire masculin moyen. En dépit de nouvelles vedettes, femmes ingénieurs, femmes d'affaires, femmes haut fonctionnaires ou avocates, la vaste majorité des femmes sont concentrées dans quelques métiers où les salaires sont généralement bas et les chances de promotion minimes : commis, secrétaire, vendeuse, serveuse, caissière, opératrice de machine à coudre, etc. Pour l'ensemble des femmes, l'expérience du monde de travail a peu changé. C'est pourquoi on prévoit que les changements profonds ne seront amorcés que lorsque le monde du travail s'adaptera aux responsabilités domestiques des femmes et des hommes également.

La parole

Prendre la parole est le début d'un processus d'affirmation. Prendre la parole signifie ne plus accepter de cacher sa colère, sa peur, ses espoirs. Nommer ce qu'on ressent comme femme au lieu de l'étouffer. Faire des préoccupations des femmes des sujets de discussion de tout le monde. Redire le monde au féminin.

Parler de la « féminitude » est le seul moyen d'assurer chaque femme que ce qu'elle a vécu n'est pas une expérience isolée. C'est aussi le seul moyen de changer les règles du jeu. Il faut parler pour convaincre les femmes de ne plus accepter de vivre dans le noir en cachant leurs problèmes et en étouffant leurs vrais désirs. Il faut parler d'abord aux femmes pour éveiller la solidarité. Il faut parler ensuite aux hommes pour expliquer ce que les femmes ont senti depuis longtemps sans pouvoir le nommer.

Dans une ère où l'information est signe de pouvoir, la parole des femmes questionne ce pouvoir en répandant de nouvelles idées. A la radio, à la télévision, dans les journaux, on commence à présenter des idées de femmes et des problèmes de femmes. On parle du sexisme, des garderies et de la santé des femmes.

La parole d'une femme gagne en crédibilité. Naguère reléguées aux « pages féminines » et aux émissions spécialisées surtout en problèmes domestiques, les femmes journalistes sont affectées désormais à divers secteurs : culture, politique, science et économie. Cette nouvelle présence rend les médias un tout petit peu plus sensibles aux nouvelles intéressant les femmes. Et le public s'habitue aux femmes qui prennent la parole au même titre que les hommes.

Dire le monde au féminin devient un des thèmes de la scène culturelle. Artistes et actrices expriment ce qui, auparavant, n'aurait même pas été considéré un sujet digne de l'art.

Il ne se passe plus un seul congrès scientifique ou littéraire sans la présence d'innombrables ateliers sur « la condition féminine » ou le féminisme. Par ailleurs, des librairies et des maisons d'édition sont apparues pour diffuser la parole des femmes. La plupart de ces entreprises, revues, librairies, collections, recherches, congrès, colloques, sont le noyau de groupes où se retrouvent des militantes féministes.

L'influence féministe se voit dans une étonnante production littéraire. À partir de 1975, la production culturelle québécoise de langue française se caractérise par la contribution des écrivaines et particulièrement des auteures féministes. La mise en scène, en 1976, de *La Nef des sorcières*, pièce où les personnages parlent de l'inavouable de la condition féminine, représente une expérience collective d'affirmation d'une vraie féminité. Lorsqu'on monte la pièce de Denise Boucher, *Les fées ont soif*, en 1977, l'association de la Vierge Marie et de la prostituée pour illustrer des stéréotypes des femmes choquent quelques âmes bien pensantes. Néamoins, les opposants à la pièce ne réussissent pas à faire interdire ce qui devenait ainsi un des grands succès de la saison théâtrale.

Principales revues féministes au Québec

Québécoises deboutte !	1971-1974
Les Têtes de pioches	1976-1979
L'Autre Parole	1976-
Pluri-elles	1977-1978
Des luttes et des rires de femmes	1978-1981

C'est à cette époque que les analyses des féministes sur les stéréotypes sexistes sont reprises par de nombreuses femmes qui n'acceptent plus de se faire représenter seulement en ménagères ou en objets sexuels. Dans une société de consommation où la publicité est omniprésente, les images des femmes ont énormément d'influence sur l'opinion publique. Modifier la publicité et les manuels scolaires pour présenter une image des femmes en tant que personnes vivant une gamme variée d'expériences est devenu une question recueillant l'appui quasi unanime des Québécoises.

Meilleure expression de la nouvelle parole des femmes, le 8 mars, journée internationale des femmes qui prend sa source dans la commémoration des luttes des ouvrières américaines en 1858, devient une véritable célébration à travers la province. À la fin des années 70, le 8 mars devient un jour de manifestation collective où les femmes de tous les milieux — groupes populaires, syndicats, milieux artistiques, gouvernement, universités — font le bilan des luttes, des progrès et des échecs du mouvement des femmes.

Le pouvoir

Depuis le 19e siècle, le thème du pouvoir est une constante du féminisme, avec ses campagnes pour l'obtention du droit de vote. Mais, jamais auparavant, les femmes n'avaient osé nommer les multiples lieux du pouvoir, à la fois chez elles et dans le monde extérieur. La prise de conscience que même les liens les plus intimes entre les femmes et les hommes sont un reflet de rapports de pouvoir qui dépassent l'aspect unique de chaque couple amène les féministes à explorer leurs vies personnelles. La richesse relative des hommes à côté de la pauvreté de leurs épouses, la responsabilité quasi unique des enfants et du ménage même si elles travaillent à l'extérieur, l'expression de la sexualité masculine qui souvent ne tient pas compte des besoins des femmes, sont autant de phénomènes qui mènent à la conclusion que « le privé est politique ». Ce thème, mis de l'avant par les féministes radicales américaines, trouve de plus en plus d'échos chez les femmes de tous les milieux. On se rend compte que, pour changer la condition des femmes, il faut qu'elles prennent du pouvoir partout, à commencer par leur foyer. Cette question de l'exercice du pouvoir masculin dans le privé trouble bien des gens. Déjà angoissante pour les femmes, elle est vue par beaucoup d'hommes comme une menace à leur identité même. Incapables pour le moment de se refaire une identité autre que celle qui est tributaire de leur domination des femmes, ils accueillent avec hostilité cette prise en charge des femmes de leur propre existence.

Quelques écrivaines féministes

Louky Bersianik	*L'Euguélionne*	1976
Nicole Brossard	*L'Amèr*	1977
Madeleine Gagnon	*Retailles*	1977
Denise Boucher	*Cyprine*	1978

Cette sensibilisation à la question du pouvoir entraîne les femmes dans des conflits politiques difficiles. L'interrogation demeure permanente : faut-il collaborer avec les instances politiques ou les contester ? Cette question se pose avec plus d'acuité depuis l'avènement au pouvoir du Parti québécois. Formation politique largement sympathique aux prises de position féministes et comptant un grand nombre de membres féminins, le Parti québécois s'avère le gouvernement le plus sensible aux revendications des femmes que le Québec n'ait jamais vu. Élu en 1976, le nouveau gouvernement demande au Conseil du statut de la femme d'élaborer une politique d'ensemble de la condition féminine au Québec. Son rapport, *Pour les Québécoises : égalité et indépendance*, publié en 1978, est une compilation de tous les aspects de la vie des femmes. Chaque analyse est suivie de recommandations se voulant l'éventuelle contribution gouvernementale pour l'atténuation de l'inégalité et l'obtention d'une véritable autonomie des femmes.

Ces recommandations, bien qu'officiellement endossées par le gouvernement, ne se traduisent que fort lentement dans les politiques des divers ministères. Celles qui fondent leurs espoirs sur le Parti québécois constatent que les priorités des femmes sont loin d'être les priorités des hommes. Celles qui se sont fait élire constatent que tant que les voix des femmes seront moins nombreuses à l'Assemblée nationale, elles auront peu de chances de changer l'équilibre des forces.

Partout dans les autres lieux du pouvoir — syndicats, conseils d'administration, corporations professionnelles — les femmes se rendent compte que le pouvoir leur échappe presque toujours. Pire encore, le pouvoir est un piège. L'assumer ou même le partager met une pression considérable sur les femmes à penser et à agir comme les hommes. On y est arrivé parce qu'on a su composer avec un pouvoir essentiellement masculin. Comment le garder tout en introduisant de nouveaux comportements ? Comment le mettre au féminin sans le perdre ? Celles qui exercent un certain pouvoir admettent que leurs vies et leurs valeurs ressemblent de plus en plus à celles des hommes. Est-ce pour cela que le mouvement des femmes s'est battu ?

« Je ne suis pas féministe, mais... »

« Je ne suis pas féministe, mais... » On entend cette expression dans tous les milieux, toujours suivie d'une affirmation sur les droits des femmes qui pourrait sortir directement de la bouche d'une féministe. Combien de fois entend-on cette réflexion de nos jours ? Si les femmes sont largement sensibles ou même gagnées aux revendications féministes, elles ne veulent pas toujours s'identifier à elles.

Elles reprennent les arguments et les luttes des féministes, tout en niant leur solidarité avec celles-ci.

Ce phénomène, de plus en plus répandu, démontre le changement réel qui s'est opéré dans les attitudes et les attentes des femmes. Mais elles ont toujours peur de se montrer agressives, de risquer la désapprobation masculine en s'identifiant ouvertement à celles qui sont souvent caricaturées comme des folles et des frustrées. Réflexe de personnes qui se voient toujours par les yeux des autres ? ou calcul stratégique pour mieux faire infiltrer le message ? Qu'importe. La vie des femmes et leur façon de la vivre ne seront plus ce qu'elles étaient.

Orientations bibliographiques

1. *Textes principaux du féminisme québécois*

Le Droit au travail social pour les femmes, C.E.Q., 1979.

Dossier spécial sur l'avortement et la contraception libres et gratuits, Agence de Presse libre du Québec, 1975.

La Lutte des femmes, combat de tous les travailleurs, C.S.N., 1976.

Manifeste des femmes québécoises, Montréal, L'Étincelle, 1971.

Nous aurons les enfants que nous voulons, 1974.

Pour un contrôle des naissances, 1971 (traduction du Birth Control Handbook).

Québécoises deboutte !, vol. I, Les Éditions du Remue-Ménage, 1981 (réédition des textes principaux du Centre des Femmes).

Les Têtes de pioche, 1976-1979, réédition aux Éditions du Remue-Ménage.

Travailleuses et Syndiquées, F.T.Q., 1974.

Marcelle Dolment et Marcel Barthe, *La Femme au Québec*, Les Presses libres, 1973.

2. *Témoignages*

Lanctôt, Louise, *Une sorcière comme les autres*, Québec/Amérique, 1981.

Payette, Lise, *Le pouvoir connais pas*, Québec/Amérique, 1982.

3. *Documents publiés par les organismes gouvernementaux*

Messier, Suzanne, *Chiffres en main*, Québec, C.S.F., 1982.

_____, *La Condition économique des femmes au Québec*, Québec, C.S.F., 1978, 2 volumes.

_____, *Dix ans plus tard*, Ottawa, C.C.C.S.F., 1979.

_____, *Femme en voie d'égalité*, Ottawa, C.C.C.S.F., 1979.

MacLeod, Linda, *La Femme battue au Canada : un cercle vicieux*, Ottawa, C.C.C.S.F., 1980.

White, Julie, *Les Femmes et le syndicalisme*, Ottawa, C.C.C.S.F., 1980.

————, *Pour les Québécoises, égalité et indépendance*, Québec, C.S.F., 1978.

————, *Les travailleuses non syndiquées*, Québec, C.S.F., 1980.

Dulude, Louise, *Vieillir au féminin*, Ottawa, C.C.C.S.F., 1978.

4. *Études variées*

Bernier, Colette et Hélène David, *Le Travail à temps partiel*, Montréal, Institut de recherche appliquée sur le travail, no 12, avril 1978.

Guyon, Simard-Nadeau, *Va te faire soigner, t'es malade !*, Montréal, Stanké, 1981.

Lanctôt, Martine, *La Genèse et l'évolution du mouvement de libération des femmes à Montréal, 1969-1979*, thèse de maîtrise, UQAM, 1980.

Laurin-Frenette, Nicole, « La libération des femmes » dans *Les Femmes dans la Société Québécoise*, Boréal-Express, 1977.

Lemieux, Denise et Lucie Mercier, *La Recherche sur les femmes au Québec. Bilan et Bibliographie*, Québec, Institut Québécois de recherches sur la culture, 1982.

O'Leary, Véronique et Louise Toupin, « Introduction » à *Québécoises Deboutte !*, Vol. I, Montréal, Éditions du Remue-Ménage, 1982.

————, *Le Mouvement des femmes au Québec*, Montréal, Centre de formation populaire, 1980.

5. *Recueils d'articles*

Art et féminisme, Québec, Musée d'Art contemporain, ministère des Affaires culturelles, 1982.

Célibataire, pourquoi pas ? sous la direction de Marcelle Brisson et Louise Poissant, Montréal, Serge Fleury, 1981.

Devenirs de femmes, Montréal, Fides, 1981

Des femmes et des luttes, numéro spécial de *Possibles*, vol. 4, no 1, 1978.

La Femme et la Religion au Canada français, sous la direction d'Élizabeth J. Lacelle, Montréal, Bellarmin, 1979.

Femmes et politique, sous la direction de Yolande Cohen, Montréal, Le Jour, 1981.

Mon héroïne, Montréal, Éditions du Remue-Ménage, 1981.

Épilogue

Elles sont bien là les femmes dans l'histoire du Québec. Elles bougent les femmes dans cette longue histoire qui va des Commencements à l'Éclatement. Elles quittent leur pays natal pour venir s'établir ici. Elles fondent hôpitaux et écoles. Elles aiment, elles enfantent, elles colonisent, soignent, enseignent... participent à la construction du pays tout autant que les hommes.

Cela ne fait plus de doute : l'arrière-arrière-grand-mère d'Anne *est dans l'histoire*, une histoire dont on cherche encore le fil conducteur, les règles du jeu, mais une histoire chaude et réelle.

Retracer cette histoire nous stimule à vouloir en dresser le bilan, à voir si le temps a joué pour les femmes et si leur situation s'est modifiée, à trouver les facteurs d'évolution, à chercher des pistes d'action pour le futur. Entreprise périlleuse en partie à cause de l'état embryonnaire des problématiques susceptibles de fournir un cadre de réflexion global. Toutefois, nous avons tenté de tirer quelques conclusions.

Les femmes ont été vouées, comme les hommes d'ailleurs, à la survie du groupe familial durant tout le 18e siècle, puis ont été lentement désappropriées du rôle productif essentiel qu'elles jouaient en complémentarité avec les hommes dans la société traditionnelle. Par la suite, elles ont été exploitées sur un marché du travail soucieux d'utiliser, en phase d'industrialisation, leurs qualités « domestiques » de couturières, de laveuses, de cuisinières ou de fileuses. C'est ainsi qu'elles se virent engagées à la fin du 19e siècle et au 20e siècle dans un processus de prise de conscience de l'absence de certains droits, et contraintes à lutter pour les obtenir. Les femmes sont loin d'apparaître comme les victimes passives des événements et les changements qu'elles souhaitaient ont fini par se produire. Des femmes se sont faites les artisanes de leur propre destinée et ont réclamé justice et participation. Suivant les décennies, ces mots recouvraient des réalités différentes et les luttes ont dessiné la toile de fond du féminisme, ce

507

féminisme qui n'est pas le tout de l'histoire des femmes mais qui constitue des retailles importantes de la courtepointe.

Passant à travers les Contradictions et l'Impasse, les femmes ont pris la parole durant l'Éclatement. La famille n'étant plus le lieu central de naguère, elles ont réclamé, au nom de leur spécificité, autonomie et respect. Selon le Code civil, elles sont égales en droits et en responsabilités dans le mariage et face aux enfants. Cette révolution légale représente non pas une réalité vécue mais un idéal. Si les femmes n'ont pas encore atteint l'égalité véritable, celle qui se vit à tous les jours, elles ont acquis de plus en plus d'autonomie. Cette autonomie face aux hommes et aux enfants, cette volonté d'échapper à la dépendance, de vouloir vivre sa vie comme individu, démarque nettement la vie des femmes de notre époque de celle de nos ancêtres.

Comme le retour au modèle traditionnel n'est pas prévisible, c'est dans un futur incertain que naissent et grandissent nos filles même si elles ont la possibilité de choisir plus librement le genre de vie qu'elles souhaitent. Car, au fond, que les hommes et les femmes puissent maintenant ne pas être enfermés et définis par le principe des deux sphères, qu'ils aient commencé à se parler différemment, ne permet-il pas de penser que ce sera, non seulement l'histoire des femmes, mais l'histoire de toute l'humanité qui sera dite autrement.

Liste des tableaux et graphiques

Index des Sigles

A.F.E.A.S.   Association féminine pour l'éducation et l'action sociale

C.E.G.E.P.   Collège d'enseignement général et professionnel

C.E.Q.   Corporation des enseignants du Québec

C.C.C.S.F.   Conseil consultatif canadien de la situation de la femme

C.S.F.   Conseil du statut de la femme (Québec)

C.S.N.   Confédération des syndicats nationaux

C.T.C.C.   Confédération des travailleurs catholiques du Canada

CWAC   Canadian Women's Army Corps

F.F.Q.   Fédération des femmes du Québec

F.L.F.   Front de libération des femmes

F.L.Q.   Front de libération du Québec

F.N.S.J.B.   Fédération nationale Saint-Jean-Baptiste

F.T.Q.   Fédération des travailleurs du Québec

MLCW   Montreal Local Council of Women

O.N.U.   Organisation des Nations unies

O.T.A.N.   Organisation du traité de l'Atlantique Nord

R.A.I.F.   Réseau d'action et d'information pour les femmes

U.C.C.   Union des cultivateurs catholiques

U.C.F.   Union catholique des Fermières

U.C.F.R.   Union catholique des femmes rurales

U.Q.A.M.   Université du Québec à Montréal

V.D.F.   Voix des femmes

WD   Women's Division of the Royal Canadian Air Force

WREN   Women's Royal Canadian Navy Service

YWCA   Young Women's Christian Association

Index thématique*

Accouchement 17, 53, 92, 93, 168, 169, 251, 261, 404, 495

Action catholique 401, 415

Adultère 90, 335, 339, 342, 428

Aide sociale (*voir sécurité sociale*)

Allaitement 57, 94, 171, 257

Allocations familiales 49, 373-376

Amérindiennes 17, 19-21, 25-29, 38, 45, 58, 87-89, 117, 154-156, 462, 463

Amour 79, 87, 166, 244, 423, 476

Année internationale de la femme 492

Antiféminisme 327, *336, 338, 341, 345-347, 487

Artistes 223, 230, 293, 294, 421, 500

Associations 123, 124, 204, 222, 232, 257, 275, 295, 306-309, 322, 325, 328-330, 334, 343, 344, 376-378, 403, 415, 416-418, 450, 453-457, 482, 484

Avortement 171, 172, 453, 458, 462, 465, 482, 484, 486, 487, 494, 496

Cégeps 437, 438, 498

Célibat 113-117, 222, 243, 253, 276, 277, 286, 294, 298, 331, 337, 344, 389, 465

Charité (*voir oeuvres sociales*)

Charivari 87

Classes sociales (différences selon les —) 18, 24, 44-46, 54, 57, 77, 78, 80, 98, 105, 106-111, 115, 167, 180, 181, 190, 191, 210, 248, 349, 398, 399

Colonisation, 58, 101, 140, 156, 240, 306, 307

Commissions d'enquête 209, 263, 275, 333-342, 406, 458-465

Communautés religieuses (*voir religieuses*)

Condition juridique de la femme mariée 82-85, 149-154, 331-342, 427-429, 462

Congé de maternité 413, 447, 474, 486, 494, 498

Contraception 18, 54, 70, 71, 81, 169-173, 249-251, 401-403, 458, 462, 464, 465, 482, 496

Contrat de mariage 49, 52, 81-86

Cours classique 320-322, 394

Couturière 74-76, 191-195, 275, 304, 323, 397

Criminalité 90, 118-121, 220

Discours contre le travail rémunéré des femmes 209, 253, 255, 282, 350, 371, 372, 413, 456

Discrimination 123, 205-207, 210, 213, 253, 254, 270, 271, 290, 297, 300, 322, 349, 368, 384, 435, 441, 444, 465, 466, 478, 497, 499

Divorce 20, 336, 364, 428, 442, 447, 453, 462, 498

Domestiques 19, 21, 75-77, 98, 108, 197-204, 224, 225, 276-281, 370, 398, 465

Dot 18, 44, 69, 78, 80, 163

Douaire 82, 90, 152, 153

Double standard 54, 90, 428, 436

Droit de vote 125, 126, 149, 150, 344-349, 425, 449, 450

École ménagère 46, 316-318, 390, 391, 406

École normale 211, 212, 314, 315, 392, 405

Écrivaines 42, 228, 229, 230, 231, 292, 293, 420, 500, 501

Éducation des filles 43, 45-47, 72, 74, 178-183, 281, 389-394, 405-408, 416, 436-442, 462

Éducation permanente 323-325, 441, 490, 498

---

* Julie Fecteau et Francine Pelletier ont collaboré à la préparation de cet index.

511

Index onomastique

Table des matières

Achevé d'imprimer sur les presses de
Métropole Litho Inc.